Mittheilungen der K.K. Central-Commission

Czoernig, Karl Frh von

Mittheilungen der K.K. Central-Commission

Inktank publishing, 2018

www.inktank-publishing.com

ISBN/EAN: 9783750137851

MITTHEILUNGEN

DER

K. K. CENTRAL-COMMISSION

ZUR

ERFORSCHUNG UND ERHALTUNG DER BAUDENKMALE.

HERAUSGEGEBEN UNTER DER LEITUNG

SEINER EXCELLENZ DES PRÄSIDENTEN DER K. K. CENTRAL-COMMISSION

JOSEPH ALEXANDER FREIHERRN VON HELFERT.

REDACTEUR: ANTON RITTER v. PERGER.

XII. JAHRGANG.

MIT 205 HOLZSCHNITTEN UND 13 TAFELN.

WIEN, 1867.

IN COMMISSION BEI PRANDEL UND EWALD.

DRUCK DER K. K. HOF- UND STAATS-DRUCKEREI.

INHALT.

Kleinere Beiträge.

REGISTER

der

in diesem Bande angeführten Personen, Orte und Sachen.

A.

B.

C.

M.

N.

O.

P.

R.

Die

Pergamentzeichnungen der alten Bauhütte zu Wien[1].

Von Friedrich Schmidt,

k. k. Oberbaurath, Professor und Dombaumeister.

Die kaiserliche Akademie der bildenden Künste zu Wien ist im Besitze eines Cyclus von Werkzeichnungen des Mittelalters, wie einen solchen unsere Zeit in diesem Umfange, von dieser Reichhaltigkeit und Wichtigkeit der Darstellungen vielleicht nirgends mehr aufzuweisen vermag. Die Zeichnungen, die nahezu die Anzahl eines halben Tausend erreichen, rühren sämmtlich aus dem Nachlasse der altehrwürdigen Bauhütte von St. Stephan her, und sind durch den vermittelnden Übergang wiederholter Erbschaft in den Besitz der erwähnten Akademie gelangt[2]. Die Zeichnungen sind grösstentheils auf Pergament ausgeführt, wobei man ziemlich karg mit dem Materiale umging, indem man auf beiden Seiten der Blätter zeichnete.

Wenn wir einen Blick auf die Gesammtheit dieser Darstellungen werfen, so finden wir, dass sie fast alle architektonische Gegenstände zum Vorwurfe haben. Manche enthalten Grundrisse, Partien von Façaden, etc., manche nur Detailzeichnungen. Die Zahl der grösseren Conceptionen, Entwürfe, Profile, Copien enthaltend, ist natürlich die geringere, die der kleineren Zeichnungen die weit grössere. Viele dieser Blätter sind Schüler- und Lehrlings-Arbeiten, enthalten Versuche über Bogenconstructionen, Gewölbeschnitte, mitunter-und zwar in kindischer Weise dargestellte Maschinen, ferner Baldachine, Tabernakel[3], Säulenfüsse, oder gar theilweise Entwürfe für Gegenstände der kirchlichen Kleinkunst, z. B. für Monstranzen[1] etc.[4]

Die Zeichnungen sind beinahe sämmtlich sehr einfach und in jener dem Mittelalter eigenthümlichen naiven Weise dargestellt; dagegen zeigen einzelne Blätter eine ungewöhnliche Feinheit in der Ausführung neben dem Bestreben, die Schwierigkeiten der Verkürzungen zu überwinden, was den Eindruck einer Art von Perspective macht.

Um zu erfahren, welche Gegenstände der Wirklichkeit auf den Plänen dargestellt sind, war ein eingehendes Studium derselben durch längere Zeit nothwendig. Jeder dieser Zeichnungen

[1] Vortrag, gehalten in der Abendversammlung des Alterthums-Vereins zu Wien am 21. December 1866.

[2] Es erfordert die Dankbarkeit, zu erwähnen, dass Herr A. Camesina zunächst die Aufmerksamkeit der Gegenwart auf diese hochwichtige, bis in die neueste Zeit fast verschollene Sammlung gelenkt hat.

[3] Sehr hervorzuheben sind z. B. zwei Zeichnungen von Tabernakeln, die in ihrer Art zu dem Schönsten gehören, das überhaupt vorhanden ist; namentlich dürfte eine dieser beiden Zeichnungen hinsichtlich der Delicatesse und Feinheit der Ausführung zum Vollendetsten alles Bekannten gehören.

[4] Es bietet dies einen ziemlich naheliegenden Beweis, dass eben damals die Architekten sich in das Gebiet der Goldschmiedekunst begaben und darin viel Vorzügliches geleistet haben mögen.

das wirklich ausgeführte und etwa gar noch bestehende Bauwerk nachzuweisen, auf das sich dieselbe in irgend einer Weise bezogen haben mag, war bis jetzt trotz fleissiger Betrachtung der Pläne nicht möglich. Doch hat sich eine immerhin genügende Anzahl auf wirkliche Bauwerke zurückführen lassen, wobei sich herausstellte, dass, abgesehen von den vielen Zeichnungen, die speciell den Dombau von St. Stephan betreffen, namentlich die Bauhütten in Österreich und beinahe jede Bauhütte von Deutschland in würdiger Weise darunter vertreten wird. Es weist dieser Umstand mit aller Evidenz auf den schon wiederholt und vielseitig hervorgehobenen innigen Zusammenhang hin, der unter den Bauhütten Deutschlands und unter den einzelnen Meistern der damaligen Zeit existirt hatte.

Von jenen Zeichnungen, die sich auf ein bestimmtes Bauwerk zurückführen lassen, seien erwähnt:

Der Entwurf eines Grundrisses für den südlichen Thurm des grössten Bauwerkes in Deutschland, des Domes zu Cöln. Es ist dieses Blatt in kunsthistorischer Beziehung sehr belehrend, indem damit der Nachweis geliefert wird, dass der jetzt ausgeführte Plan ursprünglich ganz anders concipirt war, da nämlich auf den Seiten noch einfache glatte Massenpfeiler dargestellt sind und der eigentliche Prachtbau mehr auf die Hauptfaçade beschränkt wurde. Auch ist ersichtlich, dass der alte Meister fünf grosse Portale projectirt hatte, während jetzt nur drei, nämlich ein Mittel- und zwei Seitenportale ausgeführt sind. Auch vom technischen Standpunkte zeigen sich wichtige Abänderungen, welche darauf hinweisen, dass die Lösung des Nebenthurmes, wie sie jetzt ausgeführt ist, früher nicht in dieser Weise gedacht war. So wenig man in Cöln selbst den Meister dieser Pläne kennt, eben so wenig ergibt sich aus dieser Zeichnung eine Spur, die auf denjenigen, der diesen Plan ausgeführt haben mochte, hinleiten könnte.

Nicht minder wichtig ist ein im Vergleiche mit dem eben erwähnten jüngeres Blatt, das eine Skizze des Cölner Strebepfeiler-Systemes darstellt. Es ist dies eine Zeichnung, die später nach dem bestehenden Werke ausgeführt wurde, da die Formen an und für sich ganz nach Art des XV. Jahrhunderts gezeichnet erscheinen, während die Strebepfeiler bekanntlich gegen das Ende des XIII. Jahrhunderts ausgeführt wurden. Die Vermuthung liegt sehr nahe, dass dieselbe Hand, welche diese Skizze anfertigte, auch jene im Nachlasse der Bauhütte zu Ulm vorfindliche Zeichnung des vollständigen Strebesystems des Cölner Domes ausgeführt hatte.

Obwohl hinsichtlich der Wichtigkeit des dargestellten Objectes nicht würdig, unmittelbar nach den Blättern über Deutschlands bedeutendsten Bau besprochen zu werden, rechtfertigt diesen Vorgang doch ein durch eine ziemlich gegründete Combination als wahrscheinlich annehmbarer innerer Zusammenhang des nächstfolgend zu erwähnenden Blattes mit der erwähnten Skizze des Cölner Domes. Immerhin gehört auch dieses Blatt zu den bedeutenderen, die in dieser Sammlung aus dem Mittelalter in die Gegenwart gelangt sind.

Es ist die Zeichnung der Spitalskirche in Esslingen, die jedoch leider nicht mehr existirt. Die Unterschrift des Blattes belehrt uns über dessen Anfertiger, sie lautet: „Den Baw hat gemachet Matheus Beblinger mein Vatter zu Eslingen im Spittal, dass han ich Hanns Beblinger abgemacht wie es do statt in dem iar 1901. (1501).“

Dabei befindet sich das folgende Steinmetzzeichen:

Dieser Hanns Böblinger, der sonst in der Geschichte nicht vorkommt, ist der Sohn des Matthäus Böblinger, des Baumeisters an der herrlichen Frauenkirche zu Esslingen (1496—1505); des Matthäus Vater, Hanns Böblinger der Ältere, war ebenfalls an dieser Kirche beschäftigt (1439 bis 1482). Die genaue Descendenzbezeichnung des jüngeren Hanns auf dem Blatte schliesst eine sonst mögliche Verwechslung aus, dass etwa diese Zeichnung vom älteren Hanns herrühren könnte. Wie diese Zeichnung nach Wien gekommen, dafür liegt die Erklärung sehr nahe. Es ist ausser Zweifel, dass der Sohn Hanns auf seiner pflichtgemässen Wanderschaft in Wien thätig war, und diese Zeichnung mit sich daher gebracht hatte. Die erwähnte Unterschrift des Blattes, in Verbindung gebracht mit einem authentisch sichergestellten Umstande, lässt eine Combination zu, die vielleicht auf den Verfertiger der schon erwähnten Skizzen des Cölner Domes führen kann. Es ist nämlich evident, dass Matthäus Böblinger in Relation mit dem Dombaumeister in Cöln stand, da im Archive des Domes zu Mailand sich eine Notiz findet, welche erzählt, dass der damalige Dombaumeister von Cöln nach Mailand gerufen wurde, um Rath für den dortigen Dombau zu ertheilen. Leider ist der Name des Dombaumeisters nicht angegeben, wohl aber jener seines Begleiters und heisst der betreffende Passus in der italienischen Urkunde über den Dombaumeister von Cöln „lui ed il suo parlatore Matheus de Boblingen".

Durch dieses dargethane Verhältniss des Meisters Matthäus Böblinger mit dem Cölner Dombaumeister dürfte ausser Zweifel gestellt sein, dass derselbe, der auch in Ulm gebaut hat, die erwähnten Skizzen des Cölner Domes anfertigte, sie nach Ulm und Esslingen brachte, von wo sie sein Sohn Hanns mit dem väterlichen Nachlasse nach Wien mitnahm.

Die nach dem Cölner Thurm-Grundrisse nächst ältesten und auch richtigsten Zeichnungen sind Entwürfe für den St. Veitsdom in Prag; ein Blatt stellt das untere Geschoss des hohen Thurmes, das andere das Strebesystem im Durchschnitte durch das Presbyterium dar.

Eine weitere Zeichnung scheint unzweifelhaft der Entwurf zu jener der heil. Jungfrau geweihter Prachtcapelle an der katholischen Pfarrkirche zu Donnersmark, in der Zips in Ungarn[5] zu sein, deren Bau in den wesentlichen Elementen mit diesem Entwurfe, nach dem sie wahrscheinlich auch ausgeführt wurde, übereinstimmt. Die untere Partie des Gebäudes, die Fenster entsprechen vollkommen der Zeichnung. Nur hat man in der Wirklichkeit jene zierliche Galerie weggelassen, welche gleich dem Presbyterium des Wiener Domes auf dem Gesimse aufsitzend das ganze Dach umsäumt.

Ein anderes Blatt enthält der ganzen Natur der Dinge nach eine Studienzeichnung auf Grundlage des Freiburger Münsters. In allen Elementen leuchtet die Studie durch, die der alte Meister dort gemacht hat. Während am Freiburger Münster, wie erwiesen, der untere Theil einem anderen Meister angehört als der obere Theil, hat der Zeichner des Blattes alles in eine Idee zusammengefasst und seine Tendenzen, die er ganz klar darlegt, auf das ganze Werk angewendet. Es liefert dies einen neuerlichen Beweis, welch grosse Bedeutung für die nachfolgenden Meister das Studium der Werke ihrer Vorgänger hatte und wie sehr sie trachteten, durch fortwährende Entwürfe und Veränderungsprojecte bestehender Werke in den Geist und die Auffassung der alten Meister einzudringen, sich das Verständniss derselben zu erwerben, um dadurch die eigenen Gedanken zu klären und richtig zu stellen. Zu diesem Blatte gehört noch ein weiteres, eine Grundriss-Entwicklung dieses Münsters enthaltend.

Ein Blatt, das an zeichnerischer Ausstattung ganz vorzüglich ist, ist die wahrscheinlich als Studienblatt angefertigte Zeichnung des Prachtportals am Regensburger Dome, in der man ganz deutlich die Elemente der Auffassung jenes Werkes wiedergegeben erkennt.

Von Interesse erscheint auch ein auf Papier gezeichneter Grundriss des Münsterthurmes zu Ulm, eine Copie des in Ulm vorhandenen Originalgrundrisses auf Pergament, welches Blatt ohne Zweifel auch durch den Hanns Böblinger nach Wien gelangte.

Werthvoll ist auch eine Zeichnung des Grundrisses einer der vier freistehenden Wendeltreppenthürme im Münster zu Strassburg und dürfte selbe von einem wandernden Gesellen nach Haus gebracht worden sein.

[5] S. Mitth. der k. k. Centr.-Comm. 1860, p. 175 u. f.

Ferner enthält diese Sammlung einen interessanten Entwurf für einen Thurm, behandelt in der Weise der Thürme der Lorenzkirche in Nürnberg und der Stephanskirche in Braunau.

Endlich ist noch eines Blattes Erwähnung zu thun, das einen Grundriss der Barbarakirche zu Kuttenberg darstellt. Wie schon die Umstände erklären, kann dies unmöglich ein Originalplan sein, denn die Baukunst fiel damals schon in eine Epoche, in der man eine Aufnahme nicht mehr so allgemein durchgeführt hätte. Es erscheint vielmehr diese Zeichnung als ein Plan, den ein junger Meister ausführen musste, um damit seine Meisterschaft zu documentiren.

Von jenen Zeichnungen, die den Dombau von St. Stephan betreffen, sind hervorzuheben:

Der authentische Grundriss des von Meister Pilgram entworfenen nördlichen Thurmes von St. Stephan, dessen Original in Brünn ist. Ein anderes Blatt enthält ein Stück aus dem Originalplane dieses Thurmes und zwar scheint es, dass dem Meister Pilgram in der Lösung ein Theil nicht gefallen habe. Wenn man dieses Blatt auf dem eigentlichen Plan auflegt, findet man, dass es Linie für Linie passt und kommt zur Ansicht, dass dieses Blatt herausgeschnitten und dafür ein anderes substituirt worden ist. Ein anderes Blatt zeigt uns eine Baldachin-Entwicklung. Ob dieselbe ausgeführt wurde, ist nicht bekannt, doch weist sie auf die Baldachine hin, wie sie in der Stephanskirche vorkommen. Minder wichtig ist eine Studie über eine Thurmlösung auf Basis des St. Stephansdomes. Beachtenswerth ist der Grundriss des Singerthores von St. Stephan, das ursprünglich frei war; erst später wurden die Vorhallen angebaut; ferner die Copie der ursprünglichen Giebelanlagen mit dem Singerthore in seiner anfänglichen Gestalt. Endlich findet sich auch der Grundriss des Orgelchores des Wiener-Domes; es ist dies die einzige Zeichnung, wo theilweise Maasse eingeschrieben sind.

In Anreihung an die St. Stephanskirche verdient der Grundriss der Pfarrkirche zu Steyr[6] erwähnt zu werden. Es gibt derselbe durch seine auffallende Übereinstimmung mit der Presbyterial-Anlage von St. Stephan eine neuerliche Unterstützung für die Annahme, dass diese letztere einen Typus gegeben hatte für die meisten grössern Kirchenbauten in Österreich, welche mehr oder weniger alle in ihren Elementen mit der St. Stephanskirche übereinstimmen[7].

Von jenen Zeichnungen, die sich auf kein bestimmtes Object zurückführen lassen, aber wegen ihrer Vorzüglichkeit zu den bedeutenderen zu rechnen sind, kann man noch hervorheben:

Ein schönes Blatt, eine kleine Capelle darstellend mit dem Thürmchen am Giebel und mit einem angefügten Chorerker, der in seiner Weise allerliebst durchgeführt ist.

Ferner die interessante Zeichnung eines grossen Profangebäudes. Nach allem zu schliessen ist dies der Entwurf zu einem Rathhause; der am Erker angelegte hochaufstrebende Thurm ist mit Zinnen gekrönt und schliesst sich die ganze Auffassung der Anlage den belgischen Rathhäusern an. Das Detail enthält sehr werthvolle architektonische Wendungen.

Durchgeht man nun den ganzen Cyclus dieser Zeichnungen, so muss man mit Recht staunen über die Art und Weise, in der diese Zeichnungen ausgeführt wurden. Wenn man bedenkt, dass dieselben als Basis, als Ausdruck jener Gedanken für die Ausführung so ausserordentlich complicirter Kunstwerke gedient haben, können wir uns eines gerechten Erstaunens nicht entschlagen. Es wird mit Recht sich uns die Frage aufdrängen, wie es denn möglich war, auf Grund derartiger Zeichnungen, welche den Anforderungen der Genauigkeit in keiner Weise scheinbar entsprechen, dennoch mit solcher Präcision in der Praxis vorzugehen.

Den Beweis für diese Möglichkeit aus den Thatsachen zu liefern ist nicht schwierig. Die kirchlichen Prachtbauten Deutschlands sind die sprechendsten Beweise dafür. Allein es bestanden

[6] S. Mitth. des Alt. Ver. IX.

[7] Dahin gehören besonders die Piaristenkirche zu Krems (s. Mitth. der Centr. Comm. XI.) und theilweise die Stephanskirche zu Eggenburg.

gewisse Nebenbedingungen, welche die Ausführung dieser einfachen Pläne ermöglichten. Jedenfalls muss zwischen dieser Art zu zeichnen und der Ausführung noch ein Mittelglied vorhanden gewesen sein, welches in der heutigen Praxis nicht mehr vorkommt, von ihr ausgeschlossen ist. Man kann geradezu annehmen, dass dieses Mittelglied in der praktischen Kenntniss lag, die den ausführenden Meistern im Vereine mit ihren Gehilfen in solchem Masse eigen war und die wirklich heutzutage entweder nicht mehr existirt oder in ganz anderer Weise unter den zur Ausführung bestimmten Männern vertheilt ist. Es ist richtig, dass, wenn man in der Gegenwart den Auftrag erhält, ein Kirchenbauwerk auszuführen und dabei die Erlaubniss oder besser gesagt die Nachsicht erhielte, nur die wenigen unumgänglich nothwendigen Zeichnungen anzufertigen, ohne dass vorher aller Welt die Pläne und Überschläge vorzulegen wären, dass man mit einem Zehntheile der jetzt erforderlichen Zeichnungen ausreichen würde. Es ist gewiss, dass, wenn die Tradition einer solchen Kunstweise in der ganzen Baukörperschaft lebendig ist, wenn Meister und Gehilfen sich völlig klar sind, was in jedem einzelnen Falle zu thun ist, die vielen graphischen Anhaltspunkte nicht mehr benöthigt werden, die jedoch jetzt den Gehilfen geboten werden müssen.

Man habe zum Beispiele das Presbyterium einer grossen Kathedrale, der grössten die existirt, des Cölner Domes zu schaffen; dazu ist nichts nöthig, als ein allgemeines Grundrissgerippe, die Details eines Pfeilers mit den Bögen in radialer Weise und die allgemeinen Höhenmaasse, alles übrige lässt sich von Fall zu Fall nach vorhergehenden Bestimmungen erledigen.

Die gegenwärtig üblichen schwierigen Zeichnungen, perspectivischen Ansichten und Proportionen sind nicht im entferntesten nothwendig. Der Meister des Mittelalters hatte seine Zeit nicht damit vergeudet, sondern vielmehr seine physische und geistige Kraft gespart, um im entscheidenden Momente seine Gedanken ausführen zu können.

Ferner muss man berücksichtigen, dass im Mittelalter eben Form an Form, Bau an Bau sich in engster Weise aneinander gereiht haben, dass die Abstände der Entwicklung zwischen den einzelnen Formen und Bauten nicht so gross waren, als dies leider heut zu Tage der Fall ist, dass eben durch die in kurzer Zeit und kleinen Raumabständen aneinandergereihten Bauschöpfungen ein gewisses Verständniss unter den Bauleuten wachgerufen wurde und erhalten blieb.

Mit dieser Eigenthümlichkeit in der Art und Weise der Anfertigung der Entwürfe steht im engsten Zusammenhange die Fortpflanzung und Entwicklung der Kunst überhaupt.

Wenn wir weiter zurückgreifen, etwa über das XIV. Jahrhundert hinaus, so finden wir gar keine Zeichnungen mehr. Während das XV. Jahrhundert uns noch Zeichnungen, wenn auch mangelhafte, überliefert hat, ist im nächst älteren Jahrhundert jede Spur davon beinahe gänzlich verschwunden. Ältere Pläne, als jene von Cöln, die sich bekanntlich nur auf die Hauptfaçade beschränken, sind bis jetzt nicht bekannt geworden. In allen archäologischen Schriften wird ein Plan des Klosters von St. Gallen producirt; es ist aber nichts mehr als ein allgemeiner Situationsplan. Kann man wohl mit Grund annehmen, dass die Baupläne aus den Zeiten vor dem XV. Jahrhundert alle verloren gegangen sind, wenn man berücksichtigt, dass von dem späteren Mittelalter angefangen noch so viele Zeichnungen auf uns gekommen sind und manche Kloster- und Stadtbibliothek fast unverletzt bis zur Gegenwart erhalten blieb, in diesen aber nicht die geringste Spur nach derlei Zeichnungen sich zeigt? Drängt sich da nicht mit Gewalt die Vermuthung auf, dass sie überhaupt gar nicht existirt haben?

Betrachtet man ältere Bauwerke, die dem XII. oder XIII. Jahrhundert angehören, so muss man wohl staunen über die masslose Unregelmässigkeit und Ungenauigkeit, mit welcher dieselben ausgeführt wurden. Wäre dies möglich, wenn eine so vollständige Disposition des Baues im Plane vorhanden gewesen wäre, wie heut zu Tage oder nur wie in jener Zeit, aus der die Zeichnungssammlung der Wiener Bauhütte stammt? Wir sind zur Annahme berechtigt, dass die Bauten, wenn sie auch von grössern Dimensionen waren, entweder nach einfachen allgemeinen Annahmen ausgeführt wurden, oder in ihren Grundrissen theils auf Stein, theils auf Wandflächen aufgerissen wurden, wodurch die Hauptprincipien des Baues festgestellt und sodann nach Erfahrungssätzen weiter construirt wurden.

Betrachtet man irgend einen organischen Bau, seine Gewölbsentwicklung und seine ganze Durchführung, so liegt es klar auf der Hand, dass ein ähnlicher Vorgang existirt haben muss. Wohl finden sich einzelne Bauwerke, die scheinbar den Gegenbeweis hiefür liefern könnten, bei denen sich vermuthen liesse, dass die ausführlichsten Pläne existirt haben müssten. Geht man jedoch der Sache vom technischen Standpunkte aus auf den Leib, dringt man tiefer ein und gesteht man sich klar: was war eigentlich nöthig zur Conception eines solchen Baues, damit er begonnen werden konnte, wenn sich Meister und Gehilfen über die Art und Weise der Ausführung völlig klar waren? — so kommt man zur Ansicht, dass das Nothwendige eben sehr wenig war. Das plötzliche Abbrechen mitten in einer Gliederung, das unmotivirte und ganz unvermittelte Aneinanderstossen im Bau und im Ornament geben Zeugniss dafür, dass die alten Meister, besonders die des XIII. Jahrhunderts als plastische Bildner aufgetreten sind, dass sie ihr Gebäude haben unter ihrer Hand wachsen lassen und dass sie, wenn ihnen die allgemeinen Verhältnisse genug reif erschienen, zu anderen Proportionen und Entwicklungen übergegangen sind.

Ich verweise auf die St. Michaelskirche in Wien[8], auf die Frauenkirche zu Wiener-Neustadt[9], auf die Stiftskirchen zu Heiligenkreuz[10], Klosterneuburg und so fort. Wenn man diese Bauten von solchem Standpunkte aus betrachtet, wird man wahrscheinlich allgemein zu dem Schlusse kommen, dass diese allererste Epoche in dem Sinne Pläne, wie wir sie gegenwärtig anfertigen, gar nicht gekannt habe.

Zur Erkenntniss oder vielmehr zur Würdigung der Hypothese, die eben über diesen Gegenstand aufgestellt wurde, ist es nun nöthig, dass man sich überhaupt in das Leben der damaligen Zeit etwas vertiefe, dass man sich frage, in welcher Weise hat man dort gelernt, wie sind die Menschen gebildet worden, welche Mittel gab es, um sich Kenntnisse zu erwerben? Gab es schon Kunstschulen? Wir werden auf dieses Letztere mit einem Nein antworten müssen.

Wir wissen nur, es gab die vier ehrwürdigen Bauhütten, zu Cöln, Wien, Zürich, Strassburg, diese und jene Meister, Baumeisterfamilien u. s. w.; es gab wandernde Gesellen, es gab Brüderschaften u. s. w. Aber von einer Institution, um zu lehren, die Künstler gewissermassen fabriksmässig zu erziehen, kennen wir nichts.

Wie aber hat man das Bauwesen gelernt? Darauf können wir sagen: man hat sich gebildet und belehrt am Fusse der Werke der Meister, man hat gelernt unter den Augen der Meister und hat Erfahrung gesammelt an den Materien selbst, die man durch den eigenen Geist dereinst zu bilden berufen war. Fasst man die Sache so auf, so ist es recht gut vereinbar, dass dieselbe Hand, welche vielleicht den Tag über sich übte in der Ausarbeitung von Steinwerk aller Art, Abends oder an sonstigen Freistunden, wenn auch etwas schwerfälliger, der Zeichenkunst oblag, obgleich man darin nicht diese Leichtigkeit und Grazie erreichte wie in der Gegenwart.

In einem Punkte waren die Baumeister des Mittelalters im Vergleiche mit der Jetztzeit im Nachtheile, denn sie hatten keinesfalls dieses vollständige Materiale besessen, um ihre Gedanken schon im vorhinein so vollständig und deutlich zur Darstellung zu bringen; dafür aber hatten sie eine alle Erwartung überschreitende Kraft der Darstellung und ein klares Begriffsvermögen vorausgehabt; sie sind eingedrungen in ihr Material und naturgemäss entwickelte sich bei ihnen

[8] S. Mitth. des Alt. Ver. zu Wien. III.
[9] S. Heider's und Eitelberger's Kunstdenkmale im österr. Kaiserstaate. II.
[10] S. ebendaselbst. I.

Construction aus Construction, welche sie hinwiederum schmückten mit den phantasievollen Nachbildungen aus dem Reiche der Natur.

Mit dieser Darstellung der Umstände, die man vielleicht mit Wehmuth betrachtet, wenn man sich die prosaischen Verhältnisse von heute vorstellt, soll nun die Erklärung für das, was geschaffen worden ist, und bezüglich der Art und Weise, wie die Menschen geschaffen haben, gegeben werden, jedoch weit entfernt davon, dass damit der Wunsch ausgesprochen werde, zu diesen eigenthümlich schönen, vielleicht poetischen Verhältnissen zurückzukehren.

Ein eigener und mit dem damaligen Volksleben innig verbundener Zug in den Bauverhältnissen jener Tage hat sich aus diesem Bildungsgange der Mitglieder der Bauhütte von selbst entwickelt, nämlich die beinahe völlige Gleichheit vor dem Gesetz derselben. Der Grossmeister der deutschen Steinmetzen zu Strassburg hatte denselben Anfang in der Kunst zu machen, wie der namenlose Steinmetzbruder des entlegensten Ortes; Talent und Fleiss allein förderten ihn zu seiner hohen Stellung, der Beginn aber seiner Laufbahn hielt das innige Band fest geschlossen, welches ihn mit allen Gliedern der Bauhütte in dem weiten Reiche verband.

Dieser Umstand, dass es keine nach unsern Begriffen bevorzugten Classen gab, sondern dass nur derjenige anerkannt wurde, der wirklich im Stande war, das Meisterstück zu machen und etwas zu leisten, macht es erklärlich, dass meist nur Grosses und Bedeutendes geleistet wurde, und es gibt den Aufschluss darüber, dass diejenigen, welche nicht zur vollständigen Meisterschaft gelangen konnten, in einer ehrenvollen Stellung existirten und Bedeutendes leisteten, weil sie immer mit dem Meister in innigster Verbindung standen.

Nach uraltem Steinmetzbrauche ist der Meister eben nicht mehr als der Geselle, er sitzt unter ihnen und die Gesellen stehen vor ihm mit bedecktem Haupte.

Wenn zu uns auch nur eine schwache Tradition jener alten Einrichtungen gelangte, so ist doch die Form hinreichend, um zu erklären, in welchem Verhältnisse Meister und Geselle zu einander standen und um namentlich zu erklären, dass dieser grelle unnatürliche Abstand, in welchem der Meister heutzutage gegen seinen Gesellen steht, das Mittelalter nicht kannte.

Auffallend kann es erscheinen, dass die in Rede stehende Zeichnungensammlung kein einziges Gebilde eines fremden Volkes oder einer fremden Nation enthält. Nicht eine einzige Skizze ist da von einer Kunst oder Kunstrichtung, die italienisch oder französisch wäre. Es steht die hier vertretene ganze Kunst im engsten Zusammenhange unter sich, und ob von Süd, Ost oder West, es ist eine und dieselbe Ideenrichtung, welche durch alle diese Zeichnungen geht und nur dem geübten Auge des Technikers würde es erkennbar sein, welche Zeichnungen auf ein allenfalls verschiedenes Materiale gegründet sind, welche Zeichnungen z. B. unserem Gebiete angehören oder wo bildsames Material die Form erleichterte. Es zeigt dies, wenn auch nicht mit aller Evidenz doch, dass die Künstler dieser Epoche eine in sich und in ihrem Lande so ziemlich fest abgeschlossene Corporation ausgemacht haben und es dürfte der Schluss nicht ungerecht sein, dass auch die Künstler, welche in der vorhergehenden Epoche in Deutschland lebten, ihre Kunst nicht von ferne her geholt haben, sondern dass sich dieselbe innerlich aus sich selbst entwickelte.

Es ist über diesen Gegenstand schon so unglaublich viel gesprochen, geredet und geschrieben worden, dass ich es mir nicht versagen kann, auch meine unmassgebliche Ansicht darüber zu äussern, wo die Wurzel der gothischen Kunst zu suchen seien und wer den Gedanken derselben zuerst dargelegt hat.

Um über die Entwicklung dieses Styles einigermassen Rechenschaft geben zu können, müssen wir den Boden aufsuchen, auf dem sich die Formen entwickelt haben können — den Boden der Kunst nämlich.

Das XII. Jahrhundert in seinem Schlusse und der Anfang des XIII. Jahrhunderts bilden eine allerdings über das ganze civilisirte Europa gleichmässig verbreitete Kunstepoche.

Die Macht der Kirche in ihrer Allgewalt hat, indem sie die Lehren des Christenthums wie eine Saat über die ganze civilisirte Welt verbreitet hat, auch ihre Ideen in der Kunst ausgestreut. Wir finden die Principien des einfachen Rundbogenstyles ebenmässig in Schweden, Norwegen, Spanien, Italien, Deutschland und Frankreich, eine Erscheinung, wie sie sich in einem späteren Beispiele der Kunstgeschichte wiederholt: wir treffen nämlich den Jesuitenstyl in Mexico gleichwie in unserer Heimat. Es war zu beiden Zeiten der Ausfluss eines bestimmten klaren Bildes, jenes war der Romanismus in seiner höchsten Blüthe, es ist spät-römisch, nichts anderes. In diesem Sinne, wenn wir den Kunstzustand Ende des zwölften, Anfangs des dreizehnten Jahrhunderts so auffassen, dass allen Culturvölkern des damaligen Europa gleichmässig die Grundlage der Kunst gegeben war, dass ihnen ein gewisses homogenes Constructionssystem aus einem einzigen Centralpunkte mitgetheilt worden war, und wenn wir annehmen, dass diese selben Völker gleichmässig mit menschlichem Verstande ausgestattet waren und nicht unter sehr verschiedenen Bedingungen gelebt haben, dass die bürgerlichen und socialen Bedingungen nicht allzu verschieden waren, da sie eben durch die Kirche selbst geordnet und geregelt wurden, so liegt der Schluss nahe, dass jedes Volk in seiner Weise diese Kunst seinem Charakter, den Verhältnissen des Landes und Bodens entsprechend entwickelt habe. Sollen wir annehmen, dass wir Deutsche, die wir wahrhaft heroisch sind in der Selbstverläugnung, unfähig gewesen sein sollen, eine uns gegebene Kunstrichtung fortan und weiter zu entwickeln? Sollen wir annehmen, dass wir nicht von selbst, wenn wir einen Cirkel zur Hand nahmen, auf dieselben Bedingungen der Construction gekommen wären, worauf andere Nationen gekommen sind? Dies ist nicht möglich, und wenn ich sogar vielleicht in einer Schwäche des Patriotismus zu sanguinisch sein sollte, so lehrt die Geschichte der Kunst unzweifelhaft und unwandelbar, dass die Elemente des Spitzbogens folgerichtig diesseits und jenseits des Rheines und der Alpen aus den gegebenen Bedingungen sich entwickelten und entwickeln mussten. Die sächsischen Bauten, die Bauten Österreichs, von denen des Rheins und Süddeutschlands überhaupt nicht zu sprechen, weisen Schritt für Schritt, Punkt für Punkt nach, wie bei der Richtung der Architectur der Meister endlich auf die nothwendige Bedingung kam, seine Kreuzgewölbe anders zu construiren als der Rundbogen es zuliess; er fand es von selbst, er kam, wenn er in organischer Weise irgendwie construirte, folgerichtig zur gothischen Kunst und konnte gar nicht anders. Die Geschichte lehrt es, dass es so ist. Doch waren die Wege, die jeder dabei ging, die Anlagen der Bauwerke im allgemeinen natürlich sehr verschieden, sowohl aus Grund des Materiales als auch aus Grund der verschiedenen Sitten und Charaktere des Menschen überhaupt. Während der Deutsche in allen Dingen Pedant ist und er auch Pedant in der Entwicklung seiner Formen war, während er mit der grössten Scrupulosität vorging, ja mit kleineren Mitteln sogar die Entwicklungsphasen durchmachte, hatten im schnellen Schritte die eleganten und minder scrupulösen Franzosen schon glänzende Effecte im Ganzen erzielt.

Was zu dem Irrthume Veranlassung gegeben hat, als seien die Franzosen speciell die Erfinder des gothischen Styles, dürfte Folgendes sein:

Man verwechselt nämlich von archäologischer Seite sehr häufig Styl mit Anlage eines Baues, und wir haben in dem glänzendsten Bauwerke unseres Vaterlandes, an das sich so viele Lieder und Begeisterung knüpfen, im Dome zu Cöln ein Bauwerk, dessen Anlage unzweifelhaft nach französischem Muster gebildet ist. Noch ein zweites Argument wird angeführt für die Behauptung des Ursprungs der deutschen Kunst in Frankreich, nämlich die Kirche zu Wimpfen im Thal. Ein Chronist sagt, dass ein französischer Meister berufen worden sei, der in einer neuen Weise die Kirche ausgeführt habe.

Betrachten wir diese beiden Facta näher und wir werden trotzdem doch eine sehr grosse Beruhigung schöpfen können für die Selbständigkeit unserer Kunstentwicklung; zuerst den Dom zu Cöln.

Um die Bedeutung eines solchen exotischen Gewächses auf deutscher Erde würdigen zu können, muss man die Bautechnik ins Auge fassen, die in Cöln und besonders am Niederrhein geherrscht hatte bis zur Mitte des dreizehnten Jahrhundertes: es war die Tuffsteintechnik.

Es ist dies ein Mittelding zwischen Ziegel- und Quaderbau, wo die Hauptmasse aus kleinen Werkstücken zusammengesetzt wurde. Die Leichtigkeit des Tuffsteinbaues, die Bequemlichkeit der Ausführung dieser Bauten hat dazu beigetragen, dass die äussere Entwicklung des gothischen Styles am Niederrheine zurückblieb. Der Tuffstein als solcher nach der damaligen Anschauungsweise war nicht geeignet zur Anwendung der in anderen Gegenden Deutschlands schon blühenden gothischen Kunst. Erst den mächtigen Männern, die damals an der Spitze standen, dem heil. Engelbert, Erzbischof von Cöln, und Konrad von Hochsteden gelang es zur Zeit des Interregnums, Mittel zu schaffen, dass an die Ausführung eines Quaderbaues gedacht werden konnte. Dieser Quaderbau hatte nach den damaligen Verhältnissen sehr bedeutende Schwierigkeiten gehabt, indem der zu verwendende Trachytstein ein ziemlich ungefüges Material ist, das sich zu romanischen Bauten in weichen und gebundenen Linien mehr eignet, als für den gothischen Styl.

Da nun aber nur diese Mittel geboten waren, als der grossartige Entschluss, den besagten Quaderbau auszuführen, gefasst wurde, so konnten, wenn man einmal ein so grosses Werk schaffen wollte, nicht mit Zauberei die fertigen Meister und Künstler aus der Erde gestampft werden, sondern es musste die Idee entweder durch wirklich französische Meister oder auf jenem Wege hereingebracht werden, dass nämlich Meister nach den Städten in Frankreich gingen, um dort Studien zu machen. Wer die Verhältnisse um Cöln studirt hat und sieht, wie isolirt die Architectur des Cölner Domes ist mitten unter den umgebenden Tuffsteinbauten, wird auch sagen können, wenn auch die Idee dieses Gebäudes importirt wurde, so wurde eben nur dieses isolirte Gebäude importirt, aber nimmer die Architectur als solche. Die Detailentwicklung, namentlich der Innenbauten, ist am Niederrheine ebenso vollständig und in geschlossener Reihenfolge vorhanden als irgendwo. Ich will über die weiteren Gegenstände, worin die Entwicklung am Niederrheine besonders ersichtlich ist, hinweggehen. Wenn ich unter andern nur die Elisabethkirche in Marburg anführe, so wird man zugeben, dass dieses Bauwerk so selbständige Gedanken und solche Formen der Architectur aufweist, die in Frankreich keine Parallele finden. Es ist besonders bezüglich des gothischen Kirchengebäudes noch etwas hervorzuheben, nämlich die Construction der sogenannten Halle, eine speciell deutsche Construction. Während die Franzosen und überhaupt die romanischen Völker sich in ihren spätesten Entwicklungen stricte an das alte Basilikensystem halten, genügte es dem Deutschen weniger und er ist schon im XII. Jahrhundert zum Hallenbaue, einer ganz selbständigen Auffassung der Construction, wie sie nur hier vorkommt, übergegangen.

Das zweite Gebäude, die Kirche zu Wimpfen im Thale, hatte mir, ich muss es gestehen, als jungen Manne manche bittere Stunde gemacht, indem ich dachte, diese Kirche wäre wirklich der Anstoss gewesen zur Entwicklung des gothischen Styles in Deutschland. Wer nur einen oberflächlichen Blick darauf geworfen hat, sieht klar, dass da ausgesprochen französische Architectur herrscht; längere Betrachtung hingegen lehrt, dass dieselbe eben ausserhalb jeden Zusammenhanges steht mit irgend welcher gothischen Kunstweise, wie sie in Deutschland und besonders in Süddeutschland existirt haben könnte. Es ist in der Anlage ein einfacher Basilikenbau mit Apsidialconstruction; zwei Thürme, die rechts und links von der Apsis angebracht sind. Besonders von Bedeutung ist die südliche Kreuzfaçade, welche an die Kathedrale von Chartres erinnert und mit der ganzen Grazie, Leichtigkeit und Liederlichkeit (sei es gesagt) in der Form ausgestattet ist, wie eben die Franzosen ihre Sachen mitunter ausstatteten.

Viel älter, wenigstens ein halbes Jahrhundert älter als diese Kirche, erhielten sich als Beweismittel gegen die Ausbreitung der französischen Kunst in Deutschland, die unvergleichlich schönen Bauten von Maulbronn, wo man die Entwicklung des gothischen Styles von seinem Anfange bis zu seinem Niedergange verfolgen kann. Ausserdem habe ich aber auch, was die Gesammtanlagen betrifft, worunter namentlich die Apsidialconstruction zu verstehen ist, nämlich den Capellenkranz der Kathedrale, der ausschliesslich französischen Ursprunges sein soll, auch in Deutschland Entwicklungsgebäude gefunden, die von ausserordentlicher Bedeutung sind. Ich darf nur erinnern an die niederrheinischen Bauten, die in der Kleeblattform entwickelt sind, an die Bauten von Hildesheim und Magdeburg. Heisterbach ist in Beziehung auf die Entwicklung seiner Apsis sehr interessant, noch mehr aber die Kirche zu Marienstadt, eine Tochterkirche von Heisterbach. So wurde bereits am Schlusse des XII. Jahrhunderts gebaut.

Ich glaube sagen zu können, dass, festhaltend an dem Unterschiede zwischen allgemeiner Anlage und Stylentwicklung an und für sich, zur Evidenz dargethan ist, dass die Entwicklung der Architektur bei uns ebenso selbständig und naturgemäss wie bei den Franzosen oder Italienern war. Dass im Verlaufe der Zeit gewisse Ideen durch Reihen von Meistern hin und her getragen wurden, dass der Eine oder Andere sich durch Anschauung jener Werke weiter gebildet hat, liegt ausser Zweifel. Es ist gewiss, dass wir ursprünglich von den Italienern unsere Kunstweise in der romanischen Epoche empfangen haben und dass wir die unsere ihnen in späterer Zeit abgegeben haben. Es ist ausser Zweifel, dass deutsche Meister nach Spanien berufen worden sind, um dort zu bauen, und wir wissen, dass ein französischer Meister, Villard de Honnecourt in Deutschland und Ungarn gereist ist[10]. Doch kann aus dem Verkehr oder der Reise einzelner Meister nimmermehr der berechtigte Schluss auf Einführung einer bestimmten Kunstweise durch dieselben gezogen werden.

Zahlreich sind auch all jene inneren technischen Gründe, welche zur Ergänzung jenes Beweises dienen müssten, den ich anzutreten übernommen habe, die aber in ihrer Ausführlichkeit aufzuzählen hier nicht am Platze sein dürfte.

Der Zweck dieses Vortrages und der daraus entstandenen vorliegenden Zeilen war blos, aufmerksam zu machen auf jene Sammlung werthvoller alter Zeichnungen der kaiserl. Akademie der bildenden Künste. Die weiteren Bemerkungen sollen nichts mehr als Notizen sein, die sich bei Betrachtung jener Zeichnungen ergeben und die in Form der eigenen Überzeugung mitzutheilen dadurch Gelegenheit geboten wurde.

10 S. Mitth. der Centr. Comm. III.

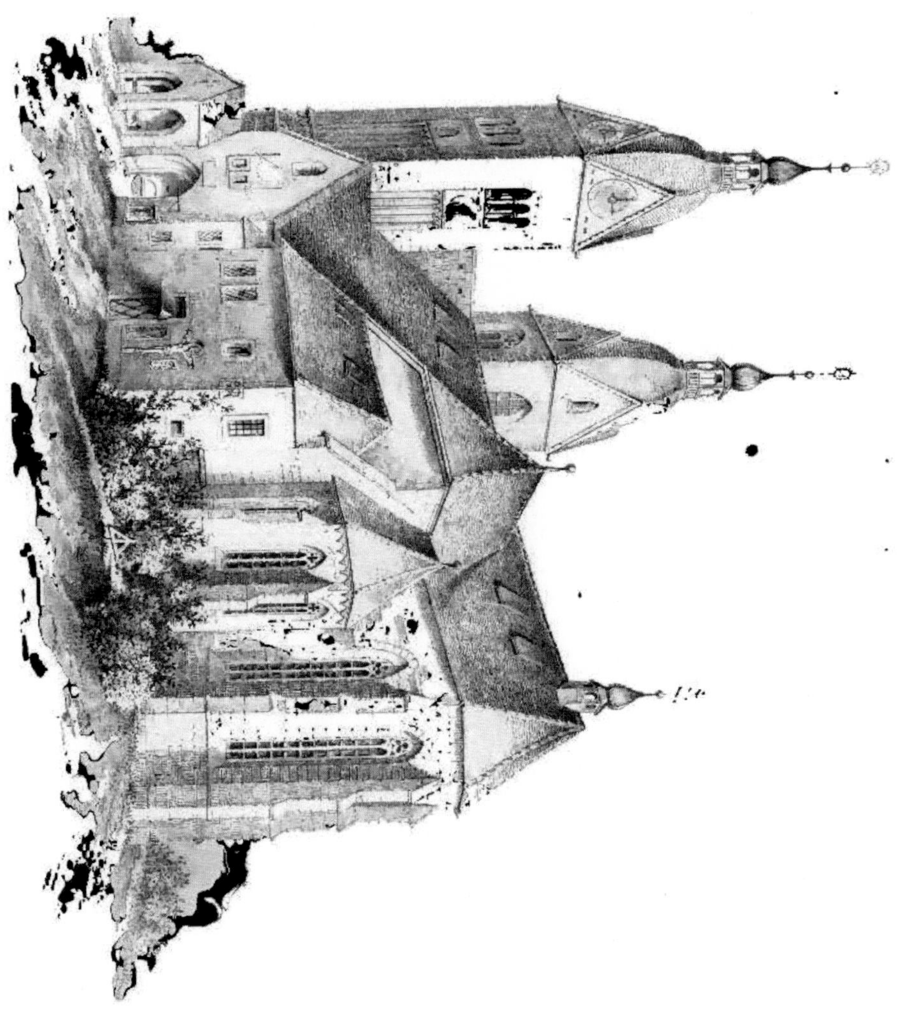

Maria-Saal in Kärnthen.

Monographie mit Aufnahmen

von Hans Petschnig,

Diöcesan-Architekt

(Mit 1 Tafel und 21 Holzschnitten.)

Kaum eine Stunde ausser Klagenfurt an der nach St. Veit führenden Strasse liegt die berühmte Wallfahrtskirche Maria-Saal auf einem mässigen Hügel, die Westfronte mit den beiden Thürmen gegen das Thal gekehrt. Weit hinaus tönt das herrliche Geläute in das liebliche Thal, ein Bild des Friedens und der Ruhe.

Aber nicht immer war es so auf diesem Boden. Da wo jetzt die Trace für den Schienenweg markirt ist und vielleicht in Kürze der Schienenstrang sich mit der Westbahn verbinden wird, um den friedlichen Verkehr mit den Nachbarländern zu erleichtern, herrschten einst die gewaltigen Römer, die Überreste ihrer zerstörten Niederlassung geben Zeugniss von der Macht und Cultur dieses mächtigen Volkes. An der Stelle wo sich jetzt das Gotteshaus erhebt, stand einstmals ein Opfertisch der heidnischen Slaven, die sich um diese Metropole schaarten. Kämpfe fanden statt, als das Christenthum eingeführt wurde, Kämpfe als die ungarischen Horden das Land verwüsteten, und selbst in der Reformationszeit war es hier unruhig und Parteikämpfe erschütterten das stille Thal.

Weithin leuchteten die Garben des verheerenden Feuers, das diesen Ort mehrmals einäscherte; aber noch steht der feste Quaderbau an seiner Stelle und gibt Zeugniss von dem Siege des Christenthums, und der Forscher wird mächtig angezogen, um hier seine Studien zu machen. Nächst Gurk und St. Paul muss Maria-Saal zu den bemerkenswerthesten Kirchen Kärnthens gezählt werden, wesshalb sich eine eingehende Besprechung derselben ganz gewiss lohnen dürfte.

Wie schon Eingangs angedeutet wurde, stand hier eine römische Niederlassung, die Stadt Virunum, welche von den Hunnen auf ihrem Zug gegen Italien zerstört wurde. Diese römische Stadt muss eine beträchtliche Ausdehnung gehabt haben; sie wurde im Osten von Helenenberg, im Süden vom Saalerberge, im Westen von Ulrichsberg und Karnburg begränzt. Die ausgegrabenen Meilensteine mit dem Namen Virunum zeigten die Abgrenzung der Stadt im Zollfelde an und markirten die Ausdehnung derselben. Im Volksmunde ist die Sage noch lebendig, dass einst am Maria-Saaler Berge ein prachtvolles Schloss und ein Tempel gestanden habe. Dies ist

2*

begreiflich, wenn man die zahlreichen meist in Marmor gearbeiteten Sculpturen betrachtet, von denen manche künstlerischen Werth zeigen und allenthalben nicht nur an der Kirche, sondern auch an den übrigen Gebäuden des Ortes eingemauert sind. Ausgegrabene Mosaiken, Wandgemälde, Torsi und Relief-Ornamente etc. hat der historische Verein von Klagenfurt aufbewahrt und sie geben heut zu Tage noch Zeugniss von dem Reichthum und dem Kunstsinn dieser römischen Niederlassung.

Wie der Name Maria-Saal entstanden ist, dürfte schwer mit Bestimmtheit anzugeben sein. Urkundlich kommt der Name Solium im Jahre 1115 vor. Der Name Sola aber stammt aus der alten Sage und wurde in ein Werk von Pruner aufgenommen, welches die Ausgrabungen und Funde des alten Virunum zum Gegenstande hat[1]. Später kommt der Name Solfeld, Zollfeld, wahrscheinlich eine Entstellung des vorigen Namens vor. Auch will man den Namen von Maria in Solio (Maria im Throne), wie selbe dort vorgestellt wird, ableiten.

Urkunden über die Dotation von Maria-Saal und anderen Kirchen aus dem VIII. und IX. Jahrhundert weisen slavische Namen auf und es ist sicher, dass nach Zerstörung der römischen Niederlassung sich eine slavische Bevölkerung dort festsetzte, welche anfangs heidnisch und später christianisirt, mit dem Germanenthum vermischt wurde. Die historischen Daten gehen bis in das VIII. Jahrhundert zurück, und es wird angegeben, dass Chetumar (der Neffe des wendischen Herrschers Boruth) vom König Pipin den Kärnthnern auf ihr Ansuchen als Herzog bestimmt wurde. In Begleitung des Priesters Majoranus hielt Chetumar seinen Einzug und betrat seine Residenz zu Karnburg, dem jetzigen Maria-Saal gegenüber.

Herzog Chetumar's Streben ging dahin, sein Volk zu christianisiren, was seinem Vorfahrer Carast nicht glückte.

Der Bischof Virgilius von Salzburg wurde dringend eingeladen nach Kärnthen zu kommen, um dies fromme Werk durchzuführen, konnte jedoch diesem Rufe nicht folgen, und sandte den später heilig gesprochenen Modestus mit vier Priestern, Wato, Regimbert, Cozzor und Latin, nebst dem Diacon Eckhart und anderen Geistlichen mit dem Auftrage zu Chetumar, das Volk im christlichen Glauben zu unterweisen, Kirchen zu errichten und Priester zu weihen. Es wird sogar die Vermuthung ausgesprochen, dass Modestus die der einstigen Herzogsburg gegenüberstehende Capelle bereits fand und selbe zu Ehren der heil. Maria einweihte.

Ein Gebäude, welches noch heut zu Tage steht, und den Namen Modesti-Stöckl führt, soll die Wohnung dieses ersten kärnthnerischen Bischofs gewesen sein[2].

Bei den damals noch rohen, dem Heidenthume vielfach ergebenen Völkern, war die Aufgabe schwierig und gross das Vertrauen, welches der fromme Oberhirt auf seine Sendung hatte. Mit vollem Eifer, unermüdlich diesem Ziele zustrebend, ist es dem heiligen Manne doch gelungen, den Sieg der Christuslehre über die heidnischen Gewohnheiten und Gebräuche zu erringen und so das Christenthum auf diesen Boden zu verpflanzen. Er starb, nachdem er dies grosse Werk vollbracht und Tausende mit eigener Hand getauft hatte. Herzog Chetumar liess den frommen Bischof in Maria-Saal begraben und zwar vor dem Altar, dessen Christusbild der heilige Mann selbst mitgebracht hatte.

Das aus Stein gefertigte Grabmal steht noch in der Kirche an der Nordseite, vor dem Christusaltare. Die Volkssage hat diesen Gegenstand in ihr Bereich gezogen und man erzählt,

[1] Pruner Johann Dominik, Splendor antiquae urbis Salae. Klagenfurt, 1691. 8°.

[2] Am Fusse des Berges zur rechten Hand steht eine quadratische Capelle, jetzt Holzlage, mit einer halbrunden Apsis, daran ein Gemäuer, welches zu einem Stallbau verwendet worden ist; dieses wird als das Modesti-Stöckl bezeichnet und die Capelle als die erste Capelle, worin der heil. Modestus gebetet hat. Die Capelle zeigt Spuren von Malerei, gehört aber einer späteren Zeit an.

dass das Grabmal sich immer mehr dem Altare nähert. Wenn dasselbe einst dem Altare ganz nahe gerückt ist, so wird dies ein Zeichen sein, dass der jüngste Tag hereinbreche. Alte Leute behaupten, sich erinnern zu können, dass das Grabmal so nahe bei dem abschliessenden Gitter gewesen sei, dass man Mühe hatte durch den Zwischenraum zu kommen. Auch werden demselben bis in die neueste Zeit Wunder zugeschrieben und Kranke, die dreimal auf den Knien um diese heilige Grabstätte gerutscht sind, standen gesund wieder auf. An tausend Jahre sind seit jenem Tage vergangen und der göttliche Funke, den der heilige Modestus in die rauhen Gemüther des heidnischen Volkes gelegt hatte, leuchtet fort für alle Zeiten.

Noch hatte aber die Christuslehre nicht vollkommen gesiegt über das Heidenthum und mit dem Tode des heiligen Mannes, der durch sein hohes Ansehen Friede und Eintracht erhielt, ward die Ruhe wieder heftig erschüttert, und die heilige Lehre so bedroht, dass Chetumar sich wieder genöthigt fand, bei dem Bischof Virgilius um seine Intervention zu bitten.

Latinus, nach ihm Modelhomus und nach diesem Warmanus sollten dies fromme Werk fortsetzen und die Gemüther beruhigen. Schon fing die heilige Wahrheit wieder an feste Wurzel zu fassen und das Christenthum blühte auf, als im Jahre 769 der Tod Chetumar's erfolgte. Mit einem Male waren alle Früchte des langjährigen frommen Strebens vernichtet und die missvergnügten Vornehmen aus den slavischen Volksstämmen empörten sich. Heiden und Christen geriethen in furchtbare Kämpfe und Grausamkeit bezeichnete ihre Schritte. Die Witwe Chetumar's musste sich mit ihrem Sohn Valdung nach Bayern flüchten. Der Kampf dauerte fort und der Abfall vom Christenthume nahm zu. Kirchen wurden zerstört und die dem christlichen Glauben treu Gebliebenen flüchteten nach allen Weltgegenden. Da trat Tassilo, Herzog von Bayern, kräftig auf und bändigte die Rebellen mit starker Hand. Valdung, der Sohn Chetumar's erhielt wieder sein Erbe. Er trug nun Sorge, dass die traurigen Folgen der Empörung und des Bruderkampfes wieder verwischt wurden und trachtete mit rastlosem Eifer Ordnung und Sitte zu erneuern und das Christenthum zu befestigen.

Und abermals war es Virgilius, Bischof von Salzburg, an welchen sich Valdung, wie früher sein Vater Chetumar wendete, und von dort her wurden die frommen Männer Heimo, Reginbold, Majoran II.[3] und andere Geistliche hieher gesandt, um den christlichen Glauben von neuem aufzurichten. Im Jahre 784 starb Bischof Virgilius und Arno der I. ward Erzbischof von Salzburg. Er wurde der grösste Wohlthäter Kärnthens, er bereisete das Land, lehrte das Wort Gottes, bildete das Volk, erbaute Kirchen und setzte Priester ein.

Nach Maria-Saal wurde Theoderich oder Dietrich als zweiter Landesbischof bestellt, welchen würdigen Oberhirten Arno persönlich den Fürsten des Landes vorstellte. Als dritter Bischof von Maria-Saal wird Otto genannt. Seine Zeit muss ruhig und ohne besondere Ereignisse abgelaufen sein, da die Chroniken nichts weiter erzählen. Als sein Nachfolger wird Oswald genannt. Da dieser Prälat das Streben hatte, sich vom Erzbisthume Salzburg unabhängig zu machen, so hob der damalige Erzbischof Adelwein den landbischöflichen Sitz zu Maria-Saal auf, und behielt diesen Sprengel in eigener Verwaltung. Nach Aufhebung des Bischofsitzes blieb in Maria-Saal nur ein Probst, ein Dechant und ein Collegium von Chorherren.

Ausser den Kämpfen, welche bei Einführung des Christenthums in Maria-Saal stattgefunden hatten, wurde dieser Ort noch von manchen herben Schiksalen heimgesucht. Die Türken überfielen gegen Ende des XV. Jahrhunderts bei ihren Raubzügen durch Kärnthen auch Maria-Saal, und hausten mit empörender Wuth. Noch mehr litt es durch die ungarischen Söldner, welche von

[3] Nach Kleimeyer's, „Nachrichten vom Zustande etc. v. Juvavia" (Salzburg 1784. Fol. S. 116), berief Chetumar aus dem Bisthume Salzburg die beiden Priester Lupo und Mainranus, und unterwarf sich sammt seinem Herzogthum der salzburgischen Kirche. — Vergl. auch daselbst die alte Historia conversionis Carinthianorum, Dipl. Arch. IV. S. 11. Vers: „Sed ille tertio postea anno defunctus" etc.
A. d. R.

Maubitsch, dem Heerführer des Königs Mathias Corvinus geführt hier einfielen, nachdem diese Barbaren schon im Jahre 1482 Kärnthen gebrandschatzt und beinahe zerstört hatten. Maubitsch kam vor diesem Gnadenorte an, in der sichern Voraussetzung hier reiche Beute zu finden und die wilden Horden lagerten sich, um denselben zu stürmen. Die Bevölkerung war in Angst und Schrecken und flehte in dem Gotteshause um Schutz und Hilfe zu Maria der Gnadenmutter, indess die wehrhaften Bewohner die Eingänge verschanzten, um dem Feind Widerstand leisten zu können. Aber immer grösser wurde die Verwirrung. In dem Momente der hereinbrechenden Verzweiflung trat jedoch der würdige Pfarrer zu Tultschnig, Jacob Radhaupt, zugleich Chorherr von Maria-Saal, unter die völlig Verzagten, welche Gut und Blut für rettungslos verloren hielten, und richtete sie auf in dem unerschütterlichen Glauben an Gott, der ja dem kleinen David die Kraft gab, den Riesen Goliath zu besiegen. Gestärkt und ermuthigt durch diese Worte, gelobten die Bewohner am Altare der heiligen Maria, im Gottvertrauen auszuharren und dem Feinde männlichen Widerstand zu leisten.

Die Lage des Ortes auf dem isolirten Hügel und von Mauern und Thürmen geschützt, kam den Belagerten sehr zu statten. Auf die anstürmenden Feinde wurden grosse Steine, siedendes Wasser und Öl, frisch gelöschter Kalk etc. geworfen, und so der erste Sturm abgeschlagen. Trotzdem wären die tapferen Vertheidiger der Überzahl ihrer Feinde erlegen, wenn nicht im ungarischen Lager das grösste Geschütz gesprungen wäre, und endlich Maubitsch die Nachricht erhalten hätte, dass Balthasar von Weisspriach, Landeshauptmann von Kärnthen, mit einer starken wohlgerüsteten Kiegsschaar zum Entsatz herbeieile. Die Belagerung wurde plötzlich abgebrochen und die Feinde zogen sich gegen Friesach zurück. Eine steinerne Kugel, welche von den Ungarn abgeschossen wurde, hängt noch heut zu Tage als Andenken an diese grauenvolle Zeit neben dem südlichen Eingang der Kirche mit der Inschrift: „Diese Kugel wurde durch den Anführer Maubitsch, da der Huhnenkönig Matthias vergeblich Maria Saal belagerte, abgeschossen, 1482."

Auch in der Reformationszeit hatte Maria-Saal durch die Parteikämpfe während der Religionsstreitigkeiten zu leiden und ein bedeutendes Unglück traf Ort und Kirche im Jahre 1669 in der Nacht vom 5. November. In einem kleinen Hause, nahe der Propsteitaferne, brach nämlich Feuer aus. Durch den heftigen Wind angefacht, griff es mit rasender Schnelligkeit um sich, der ganze Ort stand in Flammen und selbst die Kirche blieb nicht verschont, denn das Kirchendach fing Feuer, der Schiefer flog in glühenden Stücken umher, und hellauf brannte der Dachstuhl, das Holzwerk in den Thürmen wurde ebenfalls angegriffen und so stürzte zuletzt auch die schmelzende Glocke herab. Selbst in das Innere der Kirche drang das Feuer und bereits war der Josephsaltar von den Flammen ergriffen. Dem rastlose Eifer und der ausdauernden Kraft der Hilfeleistenden gelang es endlich, dem rasenden Elemente Einhalt zu thun und weitere Zerstörung zu verhüten. Durch den frommen Eifer der Gläubigen wurde der Schade bald wieder gut gemacht und in kurzer Zeit stieg das Gotteshaus in neuem Glanz aus seiner Asche hervor. Kostbare Geschenke wurden geopfert und die neue Glocke, weit berühmt durch den herrlichen Ton, gibt Zeugniss von der damaligen Opferwilligkeit. Diese Glocke, eine der grössten in Kärnthen, wurde im Jahre 1687 durch Graf von Stadion, Bischof von Lavant, geweiht und wiegt 118 Centner.

Neben den historischen Daten und Aufzeichnungen über die Schicksale dieses Gnadenortes begleitet die Sage, theils historischen theils mythischen Charakters, fast alle wichtigen Ereignisse und reicht noch viel weiter zurück.

Sie erzählt von der wilden Jagd am Maria-Saaler Berge, von wo aus sie nach St. Thomas bei Zeiselsberg zieht, von dem alten Heidentempel und dem hohen Schlosse am Saalerberge, vom Wassermann, den man hier häufig begegnet, von der wilden Perchtel und dem wilden Manne etc. Eigenthümlich und bemerkenswerth bleibt es, dass hier, wo das Slaventhum eine grosse Metropole hatte, doch die meisten Sagen und ihre Gestalten ein vorwiegend deutsches Gepräge haben. Zu den Sagen historischen Charakters ist jene über das Grabmal des heiligen Modestus zu zählen, welche bereits früher angeführt wurde. Eine weitere Sage über den Ursprung des Gnadenbildes der heiligen Maria berichtet folgendes:

Der heilige Adalbert, Bischof von Prag, soll dies Gnadenbild von Recanato in Italien, dem jetzigen Loretto, als Seltenheit mitgebracht haben. Als er später zur Bekehrung der Heiden nach Preussen abging, wo er im Jahre 997 an die Gestade der Ostsee kam und ein Opfer seines Berufes wurde, vertraute er das Bild einigen Freunden unter der Bedingung, wenn sein Werk nicht gelingen sollte, es wieder nach Recanato zu befördern. Es war im Jahre 998, als diesem Wunsche gemäss zwei böhmische Adelige mit dem heiligen Bildnisse ihre Reise nach Italien antraten. Während der Nacht, die sie zu Villach in Kärnthen zubrachten, vernahmen sie im Traume eine Stimme, welche sie aufforderte ihren Schatz nach Maria-Saal zu bringen und in dem daselbst befindlichen Gotteshause aufzustellen. Des Traumes nicht achtend, wollten sie am folgenden Morgen ihre Reise fortsetzen; aber vergeblich blieben alle Anstrengungen, ihre Rosse weiter zu bringen. In diesem Ereignisse einen höheren Willen erblickend, zogen sie erst jetzt Kunde von dem Orte ein, der ihnen durch eine geheimnissvolle Stimme war bezeichnet worden. Freudig wiehernd schritten die Gäule vorwärts, nachdem man sich zur Rückkehr gewendet hatte. Sie eilten hin zu der ihnen angedeuteten Kirche und die Reisenden legten in die Hände des Propstes das ihnen anvertraute Kleinod, ihn zugleich unterrichtend von der Weisung, die sie im Traume erhielten. Noch heute deutet ein Gemälde am Seiteneingange der Kirche auf diese Begebenheit.

Mythischen Inhalts ist die Sage von den Teufelstritten. In der Kirche zu Maria-Saal sieht man, wenn man den südlichen Eingang überschreitet und den gepflasterten Fussboden betrachtet, die Klauen eines Bockes in die Steine eingedrückt. Über den Ursprung derselben erzählt die Sage folgendes: Es lebte vor vielen Jahren in derselben Gegend eine junge Bäuerin, welche einen reichen Bauernsohn heftig liebte. Die arme Bäuerin sann auf verschiedene Mittel, um den Gegenstand ihrer Sehnsucht zu erhalten, indem ihre Armuth vor den Augen der Eltern des jungen Burschen das Hinderniss ihrer Vereinigung war. Da kam sie auf den Gedanken, den Teufel am Kreuzwege zu beschwören und von ihm so viel Geld zu erhalten, dass sie, als ebenso reich, auf den Besitz ihres Geliebten Anspruch machen könnte. Dies führte sie in der Thomasnacht auch wirklich aus. Bald jedoch kamen die Gewissensbisse, und am Tage vor ihrer Vermählung, da sie das erstemal seit jener Nacht die Kirche betrat, um zerknirscht vor Gott ihre schwere Sünde zu beichten, gewahrte sie den Teufel am Eingange, im Begriffe sie zu verfolgen. In grösstem Schrecken ergriff sie die Flucht und rettete sich noch gerade zur rechten Zeit in den Beichtstuhl, wo schon der Priester ihrer harrte und den heiligen Segen über sie sprach; dadurch ward die Macht des Teufels abgewendet und er verschwand; seine Fussstapfen sind jedoch noch sichtbar[1].

[1] Der Fussboden ist eine Art Estrich, welcher in noch weichem Zustande, wie bekannt, allerlei Abdrücke annimmt und selbe dann im festen Zustande beibehält. Die Spuren sind mehrere Tritte von ungleicher Grösse, und wie es scheint von Kinderschuhen; die Teufelstritte sind einfach Hundstritte, und es dürfte ein Hund den spielenden Kindern nachgelaufen sein und die Eindrücke in dem weichen Estrich sich später verhärtet haben.

Befestigte Lage des Ortes und der Kirche.

Aus dem Situationsplane in Fig. 1 ist die befestigte Lage der auf einem Hügel stehenden Kirche nebst den dazu gehörigen Gebäuden zu ersehen. Noch jetzt zieht sich der Wallgraben auf jener Seite hin, welche nicht abgedacht ist (VII); nämlich östlich und südlich. In Mitte des Platzes steht die Kirche (I), nördlich das Propsteigebäude (VI), westlich der Pfarrhof mit mehreren Ausbauten (V); südlich das Octogon (III), der sogenannte Heidentempel, angebaut an ein befestigtes Gebäude, dessen Thurm oben mit Pechnasen und Schussscharten versehen ist. Zwischen Kirche und Octogon steht die Lichtsäule (II). Östlich steht ebenfalls ein Gebäude mit einer Eingangspforte im Spitzbogen, welche durch eine Zugbrücke abgesperrt werden konnte (IV). Gegenwärtig verbindet eine gewölbte Brücke den Kirchplatz mit dem Marktplatz. An der Nord- und Westseite ist der Hügel steil abgedacht. Die Situation zeigt es klar, wie zur Zeit der Gefahr die Bewohnerschaft sich auf den Kirchenplatz flüchtete, um durch die isolirte und befestigte Lage sicher vor dem Feinde zu sein, und demselben Widerstand zu leisten.

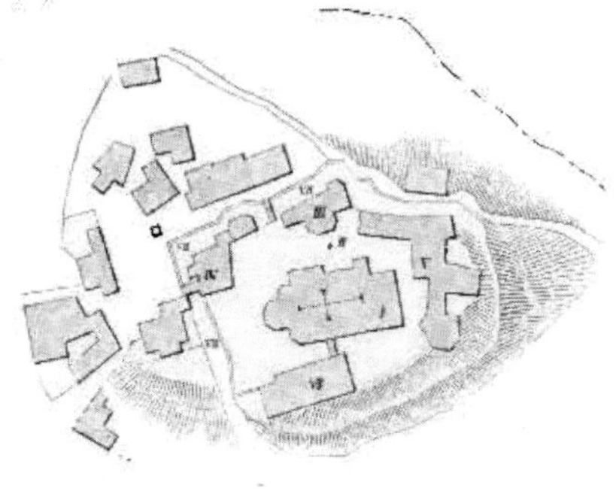

Fig. 1.

Beschreibung des Baues.

Die Kirche ist ein langgestreckter dreischiffiger Bau, mit stark vorgelegtem, im halben Achteck geschlossenen Hauptchor und zwei Seiten-Apsiden, so dass jedes Seitenschiff wieder einen polygonen Chorabschluss erhält (Fig. 2).

An der Westseite flankiren zwei mässige quadratisch angelegte Thürme das Mittelschiff, ohne dass dieselben vor die Seitenschiffe vortreten. An das rechtseitige Seitenschiff lehnt sich gleich neben der Apsis die grosse Sacristei selbständig an und wird durch eine Stiege, welche zu dem Obergeschoss führt, von dem Capellenvorbau getrennt, welcher auf dieser Seite bis zum Seitenportal fortgeführt ist.

Der Orgelchor baut sich zwischen den beiden Thürmen ein, legt sich bis zu den ersten Jochen vor und nimmt in dieser Tiefe die ganze Kirchenbreite ein. Zwei Treppen führen zum Chore, und zwar im linken Seitenschiffe aus dem Kirchenraum eine einarmige, über einen Bogen gelegt, und am rechten Seitenschiffe eine vorgebaute Wendeltreppe, welche dann weiter hinauf in die Thürme und den Bodenraum führt, und ausserdem den Aufgang zu den Emporen, welche über die Vorhalle des grossen Seitenportals geführt sind, vermittelt.

Am linken Seitenschiff ist zwischen dem zweiten und dritten Joche ein erkerartiger Ausbau angebracht, an welchen sich ebenfalls eine Empore über dem dritten und vierten Joche angeschlossen hat, wie es die consolenartigen Gewölbsansätze noch zeigen, und wie es aus der vorgebauten Wendeltreppe, die auf diesen Raum geführt hat, deutlich hervorgeht.

Das Hauptportal befindet sich an der Westseite zwischen den beiden Thürmen, ober denselben ist ein grosses Masswerksfenster. Am rechten Seitenschiffe hat das dort angebrachte Portal einen geschlossenen Vorbau. Am linken Seitenschiff führt ebenfalls ein Portal in die Kirche.

Wenn wir auf die historischen Daten zurückblicken, so ist aus der Zeit der Christianisirung im V. Jahrhundert nichts mehr vorhanden. Der jetzige Bau ist eine einheitliche Anlage aus der Mitte des XV. Jahrhunderts. Die Thürme gehören allerdings einer früheren Zeit an. Schon die massige Anlage ohne Strebepfeiler, welche in gleicher Stärke bis zum Dachsims fortläuft, weiset

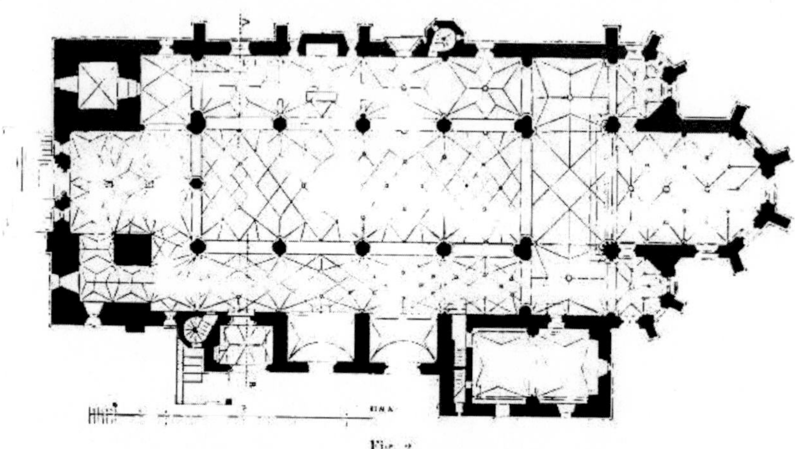

Fig. 2.

darauf hin; dieser Theil dürfte in die romanische Periode zu setzen sein, und in die erste Hälfte des XIII. Jahrhundertes fallen. Zu dieser Annahme wird man auch durch die Fensteranlage, welche sich am südlichen Thurme noch erhalten hat, bestärkt, obwohl auch an den Thürmen die Hand ersichtlich ist, welche den Kirchenbau geleitet hat. Die Thürme verdienen eine nähere Beachtung, eben weil sie älter sind und mit dem übrigen Bau nicht übereinstimmen. Im Grundrisse sehen wir die starken, über eine Klafter dicken Mauern, welche dieser massiven Anlage wegen keine Strebepfeiler bedurften. Der südliche Thurm hat noch die Eigenthümlichkeit, dass er sowohl unter dem Orgelchor, als auch in der Höhe desselben nicht ganz geschlossen ist, sondern es steht die eine Ecke auf einem 7 Schuh dicken und 8 Schuh breiten Pfeiler, wodurch ein offener Raum frei wird, und der Thurm somit gewissermassen mit seinem Innenraum in die Kirche einbezogen ist. Der nördliche Thurm hingegen ist ganz geschlossen und nur eine kleine Thüre führt in das Innere desselben. Jener Raum mag seinerzeit, entweder wie jetzt, als Rumpelkammer benützt worden sein, oder er wurde, wie ähnliche Fälle öfter vorkommen, z. B. bei den sogenannten Heidenthürmen im Stephansdom zu Wien, für eine eigene Capelle bestimmt.

Die Thürme steigen, wie schon erwähnt, in gleicher Mächtigkeit mit 21 Schuh im Gevierte auf, haben in der Höhe des Kirchendachgesimses an der Aussenseite eine Art von Fries, welches durch eine in fresko gemalte Vierpassverzierung mit schwarz und roth belebt wird. Ober demselben sind langgezogene schmal profilirte Leisten, mit Spitzbögen geschlossen, in die Quadern, wie man es mit Bestimmtheit sagen kann, erst später eingemeisselt, so dass dieselben nicht über die Flucht des übrigen Mauerwerks vorstehen, während die sich bildenden Flächen zwischen den Leisten tiefer liegen. Die Ausführung erinnert an die Holzarchitectur der Spätgothik.

Unmittelbar über dieser Leisten-Architectur sind kleine, mit geschwungenen Eselsrücken geschlossene Fenster angebracht und erst ober denselben befinden sich die grossen dreifach gekuppelten Fenster rundbogig geschlossen und von je zwei kleinen Säulen getragen. Diese

Fenster in ihrer Anlage unzweifelhaft der romanischen Periode angehörig, müssen doch später, vielleicht Mitte des XIII. Jahrhunderts, eine Veränderung erfahren haben, denn die Capitälbildung (Fig. 3) neigt sich mehr der gothischen als der romanischen Periode zu, während die Schäfte aus weissem marmorartigen Kalkstein noch, wie es scheint, die ursprünglichen sein mögen. Dieser Umstand dürfte sich dadurch erklären lassen, dass vielleicht bei einem Brande oder bei Aufziehung neuer Glocken die Säulchen abgebrochen und die Capitäle beschädigt worden sind, und man dieselben in der neuen Gestaltung angefertigt hat, Thatsachen, welche sich an manchen derlei Bauten wiederholt haben.

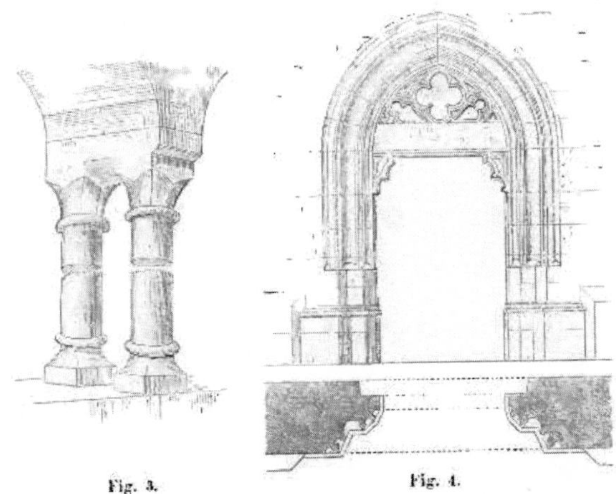

Fig. 3. Fig. 4.

Der nördliche Thurm hat hingegen später eingesetzte Spitzbogenfenster, deren Masswerke leider vermauert sind. Beide Thürme haben oben das gewöhnlich profilirte gothische Schlussgesims mit vier einfachen Wasserspeiern und sind mit Giebeln gekrönt.

Das Dach bildet die wälsche Haube mit einem kleinen Laternenaufsatz, welche Dachform gegen Ende des XVII. Jahrhunderts nach dem letzten Brande aufgesetzt worden sein mag. Ein ähnlicher Dachreiter aus selber Zeit steht ober dem mittleren Chorabschluss.

Was nun die äussere Anlage betrifft, so sind die Portale ziemlich reich gegliedert mit Birnprofil, Rundstab und Hohlkehle horizontal geschlossen und darüber ein Tympanon, welches beim Hauptportal (Fig. 4) ein Reliefmasswerk zeigt.

Fig. 5.

Fig. 6.

Das Fenstermasswerk hat in der Durchbildung einigen Unterschied, was bei der langen Bauzeit einer solchen Kirche leicht erklärlich ist, wo die Formen sich nach dem eben herrschenden Princip geändert haben. Ein Theil der Fenster (Fig. 5 und 6) ist einfacher, im Drei- bis Sechspass gehalten, während eine Partie schon die Fischblasenform der späteren Zeit annimmt. Ebenso eine Reliefrosette (Fig. 7), welche doppelte Schweifungen zeigt, wie solche meist bei Metallarbeiten beliebt waren. Die Strebepfeiler sind schlicht, mit profilirten Absätzen, und haben nur schräg zulaufende Verdachungen. Kaff- und Sockelgesims laufen, wo sie nicht abgeschlagen sind, um die ganze Kirche herum. Beim südlichen Seitenchorabschluss wiederholt sich die Eigenthümlichkeit, wie am Thurme, dass hier eine spitzbogige Masswerks-Verzierung unter dem Dachgesims in gelber Farbe auf dunkelrothbraunem Grund al fresco gemalt ist. An der äusseren Ansicht zeigt sich die Anlage eines Querschiffes gleich an den drei Chorabschlüssen; jedoch spätere Zubauten, wie jene des Stockwerkes ober der Sacristei, lassen diese Querschiffanlage kaum ersichtlich werden, zumal dasselbe nicht über die Seitenschiffe hinausgeführt wurde. Noch ist eines Wehrganges zu erwähnen, welcher die beiden Thürme mit einander verband, aber in neuester Zeit abgerissen wurde.

Fig. 7.

Wenn schon auf diesen Bau wenig Detailschmuck verwendet wurde und ihn die späteren Zuthaten mit ihrer unschönen nüchternen Weise in mancher Weise beeinträchtigen, so macht diese Kirche doch einen erhebenden Eindruck. Die schönen Verhältnisse, die Gruppirung der einzelnen Bautheile, wozu namentlich die dreifachen Chorabschlüsse das ihrige beitragen, wirken so mächtig, dass sich das Interesse für dieses Monument christlicher Kunst steigert, je mehr man sich mit demselben beschäftigt. Der warme Ton der Quadern mit den mancherlei Schattirungen, besonders an der Nord- und Ostseite, erhöhen bedeutend den malerischen Eindruck, welcher durch die reizende Lage der Kirche ausserordentlich begünstigt wird. Ebenso wirksam, vielleicht noch wirksamer, weil einheitlich, ist das Innere der Kirche, deren Dispositionen bereits früher besprochen wurden. Der Innenraum misst nach der Länge sammt dem hohen Chor 24 Klafter und hat eine Breite von 10 Klaftern, wozu noch die Capellen mit nahe an 2 Klaftern Tiefe zu rechnen sind. Dieser imposante Raum ist, wie schon erwähnt, in drei Schiffe getheilt, und zwar in der Weise, dass das Mittelschiff doppelt so breit ist, als jedes Seitenschiff. Zehn Joche trennen die Schiffe von einander.

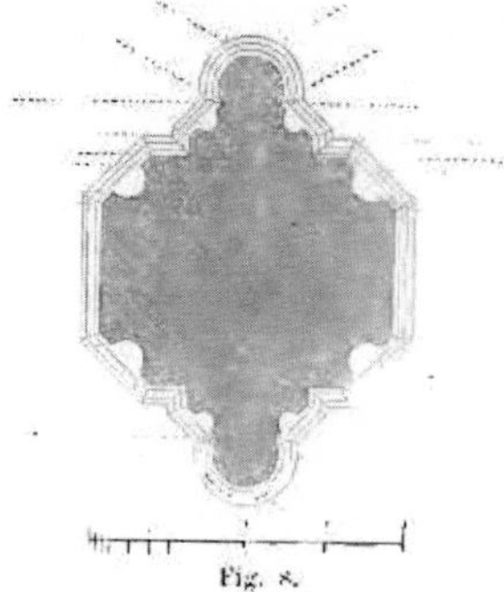

Fig. 8.

Hoch und schlank erhebt sich das Mittelschiff bedeutend über die Seitenschiffe und misst bis zum Scheitel der Gewölbskappe nahe an 10 Klafter, eine Höhe die bedeutend genannt werden kann, während die Seitenschiffe nur gegen 7 Klafter messen.

Die Profilirung der Joche ist sehr verschieden; in der Hauptsache haben sie einfach facettirte und gekehlte Gliederungen, welche am Sockel beginnen und ohne Capitälabschluss in den Scheidebögen fortgeführt werden, während runde vorstehende Dienste mit einfachen unornamentirten Capitälen sowohl im Mittelschiff als auch in den Seitenschiffen aufsteigen und als Stütze für die Rippen dienen (Fig. 8, 9, 10). Die Reihungen der einzelnen Schiffe sind verschiedenartig angelegt.

Im linken Seitenschiffe sind sie am einfachsten, jedoch haben die Gewölbe auch hier nicht die Kreuzform, sondern das System der zerlegten Gewölbekappen. Im nördlichen Seitenschiffe wird diese Construction bis zum Netzgewölbe gesteigert, während das Mittelschiff in seiner Hauptsache

3*

von einem spitzbogigen Tonnengewölbe überdeckt wird, in welches sich Schilde einschneiden, jedoch in der eigenthümlichen Weise, dass zwischen je zwei Scheidebögen ober dem Scheitel derselben eine Theilung der Schilde stattfindet und Consolen die Stütze der Rippen bilden.

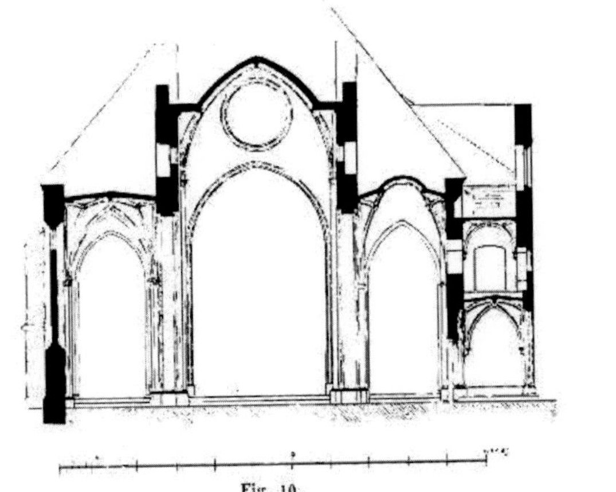

Fig. 10.

Fig. 9.

Nicht nur die sich ergebenden Grathe, sondern auch die profilirten Ripppen laufen längs der Tonnengewölblinie fort und zertheilen das Gewölbe in mannigfache, meist unregelmässige Gewölbkappen, eine Constructionsart, welche sich erst im XV. Jahrhundert, zumal in der zweiten Hälfte desselben ausbildete.

Das Querschiff, in der Höhe des Mittelschiffes gehalten, und die Chöre sind viel einfacher und regelmässiger behandelt und man kann voraussetzen, dass diese Theile zuerst vollendet wurden. Während man dann auf die übrigen Theile der Kirche überging, änderte sich, wie bereits bemerkt, allmählig der Geschmack, so dass man während der Bauzeit immer mehr in die spielende Gewölbedecoration hinein gerieth.

Die letzte Arbeit dürfte das Gewölbe unter dem Orgelchor gewesen sein, welches wie ein wirres Spinnennetz aussieht und wo man sich nur mit Mühe zurecht finden kann, um die Linien zu verfolgen (siehe den Grundriss). Die beiden Säulen jedoch müssen aus einer früheren Zeit herstammen, da selbe die ältere Form der Profile haben und namentlich was den Fuss betrifft, mit den kleinen Säulchen der Thurmfenster correspondiren.

Die Einwölbung ober dem Orgelchor zwischen den Thürmen setzt ein längeres Intervall voraus, da sowohl diese Einwölbung als auch das grosse Fenster ober dem Portale erst im XVI. Jahrhundert hergestellt worden sein mag. Hier hört schon jede Constructionsweise auf, und die Rippen erhalten jene dünne leistenförmige Gestalt, welche an Holzarbeit erinnert und nicht mehr ein Element der Construction, sondern der Decoration bildet. Hierzu kommt noch die willkürliche Behandlung der Gewölbeflächen in beliebigen Formen, durch Bögen und gerade Linien, wodurch allerlei Figuren gebildet werden, welche auf der eigentlichen Gewölbsfläche gewissermassen nur in Relief aufgezeichnet sind.

Ich möchte daher die Überzeugung aussprechen, dass diese schmalen Rippen, da sie nichts zu tragen im Stande sind, und in diesen Dimensionen brechen würden, nicht aus Stein, sondern aus Stucco gearbeitet sind und an das fertige Gewölbe erst später angeklebt und befestigt wurden, eine Ausführung, wie sie in Villach und Kötschach (Kärnthen) vorkommt und dort noch weit decorativer behandelt wurde.

Fig. 11.

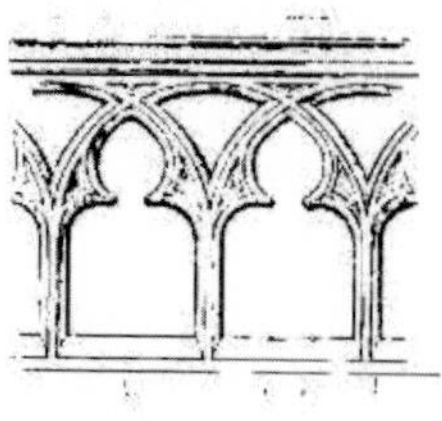

Fig. 12.

So sind auch die Pfosten und Masswerke des grossen Fensters corrumpirt und ohne stylistisches Princip aneinandergefügt und dabei so auffallend dünn, dass man sie für Holzpfosten ansehen könnte. Vielleicht dass dieser Bautheil seine ursprüngliche romanische Grundform länger behalten hat und erst spät und zwar von einem Baumeister, der die gothische Form und Constructionsweise nicht mehr für massgebend hielt, restaurirt wurde, was in Kärnthen nicht zu wundern wäre, da solche Fälle, wie erwähnt, öfter vorkommen.

Noch bleibt anzuführen, dass im Mittelschiff unter den Schildern kleine Fenster angebracht sind, welche jedoch in den Bodenraum der Seitenschiffe gehen, daher nicht zur Beleuchtung der Kirche, sondern vielmehr zur Belebung dieser Mauerfläche angebracht worden sein mögen. Diese Fenster sind, wie man derlei in den Profanbauten öfter findet, geradlinig geschlossen und abfacettirt, welche Schrägfläche ober der Sohlbank in einen Wasserschlag endet.

Von den Details wären zu erwähnen:

Die Thüre in der Sacristei, spätgothisch mit geschweifter Wimperge, flankirt von Fialen und belebt durch Kreuzblumen und Laubposen, jedoch in der corrumpirten Weise der Spätgothik.

Mehrere Gewölbträger mit Engelsfiguren und bizarren Fratzenköpfen (Fig. 11), auch ornamentale Consolen sind beachtenswerth. Ein Träger mit zwei Wappenschildern ist in derselben Anordnung in dem gothischen Zubau der Kirche zu Viktring bei Klagenfurt ausgeführt. Die durchbrochene Brüstung des Orgelchors (Fig. 12) ist gut construirt und fällt in die bessere Zeit.

Ein spätgothisches Taufbecken mit gekreuzten Stäben und gewundenem Schaft steht unter dem Orgelchor.

Sehr schön und gut stylisirt sind die verzinnten Blechplatten (Fig. 13), welche gepresste heraldische Wappenthiere, Löwen und Adler darstellen. Diese Platten sind durch Eisenschienen festgehalten, welche mit hübschen, zierlich gefeilten Nägelköpfen verziert sind. Sowohl die grosse Thüre des südlichen Portales als auch die Wendeltreppe an der nördlichen Seite sind ganz mit diesen Blechplatten und Eisenschienen belegt.

Fig. 13.

Auch das schöne grosse Schloss, ein Meisterstück der Metallarbeit, welches sich gegenwärtig im Landesmuseum zu Klagenfurt befindet und in den „Mittheilungen der k. k. Central-Commission“[5] bereits abgebildet wurde, stammt aus Maria-Saal, weshalb wir hier den Holzschnitt (Fig. 14) wieder beifügen.

[5] S. Mitth. der k. k. Centr. Comm. Jahrg. VII. 51. Dasselbe ist $15^1/_2$ Zoll hoch und unten 18 Zoll, oben 10 Zoll breit. Die Vorderseite wird von durchbrochener Arbeit geschmückt, welchem ein färbiges Ornament untergelegt ist. Die Masswerksverzierungen sind bis ins kleinste zart und fein durchgearbeitet. Man kann mit Rücksicht auf die darin ganz entwickelte Gothik die Zeit der Anfertigung dieses Schlosses gegen das Ende des XV. Jahrhunderts versetzen.

Auch ein geschnitzter polychromirter Holzaltar, gegenwärtig im historischen Vereine zu Klagenfurt aufbewahrt, stand in dieser Kirche. Er zeigt im Relief die Verkündigung Maria's mit den symbolischen Gestalten des Löwen und Phönix, des Pelikans, des Bären und des Lammes. Ein Ritter, wie es scheint, der Stifter, kniet zur linken Seite.

Auch ein sehr schön eiselirter Kelch (Fig. 15) mit figuralischen Darstellungen sowohl an der Cuppa als am Fusse wird in der Kirche aufbewahrt[6].

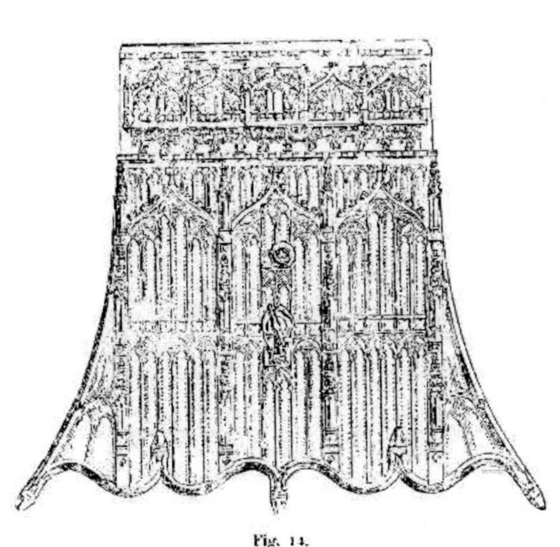

Fig. 14.

Fig. 15.

Ein besonderes Interesse knüpft sich in dieser Kirche begreiflicherweise an das Grabmal des heil. Modestus (Fig. 16). Es ist ein Sarkophag von oblonger Form. Sechs vorstehende Säulchen sitzen auf dem Sockel auf und tragen die starke Steinplatte. Fünf Capitäle sind gleich gearbeitet, das sechste der einen Mittelsäule hat eine andere Gestaltung. Wie Eingangs erwähnt, erzählt die Geschichte, dass dieses Grabmal von Herzog Chetumar dem heiligen Modestus im VIII. Jahrhundert errichtet worden sein soll. In dieser Periode wurde bei Werken der christlichen Kunst der byzantinische Styl geübt, denn die romanische Kunst begann sich erst im X. Jahrhundert zu entwickeln. Die Formen der Capitäle weisen hier jedoch eine viel spätere Zeit nach und haben eine grosse Ähnlichkeit mit den Capitälen der kleinen Säulen an den oberen Fenstern des südlichen Thurmes, sie fallen in die Spätzeit des Romanismus, ja in eine Zeit, wo sich die Gothik schon zu entwickeln begann, nämlich in die Mitte des XIII. Jahrhunderts. Ob nun die Gebeine des heiligen Modestus, welche vor wenig Jahren aus diesem Sarkophag herausgenommen wurden, früher in einem anderen Grabmal geruht haben und in späterer Zeit übertragen worden sind und bei welcher Gelegenheit, lässt sich freilich schwer ermitteln, da hierüber bis jetzt keine

[6] Dieser Kelch hat die ungewöhnliche Höhe von $9\frac{1}{2}$ Zoll, ist aus Silber angefertigt und vergoldet. Auf den 6 Flächen des Fusses sind Wappen angebracht, die aufsteigenden Flächen schmücken eingravirte Blattornamente. Die $4\frac{1}{2}$ Zoll hohe Cuppa zeigt ebenfalls eingravirt die gekrönte Jungfrau mit dem Kinde, umgeben von den Heiligen Joseph, Barbara, Mathias, Katharina, Johannes, Ambros, Petrus, darüber auf einem Bande folgende Aufschrift: maria . hilf . mir . jörgen . ungnaden . und . allen . mein . forfadern . und . nachkomen . amen . anno . d. c. 1456.

Bezug habenden Urkunden aufgefunden wurden: aber das eine steht fest, dass dieser Sarkophag nicht im VIII. Jahrhundert, sondern, wie gesagt, viel später angefertigt wurde.

Noch irrthümlicher sind die Angaben, die durch alle Geschichtsbücher, welche Maria-Saal behandeln, bis auf die neueste Zeit immer wieder nacherzählt werden, dass der geschnitzte Christus am Modesti-Altar vom heiligen Modestus selbst mitgebracht wurde, und das Bildniss der heiligen Maria aus Gussstein, wie es überall heisst, und welches jetzt noch am Hochaltare steht, im Jahre 998 von zwei adeligen Böhmen nach Maria-Saal gebracht worden sei.

Es ist wohl möglich, dass der heilige Modestus ein geschnitztes Christusbild mit an den Ort seiner Bestimmung brachte; aber auch wahrscheinlich, dass im Verlaufe der Jahrhunderte dieses Bild bei der bewegten Geschichte dieses Ortes verschwunden und durch ein anderes Kunstwerk ersetzt worden ist. Der jetzt am Modestus-Altar befindliche Christus ist eine Arbeit, welche frühestens am Ende des XVII. oder am Anfang des XVIII. Jahrhunderts angefertigt worden sein kann. Ebenso ist das Bildniss der heiligen Maria aus Gypsstucco gegossen und gleichzeitig mit dem Altar gemacht worden, reicht also nicht über das XVIII. Jahrhundert. Beide Werke gehören jener Stylperiode an, welche man mit dem Worte Jesuitenstyl bezeichnet. Ich will jedoch nicht bei dieser Angabe stehen bleiben, sondern muss zur Rechtfertigung derselben etwas weiter gehen. Wäre der Christus aus der Zeit des heiligen Modestus, so müsste das Werk doch im VIII. Jahrhundert geschaffen worden sein. In jener Zeit war die byzantinische Kunst massgebend und der typische Charakter dieser Periode ist so streng und gleichmässig, dass kein Archäolog denselben verkennen dürfte. So aber ist die Darstellung eine sehr naturalistische. Die Art der Bewegung, die Draperie, vor allem aber der Kopf ist charakteristisch. Es ist nicht der ideale Ausdruck der Verklärung, welcher das Mittelalter bezeichnet, auch nicht die typische Form, welche die byzantinische Kunst streng beibehielt, sondern die realistische Auffassung. Christus ist als Märtyrer mit dem vollen physischen Schmerz in seinen Zügen dargestellt, sogar scharf markirt in diesem Ausdrucke, was jene Zeit des XVII. und XVIII. Jahrhunderts als richtig annahm und auch in dieser Weise durchführte. Ähnliche Umstände finden auch bei der aus Gypsstucco gefertigten Madonna statt, deren Erörterung hier zu weit führen dürfte.

Fig. 16.

Noch verdienen die vielen an der Aussenseite eingemauerten Römersteine des alten Virunums und die mittelalterlichen Grabplatten der kärnthnerischen Geschlechter Beachtung und es dürfte angezeigt sein, dieselben einzeln anzuführen.

In der Einganghalle des südlichen Seitenschiffes gewahrt man Romulus und Remus mit der säugenden Wölfin, eine ganz gut durchgeführte Reliefdarstellung, und ferner einen Trauergenius mit umgekehrter Fackel, offenbar von einem Grabmonument herrührend.

Ober dem Eingange steht eine Reliefplatte mit zwei Panthern auf den Hinterbeinen vor einer Vase sitzend, aus welcher Weinranken und Trauben aufsteigen, welche von Vögeln umflattert werden. Dieses Werk ist besonders schön gearbeitet mit fein und naturalistisch durchgebildetem Blattwerke; es dürfte einem Bacchus-Altar angehört haben. Eine ganz ähnliche Behandlung des Blattwerks ist an einem Römerstein in Millstatt zu finden.

Links nächst der Wendeltreppe ist eine männliche Figur mit einem Krug und eine weibliche mit einem Schatzkästlein zu sehen. An der Wand rechts vom Portal zeigen sich vier Köpfe, nämlich ein männlicher und drei weibliche. Sie sind aus der Vertiefung erhaben gearbeitet. Des weiteren sieht man einen Krieger mit einer Lanze und einen römischen, von zwei Pferden gezogenen Wagen, in welchem sich eine Figur mit einer Kugel befindet; vorn sitzt der Wagenlenker.

Auf einem anderen Basrelief schleift Hector den Achilles an einem zweirädrigen Wagen, von bäumenden Pferden gezogen. Vorn schwebt die Gestalt der Victoria und rückwärts steht eine Kriegergestalt mit einem Schild bewehrt.

An der Ecke des Sacristeibaues sieht man einen Krieger, den Speer in der einen und den Helm in der andern Hand haltend, zu seinen Füssen liegt der Schild, in welchem das kurze Schwert steckt. Dicht dabei über die Ecke steht in gleicher Grösse Amor, eine ganz hübsche Figur.

An christlichen Grabdenkmälern kommen folgende vor:

Im Innern der Kirche:

Graf v. Scherenperg (1453). Im Wappen ein Drachenkopf aus einer Krone vortretend, aus rothem Marmor. Dann Gräber der Pibracher mit dem Biber im Wappen. Ferner ein Schild in alter Form mit einem Kelche, wahrscheinlich von dem Grabmal eines Priesters.

Aussen an der Südseite:

Die Grabplatte der Moderndorfer. Im Schild eine Rübe und ein umgekehrter Hut nebst einem Palmbaum. Die Helmzier ist ein Widder. Oben im Basrelief Christus, Maria und Johannes, Kniestück aus rothem Marmor.

Die Grabplatte der Keutschacher (1511), im Feld und als Helmzier eine Rübe, dann eine getheilte Kugel und ein Palmzweig, oben Christus am Kreuze, Maria und Johannes, ganze Figuren.

Ferner der Grabstein des Peter Schweinhaupt (1508), lebensgrosse Figur im Harnisch, auf einem Löwen stehend, mit dem Fähnlein. Wappenfigur und Helmzier des einen Wappens ist ein Schweinskopf; das zweite Wappenschild ist zweifach geschindelt und hat als Helmzier Palmbäume und Zacken; es ist dies eine sehr gut durchgearbeitete Sculptur.

Des weiteren ist hier eine grosse Grabplatte aus rothem Marmor, ausserordentlich schön gearbeitet, von vorzüglicher Composition und Stylisirung. Es stellt die Krönung Maria's vor mit reicher ornamentaler und architektonischer Ausstattung; darunter zwei Ritter mit dem Eichhörnchen und der Rübe, als heraldische Zeichen der Keutschacher und Moderndorfer.

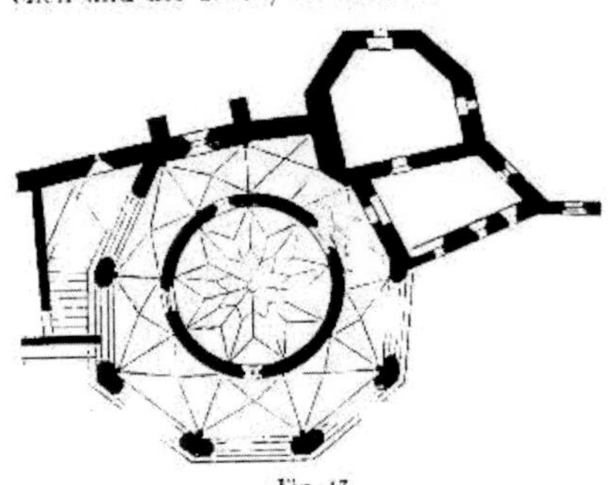
Fig. 17.

Das Oktogon ausser der Kirche, im Volksmunde Heidentempel genannt, nimmt grosses Interesse in Anspruch. Es ist dies ein Karner, im Innern rund und von einem offenen polygonen Hallenbau umgeben, mit einem Obergeschosse (Fig. 17 u. 18). Der innere runde Bau stammt aus der romanischen Periode und hat unten einen kuppelförmig gewölbten Raum. Das obere Geschoss dürfte ursprünglich eine gerade Holzdecke gehabt haben und bemalt gewesen sein, denn im jetzigen Dachraum ober dem später eingebauten Sterngewölbe ist noch die alte Malerei zu sehen. In den in die drei Farben grau, gelb und roth eingekratzten Conturen erkennt man noch den oberen Theil eines heiligen Michael mit einer Einfassung nach Art der musivischen Muster, wie es in der romanischen Periode beliebt war. Um diesen Innenbau wurde im XV. Jahrhundert ein offener Umgang in beiden Geschossen gelegt, gegenwärtig ist das untere Geschoss zugemauert und dient als Holzlage. Oben wurde der Rundbau mit einem schönen Sterngewölbe geschlossen. Der Umgang selbst hat unregelmässige Kreuzgewölbe mit scharfen Grathen und

Fig. 18.

nur ein Theil von dem obern Eingang, sowie das Sterngewölbe haben profilirte steinerne Rippen. Die Eingangsthüre hat eine hübsche Profilirung und im Tympanon ein Reliefmasswerk.

Eine Stiege führt an der linken Seite hinauf, der Austritt geht auf den Umgang, von welchem man in einen ehemals befestigten Eckthurm kommt, der noch Schiessscharten und Pechnasen hat. Auch an diesem Bau sind mehrere Grabplatten und Reliefdarstellungen eingemauert, so Christus mit dem Kreuze zum Richtplatze geführt und Veronika mit dem Schweisstuche.

Eine alte Grabplatte, roh gearbeitet, mit einem Stechhelm, auf dem als Helmzier ein Widder steht, gehört der Familie Moderndorfer an. Ferner zeigt sich ein Wappenschild mit einem Stechhelm, im Felde ist ein umgekehrter Hut und ein Palmenornament. Zwei steinerne Consolen mit der Rübe der Keutschacher stehen neben dem Eingang.

Zwischen diesem Oktogon und der Kirche steht ein schlankes Lichthäuschen (Fig. 19) aus dem Ende des XV. Jahrhunderts. Der Grundriss ist aus zwei über Eck gestellten Quadraten construirt. Doppelte Sockel mit Kehle und Platten bilden die Basis. Der Schaft übersetzt ins Sechseck, und zwar sind es Rundstäbe, welche auf verschiedenartig gemusterten und facettirten Füsschen aufsitzen, sich aber dann sammt den Kehlungen drehen und oben in den Überbau absetzen. Hier springen die Ecken der über Eck gestellten Quadrate mit einer einfachen Gliede-

Fig. 19.

rung vor, worüber dann ein quadratischer Bau gestellt ist, der durch figürliche Darstellungen vermittelt wird. Dieser quadratische Aufbau enthält die Nische für das ewige Licht und hat ein zierliches Eisenblechgitter. Weiter hinauf gipfelt der Bau in einen Helm, der an den Ecken stark mit Laubbossen besetzt ist und in eine Kreuzblume endigt.

Neben der Nische stehen Fialen und Engelsfiguren auf Consolen unter durchbrochenen Baldachinen und geben diesem Theil ein reiches Aussehen. Oben sind noch durchbrochene kuppelartige Aufbauten angebracht. Der ganze Bau ist etwas kraus und wirr, wie es in der Verfallszeit der Gothik nur zu oft vorkommt; indess macht diese schlanke, an vierthalb Klafter hohe Säule einen eigenthümlichen malerischen Eindruck und gilt bei dem Volke als etwas Uraltes. Bei der dunkeln Färbung und dem stark beschädigten und verwitterten Aussehen ist es schwer, sich in den Details zurechtzufinden, zumal da bedeutende Willkürlichkeiten in den Grundformen vorherrschen.

Diese Undeutlichkeit und der Umstand, dass hier einst Slaven sesshaft gewesen sind, haben wahrscheinlich zu dem Irrthum geführt, der erst in neuester Zeit aufgeklärt worden ist, dass die Inschrift eine altslavische sei und zwar mit gothischen Buchstaben. Es sind nämlich, wie schon früher angedeutet, am Unterbau des eigentlichen Lichtgehäuses figürliche Darstellungen angebracht, nämlich vorn an den Ecken zwei Engel (Brustbilder) und zwischen ihnen ein Kelch. An der dritten Ecke ist ebenfalls ein ähnlicher Engel dargestellt. An der vierten Ecke sieht man jedoch eine Mannesgestalt mit lockenartig gedrehten Haaren und struppigem Barte, auf dem Kopfe eine Pelzmütze und in den Händen ein Spruchband (Fig. 20).

Es ist leicht begreiflich, dass man diese auffallende Figur, welche wahrscheinlich den Steinmetz vorstellt und dessen schönes Steinmetzzeichen nebenan ausgemeisselt ist, für die bildliche Darstellung eines Slaven angesehen hat und nun im nationalen Eifer auf die Entzifferung der Schriftzeichen losging. Man hat auch mit einigen Hinweglassungen und Zugaben einen slavischen Text herausgebracht; allein die Auffindung einer Urkunde im historischen Vereine zu Klagenfurt hat die Sache richtig gestellt, denn diese Urkunde vom 21. October 1497 sagt, dass

Fig. 20.

„Oswald Gropper und Blasius von Winklern, Zechleut (Kirchenpröpste) unserer Frauenkirche in Saall, Erasmo Kopawn, Vikar zu St. Veit, bestätigen die Stiftung immer aufrecht zu erhalten. . . . . . in ein Gehäus oder Thürmlein ein ewig brennend Licht im Friedhof dazu aufgericht haben soll.“

Diese Urkunde hat ein weisses Wachssiegel mit Maria und dem Kinde, zu beiden Seiten zwei Sterne, und wird gleichfalls im historischen Vereine aufbewahrt.

Ein Bürstenabzug, an Ort und Stelle gemacht, zeigte nun die Inschrift als „Erasmus Khopawn", den Stifter der Lichtsäule. Ebenso hat ein Bürstenabzug die Inschrift an dem Lichthäuschen in Völkermarkt, die man auch als eine slavische bezeichnen wollte, folgenden Text dargelegt[1]:

„die stift des ewi- | ge licht ist d. pr- | udschaft d. sch | uest und lederer"

aus welchem hervorgeht, dass die Schuster- und Lederzunft dieses Lichthäuschen gestiftet haben: und so dürfte sich auch die als slavisch bezeichnete Inschrift am Herzogstuhle auf eine römische zurückführen lassen, da der Stein sich als ein römischer Fund erweiset, der zu dem spätern Zwecke als passend befunden wurde, ein Fall der nicht zu selten vorkommt, da man bei manchen Steinen auf einer Seite gothische Profile und auf der andern römische Sculptur mit Inschriften findet.

Schliesslich wäre noch des sogenannten Pestkreuzes zu erwähnen, welches an der östlichen Seite am Fusse des Hügels steht, auf welchem Maria-Saal erbaut ist (Fig. 21).

Es ist dies ein oblonges Bauwerk, beiläufig 16 Fuss lang und 10 Fuss breit, hat zwei offene spitzbogig geschlossene Seitenöffnungen, und an der vordern Seite einen grossen offenen Bogen mit einer Art Brüstung. Die Rückwand ist geschlossen. Das Ganze macht den Eindruck einer Loggia. Das Gewölbe ist spitzbogig in Tonnenform, mit Schildern, jedoch ohne Rippen. Das alte Schieferdach hat die Zeltform und oben zwei Wetterfahnen. Über dem vorderen Bogen steht noch ein vorspringendes Schutzdach.

Fig. 21.

Es ist innen und an der Vorderfronte ganz in Fresco gemalt und ziemlich gut erhalten, und trägt die Jahreszahl 1523. Die Darstellungen sind biblischen Inhaltes, mit jener Stylistik, welche die Malerei der Spätgothik charakterisirt. An der rückseitigen Hauptmauer ist ein grosses Bild angebracht, nämlich die Kreuzigung Christi mit den beiden Schächern. Der Hauptmann mit der Lanze ist im Costüm des XVI. Jahrhunderts dargestellt. Im Hintergrunde sieht man die Stadt Jerusalem.

Am Gewölbe gewahrt man den heiligen Geist in der Gestalt einer Taube und die vier Evangelisten mit Spruchbändern und den symbolischen Thieren. An den Seitenwänden ober den Eingängen sind Medaillons angebracht, in welchen die Erschaffung Eva's, Moses die Israeliten ins gelobte Land führend, und Abraham mit Isaak dargestellt sind. Auf einer entfalteten Rolle, die von Engeln getragen wird, steht die Erklärung der bildlichen Darstellungen.

Auf der andern Seite dieses Bauwerkes sind dargestellt: der Kampf Jakobs mit dem Engel, Moses mit der Schlange in der Wüste, und die Opferung Isaak's. Auch hier ist eine Pergamentrolle mit der biblischen Erklärung und der Jahreszahl 1523 angebracht.

Auch ein grosses kaiserliches Wappen mit dem Doppeladler ist an diesem Bau zu sehen, welchem als Pendant das Wappen des Cardinals Lang von Wellenburg, Erzbischofs von Salzburg beigefügt ist, der der Stifter dieses eigenthümlichen Baues gewesen sein soll.

Warum es den Namen Pestkreuz im Volksmunde führt, war nicht zu ermitteln, da hierüber selbst die Sage nichts erzählt. Wahrscheinlich dürfte es bei Prozessionen als Haltpunkt der religiösen Feierlichkeiten gedient haben. Zunächst dürfte der historische Verein in Klagenfurt berufen sein, sich mit dieser Frage zu beschäftigen.

[1] Herrn Alois Weiss, Archivar beim historischen Vereine in Klagenfurt, gebührt das Verdienst, die Urkunde gefunden und die richtige Lesung festgestellt zu haben.

4*

Beiträge
zur
Alterthumskunde der serbischen Donau
von Praovo bis Gradište.

Von F. Kanitz.

(Mit drei Holzschnitten.)

Einleitung.

Allerdings nach mehr mythisch-sagenhaften Traditionen, als zufolge historisch begründeter Quellen, gilt die Donau bereits seit undenklichen Zeiten mit ihren von Westen nach Osten laufenden Nebenströmen Drau und Save als kürzester Verbindungsweg zwischen der Adria und dem Pontus. 2500 Jahre sind es aber jedenfalls nach historisch vertrauenswürdigen Daten, dass die Schifffahrtshindernisse am eisernen Thore den uns bekanntesten alten Handelsvölkern schon hemmend sich entgegenstellten, und beinahe wohl ebenso lange ist es her, dass der menschliche Verstand periodisch immer wieder allen seinen Witz aufbot, um dieselben zu beseitigen.

Die ersten griechischen Ansiedler, welche am rechten Donau-Ufer die später so berühmt gewordene Handelsstadt Istros (Istropolis) begründet und der Donaustrecke vom Pontus bis zum eisernen Thore zuerst den Namen Ister gegeben hatten, scheinen noch vor der riesigen Barrière, welche sich ihnen dort entgegenstellte, Halt gemacht zu haben.

Jedenfalls war auch das Riff „Priprada" zu jener Zeit noch bedeutender als heute, und der kaum entwickelte Handel in den halbbarbarischen Nachbarterritorien mochte die jungen griechischen Colonisten kaum zu grösseren Anstrengungen zur Schifffahrt über die grossen Donau-Cataracte angespornt haben.

Erst nachdem Rom in den Besitz aller von der Donau durchflossenen Territorien sich gesetzt hatte, da musste sich ihm aus strategischen wohl mehr als aus handelspolitischen Gründen die Nothwendigkeit aufdrängen, die auch weiter mit dem alten Namen Ister bezeichnete untere Donau mit deren oberem Laufe, Danubius genannt, in ununterbrochene Verbindung zu setzen. Ein Zeitraum von nicht weniger als 1800 Jahren liegt zwischen heute und jener grossen Vergangenheit, wo von einem der mächtigsten Culturvölker der Erde diese ersten noch gegenwärtig staunenswerthen Versuche zur Hebung oder richtiger Umgehung der Donau-Cataracte gemacht wurden.

Wir werden die grosse Strasse verfolgen, welche unter den Kaisern Tiberius und Trajan auf 16 Meilen Länge beinahe stets in hartem felsigem Gestein gesprengt worden ist. Wir werden die monumentalen Tafeln kennen lernen, welche mit Recht diese Grossthaten menschlicher Willenskraft verewigten und haben hier noch zu grösserer Vervollständigung auch des römischen Versuches zur Gewinnung einer besseren Fahrstrasse im Strombette selbst zu gedenken, für welchen die noch kennbare Trace eines ausgebrochenen Canals bei Sip im eisernen Thore sprechen.

Es war eine verhältnissmässig glückliche Epoche für die Ufergebiete der Donau angebrochen, in welcher Griechen und Römer sie einer höheren Civilisation zuzuführen suchten; denn standen zu jener Zeit auch bei Colonisation und Organisirung dieser von Rom weit entfernten Ostländer die militärischen Zielpunkte in erster Linie, so wurden sie doch auch von socialen und wirthschaftlichen Segnungen begleitet.

Leider schritten die Völkerstürme verheerend über die Cultursaat hinweg, welche die verhältnissmässig kurze römische Epoche an der unteren Donau gepflanzt hatte. Sie vernichteten gleichzeitig die Mehrzahl der stolzen Monumente, welche der Nachwelt Zeugniss von derselben geben konnten, und gleiches Schicksal ereilte auch jene der späteren byzantinisch-slavischen Periode.

Die nachfolgenden archäologischen Reisestudien von der serbischen Donau, d. i. vom Timokeinflusse bis zur Savemündung, haben die Aufgabe, soweit es die bescheidenen Kräfte des Autors erlaubten, grossentheils neue Beiträge zur Kenntniss der noch vorhandenen alten Denkmale in jenen Gegenden zu liefern. Wir knüpfen beinahe unmittelbar an die seit 150 Jahren ruhenden Bestrebungen des Grafen v. Marsigli an, dessen im Jahre 1717 erschienenes Werk in Ermanglung neuerer Forschungen allen wissenschaftlichen Arbeiten über römische Topographie bisher zu Grunde gelegt werden musste.

Wie lückenhaft und in vielen Stücken ungenau unsere Kenntniss der serbischen und noch mehr der bulgarischen Donau bis heute geblieben, wird an vielen Stellen dieser Arbeit nachgewiesen werden. Sie wird sich mit den Punkten: Praovo, Brsa-Palanka, Kladova, Turn-Severin, Tekie, Orsova, Ogradena (Trajanstafel), Veteranihöhle, Golubac, Tatalia, Maidanpek, Poreč Poljetin, Dobra, Brnica, Schloss Golubac, Lászlóvár, Babagai, Moldova, Ó-Palanka — und in einem zweiten Aufsatze: mit Gradište, Rama, Kostolac, Kulič, Smederevo, Kolar, Grocka, Belgrad und Avala beschäftigen, die an diesen Orten gemachten archäologischen Funde berühren und ihren Zusammenhang mit der älteren Geschichte zu begründen suchen, ohne hierbei — wie dies in mannigfachen schwierigen Verhältnissen begründet ist — auf Vollständigkeit Anspruch erheben zu wollen.

I. Praovo.

Noch mehr als unter Fürst Miloš macht sich gegenwärtig die künstliche, nur durch das Kreisbeamtenthum kümmerlich gefristete Existenz der nahe am Timok gelegenen Stadt Negotin geltend. Sie theilt das Schicksal mancher durch die Laune kleiner deutscher Fürsten hervorgerufenen Städte und man denkt bereits ernsthaft daran, trotz der unvermeidlichen Nachtheile für die Ansiedler den Kreissitz weg an die Donau zu verlegen. Radujevac's Lage an der Timok-Mündung, noch mehr aber jene von Praovo auf seinem mässigen, die Donau vollkommen beherrschenden Plateau müssten sich zur Gründung eines grösseren serbischen Handelsemporiums an der Grenze Bulgariens von selbst empfehlen.

Dass Praovo schon unter den Römern eine bedeutende Colonie war, davon überzeugte ich mich bereits im Jahre 1860, als ich in Begleitung des Herrn Gymnasial-Professors Abdič von Negotin einen Ausflug dahin und von dort weiter bis Tekie zu Wagen unternahm. Nicht nur werden zahlreiche antike Münzen und geschnittene Steine in Praovo gefunden, sondern ich selbst sah daselbst die Reste bedeutender, mehrere Klafter hoher Castellmauern, aufgeführt aus behauenen und Feldsteinen, und von breiten Ziegelbändern unterbrochen.

Römischer Castellwall zu Praovo.

Die von dem nahen Džanjevo herabkommende alte Wasserleitung konnte ich leider nicht persönlich verfolgen; sie wird allgemein „Quelle der Königin" genannt.

Mitten zwischen Häusern, nahe am Donau-Ufer, fand ich jene auf Kaiser Trajan bezüglichen Inschriftsteine, welche ich zuerst in den Schriften der kaiserlichen Akademie der Wissenschaften veröffentlichte[1], Ackner und Müller[2] nach mir in ihr Inschriftenwerk aufnahmen und zu lesen versuchten. Erst von Mommsen wurden die beiden Fragmente als zusammengehörig erkannt und das Berliner „Corpus romanorum" wird in seinem Mösien betreffenden Abschnitte die von ihm vorgeschlagene Lesung bringen.

Praovo scheint auch unter den Byzantinern und Slaven seine Bedeutung bewahrt zu haben. Manche alte Sage knüpft sich an dasselbe und an das erwähnte nahe Džanjevo, wo Marko Kral, der „Wilensohn", getödtet und begraben worden sein soll. Die Ruinen eines dortigen Kirchleins sollen sein Grab einst umschlossen haben. Erinnern wir uns, an wie vielen Orten das serbische Volk seinen mystischen Liebling Marko Kral leben und sterben lässt, so wird es wohl erlaubt sein, die Begründung der Tradition, welche sich an die Džanjevoer Ruinen knüpft, zu bezweifeln.

II. Brsa-Palanka.

Bei dem Städtchen Brsa-Palanka schneidet die durch eine weite Krümmung der Donau gebildete walachische Landzunge am tiefsten in das serbische Territorium. Sie ist den Schiffern sehr lästig. Brsa-Palanka selbst zeigt nur wenige Spuren früheren Wohlstandes. Selbst unter dem Regimente der Moslims musste es bedeutender gewesen sein. Die Ruinen verfallener Stadtmauern und Moscheen blicken traurig von den Höhen herab, und von seinem Dasein in der Römerzeit erzählen in Ermanglung weiterer Nachforschungen nur einzelne Münzen, Gemmen und Schmucksachen, welche speculative Insassen dem vor der sehr mittelmässigen Mehane ausruhenden Fremden anbieten.

Mannert und Forbiger setzten an Brsa-Palanka's Stelle Aquae, welches Justinian nach den Barbarenstürmen wieder hergestellt hatte. Nach den Kirchennotizen war es der Sitz eines Bischofs. D'Anville aber wollte Aquae in Brsa-Palanka (dem „Palankutza" des Grafen Marsigli) erkennen.

[1] F. Kanitz, Die römischen Funde in Serbien. XXXVI. Bd. der Sitzungsber. der philos.-histor. Classe.
[2] Die römischen Inschriften in Dacien. Wien 1865. S. 1.

III. Kladova.

Schon aus der Ferne erglänzen der neue Kirchthurm des Städtchens und das Minaret der türkischen Veste; gegenüber am linken Donau-Ufer aber die noch leuchtenderen blendend weissen Häuser des walachischen Černec mit jenem alten Thurme, dessen Name allein schon für die stolze, an buntem Wechsel reiche Vergangenheit dieser Gebiete spräche, ragten auch nicht die achtzehn Jahrhunderten trotzenden Zeugen römischer Thatkraft aus den Stromfluthen an seinem Fusse empor.

Kladova (türk. Fet-Islam, d. i. Hort des Glaubens) — einer der vier festen Punkte Serbiens, in welchen die Türkei mit unnachgiebiger Zähigkeit seit der Constantinopolitaner Stipulation vom Jahre 1862 ihr Besatzungsrecht festhält — verdankt wohl der römischen Besitzperiode Mösiens seine Entstehung. Noch zeigt seine Veste den wahrscheinlich ursprünglichen Grundriss seiner römischen Hauptbefestigung, die Quadratform. Auf einer vom Donaurande mässig ansteigenden Höhe gelegen, bildet es gegenwärtig ein nach alter Art befestigtes Schloss, mit etwa 6° hohen flankirenden Thürmen, 3° hohen Verbindungsmauern, einem Zwinger und Graben von 2° Breite, Letzterer mit ummauerter Contre-Escarpe und theilweise zum Aufziehen eingerichteten Brücken. Die Veste wird auf etwa 1200 Schritte von einem nahen Weinberge dominirt und schon diese Thatsache, ganz abgesehen von dem gegenwärtigen Zustande des Vertheidigungsmateriales, genügt, um die heutige Bedeutungslosigkeit Kladova's gegenüber jener stolzen Epoche zu erhärten, in welcher es Egeta hiess.

Zur Zeit, als Kaiser Trajan dem römischen Cäsarenreiche dessen weiteste Grenzen gab, indem er seine nördliche Schutzwehr gegen die Deutschen, den von der oberen Donau bis zum Niederrhein laufenden limes romanus anlegte und dadurch zugleich das durch Domitian herbeigeführte schimpfliche Verhältniss Roms zu seinen östlichen Nachbarn brechen konnte; damals schuf Trajans hoher Genius bei Egeta jenen grossartigen Brückenbau, welcher es zum Hauptstützpunkte der römischen Operationen gegen das feindliche Dacien machte.

War aber auch Egeta (Kladowa) wirklich der Punkt, an dem Trajan jene Steinbrücke erbaute, von welcher uns gleichzeitige Münzen, die trajanische Säule und der römische Consular von Pannonien, Dio Cassius, im allgemeinen Kunde geben, ohne jedoch deren Standpunkt genauer zu bestimmen?

Hierüber ist in neuerer Zeit unter den Historikern ein Kampf entbrannt; denn auch an einem zweiten Orte, bei Gieli, nahe dem walachischen Turnul und gegenüber dem bulgarischen Nikopolis, wo einst die Castelle Romulu und Castra nova standen, und die grosse Trajanstrasse entlang der Aluta durch den Rothenthurmpass in das Herz Siebenbürgens führte, sollen die Ruinen befestigter Brückenköpfe und bei niederem Wasserstande die Pfeilerreste einer Steinbrücke zu sehen sein.

Als Hauptvertreter der ersteren Ansicht für den Standort der Trajansbrücke bei Egeta-Kladova sind neben vielen älteren Geschichtsforschern aufgetreten: Graf Marsigli, d'Anville, Engel, Mannert und zuletzt Professor Aschbach. Für Gieli haben sich aber neben Francke, dem verdienstvollen Biographen Kaiser Trajan's, der Philolog Schwarz, die Historiker Sulzer, Büdinger u. A. entschieden.

Mit Ausnahme zweier späteren Berichte[3] über die am 15. Jänner 1858 (bei einem Wasserstande von 1' 4" unter 0 am Orsovaer Pegel) stattgefundenen Aufnahmen der bei Turn-Severin in der

[3] Mitth. der k. k. Centr. Comm. III. Jahrg., Heft 8.

Donau wahrgenommenen Reste alter Brückenpfeiler, welche jedoch im wesentlichen nur wenig von Graf Marsigli's Darstellung abweichen, lagen den Vertretern beider Meinungen dieselben Quellen vor, auf Grundlage welcher sie zu so diametralen Resultaten gelangten.

Es würde hier zu weit führen, die von beiden Seiten mit einem grossen Aufwande von Studien, Zeit und Geist aufgestellten Combinationen im Einzelnen wiederzugeben. Ich glaube diesfalls auf Aschbach's bezügliche Abhandlung[1] verweisen und mich hier auf das wichtigste beschränken zu dürfen.

Von Gieli, meint Francke, bei welchem und wo gegenüber die Ruinen befestigter Brückenköpfe zu sehen sind, beginnt die grosse, noch heute gut erhaltene Römerstrasse, welche parallel mit der Aluta nordwärts über Brankovan nach dem Rothenthurmpasse gegen Hermannstadt zieht und noch gegenwärtig bei dem Volke unter dem Namen der „via Trajanului“ (des trajanischen Weges) allgemein bekannt ist. Nur eine solche Strasse und die Breite des majestätischen Stromes bei Gieli passt zu der ungeheueren Brücke, die uns Dio geschildert. Er nannte sie das grösste aller Werke Trajan's.

Schwach findet Francke auch den Beweis für die Existenz der Trajansbrücke bei Severin, dass die Entfernung von Gieli bis Viminacium zu gross sei für das Zusammenwirken zweier Heere, da es doch Trajan's Absicht sein musste, den Feind von zwei entgegengesetzten Seiten ins Gedränge zu bringen.

Francke kommt zu dem Schlusse, dass der von Marsigli angenommene Holzbau der Brücke von Severin, übereinstimmend mit einer auf uns gekommenen Münze, dem auch von den alten Quellen erwähnten Brückenbau Constantin's des Grossen über die Donau entspreche. Doch zieht er noch in Zweifel, ob die Ehre dieser Baue vollkommen Constantin zukäme. Nach einer unter den Romanen verbreiteten Sage erbaute Kaiser Severus das Schloss von Severin. Nur Flavius Severus, der als Cäsar die östlichen Völker bekämpfte und als Mitregent von Galerius 307 n. Chr. starb, könnte als Erbauer dieser Brücke und ihrer Thürme gemeint sein, und Constantin zog blos zum Kriege gegen die Barbaren über dieselbe. „So wäre jene Volkssage mit dem Bilde der constantinischen Münze in Einklang gebracht und zugleich der unfruchtbare Streit über die Brücke bei Severin und Gieli geschlichtet.“

Professor Francke irrte jedoch, wenn er mit seinen geistvollen Untersuchungen diesen Gegenstand abgethan glaubte; denn wie schon früher bemerkt, haben noch viele deutsche Gelehrte ihren Scharfsinn und Witz an demselben geübt, und ganz zuletzt fasste Prof. Aschbach in der erwähnten Abhandlung seine gelehrten Untersuchungen in folgendem Schlusssatze zusammen:

„Durch die Zeugnisse der alten Schriftsteller, durch die Localitäten und die noch gegenwärtigen Überreste ist festgestellt, dass Trajan seine steinerne Brücke über die Donau nur zwischen dem walachischen Orte Turn-Severin und dem serbischen Dorfe Fetislan (Kladova) erbaut haben konnte; ferner dass bei Gieli gar keine steinerne Brücke existirt hatte, und dass endlich Constantin keine steinerne Brücke zu seinen Donau-Übergängen anlegte, sondern die alte trajanische nur wieder herstellte.“

Ich begnüge mich hier, diese von Francke und Aschbach als den Hauptrepräsentanten der beiden verschiedenen, mit gleicher Bestimmtheit hingestellten Endschlüsse bezüglich des Standortes der Trajansbrücke ohne weiteren Commentar wiederzugeben. Ich möchte jedoch meine Meinung dahin aussprechen, dass derartige Fragen bei dem heute noch sehr argen Stande der Topo- und Kartographie dieser Länder nicht aus der Studierstube allein, aus hunderte Meilen weiter Entfernung und verschiedenen sich oft widersprechenden Unterlagen und in diesem speciellen

[1] Ibid.

Falle schon deshalb nicht mit voller Gewissheit entschieden werden können, da meines Wissens über das Terrain, die angeblichen Befestigungen und Brückenreste bei Gieli nur die allervagesten Andeutungen vorliegen. Vergebens suchen wir bei Graf Marsigli, welcher bekanntlich zu Anfang des vorigen Jahrhunderts die Donau hinabfuhr und selbst heute noch die einzige, leider oft unzuverlässige Quelle für archäologische Arbeiten über die untere Donau bildet, nach Aufschlüssen über Nikopolis und die in seinem Bereiche fallen sollende Brücke. Von Vidin bis Nikopolis herrscht in dem Marsigli'schen Werke eine vollkommene Lücke. Die Resultate meiner Reise im Jahre 1864 suchen einen Theil derselben vom Timok bis zum Arčer zu schliessen. Anknüpfend an dieselben hoffe ich auf meiner nächsten bulgarischen Forschungsreise bei Nikopolis das von meinem Vorgänger Versäumte nachzuholen.

Wer aber immer auch die grosse Steinbrücke bei Turn-Severin gebaut habe, so viel ist jedenfalls durch alle bisherigen Forschungen übereinstimmend dargethan, dass Kladova mit dem römischen Egeta identisch sei und als solches eine hohe strategische Bedeutung besass. Beinahe in allen wichtigeren itinerarischen Quellen jener Zeit wird es in diesem Sinne erwähnt. Schon Ptolomäus, welcher nur die hervorragendsten Städte anführt, kennt Egeta, und die Peutinger'sche Tafel zeigt es mit einem Flussübergange zu den nach dem Vulcan- und Rothenthurmpasse am Schyl und der Aluta hinlaufenden Strassen.

Im Jahre 117 n. Chr. starb Trajan auf einem Kriegszuge in Asien. Die Brücke, welche seinen grossen Eroberungszügen im europäischen Osten gedient haben soll, überdauerte ihn nicht lange. Der Neider seines Ruhmes, sein Nachfolger Hadrian, liess, wie Dio Cassius mittheilt, deren Oberbau und Bogen zerstören unter dem Vorwande, dass die stabile Steinbrücke die Einbrüche der Barbaren erleichtern könnte. Auch ihr Erbauer, der berühmte Meister Apollodor, fiel später als ein Opfer des Hasses des ihn beneidenden mittelmässigen kaiserlichen Baukünstlers.

Egeta bewahrte seine strategische Bedeutung als wichtiger Strassenknotenpunkt auch im II. und III. Jahrhunderte. Ja die fortificatorischen Anlagen auf dem linken Donau-Ufer gegenüber sollen um diese Zeit wahrscheinlich zum Schutze der dortigen späteren Schiffbrücke von einem Kaiser Severus durch einen Neubau „Turris Severina" verstärkt worden sein. Es ist nicht nachgewiesen, ob dies durch Alexander oder Flavius Severus geschah. Aschbach spricht für den ersteren, Francke für den zweiten — jedenfalls erhielt die walachische Ansiedlung „Turnu Severinului" von dem noch heute etwa 25' hohen Thurme ihren Namen.

Die Schlacht von Naissa (Niš) hatte Rom vor dem ihm drohenden Gothensturme bewahrt, seine Stellung in der Provinz Dacien war aber nicht länger zu halten. Immer mächtiger wurde das Andrängen der Barbaren und der Sieger über die tapfere Zenobia im Oriente, in Egypten, über die Alemanen und Gothen, der kriegerische Kaiser Aurelian sah sich genöthigt, die von Trajan dem Reiche neu gewonnene Provinz gänzlich aufzugeben und dessen Grenze auf das rechte Donau-Ufer zurückzuverlegen. Hier wurde ein Theil von Mösien an der Donau ausgeschieden, und um nicht den Provinznamen Dacien aus dem römischen Imperatorentitel verschwinden zu lassen, „Dacia ripensis" genannt.

Egeta wurde nun Standort der istrischen Flotte und der Legio XIII Gemina, die früher in der dacischen Colonia Ulpia Trajana Sarmizegethusa gelegen hatte. Aschbach hält es gleich Gibbon[5] für erwiesen, dass Constantin, gestützt auf den von den Römern festgehaltenen jenseitigen Brückenkopf Transdierna, die Pfeilerreste bei Egeta zur Aufführung einer neuen steinernen Brücke benützt und auf dieser die Donau zur Züchtigung der Gothen und Sarmaten übersetzt habe. Eine Münze und ein Thurmbau, welch' letzteren Aschbach nach Const. Porph. zum

[5] Hist. of the decline etc. 14.

erstenmale in seiner Arbeit über die Trajansbrücke erwähnt, sollen für diese Annahme Zeugniss geben.

Gleiches Schicksal mit allen Bauten des grossen befestigten Donaulimes theilte auch Egeta, als die Barbaren die römischen Donauprovinzen verheerend überflutheten. Es erstand nie mehr in seinem alten Glanze. Seine Ruinen gleich jenen der gesprengten Steinbrücke lieferten Justinian das Material zur Wiederherstellung und zum Neubau einiger benachbarten Castelle. Die Städtegeschichte dieser Länder im Mittelalter ist noch zu wenig erforscht, als dass es möglich wäre, die weiteren Schicksale der durch Verwüstungen und fortwährenden Herrschaftswechsel schwer heimgesuchten Donaustädte, insbesondere während der serbischen Epoche festzustellen. So viel dürfen wir aber nach zahlreichen analogen Fällen annehmen, dass die Türken nicht Kladova seine heutige Gestalt gegeben, sondern auf den Ruinen Egeta's bereits einen slavischen festen Punkt vorgefunden haben dürften. Im Jahre 1813, als die Türken das um seine Freiheit ringende Serbien sich zeitweilig wieder unterworfen hatten, sah Kladova eine jener Blutscenen, wie sie Fanatismus und Rache beinahe in allen serbischen Städten, welche die Sieger betraten, herbeiführten.

Ich habe bei der älteren Geschichte Kladova's länger verweilt, da es durch seine Brücke ein interessanter historischer Punkt; ferner weil in der Schilderung seiner Entstehung, seines Glanzes und Verfalls zugleich die Geschichte sämmtlicher römischen Colonien an der unteren Donau, sowie ihrer Heerstrasse und deren Castellgürtels in grossen Zügen sich spiegelt und dies mir nunmehr gestattet, bei Berührung der ferneren römischen Punkte mich kürzer zu fassen.

IV. Tekie.

Auf einer Ansicht Tekie's, von Alt (Vater) im J. 1824 in seinen Donau-Ansichten veröffentlicht, sind noch dessen Schanzen und Thürme sichtbar, welche die Serben im Befreiungskampfe mit abwechselndem Glücke vertheidigt hatten. Heute sind nur wenige Reste dieser einst schützenden Bollwerke von der ebnenden Pflugschar unberührt geblieben. Sie scheinen römischen Ursprungs zu sein. Schon Marsigli, Dan. II, Taf. 6, zeigt Orsova gegenüber den quadratischen Grundriss eines kleinen Castrums.

V. Ada-Kaleh.

Da das nachbarliche Verhältniss der Türkei ein zu Österreich ebenso freundliches als zu Serbien feindliches, lässt sich ein Ausflug nach dem grossherrlichen Ada-Kaleh viel leichter von Orsova als von Tekie bewerkstelligen. Als meine projectirte Reise nach dem Balkan im Jahre 1862 durch den mittlerweile ausgebrochenen bulgarischen Aufstand verzögert worden war, benützte ich die gewonnene unfreiwillige Musse zu einem Besuche Mehadia's und der türkischen Inselfestung. Von Vidin schiffte ich Donau aufwärts durch das „eiserne Thor", landete in Orsova und fuhr nach einer kurzen Vorstellung bei dessen k. Platz-Commandanten, versehen mit dem nöthigen Pass-visa und von einem braunen in noch dunklerer Uniform steckenden Grenzsohne begleitet, durch Orsova's Quarantäne dem Punkte zu, wo eine Fähre die Communication zwischen Festland und Insel vermittelt. Bald war die Fahrt auf dem beide trennenden schmalen Donau-Arme zurückgelegt.

Bekanntlich wurde die Inselfestung Neu-Orsova, so lautet ihr ursprünglicher Name, von Kaiser Leopold I. angelegt[6], und als sie durch den Passarovitzer Frieden an Österreich zurückgelangte, unter Kaiser Karl VI. in ihren heutigen Stand versetzt. Wie alle österreichischen Festungs-

[6] Graf Marsigli, welcher Orsova zu Beginn des XVIII. Jahrhunderts sah, veröffentlichte in seinem Dan. II, Tafel 8 einen Grundriss der damaligen mangelhaften Befestigungen, der auf hier bestandene römische feste Bauten schliessen lässt.

bauten jener Epoche tragen ihre Werke das Gepräge grösster Solidität, und wird namentlich die Stärke ihrer Casematten gerühmt. Der in zahlreich sich kreuzende Winkel gebrochene Bastionenkranz springt grösstentheils bis an den Inseluferrand vor und ist noch beinahe ausschliesslich mit denselben Geschützen armirt, welche die Kaiserlichen zurückgelassen haben. Von Seite der Türken geschah hier ebensowenig wie in Belgrad etwas namhaftes, um die Vertheidigungsfähigkeit Orsova's zu erhöhen. Bei der übergrossen Zahl türkischer Festungen an der Donau müsste aber der Stand der grossherrlichen Finanzen auch ein ganz anderer sein, sollte in dieser Richtung etwas erspriessliches geschehen.

Unstreitig bildet Ada-Kaleh eine der stärksten strategischen Positionen der unteren Donau. Jene Macht, die sich in den Besitz der Festungsinsel und der Defilé's auf beiden Donau-Ufern zu setzen vermöchte, wäre zugleich Herr des ganzen Stromverkehrs. Wohl müsste dann das aus zwei gesonderten Bastionen und einem höher liegenden Wachtthurm bestehende Elisabethfort, welches im Jahre 1736 durch General Hamilton erbaut und zu Ehren der Kaiserin „Elisabethschanze" genannt wurde, verstärkt und müssten am linken Ufer neue Werke aufgeführt werden.

Das Elisabethfort von Ada-Kaleh.

Gegen einen Angriff zu Wasser durch eine von der Donaumündung aufwärts dringende Flotte bedarf es jedoch keiner künstlichen Schutzmittel. Die natürlichen Barricaden des gefährlichsten aller Donaucataracte, des von den Schiffern seit altersher gefürchteten „eisernen Thores", machen dieselben gänzlich überflüssig.

5*

In allen österreichisch-türkischen Kämpfen spielte der die Verwendung der beiderseitigen Flotten ermöglichende höhere oder niedere Wasserstand eine grosse Rolle, namentlich aber dann, wenn es sich um eine Operation gegen Vidin oder das den Besitz der unteren Donau sichernde Orsova handelte.

Ein Rückblick auf die Schicksale des letzteren in dem für Österreich verhängnissvollen Kriege von 1737—1739 dürfte nicht ohne Interesse sein. Er wird in vielem und selbst durch die Betheiligung eines sächsischen Hilfscorps Anlass zu lehrreichen Parallelen mit den im letzten Feldzuge in Böhmen gewonnenen Erfahrungen bieten. Er erscheint aber auch dadurch gerechtfertigt, weil Orsova schon jetzt — die Auslieferung des Elisabethforts wurde erst neulich in Constantinopel von Serbien kategorisch verlangt — und noch mehr, weil es in den wahrscheinlich bald an der unteren Donau ausbrechenden Kämpfen oft genannt werden dürfte.

Wie noch heute, erwies sich Österreich auch unter Kaiser Karl VI. trotz seiner schlimmen Finanzlage und inneren Calamitäten unerschöpflich in der Aufbringung mächtiger Heere. Ihre Führung lag aber in der Hand mittelmässiger oder gänzlich unfähiger Feldherrn, deren Verpflegung in jener gewissenloser, nur auf Selbstbereicherung speculirender Intendanten. Anfängliche Siege verkehrten sich durch beschauliches Zuwarten und unverzeihliche Missgriffe in Niederlagen, die gewonnenen Sympathien der mit den österreichischen Befreiern kämpfenden Rajah durch illoyale Bedrückung des orientalischen Cultus zu Gunsten des Katholicismus und übermässige Steueranflagen in Hass und Abfall von der kaiserlichen Sache.

Der Feldzug vom Jahre 1737 verlief für die kaiserlichen Waffen so ungünstig, dass nach dem Falle Niš's, welcher die Aufhebung der Belagerung von Vidin herbeiführte, die kaiserlichen Heerführer an der Donau mit grösster Beschleunigung die schützenden Mauern Orsova's zu erreichen suchen mussten.

Die kaiserliche Arrièregarde hatte das damals feste Schloss Florentin an der Donau auf dem Wege von Vidin nach dem Timok unbesetzt gelassen, und schon am 25. October überschritten die Türken ungehindert diesen Fluss. Es geschah dies unter den Augen des zur Vorpostenkette commandirten Generals Löwenwald, welcher durch Vedetten auf die türkischen landenden Tschaiken aufmerksam gemacht, diese komischerweise für Schwärme grosser Vögel, „Nimmersatt“ genannt, hielt und Khevenhüller in Sicherheit wiegte.

Das türkische Gewehrfeuer sollte ihn gar bald aus dieser aufstören. Der Feind drang durch eine zwischen dem sächsischen Contingente und den aus ihren Cantonnements hervorgebrochenen überraschten Truppen entstandene Lücke ein, trieb die serbischen Hilfstruppen vor sich her und massacrirte Trainsoldaten und Kranke während der Erstürmung des Lagers. Das sächsische Contingent unter des Grafen Rudolfsky Befehl entwickelte eine bewunderungswürdige Bravour in der Deckung des durch allerlei sich kreuzende Gegenbefehle erschwerten Rückzuges, welcher die unbehinderte Besetzung Brsa-Polanka's und Sip's den Türken ermöglichte.

Seckendorf beschloss nach dieser unglücklichen Wendung des Feldzuges, sich in Orsova einzuschliessen und nahe unter dessen Schutze zu campiren. Sein immer fühlbareres Schwanken hatte jedoch seine Autorität im Officiersrathe wie im Lager bereits gleich sehr erschüttert und sein Verhältniss zu dem sächsischen Commandanten so sehr gelockert, dass Graf Rudolfsky des Marschalls Verlangen wegen Absendung zweier sächsischer Bataillone von Belgrad nach Maidanpek rundweg abschlug. Die von allen Seiten anstürmenden Nachrichten von den einzig durch die schwächliche Oberleitung herbeigeführten Unfällen, wie z. B. von der Aufreibung zweier Bataillone vom Regimente Baireuth, die im Passo Augusto gänzlich vergessen worden waren, demoralisirten die Armee vollends und alles schien nur mehr auf die persönliche Rettung bedacht zu sein.

Die am 14. October in Sabac und am 18. October an der Donau bekannt gewordene Abberufung Seckendorff's vom Oberbefehl und Ersetzung durch Philippi kam zu spät. Die Abneigung der Sachsen, weiter mit den Kaiserlichen zu kämpfen, war bereits in vollste Widersetzlichkeit übergegangen. Auf einen Befehl des Hauptquartiers, welcher sie anwies, in ihrem Verbande mit dem Batthiányi'schen Armeecorps zu bleiben, antwortete Rudolfsky, ungeachtet ihm von Khevenhüller mit der Entziehung aller Subsistenzmittel gedroht worden war, dass er abziehen werde.

Dieser charakteristische Conflict scheint denn auch wirklich nur durch die Ernennung des renitenten Rudolfsky zum Corpscommandanten an der Stelle des nach Wien abgesendeten Batthiányi für kurze Zeit behoben worden zu sein; denn die Sachsen zogen es vor, trotz alles Bittens der kaiserlichen Generale den Rückzug als Arrièregarde zu decken, sich in Eilmärschen nach Mehadia zurückzuziehen.

Bereits hatten die kaiserl. Truppen die kleine Walachei geräumt, während der Train der über das Elisabethfort retirirenden Seckendorff'schen Armee, für dessen Rettung General Graf Salm nichts gethan hatte, bei Brsa-Polanka von den Türken beinahe gänzlich erbeutet wurde. Die Verwirrung während des Rückzuges scheint nach einzelnen von Schmettau geschilderten Episoden eine heillose gewesen zu sein. So entgingen ein Oberst Lange mit vielen Officieren, die sich in Sip beim Frühstücke es wohl sein liessen, nur durch die Schnelligkeit ihrer Rosse der türkischen Gefangenschaft.

Am 11. November erschienen die Türken mit 130 Tschaiken vor Orsova selbst, nachdem sie am 9. die kaiserlichen Galeeren[7] h. Karl und h. Elisabeth von je 22 Kanonen in den Grund gebohrt hatten.

Der mittlerweile eingetretene Winter machte der bis zum 18. November gedauerten Blokirung Orsova's und dem ersten Feldzuge des dreijährigen Krieges ein Ende.

Der zweite Feldzug wurde bereits im März 1738 durch den Zug Amiakum Pascha's mit 20.000 Mann gegen Orsova eröffnet. Nachdem er Mehadia belagert, dessen Pass durch die Capitulation Piccolomini's mit 500 Mann frei geworden war, brachten die Türken ihr schweres Geschütz auf beiden Donau-Ufern vor Orsova. Weder die Festung noch das Elisabethfort hatten jedoch bei ihrer ausgezeichneten Casemattirung von des Feindes Feuer besonders zu leiden.

Einen grossen Theil des türkischen Belagerungscorps bildeten die walachischen Bergbewohner. In der Eugen'schen Periode unter dem Regimente dieses ebenso grossen Kriegers wie weisen Politikers, wurden die neu erworbenen Unterthanen in den eroberten Donauländern in allem nach Möglichkeit geschont, in ihrem Cultus geschützt und auch durch keine übermässigen Steuern — sie bezahlten 1 Ducaten per Kopf — bedrückt. Gerne führte damals die von dem humanen Gouverneur Mercy, dem Civilisator dieser Länder, mild behandelte Rajah jene von Eugen angeordneten grossen Bauten aus, welche zum Theile noch heute als Zeugen eines ruhmvollen Abschnittes österreichischer Vergangenheit sich erhalten haben.

Nach Mercy's Tode verdarb jedoch die kaiserliche Bureaukratie in Kürze Eugen's mühsam aufgeführtes Werk. Ohne staatsmännischen Blick, kurzsichtig, den augenblicklichen fiscalischen Vortheil stets in erste Linie stellend, verlor sie die hohen Aufgaben Österreichs im Osten gänzlich aus den Augen. Einzig auf die Füllung des stets leeren Staatssäckels bedacht, schrieb die kaiserliche Domänenkammer in Serbien und in der Walachei harte Steuern aus und das Landvolk,

[7] Nach einer andern Quelle (Schmettau) geschah dies durch die Kaiserlichen selbst. Es waren die zwei einzigen Schiffe der kaiserlichen Flotte, welche wegen des niedern Wasserstandes bis Orsova vordringen konnten. Die österreichische Kriegsflotte bestand zu jener Zeit aus 2 Schiffen zu 30 und 10, 6 zu 56 und 7 zu 22 Geschützen unter dem Oberbefehle des Marquis Pallavicini.

stets geneigt, die Güte jeder Regierung nach der Höhe der ihm auferlegten Abgaben zu bemessen, überdies durch executorische Massregeln oft gekränkt, auch in der freien Übung seines Cultus gehindert, begrüsste — was es wohl selbst früher kaum für möglich gehalten hätte — die heranziehenden Türken als sehnlichst erwartete Befreier von der kaiserlichen Herrschaft.

Marschall Wallis von Belgrad und General der Artillerie Graf Neipperg von Temešvár führten die Corps heran, welche bei Lugoš mit der Aufgabe sich vereinigten, Vidin anzugreifen und Orsova zu entsetzen. Endlich am 25. Juni 1738 setzte sich die gesammte Armee in Bewegung. Ein Theil derselben wurde jedoch schon auf dem Marsche zwischen Dognačka und Gornja an der Karas überfallen. Die Türken drangen mit Blitzesschnelle mitten in das kaiserliche Lager bis zum Zelte des Obercommandanten Herzog von Lothringen, welcher eben dinirte, vor; wurden aber, nachdem man sich von der ersten Überraschung erholt hatte, von den herbeigeeilten Cavallerieregimentern Diemar, Seher und Schulenburg zurückgeworfen. Die Scene verkehrte sich nun. Die Kaiserlichen verfolgten den Feind bis in dessen eigenes Lager und erbeuteten es sammt Kanonen*. Der Kampf hatte volle vier Stunden gedauert und am 6. Juli wurde der Sieg, welcher übrigens den Kaiserlichen grössere Verluste als den Türken gekostet hatte, bei Mehadia durch eine dreifache Decharge gefeiert. Man versäumte auch nicht, den blutigen Triumph durch die Übersendung einiger erbeuteter Fahnen und Tambourins nach Wien zu melden. Im feierlichen Aufzuge unter Vorauritt von 24 Postillionen zog Oberst Reissing in der Stadt ein. Das Volk aber, aufgeregt durch die unerwartet freudige Nachricht, mehr noch aber aufgestachelt durch allerlei Maueranschläge und Pamphlete, sammelte sich in grossen Haufen vor dem Gefängnisse des in Untersuchung gezogenen protestantischen Marschalls Seckendorff, dem es allein die Unfälle des ersten Feldzuges zuschrieb, fluchte und beschimpfte ihn, brach die Thore ein, bis ein Detachement Soldaten heranrückte, welches dem schmählichen Unfuge ein Ende machte.

Indessen rückte die kaiserliche Armee langsam vor. Am 9. Juli gelangte sie vor Mehadia, dessen 600 Janisseri sich bedingungslos ergaben. Hier erschienen abgeordnete Älteste der aufständischen Rajah, um bittend ihre Untreue zu entschuldigen und auf's neue dem Kaiser zu huldigen. Aber auch noch weiter erwies sich der kaiserliche Schwiegersohn zugleich auch als begünstigter Sohn des Glückes.

Ohne Schwertstreich verliessen die Türken die unterhalb Mehadia's zum Schutze ihres Lagers bei Orsova aufgeworfene Redoute und endlich sogar dieses selbst mit Zurücklassung ihrer ganzen Artillerie und Bagage, ohne selbst ihre Todten zu bestatten. Graf Gyulai wurde zur Besetzung des verlassenen Lagers abgeordnet und der Commandant Orsova's, Herr v. Kornberg, erschien, um dem Prinzen zu erklären, dass seine Festung im besten Stande sei und sich jedenfalls bis zu Ende des Jahres gehalten hätte. Mehr als 10 Geschütze und Mörser wurden von der Beute nach Orsova gesendet und neben grossen Provisionen, namentlich an Reis, prangten viele Zelte, Rossschweife und Fähnleins vor des Prinzen Zelt.

Statt die leicht gewonnenen Vortheile weiter zu verfolgen, campirte die kaiserliche Armee, der Ruhe pflegend, zwei ganze Tage lang zwischen Mehadia und Orsova, bei Toplec. Man liess dem Grossvezier Zeit, sich zu sammeln und schon am 12. zog er entlang der Černa heran. Obwohl von Gyulai benachrichtigt, that Neipperg nichts, um den Übergang und das Vorbrechen des Feindes am linken Černa-Ufer zu verhindern; obschon nur wenige Bataillone zur

* Graf Schmettau erzählt, dass man bei dieser Gelegenheit 1200 Christenköpfe mit abgeschnittenen Ohrläppchen fand, deren jedes der türkische Oberfeldherr mit einem Ducaten eingelöst hatte, und bemerkt hiebei: „Es gehört der gute Glaube eines Muselmannes dazu, sich mit einer solch' schwachen Probe zu begnügen. Unsere Soldaten würden uns wahrscheinlich unsere eigenen verkauft haben.“

Vertheidigung des strategisch hochwichtigen Defilé's genügt hätten, durch welches der feindliche Vormarsch allein möglich war.

Sicher gemacht durch ihre anfänglich leicht errungenen Vortheile, schienen die Kaiserlichen selbst die einfachsten Vorsichtsmassregeln unterlassen zu haben. Schon befand sich der Grossvezier auf dem linken Flussufer, als der Prinz-Obercommandant, begleitet von den Generalen Königseck und Wallis, einen Spazierritt in das verlassene türkische Lager machen wollte. Nur ihren schnellen Rennern dankten sie es, dass sie nicht aufgehoben wurden.

Die raschen Bewegungen des Grossveziers erregten eine nicht geringe Bestürzung im kaiserlichen Hauptquartier. Man dachte weder daran, den Feind zu schlagen, noch an das beabsichtigte Unternehmen gegen Vidin und überliess Orsova seinem Schicksale. In das Fort von Mehadia wurde eine kleine Garnison unter Oberst von Bärenklau geworfen, mit der Freiheit, nach Umständen zu capituliren. Der beschlossene Rückzug wurde in übereilter Weise ausgeführt. Die Türken ihrerseits suchten denselben durch geschickte Flankenmärsche zu hindern.

Ein 12.000 Mann starkes feindliches Corps, welches den Kaiserlichen auf der grossen Heerstrasse und auf zwei über Höhen führenden Saumpfaden nachgefolgt war, erreichte die österreichische Nachhut in den Defiléen hinter Mehadia. Im edlen Wetteifer mit ihrem fürstlichen Anführer vollbrachten die Kaiserlichen hier wahre Wunder der Tapferkeit und trieben die Türken mit einem Verluste von 5000 Mann zurück. Mit der günstigen Entscheidung des vierstündigen Kampfes für das kaiserliche Heer war auch dessen tief gesunkener Muth auf's neue belebt.

Es hätte nur eines raschen Entschlusses seiner Führer zur Rückkehr nach Orsova bedurft, und die Türken wären sicher aufs neue geflohen. Officiere und Soldaten ersehnten den Befehl zum weiteren Vormarsch; statt alledem blieb man ruhig im Lager, gönnte dem Feinde Zeit, Mehadia zu nehmen und setzte endlich am 16. den Rückzug gegen Karanšebeš fort, wo man am 20. eintraf, nachdem der schlecht gedeckte Tross von der kaum unterworfenen Bevölkerung geplündert worden war. 2000 Kranke und Verwundete wurden nach Pančova weiter transportirt, die Cavallerie lagerte in Lugoš, die Infanterie bei Lugo-Selo; der Prinz von Lothringen reiste aber am 21. Juli wohl nicht mit den freudigsten Gefühlen nach Wien ab.

Die retirirende Armee konnte sich nicht lange der nothwendigen Erholung erfreuen. Hart gedrängt von dem siegreichen Vezier, musste sie ihren Rückzug bald wieder aufnehmen. Den Scorbut und die Pest in ihrem Gefolge, zog sie, diese traurigen Geisseln über die schuldlose Bevölkerung verbreitend, von Denta über Veršec entlang der alten Römerstrasse durch Jassenova, Dubovac und Kubin, in dessen Nähe sie die Donau auf zwei Brücken übersetzte, bis Belgrads Mauern deren Trümmer schützend aufnahmen.

So traurig endete durch die abermalige verfehlte Leitung der kaiserlichen Heere der zweite Abschnitt des dreijährigen, dem Kaiserstaate seine besten Kräfte raubenden Krieges!

Mit dem Rückzuge der grossen Operationsarmee war aber zugleich Orsova's Schicksal entschieden. Ungeachtet der abgegebenen schönen Versprechungen übergab es Kornberg schon im August unter der Bedingung freien Abzuges nach Belgrad. Nur durch Selbstmord entging er dort der gegen ihn eingeleiteten kriegsrechtlichen Untersuchung. Der Commandant des kleinen Elisabethforts verweigerte jedoch dessen Auslieferung, da er an jene Orsova's nicht glauben wollte. Denselben überwiesen, capitulirte auch er später.

Der nach dem unglücklichen Feldzuge vom Jahre 1738 abgeschlossene Belgrader Friede (1739) überlieferte Orsova auch formell dem Sultan. Im Jahre 1789, unter persönlicher Intervenirung Kaiser Joseph's II. belagert und nach langwieriger Blokade (1790) genommen, gelangte Orsova im Frieden von Sistov von neuem in türkischen Besitz.

Seitdem weht des Sultans Flagge unbelästigt von den ausgedehnten Werken der Inselfestung. Ihr Verfall ist jedoch ein unverkennbarer. Ausser einigen besser aussehenden, ursprünglich österreichischen Casernen und Verwaltungsgebäuden und der zur Moschee umgewandelten Kirche, erweckt die türkische Niederlassung nur klägliche Eindrücke.

VI. Trajansfels.

Zwei Stunden etwa oberhalb des serbischen Tekie und gegenüber dem österreichischen Orte Ogradena gelangen wir an einen weitvorspringenden Felsen, den Trajansstein, mit seiner im lebenden Gestein gemeisselten, von zwei Genien en relief gehaltenen und vielfach commentirten Inschrifttafel. Consul v. Neigebauer[9] hatte dieselbe sehr verstümmelt mitgetheilt, und ebenso irrig beschrieb er die Localität, indem er den Trajansfels gegenüber von Ogradena, bei einem angeblich in Serbien befindlichen Orte Tactalia angibt. Später werden wir sehen, auf welch fabulose Art dieser Ort entstanden und welch' grosse Verwirrung er in die Combinationen der ihn ohne Kritik acceptirenden Historiker brachte. Erst v. Arneth, der verdienstreiche Archäolog, veröffentlichte nach einer von österreichischen Ingenieuren am Orte selbst genommenen Papiermatritze eine genaue Zeichnung und Abschrift der Trajanstafel. Sie lautet nach dem Jahrbuche der k. k. Central-Commission zur Erforschung und Erhaltung der Baudenkmale[10]:

IMP . CAESAR . DIVI . NERVAE . F
NERVA TRAIANVS AVG . GERM .
PONTIF . MAXIMVS TRIB . POT . IIII
PATER . PATRIAE COS . IIII
MONTIS — — I. —— IIAN — — — BVS
SVP — — AT — — — E — — — —

Arneth las die beiden letzten verstümmelten Zeilen:

MONTIS E FLVVII ANFRACTIBVS
SVPERATIS VIAM PATEFECIT.

Professor Aschbach schlug jedoch in den „Mittheilungen" derselben Commission (III, 200) folgende Lesung vor:

MONTIS ET FLVVII DANVBI RVPIBVS
SVPERATIS VIAM PATEFECIT.

Weit mehr als die Einwirkung der Zeit hat der Barbarismus der vorüberziehenden Schiffleute, Fischer und Hirten, welche am Trajansfels gewöhnlich ihre Lagerfeuer anzünden, das interessante Denkmal römischer Thatkraft geschädigt. Wenn irgendwo, wäre hier der serbischen Regierung Gelegenheit geboten, durch die Anlage eines die allzugrosse Annäherung erschwerenden Gitters ihre Pietät gegen eine grosse Vergangenheit zu bezeugen.

VII. Veteranihöhle.

Ausser den stolzen Erinnerungen an die Römerzeit, welche die am rechten Donau-Ufer uns begleitende trajanische Strasse stets rege erhält, birgt der Kazanpass noch andere Punkte, an welche Sage und Geschichte denkwürdige Ereignisse aus dem Mittelalter und der neueren Zeit knüpfen. So sehen wir, kurz bevor wir das Defilé verlassen, auf der österreichischen Seite jene berühmt gewordene Veteranihöhle, welche in den Türkenkriegen und wahrscheinlich auch in

9 Dacien S. 7.
10 I, S. 63.

vorausgegangenen Kämpfen — alte, bei dem Baue der Szechényistrasse aufgefundene Vorwerke[11] sprechen dafür — eine höchst interessante Rolle spielte. Sie liegt einige Klafter über einer der schönsten Partien der neuen Szechényistrasse, etwas oberhalb des österreichischen Ortes Dubova.

Der ganze Gebirgszug im Kazanpasse zeichnet sich durch Höhlenreichthum aus. Grosse Tunelle bis zu 200° Länge durchziehen das Innere der Berge. Sie alle haben ihre eigenthümlichen, meist romanischen Namen. So hiess die in den Čukuraberg (Blutberg) eingesenkte, mit spathartigem Tropfstein bekleidete Veteranihöhle früher Pescabara. Ihren heutigen Namen erhielt sie von dem berühmten kaiserlichen General Graf Veterani, der ihre günstige Position zuerst strategisch verwerthete.

Der leicht zu verbarrikadirende, schlundartige, nur 5' hohe Höhleneingang wurde durch kleine Vorwerke unnahbar gemacht, im Innern des nach rückwärts bühnenartig sich erhebenden riesigen Höhlenraumes, welcher durch eine Öffnung in der Decke erleuchtet wird, eine Cisterne und Backöfen angelegt, und so die früher blos Hirten und Räubern Obdach bietende Höhle zu einer den hier nur 140° breiten Kazanpass beherrschenden kleinen Feste umgewandelt. Die Höhle fasst etwa 600 Mann, die jedoch mit dem schlechten Trinkwasser und dem schwer abzuleitenden Rauche zu kämpfen haben.

Zweimal, zuerst im Jahre 1691, als der siegreiche Markgraf von Baden bei Slankament den Halbmond zum Wanken brachte, machte das neue veteranische Bollwerk den Türken viel zu schaffen. Durch 45 Tage hinderte es jede feindliche Bewegung auf dem Strome und jenseitigen Ufer. Nur der Mangel an Lebensmitteln zwang das unter dem Mannsfeldischen Hauptmanne Baron d'Arman stehende Häuflein von 300 Mann, an den Pascha von Belgrad unter ehrenvollen Bedingungen zu capituliren. Ebenso rühmlichen Antheil nahm die Veteranihöhle an den kriegerischen Ereignissen im österreichisch-russisch-türkischen Kriege im Jahre 1788. Volle zwei Monate wurde sie von Major Stein gegen einen übermächtigen Feind gehalten. Dieser verlor 2000 Mann bei ihrer Belagerung und nur der unzureichende Proviant zwang die Besatzung zur Capitulation, jedoch unter der Bedingung ehrenvollen Abzuges.

Man erzählte mir von römischen Inschriften, welche in der Höhle gefunden worden sein sollen. Ich konnte leider nichts näheres über dieselben in Erfahrung bringen.

VIII. Taliatis.

Nicht geringeres Dunkel schwebt auch über der Römerstation Taliatis, bei welcher die Peutinger'sche Tafel den zweiten Donau-Übergang von Singidunum (Belgrad) abwärts verzeichnet. Nach diesem ging die Römerstrasse zuerst am linken Donau-Ufer nach Tierna, dem jetzigen Alt-Orsova und dann nördlich über ad Mediam (Mehadia), Praetorium ad Pannonios, Gagana, Masclianа nach Tibiscum, am Zusammenflusse der Bistra und Temeš.

Mehrere Historiker, zuletzt Professor Aschbach, suchen diese durch ihren Flussübergang wichtige Mansion am Beginne des Kazandefilés, auf dem serbischen Ufer bei dem kleinen Orte Golubac. Professor Aschbach thut hiebei dem um die alte Geographie hochverdienten französischen Akademiker d'Anville Unrecht, wenn er diesem in einer Note[12] vorwirft, dass er Taliata an die Stelle Neu-Orsova's gesetzt habe. Im Gegentheil hat auch d'Anville es bei dem Marsigli'schen auf Golubac fallenden Castelle von Gradisca, Pescabara gegenüber, sowohl in seiner Abhandlung[13] als Karte angeführt.

[11] Graf Marsigli gibt im Dan. II, Taf. 6, den Grundriss eines alten Werkes, und auch Griselini's Gesch. des Banats (1779) enthält eine Abbildung der Höhle (Taf. 7), welche Rudera alter Bauten am Uferrande zeigt.

[12] Mitth. der k. k. Centr. Comm. III, S. 207.

[13] D'Anville. Mem. de l'Acad. des Inscr. XXVIII, 137.

Mannert gibt hingegen Taliatis bei dem serbischen Orte Tatalia (!) an und sucht diesen mit den Marsiglischen Castellruinen von Starevare und Gradanitza zu identificiren. Die bezügliche Stelle lautet[14]: „Nach der Peutinger'schen Tafel betrug die Entfernung von Taliata nach Tierna (Alt-Orsova) 20 Millimètres. Noch jetzt hat sich im richtigen Abstande der Ort Tatalia (!) erhalten; man findet ihn aber nur auf der grossen Griselinischen Karte, welche bei ihren übrigen Vorzügen den Fehler hat, dass der durch die Grade angegebene Massstab alle Entfernungen grösser macht als sie wirklich sind. Marsigli nennt die noch vorhandenen Überbleibsel der Wälle Starevare und Gradanitza."

So viele Worte, ebenso viele Irrthümer. Vor allem gibt es, wie schon früher bemerkt, keinen serbischen Ort Namens „Tatalia". Auch hat Griselini keinen solchen angegeben, sondern mit diesem Namen das wirklich vorhandene Felsriff im Grebendefilé so ziemlich an der richtigen Stelle eingezeichnet. Dies hat der Historiker Mannert in seinem Eifer übersehen und der Reisende Griselini wurde dafür mit Unrecht von ihm verantwortlich gemacht, dass sein Felsriff Tatalia, richtig Tachtalia, nicht dort liege, wo Marsigli die Ruinen von Starevare und Gradanica[15] anführt und wo Mannert den für seine Hypothese erwünschten fabulosen Ort „Tatalia" gerne gefunden hätte. Dieser Ortsname ist aber auch ohne alle Kritik in viele andere Arbeiten, überall Verwirrung hervorrufend, übergegangen[16]. Natürlich fallen mit seinem Verschwinden auch alle an ihn geknüpften Conjuncturen in nichts zusammen.

Ich beschränke mich vorläufig auch hier darauf, die bei der versuchten genaueren Bestimmung der einzelnen Mansionen an der unteren Donau zwischen sonst tüchtigen Gelehrten herrschenden Schwankungen zu constatiren. Bei dem Besuche der grossen Römerstadt Viminacium (Kostolac) werden wir noch weit grösseren Irrungen in dieser Richtung begegnen. Sie alle wurzeln in den schon gelegentlich des Streites über die Trajansbrücke berührten, später noch weiter auszuführenden Ursachen.

IX. Maidanpek.

Nicht nur die Tradition, sondern auch sichere untrügliche Merkmale sprechen dafür, dass alle Völker, welche vor der türkischen Epoche die unteren Donaugegenden bewohnten oder beherrschten, den reichen Erzgehalt des Pekgebietes zu verwerthen bestrebt waren. Ja, mancher Kampf mochte einzig wegen des begehrenswerthen Reichthumes seiner Berge geführt worden sein. Sicher haben die Römer dieselben gekannt und die reichen Schächte an ihrem Picus (Pek) lieferten die Erze zu den schönen antiken Bronzen, welche in der Nähe Maidanpek's auffallend zahlreich gefunden werden.

Auch die serbischen traditionell sich forterbenden Lieder[17] besingen den Reichthum des Berges Kučai, an dessen Fusse das heute von einem Deutschen betriebene gold- und silberhältige Werk Kučaina liegt. Schon der gelehrte französische Akademiker d'Anville[18] erkannte letzteren Namen verwandt mit jenem der „Guduscani", eines slavischen den „Timocani" benachbarten

[14] Mannert's Geogr. VII, 80.

[15] Diese Ruinen sind bei genauer Vergleichung jedenfalls mit den heute noch sichtbaren Castellresten bei Orankovica an der Mündung der Porečka rjeka identisch. Marsigli, welcher der serbischen Sprache wohl nur wenig oder gar nicht mächtig war, bezeichnete die meisten alten Fundorte mit dem vulgären serbischen Namen Gradica (Schloss); sowie auch mit Starevare (Stari Varoš), was „alte Stadt" bedeutet.

[16] Wir finden ihn abgesehen von Mannert, bei v. Neigebauer und Aschbach, die bei denselben die Trajanstafel, bei Forbiger, welcher an dessen Stelle Taliatis, bei Ackner und Müller, welche noch zuletzt (1865) bei Tactalia nicht nur die Trajanstafel, sondern auch zwei andere Inschriften anführen u. s. w. u. s. w.

[17] Vuk, Pjesme II, 161.

[18] Mem. de l'Acad. des Inscript. 1716. XXVIII, 443.

Stammes, dessen Chef als „Dux Gudnscanorum und Timotianorum" Ludwig dem Frommen zu Herdal huldigte (Eginhard's Chronik[19]. Die serbische und ungarische Geschichte gedenkt im Mittelalter oft des erzreichen Pekgebietes. Bulgaren, Griechen, Ungarn und Serben setzten sich abwechselnd in dessen Besitz und zuletzt spielt es eine bedeutsame Rolle in den österreichisch-türkischen Kämpfen.

Der Besitz und Betrieb des Maidanpeker Werkes schien den Kaiserlichen nach der Eroberung Serbiens als höcht wichtig. Marschall Seckendorff liess im Feldzuge 1737 durch den General Thüngen eine besondere „Postirung" veranstalten, um die Krainaer und Porečer Erzdistricte zu decken. Der landeskundige Panduren-Hauptmann Wiovsky unternahm es, mit 2000 bewaffneten Landleuten aus dem Crna- und Bela-rjeka-Gebiete den Feind abzuwehren. 1738 war jedoch Maidanpek bereits wieder türkisch. Am 24. September sandte man noch von Belgrad ein Detachement zur Escortirung der kleinen Flottille, welche die fertigen Kupfervorräthe retten sollte. Es war die letzte österreichische Ausbeute aus den Maidanpeker Werken. Die Reste eines Forts, die Ruinen einer Kirche und weitläufiger Amtsgebäude erzählen heute noch von der kurzen kaiserlichen Occupation des erzreichsten serbischen Territoriums.

Anfänglich mochten die Türken den Betrieb der Kupferwerke am Pek fortgesetzt haben. In der Revolution des Kočas (1791) sollen sie jedoch gänzlich verwüstet worden sein. Maidanpek blieb bis zum Jahre 1848, wo die serbische Regierung die Arbeiten wieder aufnahm. Ruine und nun wurde der Bergbau auch auf die Erzeugung von Eisen und Zink ausgedehnt.

X. Poreč.

Der französische Akademiker d'Anville[20] sucht in Poreč das „ad Scrofulas" der Peutinger'schen Tafel. Er begründet dies in folgender Weise: „Das eiserne Thor wird auf den meisten Karten oberhalb Poreč angegeben. Da nun Scrupulos Schwierigkeiten bedeutet und bei Poreč eine für die Schifffahrt schwierig zu passirende Barrière im Strombette sich befindet, so dürfte dieser Name höchst wahrscheinlich der nach den alten Itinerarien auf nahe bei Poreč fallenden Station von den Römern gegeben worden sein." D'Anville vermuthete nämlich nach den alten Karten in den Islas- und Tachtaliariffen des Grebendefilé's jene riesige Felsbank, welche Strabo als Scheide zwischen dem Ister und Danubius anführt. Auch Kiepert verlegte das „eiserne Thor" aufwärts von Orsova. Ich habe bereits früher nachgewiesen, dass dieser Name nur dem Pripradariffe unterhalb Orsova zukömmt.

Man sieht, wie schwach d'Anville's Gründe auch hier sich erweisen, ganz abgesehen davon, dass das „ad Scrofulas" der Peutinger'schen Tafel von Aschbach[21] auch als Scopulos gelesen wird.

Immer schroffer, dichter und, wie mir schien, beutelustiger traten die Klippen in dem felsigen Strombette auf. Tosend brachen sich die Wirbel und Stosswellen an den schwachen Wänden unseres Schiffleins. Die Schwankungen wurden immer heftiger; ein einziger Fehlgriff am Steuer konnte es zwischen den gierigen Klippen begraben. Gleich einem Fische heil und elastisch, wand sich das Boot jedoch in der sicheren Hand seines Steuermannes durch alle die sichtbaren und verborgenen Hindernisse der gefährlichen Bahn, und es hätte nicht erst dessen wiederholten ermuthigenden Zurufes „Neboiše!" (fürchte nicht!) bedurft, um meine anfänglichen Zweifel über den glücklichen Ausfall unseres Wagnisses zu beseitigen. Nur wo die Klippen zu sehr am Tage und die Wasserrinne so seicht, dass sie eine Erleichterung des Bootes nothwendig verlangte,

[19] Handschrift, Münchner k. Bibliothek.
[20] Mem. de l'Acad. des Inscr. XXVIII, 136.
[21] Mittheil. der k. k. Centr. Comm. III, 206.

6*

näherten wir uns dem Uferrand und zwei der Bootsleute mussten nun das Schifflein aufwärts ziehen.

Ich benützte solche Momente, um die 5—7' breite Trace der Römerstrasse weiter zu verfolgen, welche im ganzen Defilé mit geringen Ausnahmen durch die mühsamsten Felssprengungen gewonnen werden musste, und durch ihre kühne Anlage immerwährend neues Staunen herausfordert. Leider versäumten es meine Fährleute, wie ich es in Milanovac schon verlangt hatte, mich rechtzeitig auf jene Felsen aufmerksam zu machen, welche in der Nähe des serbischen Ortes Poljetin durch eingehauene, zum Theil gut erhaltene Inschriften uns belehren, dass dieser Strassenbau unter Kaiser Tiberius durch mösische Kriegsvölker, und zwar durch die IV. scythische und V. macedonische Legion im Jahre 33 auf 34 n. Chr. ausgeführt worden sei.

Die wichtigste dieser in Ackner und Müller's dacischen Inschriften (S. 2) irrig als bei den in Serbien gar nicht existirenden Orten Horum und Tactalia angegebenen Inschriften, veröffentlichte v. Arneth in den Sitzungsberichten der kaiserl. Akademie der Wissenschaften (XL, 358) nach einem ihm mitgetheilten Papierabdrucke, welcher alle vorausgegangenen Copien Marsigli's, Griselini's u. A. wesentlich berichtiget.

XI. Dobra.

Die Umgebung der bekannten Kohlenminen Dobra birgt auch manch archäologischen Schatz. In dem nahen Brnica befinden sich an dem gleichnamigen Flüsschen die Substructionen eines quadratischen Castells mit vorspringenden Bastionen, von 8' breitem Mauerwerke an den Ecken. Sicher bildete es einst ein bedeutenderes Glied des römischen grossen Donaulimes. Bei seiner Demolirung, um Materiale für den Dobraer Kirchenbau zu gewinnen, wurde in etwa 100° Entfernung vom Donau-Ufer ein römischer Votivstein gefunden, dessen theilweise verstümmelte Inschrift nach einer mir von Herrn Ingenieur Selleny mitgetheilten Copie lautet:

D . M .
CUALM . . . . . .
I O . LEG VII
CL . STIP . XX M .
PROBATVISR
PAVLETARO
MAN
WANNIS
L . SOCE'
E I . V

Wie an dem ganzen rechtsseitigen unteren Donaurande würden auch Nachgrabungen an der Brnička-rjeka zahlreiche Beiträge zu den kärglich vertretenen römisch-serbischen Inschriften des Berliner Corpus romanorum liefern.

XII. Golubac. Alt-Moldava.

Glücklich hatten wir das Ende des Grebenpasses erreicht. Wir nahmen hier von den schönen Kunstbauten der Szechényistrasse Abschied und mit voller Kraft steuerte nun das Boot, einige in beschaulicher Ruhe auf dem Wasserspiegel treibende Möven vor sich aufjagend, auf den breiten Wasserspiegel hinaus. Eine ungeahnte Überraschung wartete hier unser. Wir sahen uns der schönsten Ruine der unteren Donau, dem Schlosse Golubac, den Resten der hochliegenden Feste Lászlóvár und dem als Markstein der Cataracte aus der breiten Stromfläche ganz isolirt aufsteigenden Babagayfels plötzlich gegenüber.

Golubac bildete einst den oberen Schlüssel der ganzen serbischen Donaustrecke bis hinab zum eisernen Thore. Durch seine vortheilhafte Lage musste es die Forcirung des dort engen Defilé's sehr erschwert haben. Viele interessante Geschichtsepisoden knüpfen sich an die heute noch imposanten und gut erhaltenen Thürme dieses prächtigen mittelalterlichen Baues, der sich, man kann es mit Sicherheit behaupten, auf der Stelle eines ehemaligen römischen Castrums erhebt. Weniger stimmen die Forscher auch hier überein, ob es die Mansion Vico Cuppe oder „ad Novas" der Peutinger'schen Tafel gewesen war. Bei Viminacium, wo ich von dem römischen Donau-Übergange in diesen Gegenden sprechen werde, gedenke ich hierauf nochmals zurückzukommen.

Golubac, Lászlóvár und der Babagayfels.

Jedenfalls ist das pittoreske Schloss in seiner Hauptgestalt, welche die zahlreich übereinander sich aufbauenden Thürme charakterisiren, ein serbisches Werk, das wohl bald nach seiner Errichtung seine Festigkeit gegen die Angriffe seiner magyarischen Nachbarn zu erproben hatte. Oft wechselte es in jenen kriegerischen Zeiten seinen Herrn, bis es, nachdem schon früher (1391) der türkische Halbmond von seinen Zinnen geweht hatte, nach dem Tode Stephan Lazarević's durch den Verrath eines serbischen Grossen dauernd in türkischen Besitz gelangte.

Gleichzeitig erbaute der Ungarkönig Sigmund der Feste Golubac gegenüber auf hohem Berge das Schloss Lászlóvár zu Ehren des magyarischen heiligen Ladislaus so genannt. Doch vergebens suchte er unter dessen Schutze Golubac wieder zu erobern. Murat II. entsetzte es mit überlegener Gewalt und nachdem die Türken es restaurirt — wovon zwei arabische Inschriften erzählen — blieb es der bequeme Punkt, von dem die Türken ihre Streifzüge in das benachbarte Banat Donau aufwärts unternahmen. Seit der Eroberung Serbiens durch den grossen Churfürsten Max Emanuel blieb das Schloss Golubac jedoch verödet. Den nahen gleichnamigen Ort erhob aber Mercy, der kaiserliche Statthalter im Banate (1722—1733), zu einem der drei Kreisverwaltungssitze an der Donau. Die beiden andern waren Semendria und Negotin. Zuletzt zerstörte noch Fürst Miloš Han und Moschee der späteren türkischen Niederlassung, deren Ruinen wohl grossentheils das Materiale zum Aufbau des serbischen Dorfes Golubac geliefert haben. Dass sich neben diesen auf historischen Daten beruhenden Schicksalen des Schlosses allerlei phantastisch ausgeschmückte, durch das Volkslied traditionell fortvererbte Sagen an die Mauern Golubac's hefteten, wird wohl in einem Lande, wo viel näher liegende historische Ereignisse als die Schlacht von Kossovo durch mythische Zuthaten verdunkelt werden, nicht überraschen.

So erhielt sich im Volke der Glaube, dass auf dem höchsten Thurme Golubac's einst die schöne griechische Kaiserin Helene gefangen sass. So soll das Schloss von einer serbischen, nach andern türkischen Princessin erbaut und sein serbisch-türkischer Name Golubac, Gögerdschinlik (Taubenschlag), auf deren zahlreiche Liebeshändel anspielen. Vielleicht war es diese mythische Dame, welche Tradition und Lied auf dem. Golubac nahen, auf meiner Illustration im Vordergrunde erscheinenden Babakayfels von deren eifersüchtigem Ehemanne aussetzen lässt und deren Pein und Ende viele Dichter besangen[22].

Wir dürfen Golubac nicht verlassen, ohne einer ihrer berühmtesten Eigenthümlichkeiten zu gedenken, welche nach Griselini's Behauptung schon die Römer unter dem Namen Oestron gekannt und Virgil (Georgicarum libr. III) auch besungen haben soll. Ich meine seine „Mückenhöhle", deren kleine Bewohner die Naturforscher aller Zeiten als eine bisher wenig aufgeklärte räthselhafte Erscheinung vielfach beschäftigten; während die Landleute den Ursprung dieser unter ihren Heerden oft verheerend auftretenden Insecten sich in einer Weise zurechtlegen, welche für deren bekannte poetische Gestaltungskunst neues Zeugniss gibt. Nach ihnen soll der heilige Georg in der Umgebung der Höhle einen giftigen Drachen bezwungen, dessen Kopf abgehauen und diesen in die Höhle geworfen haben. Aus ihm erzeugten sich nun alljährlich jene Milliarden Mücken, jene Gottesgeissel für das sündige Landvolk, gegen welche der menschliche Witz vergebens ankämpft.

Der oberen Spitze der grossen zu Oesterreich gehörenden Insel Moldava liegt am linken Ufer der nett gebaute Flecken Alt-Moldava mit hübscher Kirche und neuem Cordonshause gegenüber. Wenige Spuren sind von seiner einstigen fortificatorischen Bedeutung erhalten. Der grössere Theil der von Mercy angelegten Werke musste zu Folge der Stipulationen des Belgrader Friedens geschleift werden. Auf den etwas nördlicher liegenden Ruinen von Neu-Moldava erhebt sich gegenwärtig ein neues einstöckiges Wachhaus. Die Rudimente dieses ehemaligen Forts dürften sich als römische erweisen. Unzweifelhaft hatten die Römer hier eine wichtige Station. Ausser vielen Münzen und Inschriftfunden sprechen dafür die vorhandenen alten Bergbauten mit ihren bewundernswürdigen in das feste Gestein eingetriebenen Schächten.

Ein buntes Völkergewirre hat sich hier auf diesem, unter türkischer Herrschaft ganz verödeten Territorium angesiedelt. Wohl sind selbst die Spuren jener italienischen und spanischen Colonisten aus Biscaja[23] gänzlich verschwunden, welche im Banate unter Mercy's weisem Regimente den Reis-, Seiden- und Weinbau einzuführen versuchten. Sie fielen alle dem ungesunden Klima und der in Folge der Türkenkriege durch das Land ziehenden Pest zum Opfer; die von ihnen gepflanzten Culturtriebe keimten jedoch fort. Ihre Bestrebungen wurden von 1840 herangezogenen Colonisten aus Schwaben und Alt-Serbien, von Bulgaren und Romanen aufgenommen. Die von ihnen cultivirten Gebiete bilden heute die Getreidekammer Österreichs.

22 Zuletzt A. X. Schurz, der Schwager Lenau's, in den Donausagen 307.

23 Diese Spanier hatten etwa um 1720 bei Bečkerek ein Dorf gegründet, welches sie Neu-Barcelona nannten.

Beiträge

zur

Alterthumskunde der serbischen Donau

von Gradište bis Belgrad.

Von F. Kanitz.

(Mit 16 Holzschnitten.)

I. Gradište.

Bei Uj-Moldava ermässigen und ziehen sich die Berge auf beiden Donau-Ufern zurück, je mehr wir uns der Mündung des grossen Pek's nähern. Der Steuermann richtet den Curs direct auf dieselbe, denn dort liegt der Landeplatz Gradište.

Mehrere Forscher wollen in Gradište das Picnus der Peut. Tafel erkennen. Wir befinden uns also auf einem classischen, besonders für den Archäologen höchst interessanten Boden; denn bei Picnus soll nach den Annahmen einiger Historiker ein Trajanisches Heer die Donau auf einer Schiffbrücke übersetzt haben. Bei Viminacium (Kostolac) gedenke ich eingehend auf diesen, eine archäologische Streitfrage bildenden Brückenübergang zurückzukommen. Vorläufig will ich nur jene Funde berühren, die ich im Jahre 1860 machte und die mit dieser Frage in einem gewissen Zusammenhang stehen.

Gradište liegt auf einer ziemlich spitzen Zunge, die durch die Pekmündung [1] und einen schmalen Donaucanal markirt wird. Dieser schmale Donauarm wird seinerseits durch die grosse serbische Insel Ostrovo gebildet, durch welche der Strom gegenüber von Gradište zu einer sehr ansehnlichen Ausdehnung sich verbreitert. Gradište ist beinahe gänzlich aus dem Materiale und auf dem Boden der früheren römischen Ansiedlung entstanden, deren Mauern hart zum Donaurande herabreichten. Die Rudimente seiner gemauerten Wälle sind theilweise noch erhalten. Die Ziegel tragen, wenn nicht andere römische Kennzeichen, den Stempel der Leg. VII. CL. Ich fand solche und die charakteristischen römischen Dachziegel in grosser Menge im Schutte und ebenso viele Münzen aus der späteren Kaiserzeit. Ein Relief und eine Inschrifttafel wurden kurz vor meiner Ankunft ausgegraben. Sie fanden sich im Hause des Kaufmannes Stojan Marković aufbewahrt. Das erste, welches eine sehr primitiv gearbeitete Schleifung Hektor's durch Achilles darstellt, veröffentlichte ich in meinen „römischen Funden" [2], die letztere in den Mittheilungen der k. k. Central-Commission [3].

[1] Im Namen des Pek's (dem Pingus des Plinius und Picnus der Römer) soll sich der Name der Picenser, welche zur Zeit des Ptolemäus an diesem Flusse wohnten, erhalten haben. Franke 148.

[2] Sitzungsber. der kais. Akad. der Wissensch., hist. phil. Cl. Bd. XXXVI.

[3] Bd. X. S. XXXI.

II. Uj-Palanka und Rama.

Uj-Palanka, an dem wir vorüberkamen, war, wie schon sein Name andeutet, einer der zahlreichen, einst durch Wälle und Palissaden gegen die Türken befestigten Orte im Banate. Wenig ist von diesen österreichischen Werken heute noch sichtbar. Am 6. November 1697 wurde es durch den österreichischen General der Cavallerie Graf Rabtin, welcher nach dem Siege bei Zentha mit 3000 Reitern einen Einfall ins türkische Gebiet machte, mit Sturm genommen; 500 Mann der Besatzung sammt dem Commandanten wurden niedergemacht, 50 Mann gefangen genommen, die Wälle nach Abführung der Geschütze aber vollkommen zerstört. Unterhalb der Festungsruine bei dem Castellgebäude sieht man jedoch nach der Angabe des Herrn Lucas Ilič Oriovčanin[1] Spuren eines gemauerten römischen Brückenkopfes bei niederem Wasserstande, welche mit ähnlichen jenseits bei dem serbischen Dorf und Schloss Rama correspondiren sollen. Herr Oriovčanin folgert hieraus, dass der von der Peut. Tafel angegebene Flussübergang bei Viminacium zwischen Rama und Uj-Palanka bestanden und die Strasse nach Tibiscum von letzterem Orte landeinwärts geführt habe. Diese Behauptung findet, wie ich später weiter ausführen werde, in den örtlichen Terrainverhältnissen vielfache Unterstützung. Nach dem heutigen Standpunkte unserer historischen Forschungen ist jedoch die Willkür zu tadeln, mit welcher Herr Oriovčanin ohne Rücksicht auf die Ordnung, in welcher sich die Orte auf der Peut. Tafel folgen, diese ohne Motivirung verkehrt und durcheinander wirft und so seinen Aufstellungen anzupassen sucht. So sind beispielsweise die apodiktisch hingestellten Mansionsnamen Lederata für Uj-Palanka und „Ad nonas" — wie Herr Oriovčanin das Ad novas der Peut. Tafel beharrlich verunstaltet — für Rama, wie wir sehen werden, nichts weniger als wissenschaftlich von ihm nachgewiesen worden.

Da unser Dampfer etwas länger in Rama anhielt, gewann ich die erwünschte Musse, sein auf einer felsigen, spitz zulaufenden Landzunge liegendes Schloss näher zu besichtigen. In wenigen Minuten erreicht man von dem schlichten Dampfschifffahrts-Agentiegebäude die spärlich bewachsene Höhe.

[1] Mitth. der k. k. Centr. Comm. Bd. X, S. XXXI.

Schloss Rama.

Thürme und Mauern der Veste sind ziemlich wohl erhalten. Der Oberbau der Ruine zeigt unverkennbare Analogien mit der Bautechnik der zahlreichen serbischen Schlossbauten des Mittelalters, die ich bereits geschildert habe. Der quadratische Grundriss der Veste deutet jedoch auf eine römische Befestigung hin, deren Rudimente von dem serbischen Erbauer wohl benützt worden sind. Zeugniss für die einstige römische Vergangenheit Rama's geben zahlreiche Steinziegel- und Münzfunde, die hier bei Grabungen oft gemacht werden; ferner eine Inschrifttafel an dem Felsen unterhalb des Schlosses. Sie ist leider sehr beschädigt, erwähnt jedoch deutlich der Leg. VII. Cl., von welcher eine Abtheilung in Rama gelegen haben mochte. Ihr Standlager befand sich aber in der nur wenige Stunden entfernten Hauptstadt Viminacium, dem heutigen Kostolac.

III. Kostolac.

Seit Graf Marsigli von ansehnlichen Resten einer alten Stadt bei Kostolac in seinem „Danubius“ Nachricht gegeben hatte, geschah beinahe nichts, um das über dieselben schwebende Dunkel aufzuhellen. Wohl hörte man öfters und ich selbst auf meinen Reisen von zahlreichen dort befindlichen Alterthümern sprechen. Wenige hatten sie jedoch gesehen und niemand vermochte genauere Aufschlüsse zu geben. Nach den alten Itinerarien musste die einstige obermösische Hauptstadt bei Kostolac gestanden haben. Musste dies nicht auf ein vormaliges, an jener Stätte reich entwickeltes Leben schliessen lassen und in Folge dessen die Aussicht auf zahlreiche Funde eröffnen, welche manchen Beitrag zur alten Geschichte der unteren Donau erwarten liessen?

Die Dampfer fahren stets von der Pek- bis zur Moravamündung am linken Ufer hin. Oft reiste ich auf dieser Donaustrecke, ohne auch nur der Lage von Kostolac ansichtig zu werden; denn nicht weniger als 16 sich einander deckende Inseln mit dichtem Baumwuchse liegen vor der Mlavamündung, an welcher die einstige römische Capitale stand. Der lebhafte Wunsch, persönlich die Reste des vielgenannten Viminaciums aufzusuchen, hatte wohl den grössten Antheil an meiner letzten Reise nach Serbien. Im Mai 1866 landete ich in der Donaustation Dubravica, legte die mir vom Jahre 1860 wohlbekannte Route nach Požarevac in wenigen Stunden zurück und befand mich schon am nächsten Morgen in Begleitung des tüchtigen Ingenieurs Herrn Seleny auf der Strasse nach Kostolac.

Ihre Trace steigt das aufgeschwemmte, langgestreckte, von Süden nach Norden streichende Hügelland, in welches sich die Mlava in ziemlich parallelem Laufe eingegraben hat, sanft hinan und nachdem sie die Höhe erreicht, ebenso gleichmässig wieder hinab. Wir übersetzten zuerst den in die Mlava mündenden Mogilabach, dann letzteren wieder auf gut gezimmerten Brücken bei dem wohlhabenden Dorfe Bradarac und gelangten in 2 Stunden nach Drmno. Ausserhalb dieses Ortes stiess ich auf die ersten für die einstige Pracht Viminacium's zeugenden antiken Reste. Ich fand hier unfern eines Hügels mit gemauertem Gewölbe, den wahrscheinlichen Kammern eines römischen Coemeteriums, einen Sarkophag mit Reliefiguren von so vollendeter Schönheit, wie ich in Serbien nichts ähnliches aus der Römerzeit gesehen habe. Im allgemeinen sind die in Serbien aufgefundenen antiken Sculpturen mehr oder minder primitiv, gewöhnlich schematisch, ohne feinere Durchbildung der Formen und Individualisirung des geistigen Ausdrucks. Ganz anders bei dem Sarkophag von Drmno. Hier stand ich vor einem Kunstwerke, das jedem Museum zum Schmucke gereichen müsste. Die Tumba aus schönem hartem lichtem Material misst in der Länge 7′ 3½″, in der Breite 3′ 8″, in der Höhe 3′. Sie war ihrem ganzen allegorischen Schmucke nach zur Verewigung eines Kriegers oder Feldherrn von hohen militärischen Tugenden bestimmt. Sein

Name ist uns nicht erhalten; denn merkwürdigerweise blieb das zur Aufnahme der Inschrift bestimmte, von einem Ornamentrahmen in geometrischen Linien umgrenzte Mittelfeld der Langseite unausgefüllt.

Langseite des Sarkophages zu Drmno.

Trefflich sind die von dem Künstler unseres Sarkophags gebrauchten Bilder gewählt. Im linken Seitenfelde erscheint Jason, mit der rechten Hand eine nach unten gekehrte Lanze, in der erhobenen Linken das erbeutete goldene Vliess haltend; die überwundenen Gefahren scheint eine um einen Baumstamm sich windende Schlange anzudeuten. Der Jason ist eine Figur voll Adel und Anmuth in der Conception, voll Energie im Ausdrucke und von vollendeter Formschönheit.

Mit ihr wetteifert in schwungvoller Composition und gleichmässig edler Durcharbeitung im rechten Seitenfelde die nicht minder gelungene Figur des Perseus. In rythmischer Zusammenstimmung der Hauptlinien mit der gegenüberstehenden lässt der Künstler dessen rechte Hand das Haupt der Medusa hoch emporhalten, während die Linke das Instrument der vollbrachten That, das gezückte Schwert hält. Zu den Füssen des Heros liegt eines jener phantastischen Ungethüme, wie sie des aus dem verspritzten Blute der Medusa hervorgegangenen grossen Chrysaor's Tochter Echidna mit Typhaon, dem unbändigen Winde in Arima, tief unter der Erde zeugte.

Wird in Jason der kühne Mannesmuth, die waghalsige, vom kühnen Erfolge gekrönte Unternehmungslust glücklich personificirt, so sehen wir in dem Mythos des Perseus die Besiegung der wilden ungebändigten Naturkräfte durch den mit göttlicher Kraft erfüllten Sohn der Danae im sprechendsten Bilde verherrlicht.

Vervollständigt werden diese Heroentypen der classischen Vorzeit auf dem Mittelfelde der linken Schmalseite durch Herakles, den Nachfolger des Perseus, welchen ich in dem mit einer Löwenhaut bekleideten, mit einer Schlange, wahrscheinlich der lernäischen, ringenden Kämpfer zu erkennen glaube. „Mit glühenden Pfeilen nach ihr schiessend, zwang er sie, aus ihrer Höhle hervorzugehen und ergriff sie dann mit riesigem Arm." Diesem Mythos entsprechend, erscheint die Schlange um den Arm unseres Kämpfers geringelt. Leider sind Kopf und Hände desselben so sehr beschädigt, dass seine zuverlässige Bestimmung erschwert wird.

Ebenso gelitten hat auch eine weibliche Figur, welche auf dem Mittelfelde der rechten Schmalseite, in schwebender, den Boden mit einem Fusse kaum berührender Stellung, den Kriegertugenden des Verewigten einen Lorbeerkranz weiht. Durch alle Linien, Bewegungen, Körperformen und die Gewandung dieser Victoria zieht ein solcher Adel, Rythmus und feines Formgefühl, dass man sie den besten von der Antike geschaffenen kühn zur Seite stellen kann.

Schmalseiten des Sarkophages zu Drmno.

Weniger gelungen ist der die vier Nebenfelder der beiden Schmalseiten füllende Ornamentschmuck. Weder die Form der Vasen, noch die auf zwei Feldern frei, auf den beiden anderen in geometrischen Figuren sich emporrankenden Weinreben, Blätter und Trauben erheben sich über den gewöhnlichsten Schematismus, und ich möchte glauben, dass diese Füllungen der Nebenfelder von anderer Hand als der Figurenschmuck des Sarkophages herrühren dürften.

Der dachförmige, oben mit einer durch Halbrundstäbe unterbrochenen Fläche abgeplattete Deckel der Tumba wurde leider bei ihrer Ausgrabung in Stücke zerbrochen. Sie werden jedoch leicht zusammenzufügen sein, und hoffentlich wird das, wie ich bereits erwähnte, unstreitig schönste römische Monument Serbiens den ihm gebührenden Ehrenplatz im Belgrader Museum, nach der mir von dem Herrn Minister des Cultus gegebenen Versicherung, baldigst einnehmen.

Die Funde zu Drmno zeigen übrigens, wie weit sich das Weichbild Viminaeium's oder doch der dazu gehörigen Villen, Landsitze u. s. w. erstreckt haben musste.

Drmno ist von Kostolac ½ Stunde weit entfernt. Die Fahrt dahin ging durch im saftigsten Grün prangende Felder, Wiesen und Maulbeerpflanzungen auf dem rechten Mlava-Ufer. In der Obština (Gemeindehaus) des Dorfes stiegen wir ab. Kmet und Gemeinde-Älteste waren bald um uns versammelt. In allem artig und zuvorkommend setzten sie uns anderseits in nicht geringes Staunen durch das consequente Abläugnen anwesender Alterthümer im Dorfe oder in dessen Nähe. Mittlerweile war auch der Dorfpope herbeigekommen, und als er gleichfalls mit seiner würdigen Herde Chorus machte, merkte ich bald, dass ich hier einem ganz wohlorganisirten Complotte gegenüberstand, dessen Ursache ich mir nach manchen analogen Erfahrungen bald zu erklären wusste.

Ich muss vorausschicken, dass vor einiger Zeit ein Regierungserlass den serbischen Gemeinden im Interesse der Alterthumskunde auftrug, die in ihren Bereichen gemachten antiquarischen Funde gegen eine angemessene Entschädigung an das Nationalmuseum in Belgrad abzuliefern. Wie in anderen Ländern, hatte diese wohlgemeinte Massregel auch in Serbien in vielen Fällen ein der gehofften entgegengesetzte Wirkung. Früher hatten die über den Werth alter Funde wenig aufgeklärten Bauern Münzen, Bronceu u. s. w. oft zum Kmet, Capitän oder zur Stadt gebracht und überliessen dieselben gern gegen ein geringes Entgelt. Nun aber begannen sie selbst unbedeutenden antiken Gegenständen einen übermässigen Werth beizulegen; sie verheimlichten oft ihre zufälligen Funde und wurden hierin überdies durch Agenten der Pester Antiquitätenhändler bestärkt, welche das Land und namentlich die Donaugegenden zeitweise bereisen und den unwissenden Verkäufern neben ganz unbedeutendem Kram oft sehr werthvolle Funde um ein Spottgeld abnehmen.

Der Ideengang der guten Leute von Kostolac war nun jedenfalls dieser: ich sei in Begleitung eines Regierungsorganes dahin gekommen, vielleicht war ich von Belgrad abgeschickt, um verheimlichte Antiquitäten für das dortige Museum zu eruiren. Möglicherweise konnte dann jenem schwunghaften Handel mit Münzen, Broncen, geschnittenen Steinen und deren Verschleppung ins Ausland Einhalt gethan werden. Besser also, man läugnete deren Besitz rundweg ab.

Erst als ich dem intriguanten Popen ganz entschieden erklärte, dass ich durch Herrn Senator Gavrilović von der Anwesenheit einiger monumentaler Steine im Popenhause wisse und ihm ernstlich drohte, mich bei weiterer Hartnäckigkeit bei dem Herrn Minister des Cultus beklagen zu wollen, wurde er endlich weicher und suchte sein ungastliches Benehmen auf ein einfaches Missverständniss zurückzuführen.

Zufrieden mit dieser unverhofft günstigen Wendung betrat ich das Popenhaus. Wenige Schritte vom Eingange fand ich einen mehrere Klafter hohen Berg von römischen Ziegeln, Deckplatten, ornamentalen Fragmenten u. s. w. aufgeschichtet, ein Material, reich genug, um ein zweites Popenhaus daraus zu bauen. Die Ziegel trugen grösstentheils den Stempel der LEG.VII.CL. Die beiden Reliefs in Stein, welche ich eigentlich suchte, fand ich in den Mauern eines unbedeutenden Nebenhauses eingelassen.

Das eine, 19″ breit und 17″ hoch, zeigt die Schutzpatronin des von Kaiser Gordianus zur Colonie erhobenen Viminacium, eine weibliche Figur in faltigem Gewande, die beiden Hände segnend über die Köpfe eines Löwen und Stieres ausstreckend. Das Relief ist von sehr primitiver Arbeit und hat überdies sehr gelitten. Nicht sein künstlerischer Werth kommt aber hier in Frage. Es erhält seine Bedeutung dadurch, dass es, als in Kostolac gefunden, unzweifelhaft und allein schon dafür spricht, dass wir uns hier wirklich trotz mancher früheren gegentheiligen Ansicht, auf der Stätte der ehemaligen römischen Hauptstadt Viminacium befinden.

Relief mit Viminacium's Schutzpatronin zu Kostolac.

Bisher kannten wir nur eine, in der Col. Ulp. Traj. (Várhely in Siebenbürgen) aufgefundene Inschrift, welche Viminacium's, als Dec. Col. Vimin. gedachte[5].

Dass aber die Figur unseres fraglichen Reliefs wirklich vollkommen identisch mit der Patronin der Colonie sei, geht aus der Vergleichung derselben mit dem Bilde der letzteren auf den Münzen von Viminacium hervor. Diese reichen von Gordianus bis auf Gallienus (268). Sie kommen in drei verschiedenen Grössen und auch als Medaillen vor. Während erstere noch gegenwärtig zahlreich gefunden werden — ich selbst besitze eine Münze von Trebonianus Gallus (251—54) — erscheinen letztere

[5] Ackner und Müller, Dacien. 879.

viel seltener. Ein sehr schönes Exemplar befindet sich im kais. Münz- und Antikenkabinete zu Wien.

Victoria-Relief zu Kostolac.

Das zweite Relief von 13″ Höhe und 9″ Breite, in einer anderen Wand des Häuschens eingelassen, zeigt eine geflügelte Victoria mit dem Kranze. Auch diese Arbeit ist nichts weniger als künstlerisch vollendet und hat gleichfalls im Laufe der vorübergegangenen siebenzehn Jahrhunderte sehr gelitten.

Während ich mich mit der Copie der beiden Reliefs beschäftigte, hatten sich beinahe sämmtliche männliche Dorfinsassen im Popenhause eingefunden. Man schien sich allmälig über meine Mission beruhigt zu haben. Meine abgegebenen Aufschlüsse über Alter und Bedeutung der beiden Reliefs und weitere Andeutungen über die römische Epoche verfehlten ihre Wirkung nicht. Der Wunsch nach Aufklärung über Alterthümer, welche manche in ihren Häusern aufbewahrten, machte sich geltend. Man wurde zutraulicher und ein intelligent aussehender Mann, Namens Vaso Stojčević, ergriff die Initiative, indem er mich zum Besuche seines Hauses einlud.

Wie beim Popen fand ich dort mehrere kleine Hügel von römischen Steinen und Ziegeln verschiedener Dimensionen, darunter Platten von 15″ Länge und 11″ Breite mit Legions- und sonstigen Fabriksstempeln. Mehr als diese interessirte mich hier ein Product römischer Töpferei, dessen Form eine ganz ungewöhnliche und über dessen einstige praktische Bestimmung nur Vermuthungen gerechtfertigt erscheinen. Grösse und Construction des, ganz den römischen Deckplatten ähnlichen, aus rothfärbigem Thone gefertigten Gegenstandes sind aus der begleitenden Abbildung ersichtlich.

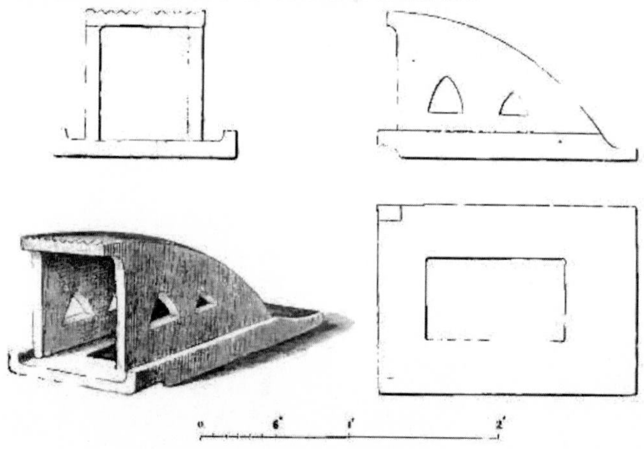

Thongefäss zu Kostolac.

Nach meiner Ansicht dürfte derselbe zum Einlasse kalter oder erwärmter Luft in einen Baderaum oder zur Ventilation und Erleuchtung eines geschlossenen Raumes von oben gedient haben.

Mein nächster Besuch galt einem Manne, der sich mir als der glückliche Besitzer vieler „geschriebener" Steine vorstellte. Ich fand jedoch nur grosse Deckplatten und Ziegel verschiedener Grössen, worunter einer mit 19½" Länge und 10"-Breite und hier beigegebener Stampiglie.

Gestempelter Ziegel zu Kostolac.

Ferner sah ich daselbst Fragmente von Ziegel-Mosaiken, deren schöne Wirkung auf die Zusammenfügung gleichgeschnittener geometrischer Körper von grossentheils sehr einfachen Motiven beruhte. In der Mehrzahl der Häuser, welche ich betrat, wiederholte sich dasselbe Schauspiel.

Überall sah ich grosse Mengen ausgegrabener römischer Baumaterialien. Allerorts fand ich Flur und Zimmerböden mit grossen römischen Deckplatten gepflastert; Fragmente riesiger Votivsteine, worunter das hier mitgetheilte, zu Stufen benützt ist.

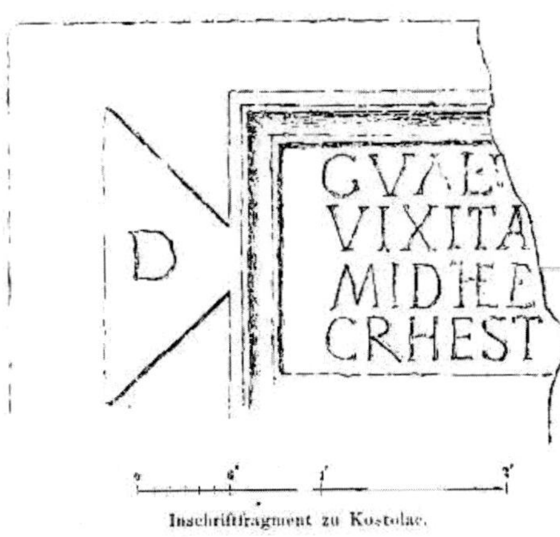

Inschriftfragment zu Kostolac.

Der auch in Kostolac verbreitete Glaube, dass die Inschriftsteine werthvolle Schätze enthalten müssten, hat die Mehrzahl der von dem Landvolke gefundenen der Vernichtung überliefert. Hin und wieder trug man mir Fibeln, kleine Idole von Bronce, Thränenfläschchen, Theile von Armringen, und namentlich viele Münzen aus der späteren Kaiserzeit zum Kaufe an. Die geforderten Preise waren jedoch gewöhnlich übertrieben und ich konnte nur weniges zur Erinnerung an mich bringen.

Was ich in Kostolac gesehen, machte mich immer begieriger, die eigentliche Stätte aller dieser reichen Funde selbst zu betreten. Indem man dem Laufe der Mlava folgt, erreicht man jene leicht in einer halben Stunde. Angelangt in der Nähe der Flussmündung, wird das Auge nicht wenig überrascht durch die Ausdehnung des Flächenraumes, welchen Viminacium einst bedeckte. Schon ein oberflächlicher Blick sagt dem Kenner, dass er sich hier nicht auf den Resten eines isolirten Castrums oder einer kleinen Mansion, sondern auf dem Boden eines grossen Gemeinwesens von einstiger hoher Bedeutung befinde.

Die planlose Durchwühlung des weiten Planes, welcher im Volksmunde den sehr bezeichnenden Namen Klepačka (Ziegelstätte) führt, erschwert die genaue Bestimmung des Grundplanes von Viminacium. Plätze und Strassen scheinen sich jedoch fast immer im rechten Winkel gekreuzt zu haben. So viel Baumateriale die Ruinen der ehemaligen Donaucapitale seit ihrer Zerstörung geliefert, findet man doch allerwärts neben ausgedehnten Substructionen von Häusern und öffentlichen Gebäuden noch zerstreute Fragmente von mächtigen Säulen, von Architraven, Sockeln, von Wasserleitungen und Cisternen. Die architektonische Physiognomie der Colonie muss einst wirklich ihrem, von den alten Schriftstellern vielgerühmten Glanze entsprochen haben.

Die Wahl der Mlavamündung zur Anlage einer grossen Capitale war ganz besonders vom strategischen Gesichtspunkte eine sehr glückliche. Gedeckt durch die grosse, mit der Hauptstadt gleichnamige befestigte Donauinsel, ferner durch die Flüsse Pek und Morawa, deren Mündungen und Defiléen durch zahlreiche Castelle vertheidigt wurden, erhielt sie noch einen ganz besonderen Schutz durch das sumpfige, mehrere Stunden ausgedehnte Glacis, welches durch den bei Belgrad sich abzweigenden Donauarm „Dunavica" am jenseitigen Ufer gebildet wird.

Die allgemeine Situation Viminacium's ist aus dem beigegebenen, von mir à la vue aufgenommenen Plane ersichtlich. Der grössere Theil, die eigentliche Stadt, scheint die niedere angeschwemmte Terasse auf dem rechten Ufer der Mlava eingenommen zu haben. Seine Befestigungen erhoben sich jedenfalls jenseits auf dem Rande der höheren schmalen, von Požarevac zur Donau herabziehenden Gebirgslehne.

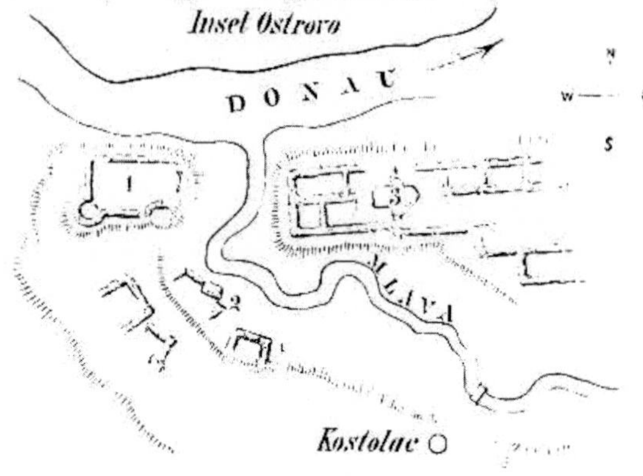

Plan von Viminacium.

Der quadratische Grundriss des dortigen Castrums ist noch vollkommen wohl erhalten, die Mauerstärke der Thürme beträgt 9', was auf die feste Bauart des Werkes schliessen lässt.

An vielen Punkten der weitgedehnten Trümmerstätte fand ich Menschen und Wagen mit Fortschaffung der letzten Reste der alten römischen Hauptstadt beschäftigt. Wie früher zu byzantinisch-magyarisch-bulgarischen Werken, liefert sie gegenwärtig das Materiale zur Erbauung serbischer Dörfer und Kirchen. Die monumentalen Funde werden nach allen Richtungen hin verschleppt. So der Torso einer weiblichen Porträtstatue, welche im rechtseitigen Stadttheile (siehe Plan, 3) gefunden wurde. Ich sah sie später im Hause des Herrn Mita Popović zu Požarevac, und ebendort in der Nähe Säulenstämme von Muschelkalk, an der Basis von 2' 2¾" Durchmesser und 9' Länge. Die Sarkophage werden gewöhnlich zu Brunnentrögen benützt. Diese Bestimmung erhielt auch eine Tumba von granitartigem Porphyr, welche in meiner Gegenwart (siehe Plan, 2) gehoben wurde. Ihre Decke war beim Ausgraben gespalten worden, um leichter zu dem vermutheten Schatze zu gelangen. Das Monument, das übrigens weder Schmuck noch Inschrift zeigte, wurde von dem Eigenthümer des Ackers nach dem nahen Maslovac verkauft. Mit jedem weiteren Schritte stiess ich auf Reste, welche für die einstige Grösse und hervorragende Stellung Viminaciums unter den römischen Donaustädten sprachen. Es sei mir nun gestattet, auf Grundlage der alten Quellen einen kurzen Blick auf seine wechselvollen Schicksale zu werfen.

Schon Ptolemäus erwähnt Viminaciums als Standquartier einer Legion. Kaiser Gordianus erhob es zur römischen Colonie, deren Glanz noch später von Procopius und Theophylactus viel gerühmt wurde. Hierocles nannte sie die Capitale Mösiens und den Stationsort der istrischen Flotte (Istrisca) und seine grosse Donauinsel wird in der Hist. miscell. mit Recht „quod est insula magna Istri" hervorgehoben. Das Weichbild und die Befestigungen Viminaciums hatten sich gewiss auch auf diese, heute zu Oesterreich gehörende grösste der unteren Donau-Inseln erstreckt.

Viminacium scheint in den Hunnenstürmen das traurige Schicksal aller mösischen Städte getheilt zu haben. Erst Justinian stellte es wieder her. Aber auch weiter behielt es seine alte Bedeutung; denn sein Besitz muss, den wiederholten Kämpfen nach zu schliessen, den Königen des neu begründeten Magyarenreiches sehr wichtig erschienen sein. Unter dem slavischen Namen

Braničevo wird Viminaciums von deutschen Kreuzfahrern, von Theophil. von Ochria (vor 1081), von Anna Komnena (1114) und v. A. gedacht. Mit dem jungen aufstrebenden Bulgarenreiche theilt es nunmehr dessen oft wechselndes Loos. Oft wurde ihm Braničevo von Ungarn, Byzanz und Serbien entrissen. In der ersten Hälfte des XII. Jahrhunderts ist es ungarisch, dann byzantinisch, um 1154 abermals magyarisch zu werden.

Im Jahre 1172 besuchte es der Sachsenherzog Heinrich der Löwe auf seiner Reise nach Palästina. 1183 erobert es König Bela III. von Byzanz, verliert es aber schon 1186 wieder. Auf seinem Zuge nach Jerusalem findet Kaiser Friedrich 1189 daselbst einen byzantinischen Befehlshaber. Von da ab scheint Braničevo durch eine längere Epoche den Slaven geblieben zu sein. Zur Zeit des Zars Asan gehörte es Bulgarien; 1275 dem Serben-Kral Drugutin, nachdem es bereits früher von Nemanja erobert worden war. Bis zum Jahre 1459 wird es noch oft genannt; dann erlischt sein Glanz mit der gleichzeitigen Verödung aller serbischen Städte unter dem türkischen Regimente.

In Viminacium befand sich ein uraltes reiches Bisthum, von den Byzantinern und Ungarn Ducatus genannt. Auch lebte sein späterer slavischer Name Braničevo nicht nur im serbischen Volksliede „po Braničeva i po Kučevla“ fort; sondern die ganze Landschaft um Kostolac trug bis zur neueren Kreiseintheilung Serbiens unter Kara Gjorgje diesen Namen.

Die Feststellung eines Punctes von so eminent historischer Bedeutung wie Viminacium, von dem, nach den alten Itinerarien, zwei wichtige Strassenzüge nach Nikopolis und Byzanz führten und Kaiser Trajan persönlich in das Herz Daciens eingedrungen war, musste die Historiker wie Geographen gleich lebhaft beschäftigen. Von den Vielen seien hier nur der gelehrte Akademiker d'Anville (1761), Mannert und Franke genannt, die in ihren bereits mehrmals gedachten Werken mit grossem Aufwande von Studien, Scharfsinn und Zeit sich der Lösung dieser Frage widmeten. Allen dienten hierbei, in Ermanglung neuerer Forschungen, die archäologischen Arbeiten des Grafen von Marsigli (1717), dann die Itinerarien und Mittheilungen der alten Schriftsteller über die Ereignisse an der untern Donau, namentlich aber die Peut. Tafel und die Geschichte des trajanischen Zuges nach Dacien als Grundlagen ihrer mehr oder minder glücklichen Untersuchungen und Schlüsse. Mit 60.000 Mann zog Trajan im Frühling 101 über die julischen Alpen durch Kärnthen und Steiermark. Er hatte für sich — erzählt sein Biograph Franke — die Liebe der Soldaten und Unterfeldherrn, deren Mühen er theilte. Segestica (das heutige Sissek) war der Vereinigungspunct des Heeres. Dort wurden auch die Schiffe gebaut, welche die entlang der Save bis zu ihrer Mündung aufgestappelten Vorräthe dem Heere nachzuführen hatten. Bei dem 25 Mill. von Viminacium entfernten Orte Picnus (Gradište) befand sich nach Franke's Ansicht eine Schiffbrücke. Auf dieser nun soll Trajan selbst über Saška, Oravica, Karašova und Karanšebes, sein Legat Lucius Quietus aber auf einer zweiten bei Golubac über Orsova und Mehadia nach Dacien vorgedrungen sein. Bei Tibiscum vereinigten sich die beiden Heere und marschirten dann nach dem 37 Mill. entfernten Sarmizegethusa, der Hauptstadt des Decebalus.

Fassen wir nun kurz die Schlüsse der Historiker über die Lage von Viminacium und seines Donauüberganges zusammen, so finden wir, dass d'Anville diese ganz besonders auf die Mittheilungen des Priscus (V. Jahrh.) basirt hatte. Priscus erwähnt, dass der Mansion Margus (an der Moravamündung) eine zweite Arx Constantia gegenüber gelegen hatte. D'Anville hält nun diese für identisch mit der von der Notiz erwähnten Castra-Augusta-Flaviana in Contra Margo, indem er ihren Namen von Flavius ableitet, welcher dem Constantius, gleich allen Prinzen aus dem Hause des Constantin, eigen war. Irre geführt durch diese Annahme und in derselben bestärkt durch den Grafen Marsigli[6], der auf seiner Karte auf beiden Ufern der Mlayna (Mlava) Reste römischer

[6] Danub. II, Tab. 5.

Castelle unter den verschiedenen Namen Kostolac und Breninkolac angesetzt hatte, verlegte nun d'Anville, die Margusmündung (Morava) ganz ignorirend, die Mansion Margus auf das rechte und Flaviana auf das linke Mlavaufer[7]. Viminacium suchte er aber in Rama, die dort von Marsigli angegebenen Castellreste und die jenseitige nach Tibiscum führende Strasse als Beweisgründe anführend.

Diesen Annahmen des französischen Akademikers entgegen, erkannten beinahe alle späteren Forscher und Geographen, darunter Reichardt, Mannert, Franke, Forbiger und Aschbach Viminacium in dem Dorfe Kostolac, und meine neuesten dortigen Funde dürften, falls noch Zweifel über dessen einstige Lage beständen, diese wohl vollkommen beseitigen.

Eine neue bis in die jüngste Zeit fortgesetzte Controverse entstand jedoch über den Punkt, bei welchem Kaiser Trajan auf seinem dacischen Zuge die Donau übersetzt hatte. Dass die Römerstrasse nach Tibiscum, wie d'Anville annahm, direct nördlich von Viminacium auf das jenseitige Ufer geführt habe, wurde bereits von Franke angefochten. Die für diese Meinung aufgerufenen Römerschanzen auf dem linken Donauufer, welche ihre Richtung allerdings auf Kostolac nehmen, schreibt Franke nebst vielen anderen Wällen des Banates mongolischen Horden zu (?), welche die Donauländer seit der grossen Völkerwanderung durchzogen haben und erinnert hierbei an die chinesische Mauer[8]. Nicht mit den, weder auf Autopsie noch auf authentischen Karten beruhenden Meinungen d'Anville's, Mannert's und Franke's wollen wir uns hier beschäftigen; sondern mit den bereits früher gedachten neueren Behauptungen der Herren Prof. Dr. Aschbach[9] und Orio-šanin[10], welche in den Mittheilungen der kaiserlichen Central-Commission zur Erforschung und Erhaltung der Baudenkmale diesen Gegenstand eingehend behandelten.

Bereits früher in meinen „römischen Funden"[11] gedachte ich der grossen Widersprüche, in welche sich die sehr gelehrte Abhandlung Aschbach's da verwickelte, wo bei der Entscheidung über rein örtliche topographische Fragen der aufgewendete grosse Quellenapparat durch gute Karten oder die kaum zu ersetzende lebendige Anschauung nicht unterstützt wurden. Die grösste Unsicherheit Aschbach's zeigte sich aber namentlich bei der Feststellung des Punktes, an dem Trajan persönlich die Donau übersetzt haben soll. Die bezügliche Stelle der Aschbach'schen Abhandlung lautet:

„Aus der Zusammenstellung vorstehender Ortsverzeichnisse[12] gewinnen wir folgende Resultate: Erster wichtiger Posten auf der für die dacischen Kriegsoperationen Trajan's in Betracht zu ziehenden Donaulinie ist Viminacium (das heutige Kostolac mit Breninkolac und Ram in der Nähe), wo Trajan im ersten dacischen Kriege eine Schiffbrücke hatte schlagen lassen, zu deren Schutz die Castelle Picnus (am Flusse Ipek), Cuppe und Novae erbaut wurden. Dieser Befestigungslinie gegenüber lag auf dem linken Ufer die Veste Lederata (daselbst liegt jetzt Uj-Palanka), welche Procopius nicht ganz genau als Novae gegenüberliegend angibt, anstatt sie schon bei Viminacium oder vielmehr bei Picnus anzuführen; denn streng genommen lag sie eigentlich diesem Castelle gegenüber. Von Lederata führte nach der Tabula Peutingeriana (die dies Castell noch auf dem rechten Ufer angibt) eine römische Heerstrasse (durch das heutige östliche Banat) über Apo (i. e. A ponte), Arcidava, Centum Putei, Bersovia, Ahibis, Caput Bubali, Tibiscus gegen Sarmisegethusa."

[7] Mem. de l'Acad. des Inscr. XXVIII, 133.
[8] Zur Gesch. Kais. Trajan's 155.
[9] Bd. III. 207.
[10] Bd. 10, XXXI.
[11] Sitzb. d. k. Akad. d. Wiss. hist. phil. Cl. Bd. XXXVI.
[12] Itin. Ptol. Ant., Peut. Not. Prov.

8 *

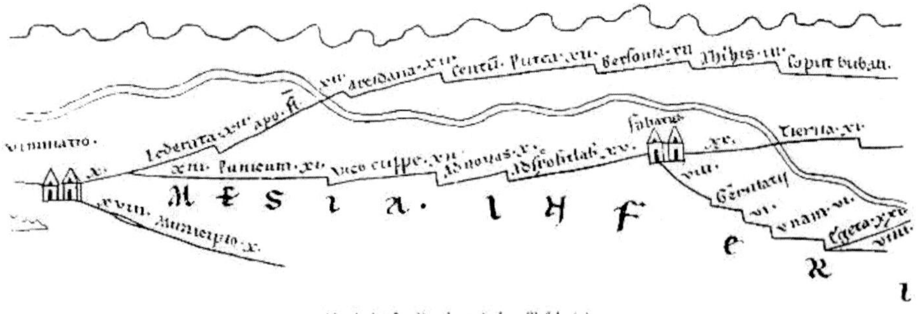

Abschnitt der Peutinger'schen Tafel. (a)

Bei Bestimmung des Standortes des Trajan'schen Donau-Überganges erschien, wie wir sehen vor allem die genaue Feststellung der römischen Mansion Lederata nothwendig. Die Peut. Tafel zeigt Lederata 10 Mill. entfernt von Viminacium auf dem rechten Donau-Ufer. Im Widerspruche mit der Tafel verlegt es aber Aschbach auf das linke Ufer und sucht es dort, sich selbst widersprechend, an zwei verschiedenen Orten. Zuerst in dem, Rama gegenüber gelegenen Uj-Palanka, dann aber jenseits von Pienus (Gradište), „denn streng genommen lag sie eigentlich diesem Castelle gegenüber". Demnach hätte also der früher bei Viminacium behauptete Trajan'sche Donau-Übergang eigentlich bei Pienus stattgefunden(!).

Betrachten wir nun den bezüglichen Abschnitt der Peut. Tafel, so finden wir bald jene Momente, welche Herrn Professor Aschbach bei der Unzuverlässigkeit unserer Karten über Serbien und in Ermanglung autoptischer Terrainstudien zu ebenso unsicheren wie falschen Schlüssen führen mussten.

Von den beiden Häuschen, mit welchen die Peut. Tafel die Colonie Viminacium kennzeichnet, sehen wir drei Hauptstrassenzüge nach Süd, Ost und Nord ausgehen. Der erste führte nach Byzanz, der zweite entlang der Donau nach Nicopolis und dem Pontus, der dritte über die Donau nach Tibiscus. Hierbei ist wohl zu bemerken, dass der letztere (die dacische Strasse) nicht von einer Mansion der grossen Donaustrasse sich abzweigt, sondern schon von Beginn, ganz selbständig von Viminacium aus, ihre eigene Trace einschlägt und noch 10 Mill. bis Lederata am rechten Donau-Ufer fortläuft, bevor sie den Strom bei A ponte übersetzt.

Diese schon bei ihrem Ausgange von Viminacium beginnende ganz verschiedene Wegrichtung der beiden in Frage tretenden Strassen, ist bisher nicht erkannt und genügend gewürdigt worden. Sie wurde bedingt durch die Bodenbeschaffenheit zwischen Viminacium und Pienus, durch die langgestreckte, beide trennende bergige Landzunge.

Sowohl Aschbach als andere hatten angenommen, dass die Strasse über Lederata nach Dacien sich von der nach Pienus führenden abzweige. Man kannte eben das Terrain zu wenig und übersah, dass, wollte die grosse Donauheerstrasse nicht mit grossem Zeitverluste die langgestreckte Bergbarricade bei Rama umfahren, sie ihren Weg über dieselbe von Viminacium nach Pienus direct nehmen musste. Und sie that dies in Wahrheit ebenso wie auch noch heute; indem sie die Route Viminacium-Kostolac über Drmno und Mailovac nach Pienus-Gradište einschlug. Die Entfernung zwischen den beiden Mansionen stimmt auch mit den von der Peut. Tafel angegebenen 13 Mill. beinahe vollkommen überein (s. Karte der Donau von Kostolac bis Gradište, S. 59).

Nach erhärteter Feststellung dieser Thatsache ist es nun nicht mehr nothwendig, die auf der Peut. Tafel noch am rechten Donau-Ufer angegebene Mansion Lederata jenseits zu suchen. Ihre

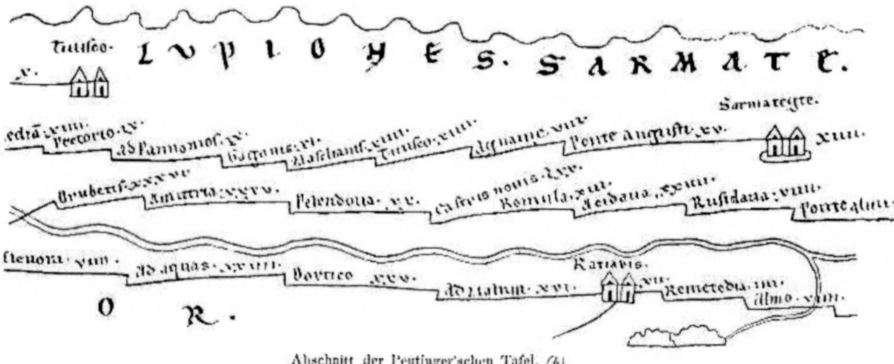

Abschnitt der Peutinger'schen Tafel. (b)

auf 10 Mill. von Viminacium angesetzte Entfernung trifft vollkommen mit jener zwischen Kostolac und Rama zusammen, und die bei Rama und dem jenseitigen Uj-Palanka aufgefundenen Reste von Brückenköpfen zeigen deutlich, dass dort ein Stromübergang und höchst wahrscheinlich mit Benützung der zwischen beiden liegenden Strominseln stattgefunden habe.

Ob Uj-Palanka unter den Römern nur ein befestigter Brückenkopf war, ob die auf der Peut. Tafel 12 Mill. von Lederata entfernte Mansion A ponte bereits landeinwärts gelegen hatte und dem von Franke angedeuteten Strassenzuge entsprechend, vielleicht Weisskirchen sei, oder in der von Oriošanin angedeuteten Richtung an der Karaš zu suchen wäre, kann nur durch eingehendere Forschungen am linken Donau-Ufer festgestellt werden.

Fasse ich die Resultate unserer gewonnenen Erfahrungen zusammen, so glaube ich sagen zu dürfen: Viminacium stand wirklich, im Gegensatze zur Behauptung d'Anville's, bei Kostolac — von Viminacium führten zwei gesonderte Strassen über Lederata nach Dacien und über Picnus

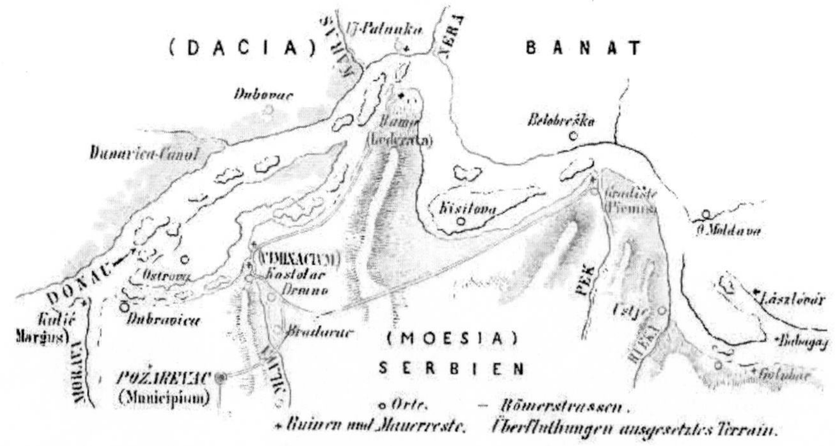

Die Donau von Kostolac bis Gradište.

an die Donau — Lederata befand sich am rechten und nicht, wie die Herren Aschbach und Oriošanin annahmen, auf dem linken Donau-Ufer — und endlich, einer der Donau-Übergänge Kaiser Trajan's hat jedenfalls bei Lederata (Rama) stattgefunden.

Wenn ich nun noch, bevor ich das Capitel über die ehemalige Römerhauptstadt und ihren Stromübergang abschliesse, auf die in Herrn Oriošanin's erwähnten Mittheilungen apodiktisch hingestellten Aussprüche zurückkomme, so geschieht dies einzig, um die Flüchtigkeit — hier handelt es sich nicht um einzelne Irrthümer — zu charakterisiren, mit der von mancher Seite archäologische Forschungen unternommen werden. Ganz abgesehen von seinen falschen Conjuncturen bezüglich Lederata's beliebt es diesem Herrn, die von allen Itinerarien nach Picnus folgenden, also donauabwärts angegebenen Mansionen, wie z. B. Cuppe und Novae, in den von Picnus donauaufwärts liegenden Orten Šatonje und Ram (!) zu suchen; ungeachtet diese Mansionen und insbesondere Cuppe in dem 10 Mill. von Picnus-Gradište donauabwärts liegenden Golubac erkannt wurden. Herr Oriošanin verballhornt in seinem Aufsatze überdies mit einer beständigen, besserer Dinge werthen Consequenz beinahe alle Mansionennamen, so Lederata in Cederata, Cuppe in Cusse, ad Novas in ad Nonas u. s. w.

Etwas mehr Mässigung und weniger apodiktisches Absprechen scheint bei der Entscheidung archäologischer Fragen in den unteren Donaugebieten bei dem gegenwärtigen noch so unvollkommenen Stande unserer bezüglichen topo- und kartographischen Behelfe dringend geboten.

Man wird meine Mahnung zu grösserer Vorsicht nicht ungerechtfertigt finden, wenn ich hier an die beinahe komische, im letzten Hefte der Mittheilungen näher geschilderte Entstehung der fabulosen Ortschaft Tatalia erinnere, welche seit über 100 Jahren, bis auf Ackner und Müller herab, in allen Combinationen über römische Strassenzüge, Donau-Übergänge u. s. w. eine so

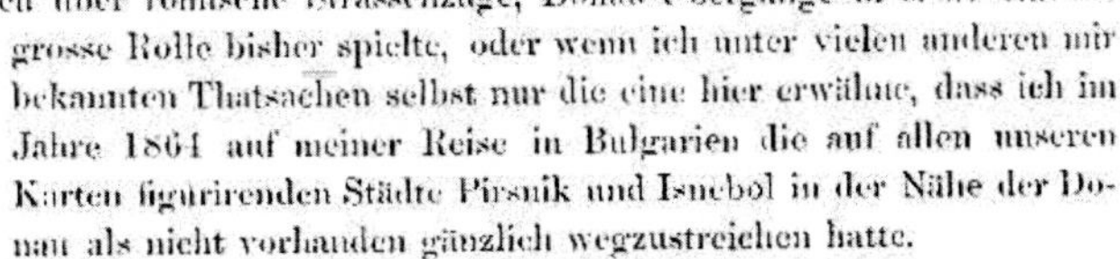

grosse Rolle bisher spielte, oder wenn ich unter vielen anderen mir bekannten Thatsachen selbst nur die eine hier erwähne, dass ich im Jahre 1864 auf meiner Reise in Bulgarien die auf allen unseren Karten figurirenden Städte Pirsnik und Isnebol in der Nähe der Donau als nicht vorhanden gänzlich wegzustreichen hatte.

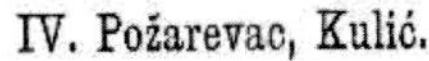

IV. Požarevac, Kulić.

Weiblicher Torso zu Požarevac.

Požarevac, die Stadt, bietet nur wenig Interessantes. Ohne irgend eine hervorragende Baute oder sonstige Merkwürdigkeit, macht es durchaus nicht den Eindruck einer Kreisstadt und entspricht wenig der historischen Bedeutung, welche es durch den Abschluss des Friedens von „Passarovitz“ (21. Juni 1718) erlangte.

Auch die von Ami Boué rege gemachte Hoffnung auf eine reiche archäologische Ausbeute erfüllte sich nur in sehr geringem Masse. Die Reste von dem alten Municipium — es bildete die erste Nachtstation auf der Römerstrasse von Viminacium (Kostolac) nach Naissus (Niš) — beschränken sich auf einen Steintrog auf dem Hauptplatze, an welchem nur noch wenige Spuren einstiger Figuren en relief kenntlich sind, einige Ziegelfunde mit dem Stempel LEG. VII. CL. (Legio septima Claudiana), und eine weibliche Figur im Hause des Herrn Mita Popović. Mannert und nach ihm Forbiger suchen Municipium in einem Zibet an der Morava, ein Ortsname, der, so viel ich weiss, an diesem Flusse nicht gekannt ist.

Die Thurmruine des Schlosses Kulić, welches die einst beträchtliche, heute ganz verschwundene Schifffahrt auf der Morava an ihrem Einflusse in die Donau überwachte, erschien vom festen Lande vollkommen abgetrennt und ragte nur wenige Fuss hoch aus der allgemeinen Überfluthung hervor. An dieser Stelle stand einst am römischen Margus (Morava) die gleichnamige römische befestigte Niederlassung, bei welcher nach der Not. Imp. eine kleine Donauflotte ihre Station hatte. Hier siegte Diocletian im Jahre 285 über den Carinus (Eutr). Forbiger[13] verlegte Margus irrig nach Semendria oder Požarevac, d'Anville nach Kostolac. Ich glaube aber, Kulić ist unzweifelhaft dasselbe, wie ich dies bereits im Abschnitte über Viminacium näher begründete.

V. Semendria, Ritopek, Grocka.

Die Stadt Semendria, serbisch „Smederevo", lehnt sich an die letzten Ausläufer des nach Osten sanft sich abdachenden Avala-Gebirges, während die Veste in der Fläche, am Einflusse des westlichen Morava-Armes, der Jessava, in die Donau liegt.

Nach d'Anville und Franke (Geschichte K. Trajans) lag hier einst das römische „Aureus mons". Seine Entfernung von Singidunum, welche auf dem It. Ant. XXIV, auf den meisten anderen mit ein bis zwei Mill. mehr angegeben erscheint, stimmt vollkommen mit Semendria überein. Consul von Hahn (Von Belgrad nach Salonik) hätte gern, gestützt auf die antiken Substructionen der Veste in Dreiecksform, das römische Tricornium in Semendria gefunden. Dem widerspricht aber das Millienmass der Peut. Tafel, und es schwindet dadurch jeder Haltpunkt, in Semendria den ehemaligen Hauptort der Tricornesier, die sich zur Zeit des Ptolomäus in Ober-Mösien ansiedelten, zu vermuthen.

Nicht viel mehr ist die Annahme Forbiger's gerechtfertigt, welcher in Semendria das vom Itin. Ant. gekannte Vinceia vermuthet, dessen Berge die Soldaten des Kaisers Probus gleich dem Aureus mons mit Wein bepflanzt hatten (Eutr.). Semendria erhob sich während der römischen Epoche zur civitas (It. Hieros.), während Tricornium (Grocka) zu einer blossen mutatio (Poststation) herabgesunken war. Über die Entstehung des heutigen Namens von Semendria gibt d'Anville folgende Angabe. Chalcondylas spricht von Semendria als Spenderobis, welcher Name von den Slaven (?) in Smender, von den Türken in Semender, von den Magyaren als Verstümmlung von Szent Endre (heil. Andreas) in Sendren verändert worden sei. Rancanus nannte Semendria — Smedris, aus welchem Namen das serbische „Smederevo" vielleicht entstanden ist!

Von den Serben wird die Erbauung der Veste in den Volksgesängen Irenen (Jerina), der Gemahlin des Despoten Georg Branković, zugeschrieben. Eine Inschrift in rothen Backsteinen, überragt von einem mächtigen Kreuze aus gleichem Materiale an einem der Thürme, bezeichnet jedoch den Despoten selbst als den Erbauer mit der Jahreszahl 1432.

Schon fünf Jahre später besteht die Veste die erste Probe gegen die Angriffe Sultan Amurad's, und ihr heldenmüthiger Vertheidiger erhält den Beinamen „Smederevo Gjuro", doch fällt sie 1439 durch Capitulation in türkische Hände. Von Georg wiedererobert und von Sultan Mahomed vergebens belagert, wird sie bald nach der unglücklichen Schlacht bei Varna wieder türkisch und bleibt es in der folgenden Zeit.

Erst unter Leopold I., als die Macht der Türken in dem glorreichen Feldzuge 1688 durch Maximilian von Bayern an der Donau und Save zum erstenmale gebrochen war, wurde nach Belgrad's Fall Semendria von dem Seraskier ohne Vertheidigung verlassen. Die Kaiserlichen suchten die Werke in besseren Stand zu setzen; doch mit dem Verluste von Niš (1689) ging auch

[13] Handbuch der alten Geographie, Leipzig 1848, III. Bd., S. 1091.

Semendria bald wieder verloren und kam erst mit Eugen's Sieg bei Belgrad 1717 neuerdings an Österreich.

Bei Semendria campirte das kaiserliche Heer nach dem wenig rühmlichen Feldzuge 1738 unter dem Prinzen von Lothringen, nachdem er auf dem Rückzuge von Orsova bei Kubin auf zwei Brücken die Donau übersetzt hatte. Er blieb dann unthätig vom 19. bis 25. August und zog am 26., von den Türken gedrängt, über Grocka nach Belgrad. Nur mit Mühe konnte der, in Semendria zurückgebliebene Hauptmann sich und sein Detachement zu Schiffe retten. Durch die Untüchtigkeit der Führer in den Kriegen 1737, 1738, 1739[1]) gingen mit dem Belgrader Friedensschluss der Donau-Saveschlüssel, Belgrad, Semendria und die übrigen Eroberungen Eugen's für Österreich verloren.

Nachdem Loudon im Jahre 1789 abermals Belgrad dem Kaiser unterworfen hatte, forderte er durch Generalmajor Otto Semendria zur Übergabe auf. Am 13. October erklärte der türkische Commandant durch eine nach Belgrad gesandte Deputation sich zur Capitulation unter den Bedingungen, wie sie Belgrad gewährt worden waren, bereit. Der 300 Mann starken Garnison wurde freier Abzug bewilligt. Man fand in der Veste 14 ein-, zwei- und dreipfündige Geschütze. Mit dem Sistover Frieden (1790) wurde Semendria abermals türkisch und spielte erst in der Geschichte der letzten serbischen Erhebung wieder eine wichtige Rolle.

Erbittert durch die Ermordung ihres Wojwoden Vulić, verjagte die christliche Bevölkerung die Türken aus der Stadt und nach verzweifeltem Widerstande, auch aus der Veste. Diese Eroberung, die erste glänzende Waffenthat der bis dahin noch zaudernden Rajah, eröffnete die glücklichen Freiheitskämpfe von 1805—1807.

Doch in dem für Serbien verhängnissvollen Jahre 1813 musste auch Semendria ausgeliefert werden, und das Halbmondbanner weht noch heute von seinen Zinnen.

Die Veste bildet ein unregelmässiges Dreieck, dessen Stirnseite mit 11 hohen Thürmen von der Donau bis zur neuen Kirche mit der Stadt parallel läuft, während die Donauseite mit 5 und die von der Jessava bespülte Fronte mit 4 Thürmen, sämmtlich durch eine gleich hohe Mauer mit einander verbunden, hart am Einflusse der Jessava in die Donau, in einen stumpfen, von 5 weiteren Thürmen vertheidigten Zwinger zusammenlaufen.

Semendria's Veste von der Donauseite.

Die Citadelle ist von einer zweiten crenaillirten Mauer mit runden Eck- und quadratischen Mittelthürmen umgeben.

1) Graf Schmettau's Mémoires secretes.

Von den Befestigungen der Stadt, welche wir auf einem älteren Plane derselben [15] angedeutet gefunden haben, erhielten sich nur wenige Reste. Einst mochte Semendria ein bedeutender Waffenplatz gewesen sein. Nach heutigen Begriffen ist es aber nichts weniger als eine Festung, da es

Semendria's Veste von der Landseite.

von den nahen Hügeln gänzlich beherrscht wird. Zudem haben die Türken auch hier gar nichts gethan, um dem Platze durch fortgesetzte Verstärkungsbauten eine den Anforderungen der Gegenwart entsprechende Widerstandsfähigkeit zu geben. Nur das der Stadt zugewendete Hauptthor wurde mit sechs schweren Positions-Geschützen englischen Fabricates armirt. Sie stechen gewaltig ab von den veralteten Carronaden, welche hie und da aus den zerbröckelnden Thürmen hervorlugen. Die nach innen gekehrten Seiten dieser Thürme sind kehlenförmig geöffnet. Sie enthielten einst Stiegen und Leitern zur Ersteigung für die Vertheidiger, sind jedoch jetzt sämmtlich vernachlässigt und es wird dadurch schwer, zu den römischen Steinen zu gelangen, welche an mehreren Stellen derselben eingelassen sind [16].

Auch die Mauern an der Donauseite sind durch die Frühjahr-Hochwasser in gefährlicher Weise unterwaschen. Ungeachtet dieses erbärmlichen Zustandes wird die Veste von den Türken eifersüchtig gehütet. Jede Bewegung des Fremden wird ängstlich überwacht und das Umhergehen in den unsauberen Gässchen der kleinen türkischen Ansiedlung selten gestattet. Die Moschee und die ärmlichen Häuser, in denen die Türken enge zusammengepfercht leben, sind aus Holz und Lehm gebaut, und es bedürfte nur eines zündenden Funkens, um die ganze Ansiedlung in einen Aschenhaufen zu verwandeln.

Construction der Thürme zu Semendria.

[15] Kais. Kriegsarchiv, Wien.

[16] In dem archäologischen Theile von Marsigli's „Danubius pannonico-mysicus" (1726) sind mehrere dieser interessanten römischen Alterthümer abgebildet.

Semendria besitzt ein Kirchlein, welches zu den ältesten Baudenkmälern Serbiens gehört. Es soll im Jahre 1010 entstanden sein. Der Volkssage nach ist der auf einer Anhöhe im Norden der Stadt stehende, der heiligen Jungfrau geweihte Bau lange Zeit unter einem Berge verschüttet gewesen; er wäre erst später entdeckt und von seinen, ihn vor der Zerstörung durch die Türken schützenden Banden befreit worden. Die Örtlichkeit selbst bietet keine Momente für die Unterstützung dieser Sage: aber auch ohne mystische Zuthaten ist der kleine Bau für den Kunstforscher höchst interessant. Er ist der einzige, dessen Äusseres, in ursprünglicher Weise erhalten, für die auf hoher Stufe gestandene Bautechnik Altserbiens spricht.

Zu bedauern ist, dass die Stirn- und West-Façade der Kirche in einen plumpen Zubau miteinbezogen wurde: dann die Zerstörung der Fresken durch die Türken, ein Schicksal, welches mit wenigen Ausnahmen sämmtliche Fresken im Lande theilten. Es erschien den Türken als ein Act politischer Klugheit, die Bilder der Zaren, Könige und Heiligen zu vernichten, welche die Rajah an ihre einstige Selbständigkeit erinnern mussten; zum Theil frevelte aber auch roher Übermuth der Eroberer und der Unverstand der Mönche an den historischen Denkmälern der serbischen Vorzeit.

Einem riesigen Tumulus ähnlich, erhebt sich hinter Semendria höchst malerisch auf einem Hügel der Kirchhof von Ritopek — nach Forbiger (Handb. der alten Geogr. III.) das alte römische Tricornium — mit seinen seltsam geformten Grabkreuzen.

Bei Grocka — wo derselbe Forscher den Mons Aureus und die gleichnamige römische Militärstation sucht, während d'Anville (Mém. de l'Acad. des Inscr. XXVIII) mit weit mehr Berechtigung und in Übereinstimmung mit den Itinerarien hier die Mansion Tricornium ansetzt — entschied der unglückliche Ausgang der Kämpfe am 23.—24. Juli 1739 unter dem kaiserlichen Feldherrn Grafen Wallis den dreijährigen Feldzug Österreichs gegen die Türkei, zu des ersteren Nachtheil.

VI. Belgrad, Avala.

Seine hohe Bedeutung in alter und neuer Zeit verdankt Belgrad vor allem seiner glücklichen geographischen Lage. Auf und an der Terrasse des letzten gegen Norden vorgeschobenen Ausläufers der Rudnik er Bergkette und an der Mündung eines der bedeutendsten Nebenflüsse der Donau gelegen, bildete es seit jeher das schon von der Natur bestimmte Handelsemporium für die unteren Donauländer. Es ist nicht Mythe, sondern volle historisch begründete Gewissheit, dass Belgrad als „Alba graeca" bereits zu Beginn des Jahrtausends eine der wichtigsten Tauschstätten zwischen dem Abend- und Morgenlande war. Seine bevorzugte Lage gab ihm aber zugleich jene hohe strategische Wichtigkeit, welche es zum Schlüssel des südöstlichen Ungarns und der serbischen Lande gestaltete.

Schon in der Geographie des Claudius Ptolemäus[17] — nicht lange nach dem Tode K. Trajan's, in der Mitte des II. Jahrhunderts abgefasst — erscheint Belgrad als Singidunum unter den Donaustädten von Moesia superior. Es war der Standort der Legio IV Flavia Felix (Forb. Handbuch 1089). Bis zur Zeit d'Anville's wurde Belgrad für identisch mit dem einst am linken Save-Ufer gelegenen Taurunum (Semlin) gehalten. Auf der Theod. Tafel erscheint letzteres 3 Mill. von der Savemündung und 4 Mill. von Singidunum entfernt. Diese Masse stimmen mit der Entfernung Semlins von Belgrad und deren geographischer Lage so genau überein, dass über ihre einstigen Namen in der römischen Epoche kein Zweifel weiter obwalten kann. Das römische

17 Ptol. Geogr. lib. III.

Castrum muss sich zum Theile mindestens auf dem heutigen Festungsplateau erhoben haben, denn die Türken stiessen bei ihrer Planirung des Kalimeydans auf alte Mauern mit Ziegeln von römischem Gepräge.

Singidunum, der uns bekannte älteste Name Belgrad's, wird von d'Anville (S. 110) aus einer Zusammenziehung von Singid mit dem celtischen dunum (Hügel) abgeleitet. Möglicherweise ist dunum aber auch nur das veränderte celtische din (Burg). Jedenfalls sprechen die zahlreichen Städtenamen in den Donauprovinzen mit ihren celtischen Anklängen für die von den alten Schriftstellern oft betonte Anwesenheit zahlreicher celtischer Stämme, wie: der Taurisker, Skordisker, Bojer u. A. in den Territorien der unteren Donau.

Bei den byzantinischen Chronisten verwandelte sich der Name Singidunum allmälig in Singidon. Die spätere Bezeichnung Alba graeca scheint aus der Zeit des Tractates Ludwig des Frommen — des Erben der von Karl dem Grossen nach Besiegung der Avaren eroberten Donauländer — mit Leo IV. dem Armenier herzurühren. Damals wurde Belgrad erste griechische Grenzstadt zwischen Byzanz und dem fränkisch-deutschen Reiche (nach Eginhard im Jahre 817).

Die Slaven übersetzten den griechischen Namen mit Beli-grad (weisse Burg). Derselbe kommt zuerst in den Schriften des Const. Porph. (X. Jahrhundert) abwechselnd mit Singidon vor. Die Magyaren nannten Belgrad Nándor-Fejérvár, zur Unterscheidung von Székes- und Gyula-Fejérvár. Die Serben haben den mit Beli-grad gleichbedeutenden Namen Beograd angenommen und die Nomenclatur des Occidents und seiner Karten, das erstere abgekürzt in Belgrad, allgemein beibehalten.

Als Standort einer Legion musste Belgrad schon unter Rom ein bedeutender Punkt gewesen sein. Die früher zahlreich dort gemachten antiken Funde bestätigen dies. Leider sind sie bis auf wenige in den Grundfesten und Mauern der Festung verschwunden und für die Alterthumskunde somit verloren. Wenig Reiz gewährt es, die Schicksale Belgrad's während und nach den Völkerstürmen zu verfolgen. Beschränken wir uns auf die zugleich mehrfache Werke berichtigende Erwähnung einiger historisch sichergestellter Momente aus diesem von blutigen Kämpfen erfüllten Zeitraume, in welchem es kurz nach der Herstellung seiner Mauern durch Justinian der stete Zankapfel zwischen Avaren, Bulgaren, Magyaren und Byzantinern gewesen war.

Mit der Eroberung des benachbarten Braničevos (Viminacium — Kostolac) durch König Geyza fiel auch Belgrad an Ungarn. Byzanz stellte jedoch das alte Verhältniss bald wieder her und Belgrad blieb nun grösstentheils unter griechischer Hoheit, bis Stephan Nemanja, der „erstgekrönte" König des altserbischen Reiches, es demselben einverleibte. Gelegentlich Kaiser Friedrich's Zuge in das heilige Land und seiner Zusammenkunft mit König Stephan I. an der Morava wird unter den durchzogenen Städten auch Belgrad's von den Schriftstellern gedacht. Hier musterte Kaiser Friedrich sein Heer, 90.000 Lanzknechte und 15.000 Reiter, strafte wegen verletzter Zucht zwei Edle aus dem Elsass am Leben und umgürtete 60 Jünglinge mit dem Ritterschwerte. (Kortüm, Kaiser Friedrich 227.) Die ersteren bedeutenderen Werke Belgrad's sollen aus der Zeit des Serben-Zars Dušan herrühren, nachdem er in dessen Nähe den grossen Ungarkönig Ludwig I. blutig zurückgewiesen hatte[18].

Nach dem Falle des Serbenreiches bei Kosovo und als in der Mitte des XV. Jahrhunderts selbst der äusserlich bewahrte Schein seiner Unabhängigkeit verloren gegangen war, blieb Belgrad der einzige feste Punkt, welcher dem andrängenden Halbmonde noch einigen Widerstand leistete. Es wurde von den Serben und Magyaren, deren Hilfe bereits Branković Gjorgje, der letzte serbische Fürst (1443) angerufen hatte, gegen Sultan Mohamed (1456) tapfer gehalten und von Johann Hunyády siegreich entsetzt. Hier war es, wo Johann Capistran mit seinen begei-

[18] Engel's Geschichte von Serbien 356.

9*

sterten Kreuzkämpfern wesentlich zum Erfolge beitrug und wo der vielbesungene Heldenjüngling Titus Dugović — um dessen Angehörigkeit, wie bei Zrinyi, Serben und Magyaren streiten — von einer Zinne, auf welche ein Moslim eben den Halbmond aufpflanzen wollte, nach hartem Kampfe sich mit dem Gegner in die Tiefe stürzte. Durch 267 Jahre trugen die Türken von Belgrad aus Schrecken und Verderben über den Occident. Kurz bevor das Kreuz wieder vor seinen Mauern erschien, besuchte es der von der Londoner gelehrten Gesellschaft zur Erforschung der europäischen Türkei entsandte Reisende Dr. Edward Brown. Seinem Werke[19] verdanken wir eine interessante Schilderung der Physiognomie Belgrad's unter türkischem Regiment.

Der Reisende rühmt es als eine grosse, feste, volkreiche und weite Kaufstadt in Serbien. Die Gassen der Stadt, wo der grösste Handel getrieben wird, sind mit Holz bedeckt, so dass die Waaren weder von der Sonne, noch vom Regen Ungemach leiden. Brown erwähnt als eine besondere Eigenthümlichkeit den noch heute in allen türkischen Bazars üblichen Gebrauch, dass der Käufer nie in den Laden eintritt. „Noch sah ich alldort zwei breite Plätze von Stein aufgebaut, welche einer Börse oder einem Versammlungsplatze der Kaufleute glichen, und waren solche mit zwei Reihen Säulen, welche übereinander standen, befestiget. Es waren jedoch diese Plätze mit Waaren so gefüllt, dass sie dadurch von ihrem Glanz verloren. Ferner sind hier noch zwei andere weite Besestens oder Handelsplätze, wo man die köstlichsten Güter findet. Sie sind erbaut in Form einer Kathedralkirche“. Brown schildert weiter ein grossartiges Karavanserai mit schönen Springbrunnen, welches der damalige Grossvezier erbaute, eines Medresse (Collegium), dessen türkische Zöglinge sich durch einen eigenthümlichen Tülbend mit vier Ecken auszeichneten.

Er beschreibt ferner die Wohlhabenheit der Belgrader Kaufherren, die Gastfreundschaft und Ausstattung einzelner Häuser mit Springbrunnen und Bädern. Er rühmt die grössere Redlichkeit der armenischen Kaufleute gegenüber den Juden und Griechen, und gedenkt insbesondere der grossartigen Kaufhallen der „orientalischen Kaufleute von Wien“, sowie des damaligen ausgedehnten Verkehrs Ragusa's und anderer Staaten mit Belgrad.

Brown beurtheilt Land und Leute von Serbien auf das günstigste. Er meint, wäre dieses Land nur in den Händen der Christen, so sollte es eine sehr berühmte und blühende Landschaft sein. Insbesondere schreibt er Belgrad als Handelsemporium eine höchst glückliche und in Europa seltene Lage zu. Er bedauert nur zum Schlusse, „dass es allem Anscheine nach unmöglich zu sein scheint, es jemals wieder zu erobern“.

Der Glanz des sultanlichen Hofes, welch letzterem Edward Brown in Larissa begegnete, und besonders die militärischen Einrichtungen des türkischen Reiches scheinen dem englischen Reisenden derartigen Respect eingeflösst zu haben, dass er einen Angriff auf das Gebiet des Grossherrn für unmöglich erklärte. Im Gegentheile erfüllte ihn der beängstigende Gedanke, der Halbmond könnte wie einst Rom ganz Europa, ja die Welt unterjochen. Brown vergass, dass die Türkei von allen Bedingungen, welche Roms Weltherrschaft ermöglichten, beinahe keine besass. Hätte er nur über zwei Decennien weg in die Zukunft blicken können, er würde schon damals das geradezu für unausführbar gehaltene erfüllt, das Kreuz auf Belgrad's Zinnen gesehen haben, und eben jener Leopold I., von dessen Persönlichkeit, Hof und Residenz der englische Reisende ein farbenprächtiges Bild entwirft, war es, dessen siegreiche Heere zuerst die Macht der türkischen Herrschaft in Europa brachen.

Nach dem Falle Ofens (1686) war es der lebhafteste Wunsch des Kaisers, auch Belgrad noch im Feldzuge 1688 erobert zu sehen. Maximilian von Bayern, einer der glänzendsten Kriegsfürsten seiner Zeit, erhielt den Oberbefehl über die Hauptarmee (33.500 Mann, worunter 7000 Bayern und 5000 Reichstruppen), während Markgraf Ludwig von Baden selbständig operiren und beide

[19] Reisen durch Serbien, Bulgarien etc. Nürnberg 1686.

Ufer der Save in Bosnien vom Feinde säubern sollte. Die Eroberung Griechisch-Weissenburgs — wie Belgrad zu jener Zeit allgemein genannt wurde — und die darauf gefolgten Kriegsereignisse sind zuletzt von dem verdienstreichen Biographen des Grafen Guido Starhemberg[20] eingehend geschildert worden.

Noch vor dem Herbste waren sowohl Belgrad als Semendria in den Händen der Kaiserlichen, und beide Werke wurden auf Befehl des kaiserlichen Hofes in besseren Stand gesetzt[21], da Belgrad insbesondere den Sammelpunkt der kaiserlichen Heere im nächstfolgenden Feldzuge (1689) bilden sollte.

Der glückliche Beginn desselben machte den Kaiser in kurzer Zeit zum Herrn der Donauländer vom adriatischen Meere bis zum Amselfelde (Kossovo-polje) und von der Save bis Nikopolis. Unheilvolle Missgriffe einiger kaiserl. Heerführer paralysirten leider noch im selben Jahre diese raschen, beinahe unblutigen Erfolge. Die Mehrzahl der Festungen fiel wegen ungenügender Verproviantirung den mit grosser Macht heranziehenden Türken in die Hände. Unter ihnen auch Belgrad, dessen guten Vertheidigungszustand der Oberbefehlshaber kurz zuvor dem Kaiser gerühmt hatte. Es fiel durch die Untüchtigkeit seines ersten Commandanten Grafen Aspremonte, durch das Auffliegen der Pulvermagazine und den Verrath des Venetianers Andrea Corneto. Herzog von Croy, welcher zuletzt den Befehl zu Belgrad übernommen hatte, vermochte es nicht mehr zu retten. Erst unter Esseg's Mauern gelang es ihm, die erschreckte Christenheit mit Belgrad's Fall zu versöhnen.

Das Jahr 1693 sah unter Feldmarschall Croy einen verunglückten Versuch zur Einnahme Belgrad's durch die Kaiserlichen. Auch in den folgenden Feldzügen unter dem Oberbefehle des Kurfürsten Friedrich August II. von Sachsen hatte das kaiserl. Heer mehr Niederlagen als Siege zu verzeichnen. Da änderte das Auftreten eines einzigen Mannes die ganze Situation. Der Sieg von Zenta (11. September 1697), welcher den Türken 20.000 Gefallene auf der Wahlstatt kostete, führte den jugendlichen Feldherrn „Prinz Eugen“ bis unter Belgrad's Mauern. Der Friede von Karlowitz (1699) unterbrach seinen Siegeslauf. Im Jahre 1717 nahm er jedoch denselben wieder auf. Der vielbesungene Fall Belgrad's und die Unterwerfung Serbiens bildeten die reichen Früchte dieses glorreichsten Feldzuges, welchen Österreichs Kriegsgeschichte im europäischen Osten zu verzeichnen hatte.

Die Ereignisse, die nach kaum mehr als zwanzig Jahren, in welchen Belgrad den grössten Theil seiner heutigen Befestigungen erhielt, den Verlust der Eugen'schen Eroberungen für den Kaiser herbeiführten, habe ich im vorausgegangenen Hefte der „Mittheilungen“ zu schildern versucht.

Einen der lohnendsten Ausflüge von Belgrad bildet die Ersteigung seines schönsten Wahrzeichens, des Avala. In zwei Stunden gelangt man auf die Spitze des 1000' hohen Berges.

Sie ist mit den Ruinen eines jedenfalls im Mittelalter erbauten Schlosses gekrönt. Es wurde von vielen für ein römisches Werk und von einigen, wie Ami Boué[22], für die Mansion Mons Aureus gehalten. Möglich und sogar höchst wahrscheinlich, dass die Römer hier ein Castell oder einen Wachtthurm angelegt hatten. Die Mansion Mons Aureus lag aber zuverlässig nach allen Itinerarien von Singidinum 24 Mill. entfernt, hart an der Strasse nach Viminacium und ist, wie ich bereits nachgewiesen habe, in dem heutigen Semendria zu suchen. Soweit ich die Mauern des

[20] Arneth, Graf Guido Starhemberg, 93.
[21] Ibid. 101.
[22] La Turquie d'Europe II.

Avala-Schlosses näher untersuchen konnte, gehören sie einer nicht sehr weit zurückreichenden Vergangenheit, ja höchst wahrscheinlich der türkischen Periode an, wie ja auch nach der Tradition Mahomed II. die Burg restaurirt haben soll.

Die Avala-Ruine bei Belgrad.

Zwei hier gefundene römische Inschriftsteine hat Boué (Turquie d'Europe II, 359) mitgetheilt. Der erste leider verstümmelte gehört der Zeit Aurelian's, dem Jahre 287 an. Der zweite, eine Votiv-Inschrift, wurde von dem Municipalkörper der Colonie Singidunum (Belgrad) im Jahre 287 der Göttin Norcia (vielleicht identisch mit der in Volsinia verehrten etruskischen Göttin gleichen Namens) durch das Organ ihrer beiden Duumvire, für das Wohl der Kaiser Diocletian und Maximian gewidmet.

Die Mitra.

Von Dr. K. Lind.

(Mit 3 Tafeln und 11 Holzschnitten.)

Der noch heut zu Tage bestehende Gebrauch eines eigenthümlichen Kopfschmuckes, oder besser bezeichnet, einer besonderen auszeichnenden Kopfbedeckung[1], um die oberhirtliche Würde einzelner Priester in der christlichen Kirche des Morgen- und Abendlandes auch äusserlich während der gottesdienstlichen Handlungen zu kennzeichnen, reicht erweisbar bis in die Tage der Apostel zurück, so wie wir auch diese Übung beim biblischen Priesterthume des alten Bundes finden. Freilich wohl war die in den frühchristlichen Zeiten übliche bischöfliche Kopfbedeckung nicht von jener Form und Ausstattung, wie wir uns dieselbe seit dem späteren Mittelalter bis zur Gegenwart etwa unter dem Worte Mitra vorstellen.

Was die Form der frühchristlichen Mitra anbelangt, so ist es sehr schwierig, darüber Bestimmtes anzugeben, da hiefür nicht nur die sicherste Quelle, nämlich derlei uralte bis zur Gegenwart erhaltene Kopfbedeckungen, fehlt, sondern auch keinerlei Abbildungen derselben in Sculptur oder Malerei sich bis in unsere Zeiten erhalten haben. Doch kann mit allem Grunde vermuthet werden, dass, wie überhaupt den liturgischen Gewändern der Bischöfe und Priester nicht blos die Gewänder der Senatoren des classischen Roms, sondern auch und zwar insbesondere die Ornate der Hohenpriester des alten Testamentes zu Vorbildern gedient haben, auch jener ursprüngliche Kopfschmuck des Bischofs (lamina aurea, corona), wenn ein solcher überhaupt bei sämmtlichen Vorstehern der christlichen Kirche als vorhanden angenommen werden kann, Ähnlichkeit hatte mit jener goldverzierten Stirnbinde und dem damit verbundenen Kopftuche (tiara, miznephet) des Hohenpriesters der Juden.

Anders ist es mit der Zeit vom IV. bis VIII. Jahrhundert, aus welcher uns mannigfaltige noch erhaltene Quellen mit ziemlicher Sicherheit belehren, dass damals diese mit der besonderen bischöflichen Kopfbedeckung vereinigten Abzeichen der kirchlichen Würden meistens die Gestalt von Kronen hatten, ähnlich königlichen Diademen, und zwar jenen damaligen Votivkronen, die gut erhalten durch mehr als ein Jahrtausend hindurch noch unsere Tage erreicht haben[2]. Sie waren aus edlem Metalle, meistens aus Gold, in Form von Reifen aus ziemlich schmalen, dünnen

[1] S. darüber Bock's Geschichte der liturgischen Gewänder II. 148 u. f.
[2] Bock, Kleinodien d. h. r. R. d. N. XXXIV, 51, 165—168 T.

und stellenweise durchbrochenen Blechen angefertigt. Nicht selten hatten sie durch einen Besatz von Perlen oder Edelsteinen einen besonderen Schmuck.

Unter diesem Reife und wahrscheinlich auch mittelst desselben festgehalten, trug man meistens eine Art Kopfschleier, ein Stück feinen Stoffes, meistens Linnen (byssus), grösstentheils von weisser Farbe. von länglich viereckiger Gestalt, welcher das Haupt, um das es entweder gelegt oder auch gewunden war, verhüllte. Die Zipfel hingen nach rückwärts herab und bedeckten Hals und Rücken des Trägers. Leider hat sich auch aus dieser Zeit kein derartiges Gewandstück erhalten; denn die noch vorhandenen bischöflichen Mitren reichen hinsichtlich ihrer Anfertigungszeit nicht über das XI. Säculum zurück.

Obschon man diese reifförmige Grundform und die runde, dem Haupte mehr anpassende Gestalt der auszeichnenden bischöflichen Kopfbedeckung auch noch ferner beibehielt, so begann doch im IX. Jahrhundert in den verschiedenen Ländern des christlichen Abendlandes eine allmälige Umgestaltung derselben platzzugreifen, die sich besonders in der Ausdehnung nach der Höhe charakterisirte. Bis in das XII. Jahrhundert dauerte diese Umgestaltung, ohne dass es schon damals aus dem Hinundherschwanken zu einer neuen einheitlichen Form gekommen wäre; ja vielmehr haben sich gerade aus dieser Zeit die verschiedenartigsten Formen der Mitra erhalten, wie uns zahlreiche Bildwerke darüber belehren.

Dazu kam noch, dass im X. Jahrhundert das Gewicht dieser Kronreifen in Folge des darauf angebrachten reicheren Steinbesatzes und des vermehrt verwendeten Metalles zu schwer und zu drückend geworden sein mag, daher man anfing, unbeschadet der Grundform, den metallenen Reif durch Bänder aus kostbaren Stoffen, mit werthvoller Stickerei geschmückt, zu ersetzen.

Erst mit dem XII. Jahrhundert wurde die Form der bischöflichen Mitra hinsichtlich Umfang und Verzierungsweise eine ziemlich feststehende und von den Bischöfen des Abendlandes fast allgemein angenommen. Das Vorbild für diese damals entstandene allgemeine Mitrenform war die römische Mitra, wie sie in bestimmter gleichmässiger Weise vom XI. Jahrhundert an die Päpste in signum pontificii zu tragen und zu verleihen pflegten.

Diese im ganzen niedrige Pontifical-Mitra der Päpste, deren feststehende Form erst vom Ende des X. Jahrhunderts durch erhaltene gleichzeitige bildliche Darstellungen nachzuweisen ist, hatte eine spitze kegelförmige Gestalt und spaltete sich im aufsteigenden Theile der Kopfbedeckung in zwei Theile, einen leeren Winkel dazwischen bildend. Diese beiden Theile, von dreieckiger Gestalt, schildförmige Verzierungen der Kopfbedeckung, die man später cornua nannte. welche die beiden Testamente andeuten sollen, überragten meistens gleichmässig den Vorder- und Hinterkopf und wurden durch ein Zwischenfutter verbunden. Von der päpstlichen Pontifical-Mitra als dem geistlichen Abzeichen für dessen oberhirtliche Würde unterschied sich die weltliche Hoheitsinsignie derselben, die tiara, auch regnum genannt, gerade dadurch, dass diese als pileus konisch geschlossen blieb und keine Theilung in die cornua hatte[3].

Die erreichte Einigung hinsichtlich der Mitrenform war die Folge zweier verschiedener Ursachen. Die eine war, dass, da anfangs das Recht, die Mitra von römischer Form zu tragen, den Bischöfen nur ausschliesslich vom Papste verliehen wurde, schon im XII. Jahrhundert, wie man mit Grund annehmen kann, von Seite vieler Bischöfe diese Form der römischen Mitra, ihre Gestalt und Verzierungsweise, wenn auch unberechtigt, imitirt wurde. Die andere Ursache lag in dem begreiflichen und erfolgreichen Bestreben der Päpste, selbst während des XI. und XII. Jahrhunderts, in den verschiedenen Diöcesen des Abendlandes eine gewisse Gleichheit und Überein-

[3] Aus diesem Pileus mit geschlossener Rundung, nach Art der Cidaris des Hohenpriesters zur Höhe ansteigend und unten mit goldenen Zierathen in Weise einer Krone besetzt, hat sich im Mittelalter allmälig die Mitra bei den Bischöfen der griechischen Kirche entwickelt und seither fast unverändert bis in die Gegenwart erhalten.

stimmung des äusseren Cultus, sowohl in den Ceremonien als auch in der Form der zum Gottesdienste bestimmten Gewänder nach dem Vorbilde der römischen Mutterkirche zu erreichen. Dass dieses Bestreben nach Gleichmässigkeit der Paramente auch auf die Gestalt und Verzierungsweise jenes in den Kirchen des Abendlandes üblichen auszeichnenden Ornat-Theiles gerichtet war, durch welchen die oberhirtliche Würde des Bischofs in so bedeutsamer und augenfälliger Weise an den Tag gelegt wird, ist leicht begreiflich und durch zahlreiche Beweise darzuthun möglich.

Die eben beschriebene Form der römischen Mitra, die jedoch hinsichtlich der Form der Schilder sich ebenfalls allmälig verwandelte, und vom stumpfen Winkel, der im IV. bis VIII. Jahrhundert kaum das Haupt des bischöflichen Trägers überragte, allmälig höher werdend bis zu einer scharfen Spitze im XII. Jahrhundert sich entwickelte, war von nun an die allgemein massgebende.

Für ihre Aussenseite wurde sehr häufig nur eine Gattung oft sehr kostbaren Stoffes, meistens gemustert und aus Seide, von weisser oder rother Farbe verwendet; doch gibt es auch hinreichende Beispiele von Mitren, bei denen der in eine starke Falte gelegte Stoff, womit jene offen gebliebene Stelle, die durch die Theilung der Spitze in die beiden Cornua entsteht, ausgefüllt wird, nicht mit jenem gleich ist, der zur eigentlichen Mütze verwendet wurde, sondern in Farbe und Beschaffenheit mit dem Stoffe übereinstimmt, den man zum Futter verwendete.

Eine Verzierung der Mitra bildet jener Bandstreifen (aurifrisia), der in grösserer oder geringerer Breite entweder den unteren Saum derselben umfasst, oder nach aufwärts steigend die beiden Schilder in zwei Hälften theilt, oder endlich die Mitra in der doppelten Zeichnung ziert. Einen besonderen Schmuck bilden ferner jene Dependenzen, (fanones, pendilia, stolae), die an der Rückseite der Mitra angebracht sind, bandartig auf die Schultern des Bischofs fallen und meistens aus dem Stoffe der aurifrisia angefertigt sind. Bisweilen aber finden wir zu diesen Stolen besonders kostbare Stoffe verwendet und darauf prachtvolle Verzierungen in Stickerei.

Obgleich als eigentlicher Schmuck der Mitra nur die Borte, jenes kostbare Band, erscheint, so finden wir doch auch bisweilen Metall-Agraffen auf derselben und besonders an den fanones angebracht, von denen manche durch vorzügliche Zierlichkeit sehr beachtenswerth sind. Ausserdem findet man noch Edelstein- und Perlenbesatz. Je nachdem nun die Mitra mehr oder weniger geschmückt war, unterschied man die einfache (simplex) und verzierte (aurifrisiata) Mitra. Die erstere war glatt, aus einfachem Stoffe angefertigt, ohne allen Schmuck, die andere hatte dreierlei Abstufungen, indem entweder das verzierende Band nur am unteren Rande (in circuitu) oder senkrecht über den Schildern (in titulo) oder in beiden Arten zugleich angefügt war. Mitren von dieser letzteren Form, Prachtmitren, sollten nur an den höchsten kirchlichen Festen in Gebrauch genommen werden.

Die Eintheilung in einfache und verzierte Mitren hat ihre besondere Bedeutung bei jenen Äbten, denen das Recht der Mitren ertheilt war, indem diese bei dem Tragen derselben an gewisse Beschränkungen gebunden waren. Doch scheint diese im XII. und XIII. Jahrhundert in Übung gewesene Unterscheidung in den Tagen Papst Clemens IV. (1265—1268) von den mitrirten Äbten ausser Beachtung gekommen zu sein, da damals Abbatial-Mitren durch ihre besonders reiche Ausstattung von denen der Bischöfe fast nicht mehr zu unterscheiden waren. Daher Papst Clemens IV. sich veranlasst sah, diesen Missbrauch zu rügen und blos jenen Äbten, die exempt waren d. h. die unmittelbar unterm römischen Stuhl standen und nicht vom Diöcesan-Bischofe abhingen, die Mitra aurifrisiata, d. i. gestickt, jedoch ohne Metall-Ornamente oder Edelstein- und Perlenbesatz, den übrigen aber nur die Mitra simplex gestattete.

— ———

Obgleich im ganzen eine belangreiche Anzahl von Mitren des XII. und XIII. Jahrhunderts, besonders in den Schatzkammern älterer Kirchen, in öffentlichen und Privatsammlungen erhalten blieb, so ist doch die Zahl jener im österreichischen Staate vorfindlichen ziemlich gering. Bevor wir uns der Beschreibung einzelner noch bestehender Mitren des älteren Mittelalters in Österreich zuwenden, sei noch erwähnt, dass mannigfaltige Abbildungen uns über die Art dieses bischöflichen Gewandstückes belehren. Aus diesen wollen wir besonders die Grabdenkmale, die in Folge der Übung, dass auf denselben die Gestalt des Verstorbenen in voller Kleidung oder in Rüstung erscheint, einen wesentlichen Behelf zum Trachtenstudium bilden, einer näheren Würdigung in dieser Richtung unterziehen. Doch ist die Anzahl von Grabdenkmalen, auf denen wir die Gestalt des Bischofs, geschmückt mit allen Abzeichen der kirchlichen Würde, darunter auch mit jener niedrigen Mitre des XII. oder XIII. Jahrhunderts erblicken, eine ziemlich unbedeutende, was sich eben durch das nothwendige Alter solcher Monumente leicht erklären lässt. Ein solches Grabdenkmal findet sich in der romanischen Domkirche zu Gurk. Es ist jenes des Salzburger Dompropstes Otto von Gurk, der im Jahre 1214 zum Bischofe von Gurk gewählt wurde, aber als Electus noch vor der Consecration im selben Jahre starb und im Dome zu Gurk seine Ruhestätte fand.

Fig. 1.

Obgleich die Figur auf diesem Tumbendeckel (Fig. 1) mit allen Insignien der bischöflichen Würde angethan erscheint, wie Alba, Stola, Tunica des Subdiacons, Dalmatik des Diacons, Casula des Priesters, Manipel, Amictus und Pedum, so ist das Haupt nur mit dem Biret bedeckt, während die Mitra über dem Kelche, den die Figur in der linken Hand hält, schwebt. Diese Darstellungsweise führt bei dem Mangel einer Inschrift zu der besagten nicht unbegründeten Auslegung des Grabmals als des eines gewählten, aber nicht geweihten Priesters[4].

Wir wollen nun die im Kaiserstaate noch vorhandenen Mitren aus dem XII. und XIII. Jahrhundert, soweit man von deren Existenz[5] Kunde hat, ins Auge fassen.

Im Schatze der Domkirche zu Krakau befindet sich eine Mitra $8\frac{1}{2}$ Zoll hoch, 11 Zoll breit, der Tradition nach vom heil. Stanislaus herrührend. Sie besteht aus weissseidenem Grundstoffe (s. Taf. II, Fig. 1) und wird durch eine aurifrisia in circuitu und in titulo, gebildet durch ein blaues Band, geschmückt. Der Grundstoff ist mit kleinen Rauten gemustert, die mit Goldfäden durchwoben und mit einer kleinen Perle in der Mitte benäht sind.

Die durch die aurifrisia in titulo gebildeten beiden Felder jedes Schildes sind mit einer vierpassähnlichen Rosette, aus Goldblech getrieben und mit fünf Edelsteinen besetzt, geschmückt; um

[4] Ausführliches darüber Mitth. der C. Comm. V. 327.

[5] Auch im Domschatze zu Prag befindet sich eine durch reichen Perlenbesetz ausgezeichnete Mitra aus dem XIII. Jahrhundert, die fälschlich dem heil. Adalbert zugeschrieben wird; doch ist sie dem Verfasser nicht bekannt.

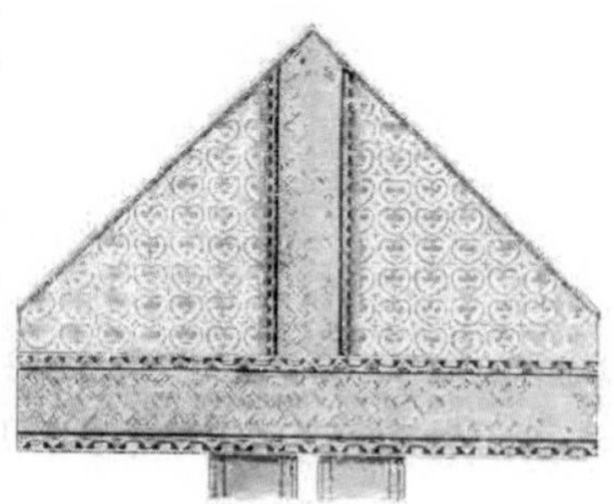

Fig. 3.

die Rosette gruppiren sich vier rautenförmige Metallkörper, die ebenfalls mit Steinen besetzt sind. Einen ähnlichen Schmuck hatte die aurifrisia, und zwar je 7 in circuitu und je 4 in titulo auf jeder Seite. Einzelne Steine in einfacher Fassung und Perlen sind dazwischen regelmässig vertheilt. Einige Börtchen, theils grünfärbig theils aus Goldstoff, bilden die Einfassung dieser bischöflichen Kopfbedeckung, die aus dem zu Ende gehenden XII. oder beginnenden XIII. Jahrhundert stammen mag[6].

Ein merkwürdiges derartiges Überbleibsel liturgischer Gewandung eines Bischofs aus dem Mittelalter ist die Infel (Fig. 2) des berühmten Brixner Fürstbischofes Bruno Grafen von Wullenstätten und Kirchberg (1249 bis 1288). Sie hat eine Höhe von 8 Zoll, und eine Breite am unteren Rande von 11 Zoll, und besteht aus einfach gemustertem Seidenstoffe von weisser Farbe, mit einer breiten Goldborte in circuitu und titulo geschmückt. Auf der breiten Randborte stand mit rothen Fäden gestickt die Inschrift: bruno dei gratia brixinensis episcopus. Dieselbe ist jetzt bereits ganz abgerieben, und nur mehr bei entsprechender Haltung, im abwechselnden Lichte und Schatten erkennbar. Die Stolae sind vom Stoffe der Aurifrisia[7].

Eine bei weitem interessantere, ja wahrscheinlich die am meisten der Beachtung würdige Infel besitzt das Benedictiner Stift St. Peter in Salzburg. Diess oberhirtliche Gewandstück dürfte aus der letzten Hälfte des XII. Jahrhunderts stammen und hat eine Höhe von 8 Zoll 3 Linien und eine Breite von 10 Zoll 8 Linien.

Der klein gemusterte Grundstoff dieser vom Zahn der Zeit schon arg beschädigten, formschönen Mitra pretiosa (Taf. II, Fig 2) ist aus weisser Seide angefertigt. Eine breite Goldborte theils mit meanderförmigen theils mit Geflecht-Mustern eingearbeitet, schmückt diese Mitra in circuitu und titulo. Der Rand der Borte ist auf beiden Seiten mit eingewebten Sprüchen gemustert, doch sind davon nur mehr einzelne der im schwarzen Grund mit Gold gewirkten Buchstaben und etliche Worte lesbar. Im Stifte St. Peter befindet sich eine vor alter Zeit genommene Abschrift dieser Randschrift; sie lautet: Praevia stella maris, lapsis quae jure vocaris, Da cordi lumen verum cognoscere Numen; | Infer et ardorem, Superum qui nutrit amorem. | Ave tuum nomen mihi det solamen et omen, A me Virgo pia, triplices expelle Maria, Hostes, atque veni, me sacro flamine leni; | Divinas laudes superans super aethera plaudes. Eine ähnliche Borte erscheint zu den Stolen verwendet, doch hat sie keine Inschrift.

Ferner ist hervorzuheben, dass auf den beiden dreiseitigen Flächen, die auf jedem Cornu durch den aufsteigenden titulus gebildet werden, ein zierlich gewundenes Pflanzenornament mit Kleeblättern sich zeigt, das wahrscheinlich mit Goldfarbe auf den Seidenstoff gemalt wurde.

Den bedeutendsten Schmuck dieser Infel bilden die schönen silbervergoldeten Filigranaggraffen, mit denen dieses prunkvolle Gewandstück reich besetzt war, von denen jedoch gegenwärtig bereits eine beträchtliche Anzahl fehlt. Sie sind von zweierlei Form. Nämlich jene auf den drei-

[6] S. Essenwein's Krakau 181, woselbst der Verfasser dieses liturgische Gewandstück ausführlich beschreibt und bemerkt, dass dasselbe zwar einfach, aber von solcher vollendeter Einheit und so edel, schön und zart ist, dass dasselbe der schönen Mitra vom Stifte St. Peter in Salzburg (s. die Folge) mindestens an die Seite gesetzt werden kann.

[7] S. Tinkhauser's Aufsatz: „die alte und neue Domkirche zu Brixen in Tirol“ in den Mittheilungen der k. k. Central-Commission VI. 131.

seitigen Cornuflächen bilden in ihren zierlichen Windungen die Kleeblattform, jene hingegen, mit denen die aurifrisia und stolae in gleichen Zwischenräumen besetzt sind, haben die Form von schneckenförmigen Windungen. Diese schönen und zarten Agraffen beiderlei Form sind endlich auch in geschmackvoller Weise mit Korallenknöpfchen besetzt. Die Spitze jedes cornu ist überdies noch mit einem kleinen Metall-Ornamente versehen.

Zwei sehr interessante Mitren besitzt die Domkirche zu Salzburg.

Die eine (Taf. III) hat eine Breite von 9½ Zoll und 11 Zoll Höhe, ist aus weissem glattem Seidenstoffe angefertigt. Ein breites Band, reicher Goldstoff, ist als aurifrisia in circuitu und in titulo verwendet. Das Band ist mit aufgelegten Perlen, theils in Linien theils in abwechselnden geometrischen Mustern zusammengestellt, geschmückt. Die durch das senkrechte Band getheilten Schilder sind in jedem der beiden Felder mit einem Medaillon geziert, das innerhalb einer Umrahmung aus Goldstoff und Perlenstickerei je ein Evangelistensymbol mit entsprechender Umschrift, ebenfalls in farbiger Seide und mit Perlen gestickt, enthält. Die breiten Stolae sind von weissem Seidenstoffe, darauf in Gold gestickt ein romanisches bandartiges Ornament, und endigen mit reichem Fransenbesatze.

Fig. 3.

Die zweite Mitra dieses Domschatzes (Taf. IV), welche schon dem XIII. Jahrhundert angehören dürfte, ist über 9 Zoll hoch und beinahe 12 Zoll breit, aus weissem gemustertem Seidenstoff angefertigt und mit einer aurifrisia aus breitem gemustertem Goldstoffe in circuitu und in titulo versehen. Doch sind die Bänder hinsichtlich ihres Dessins verschieden. Der horizontale Streifen hat in der Mitte die fortlaufende Verzierung verschobener Vierecke. Die dazu verwendeten rothen und senkrecht gestellten Goldfäden sind in der Weise verwoben, dass das Band den Anschein bekommt, als wäre es aus in mannigfaltiger Weise verflochtenen Börtchen gebildet. Am oberen und unteren Rande sind die in röthlicher Seide gewobenen und theilweise gekürzten Worte vertheilt: Sub umbra alarum tuarum sp(er)abo donec transeat iniquitas. Der senkrechte Streifen hingegen hat kein eigentliches Grunddessin; dafür zeigt er in der Mitte der Vorderfläche das Zeichen des Sternbildes Scorpion mit den beigesetzten Worten: Octob Scorpio, zunächst der Figur, und exaltab(untur) cornua justi am Bortenrande, und auf der Rückseite den Steinbock (Fig. 3), dabei die Worte: Decemb. capricor. und als Randschrift: Dominus cornu salutis mee. Der Verbindungsstoff zwischen den beiden Schildern ist gleich mit dem schon erwähnten weissen Seidenstoff. Dieses Zwischenfutter wird durch ein schmales rothes Börtchen

Fig. 4.

geschmückt, das von der einen Cornuspitze über den Scheitel zur andern zieht. Es ist stellenweise mit Goldfäden bestickt, ohne dass sich gegenwärtig die bezügliche Zeichnung mehr entziffern liesse. Prächtig mögen ehemals die Stolen gewesen sein, solange sie noch in lebhaftem Farben- und reichem Goldschimmer prangten. Jetzt ist der Goldglanz matt und der grüne, rothe, weisse und gelbe Farbenschmuck erbleicht. Die Fanones haben eine Länge von 14 Zoll, sind $2^1/_2$ Zoll breit, werden aus einer Goldborte gebildet, die eingesäumt von einem schmalen Rande in dem breiten Mittelfelde eilf fortlaufende Medaillons ent-

Fig. 6.

Fig. 5.

hält, in deren Mitte sich abwechselnd die Darstellung einer zweischwänzigen Sirene, eines Greifes und eines Centauren zeigt, sodann folgt die Darstellung eines Löwenpaares und die Wiederholung der erwähnten Reihe. Die Enden der beiden gleich behandelten Dependenzen sind mit einem schmalen Goldbörtchen und mit gebleichten rothseidenen Fransen besetzt.

In Figur 4 geben wir die Abbildung eines aus der Mitte des XIII. Jahrhunderts stammenden Gemäldes, einen heil. Bischof vorstellend, der sich an der Sacristeithüre in der Dominicanerkirche zu Friesach befindet. Die Mitra, die das Haupt dieser Figur deckt, ist besonders niedrig, mit den aurifrisiis in doppelter Form und mit je einem Sternchen in den beiden dreieckigen Feldern des vorderen Cornu geschmückt. Die Fanones sind ungewöhnlich lang und endigen mit einem gemusterten und mit Fransen besetzten Stücke*.

* S. Mittheilungen der Central-Commission VIII. 201.

Fig. 7.

Fig. 8.

Gegen die Mitte des XIV. Jahrhunderts, und von da an bis ins XV. Jahrhundert zunehmend, finden wir in Folge der natürlichen Steigerung der schon früher bestandenen Neigung nach Vergrösserung der Mitren, bereits bischöfliche Kopfbedeckungen, bei denen mit Ausserachtlassung und Überschreitung der mit dem Ganzen bisher in völliger Übereinstimmung stehenden Höhenausdehnung, wie sie sich in der Hauptsache noch im XIII. Jahrhundert erhalten hatte, die Spitzen der Cornua um ein beträchtliches sich erhöht haben. Ein Hauptmotiv für die platzgreifende Entartung der Mitrenform mag in jenem Streben zu suchen sein, recht viele und mitunter ausgedehnte Verzierungen auf diesem Ornatstücke anzubringen. Bei weitem häufiger finden wir Infeln dieser Zeit mit kostbarem Perlen- und Metallbesatz, der erstere in Stickereien angefügt, der letztere häufig aufgenäht, meistens als Abschluss der Cornuaspitzen und Fanones.

Ziemlich zahlreiche Grabmale von Bischöfen, mit der im vollsten Ornate dargestellten Bischofsfigur bieten hinreichende Belehrung über die besagte Formenvergrösserung. Von derartigen Grabmalen sei beispielsweise eines, nämlich jenes wahrhaft kunstreiche und der Beachtung würdige erwähnt, welches sich in der ehemaligen Stiftskirche zu Sekkau befindet und dem Andenken des im Jahre 1477 verstorbenen Georg Überräckher, Bischofs von Sekkau[2] (Fig. 5) gewidmet ist. Der

[2] S. Mittheilungen der Central-Commission III. 191.

Bischof steht im Pontifical-Anzuge, mit reichfaltiger Glockencasel angethan, das Pedum in der Rechten, ein Buch in der Linken haltend, und hat das Haupt mit einer etwas bauchigten ziemlich hohen Mitra bedeckt. Es ist eine Mitra aurifrisiata in circuitu et titulo, mit schönem Ornament in den Dreiecken, mit einem eichelförmigen Metallbesetze an der Cornuspitze und mit langen über die Schultern reichenden Stolen.

Aus der Reihe der aus jener Zeit herstammenden und noch erhaltenen Infeln ist jene prachtvolle, im wahren Sinn des Wortes Prunk-Mitra hervorzuheben, die sich bis zum grossen Brande im Jahre 1865 im Schatze der Benedictiner-Abtei **Admont** in Steiermark (Fig. 6) befand[10].

Fig. 9.

Wir wollen uns hier nur auf eine kurze Beschreibung dieser aus dem zu Ende gehenden XIV. Jahrhundert stammenden Infel beschränken, da Herr Dr. Franz **Bock** dieselbe in diesen Blättern (V. Band, Seite 237) bereits einer eingehenden und lehrreichen Würdigung unterzogen hat[11], und nur bemerken, dass sie $12^1/_4$ Zoll hoch ist und dass die in der doppelten Form angebrachten Aurifrisiae, auf dem mit schwarzer Flockseide belegten Tiefgrunde mit dunkelrother Seide überstickt, mit Goldfäden netzförmig überzogen und mit reichem Perlenbesatz und mit in Medaillons aneinander gereihten ornamentalem Blattwerk geschmückt werden. Die durch die tituli gebildeten dreieckigen Felder der Schilder, die in Ziekzackform mit Goldfäden reich überzogen und bestickt sind, werden durch je eine Figur in Stickerei und mit Perlenbesetz geschmückt. Die Figuren stellen vor: die heilige Jungfrau mit dem Jesukinde und drei heilige Bischöfe (Äbte), von denen wir einen in Figur 7 in grösserer Abbildung beigegeben. Auch der Abschlussrand der beiden cornua ist mit verzierenden und erhaben aufgelegten Krabbenblättern aus Perlen besetzt. Die Spitzen der cornua sind mit einem kleinen silbernen vergoldeten Metallbesatze versehen, der überdies noch mit einer Korallenperle abschliesst. Die mit Goldfäden überstickten Stolen sind ähnlich den aurifrisiae mit je 6 Medaillons aus Perlenbesetz geschmückt, in denen die Brustbilder der Apostel eingestickt erscheinen. Das Ende der Stolen ist mit einer vergoldeten Silberplatte besetzt, auf welcher auf carrirtem Tiefgrunde Thierbilder (Greif und Adler) eingravirt sind.

Während bei der Admonter-Mitra der am Abschlussrande der beiden cornua hinauflaufende Krabbenblätterbesatz aus Perlen und Stickerei angefertigt ist, finden wir bei Infeln aus dem

[10] Über ihr weiteres Schicksal ist dem Verfasser nichts bekannt.

[11] Dortselbst ist die eine Seite der Mitra im grösseren Massstabe abgebildet. Die hier in Fig. 6 gegebene Abbildung zeigt uns die andere bisher nicht abgebildete Seite derselben.

Ende des XIV. und noch mehr bei denen des XV. Jahrhunderts, die überhaupt reicher ausgestattet waren, den Randbesatz der in scharfer und hoher Spitze ansteigenden Cornua durch ein aus edlem Metalle angefertigtes kammartiges gothisches Pflanzen-Ornament ausgezeichnet, das ähnlich dem Krabben- und Knorrenbesatze an den Ziergiebeln architektonischer Gebäude und den an deren Spitzen angefügten Kreuzblumen freistehend angenäht und befestigt ist.

Fig. 10.

Beschreibungen solcher Mitren finden wir zur Genüge in den auf uns gekommenen Schatz-Inventarien, z. B. der Olmützer und Prager Domkirche. Die Abbildung einer solchen Mitra finden wir auf dem Grabmale des Passauer Bischofs Friedrich Maurkircher, † 1487, in der St. Stephanskirche zu Braunau (Fig. 8)[12].

Eine mit einem derartigen Krabbenbesatze ausgezeichnete Mitra des XV. Jahrhunderts befindet sich im Domschatze zu Krakau (Fig. 9). Sie[13] ist von rothem Sammt mit Perlen gestickt, die ein fast ausgesprochenes Renaissance-Ornament bilden, hat eine Höhe von 15 Zoll bei $12^1/_4$ Zoll Breite. Die aufsteigenden Seitenränder sind vollkommen gerade und in eine Metallfassung gebracht, die kammförmig mit einer Reihe von freistehenden dreilappigen Blättern besetzt ist und in eine Art Kreuzblume ausläuft. Die doppelförmigen Aurifrisiae von Goldborten gebildet sind mit Metallzierathen und Steinen besetzt, die Bänder haben ebenfalls Perlenschmuck und zeigen am unteren Ende das Wappen des Bischofs Thomas Strzempinski (1455—1460).

Eine etwas jüngere durch solchen Krabbenbesatz ausgezeichnete Mitra befindet sich im Schatze der Domkirche zu Raab; sie ist in künstlerischer Beziehung hoch interessant, nicht weniger aber auch durch ihren Werth beachtenswürdig. Sie ist $11^1/_2$ Zoll breit und 12 Zoll hoch. Der Grund der ganzen Mitra besteht, den Stoff völlig deckend, aus aneinander gereihten kleinen Zahlperlen. Linien von grösseren Perlen bezeichnen den Rand der damit nur angedeuteten Aurifrisiae, in ähnlicher Weise wurden die Einfassungen der Dependenzen, so wie auch die auf den Schildern deutlich hervortretenden Ornamente gebildet. Reicher Edelsteinbesatz schmückt die einzelnen Theile. Die äussersten Ränder aus stark vergoldeten Silberbeschlägen bestehend, sind mit einer Reihe von zierlichen Knorren und einer Kreuzblume an der Spitze geziert; aus jedem dieser Knorren sprosst abwechselnd eine Blüthe von blauem und grünem Email. Ein Medaillon, in dem sich ein goldener

[12] Dieses Grabdenkmal, das nicht allein als Beitrag zum Trachtenstudium, sondern und zwar insbesondere als bedeutendes Kunstwerk einige Beachtung verdient, stellt den mit reichem Pluviale angethanen Bischof vor, ein aufgeschlagenes Buch in den Händen haltend. Die Figur steht unter einem reichen gothischen Baldachin, an der Seite links halten Engel das Pedum mit dem Sudarium und die hohe Mitra. Statt der Aurifrisia in titulo ist eine Stickerei, die thronende heil. Maria angebracht, in den beiden Seitenfeldern der vorderen Fläche zeigen sich die knienden und gegen die Maria gewendeten Figuren von Bischöfen. Starke Krabben schmücken den Rand der Mitra. Die Umschrift des Grabdenkmals lautet: Rmus. in xpo pater et dominus dns. Fridericus Maurkircher Electus et confirmat. Eccle Patavien. Illmi principis et domi dni Georgii Wawarie dux. x can. aius ø (obiit) anno dni 1487 XIII Kal. Decembr. feliciter hic requiescens. (Verhandl. d. hist. Ver. f. Niederbayern T. X p. 96.)

[13] S. Ausführliches hierüber in Essenwein's Krakau 182, welchem Werke durch die Gefälligkeit des Autors der obige Holzschnitt entnommen wurde.

Schwan mit einem Sträusschen im Schnabel auf rothem Emailgrunde befindet, schmückt die Mitte, zu beiden Seiten sind kleine Spruchbänder angebracht mit den Buchstaben P. B. (Paul Bornemsiza, Bischof von Siebenbürgen) und die Jahreszahl 1550.

Fig. 11.

Bemerkenswerth ist auch, dass jede der Dependenzen, die gleichfalls mit reichem Perlen-Ornamente und ziemlich grossen Edelsteinen besetzt sind, in drei Zwischenräumen mit je zwei kleinen goldenen Glöckchen, zusammen zwölf, geziert ist, welche bei selbst geringer Bewegung ein leises Getön geben[14]. Der Werth dieser Mitra wird auf 30.000 fl. angenommen.

Die schon besprochene Überhöhung der Schilder an den Infeln nahm bis in die Renaissance- und Rococcozeit zu und erreichte im XVII. Jahrhundert wahrhaft kolossale Dimensionen, die dieser Kopfbedeckung die Gestalt eines Ungethüms, das Aussehen eines unförmlichen, die menschliche Gestalt ihres Trägers erdrückenden Gebäudes gaben. Man überfüllte die zu diesem Zwecke so riesig gebildeten Giebel mit Massen von Perlen, Edelsteinen und Goldornamenten, dass die Mitra dadurch ein fast unerträgliches Gewicht bekam. Erst seit dieser Zeit, kann man sagen, ist der Wachsthum dieses Ungethüms stehen geblieben, ja man findet in der Gegenwart schon theilweise eine Wendung zum Besseren, und etwas bescheidenere Dimensionen für die Infeln angenommen.

Von solchen riesigen Infeln haben sich in Abbildungen und in der Wirklichkeit genug Exemplare erhalten. Auch die in den Dom- und Stiftskirchen zahlreich vorhandenen Grabmale der Bischöfe und Äbte aus dem XVI. und XVII. Jahrhundert zeigen uns die Gestalt des Verstorbenen, angethan mit allem priesterlichen Schmuck, an der die umfangreiche Mitra nicht fehlen darf. Beispielsweise geben wir in Fig. 10 die Abbildung eines solchen Denkmales. Es ist jenes des berühmten Bischofs Dietrich Kammerer zu Wiener-Neustadt[15], der zuerst Minorit, seit 1521 Bischof, im Jahre 1530 starb und seine Ruhestätte zu Wien in der Minoritenkirche fand. Auf dem besagten Denksteine in der ehemaligen Domkirche zu Wiener-Neustadt ist das Haupt des mit dem vollen bischöflichen Ornat angethanen Bischofes mit einer mächtigen Mitra bedeckt, die mit den üblichen Aurifrisien und einer gleichen breiten Randeinfassung geziert ist, und mit dem Metallbesetze an der Spitze der Schilder endiget. Auf der Vorderseite des Schildes ist die Verkündigung Mariens dargestellt.

[14] Die Verzierung der Stolen mit Glocken ist eine wiederholt vorkommende, und wurde gern an reichen bischöflichen Mitren angewendet.

[15] S. über denselben in den Mittheilungen des Alterthums-Vereines, III. 323.

Als Beispiel dieser bis zu einer unglaublicher Höhe hinauf getriebenen bischöflichen Infeln geben wir eine Mitra aus dem reichhaltigen Graner Domschatze (Fig. 11). Diese Mitra, mit Recht pretiosissima, aber hinsichtlich ihres Reichthums und bezüglich der Perlenstickerei überladen zu nennen, erreicht eine Höhe von 14" 2''' bei einer Breite von 10" 6'''. Reicher Steinbesatz und eine silbervergoldete Einfassung des Cornuarandes vollenden den Schmuck dieses Prachtstückes. Noch kostbarer und in der Form ähnlich ist eine der dreissig Mitren, die sich im Agramer Domschatze befinden. Sie ist reich mit Gold, Perlen und Silber geschmückt, stammt aus dem Jahre 1519, und hat ebenfalls einen Werth von beinahe 30.000 fl.

Salzburg. Tafel II

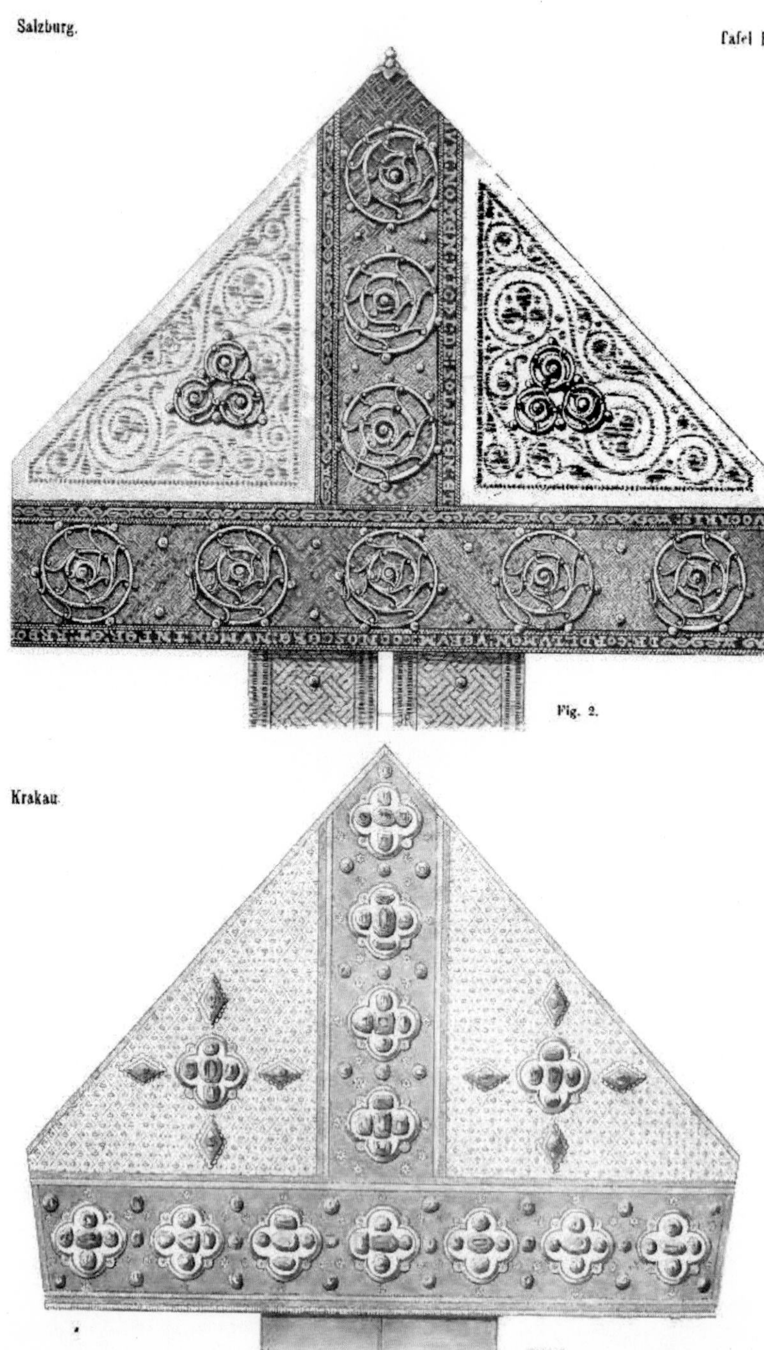

Fig. 2.

Krakau.

Fig. 1.

EXALTAB
OCTOR
CORNVA·IVSTI·
RA·ALARVM·TVARV
RANSEAT·INIQ

Das ungarische National-Museum in Pest.

Von Canonicus Dr. Fr. Bock.

(Mit 46 Holzschnitten.)

In den grösseren Städten des österreichischen Kaiserstaates finden sich jene Werke der Kunst, welche, aus grauer Vorzeit oder aus dem Mittelalter herrührend, sich auf unsere Tage vererbt haben, ziemlich gleichmässig durch alle Kronländer vertheilt. Man hat nämlich in Österreich glücklicherweise nicht wie häufig anderwärts das System der Centralisation auch auf die nationalen Kunstwerke übertragen, und sind deswegen die Beweisthümer heimatlicher Geschichte und Kunst meist heute noch auf jenem Boden anzutreffen, wo sie Entstehung und nationale Pflege gefunden haben. Ungeachtet des hohen Kunstinteresses und des opferwilligen Sammelfleisses, der viele erlauchte Ahnen des Habsburger Regentenhauses seit den letzten Jahrhunderten beseelte, ungeachtet der grossartigen Kunstschätze in den verschiedenen k. k. Sammlungen Wiens, der Schatzkammer in der kaiserlichen Burg, des Münz- und Antikencabinetes, des Belvedere etc., die sämmtlich einer localen Vereinigung und chronologisch geordneten Aufstellung in einem entsprechenden Neubau entgegenharren, sind dennoch die einzelnen Kronländer an Werken der heimatlichen Kunst nicht ärmer geworden. Das beweisen die reichhaltigen Sammlungen in dem böhmischen Landes-Museum und der Gemälde-Galerie zu Prag, sowie die einschlagenden Sammlungen zu Salzburg, Innsbruck, Grätz und Triest; dafür dienen zum Belege die Kunstschätze Tyrols auf der Burg Ambras, sowie die reichhaltigen Schätze an Manuscripten und Miniaturen der zahlreichen Bibliotheken und kirchlichen Kunstkammern, welche die österreichischen Erbländer in ihren altehrwürdigen Abteien und Stiftern noch unverkümmert aufzuweisen haben.

Eine der reichhaltigsten Sammlungen von Kunstwerken der verschiedensten Culturepochen hat jedoch unter allen Kronländern unstreitig Ungarn in seinem National-Museum zu Pest aufzuweisen.

Abgesehen von dem umfangreichen palastartigen Baue, der unter dem ehemaligen Palatin Erzherzog Joseph in den Jahren 1839—1842, wenn auch leider in einem zu nüchternen antikisirenden Style, doch mit bedeutendem Kostenaufwand errichtet wurde; abgesehen von der reichhaltigen Bibliothek, dem Naturalien- und Münzcabinet, wodurch das ungarische Museum sich vortheilhaft vor vielen andern auszeichnet, sind insbesondere von grossem culturhistorischem Werthe jene reichhaltigen Sammlungen von monumentalen Kunstwerken, die nicht nur von der Herrschaft der Römer, Hunnen, Avaren, Gothen, sondern auch jener Völkerstämme Zeugniss ablegen, welche nach den Tagen der Völkerwanderung in rascher Aufeinanderfolge von den weiten Landstrichen an der untern Donau und ihren Nebenflüssen Besitz ergriffen haben. Indem wir es einer geübteren Feder überlassen, den hohen Werth jener vielen Überbleibsel der vorchristlichen Culturstufen Ungarns eingehend zu würdigen, die heute im Pester National-Museum eine ehrenvolle gesicherte Aufbewahrung finden, beschränken wir uns in den folgenden kurzen Notizen darauf, die kunstgeschichtliche Bedeutung jener reichhaltigen Sammlungen in allgemeinen Umrissen zu kennzeichnen, die in dem sogenannten Antikencabinet eine übersichtliche Aufstellung gefunden haben. In dieser Abtheilung des Ungarischen National-Museums findet man in langer Reihe eine solche Anzahl von interessanten und formschönen Werken der metallischen Kleinkünste aufgestellt, dass an der Hand derselben sich der geschichtliche Entwickelungsgang der Goldschmiedekunst und der mit ihr verwandten Schwesterkünste nur mit kleinen Intervallen aus den Zeiten der Völkerwanderung bis zu ihrer reichsten Entfaltung und ihrer endlichen Verirrung in den Tagen der Renaissance und der folgenden Periode des Rococco nachweisen lässt.

Was diesen vielen Meisterwerken der metallischen und sculptorischen Kleinkunst im ungarischen National-Museum, auch abgesehen von ihrem chronologischen Zusammenhang, ein erhöhtes Interesse für die archäologischen Forschungen der neuesten Zeit verleiht, ist der nicht zu unterschätzende Umstand, dass der bei weitem grösste Theil dieser in dem gedachten Antikensaale ausgestellten Werthstücke vorzugsweise der profanen Goldschmiedekunst des Mittelalters und der Renaissance angehören. Dieselben füllen daher eine empfindliche Lücke aus, da die meisten uns bekannt gewordenenen Sammlungen des westlichen Europa, mit Ausnahme der Schätze im „grünen Gewölbe“ zu Dresden, mehr oder weniger die religiöse Goldschmiedekunst repräsentiren, wie sie im Dienste des Altares vom X. bis zum XVI. Jahrhundert zur Entfaltung gelangt ist.

Ein besonderes Interesse beanspruchen ferner noch jene vielen merkwürdigen Kunstobjecte aus Metall, die im sogenannten römischen Saale des Pester Museums aufgestellt sind; dahin gehören namentlich die zahlreichen Waffengeräthe, Gebrauchsgegenstände und Schmucksachen in Eisen und Bronce, Silber und Gold, welche die Culturstufen aus der classischen Römerzeit, sowie deren Verfall in den ersten Jahrhunderten nach Christus kennzeichnen; ferner jene überaus zahlreichen Kampfgeräthe, Gefässe und Kleinodienstücke aus edlem Metall, die jene für Ungarn wichtige Epoche charakterisiren, als unmittelbar während und gleich nach der Völkerwanderung die weiten Ländergebiete an der untern Donau mehrere Jahrhunderte hindurch das grosse Kriegstheater bildeten, auf welchem nacheinander germanische, slavische und magyarische Völkerschaften vorübergehend als Sieger auftraten, um bald darauf wieder von neu anrückenden Völkerstämmen verdrängt zu werden. In dieser reichhaltigen Sammlung von Broncegeräthen und Waffen findet man aus der Zeit des III. bis VI. Jahrhunderts eine Menge von Gegenständen in so entwickelten Formen, wie sie aus der Bronceperiode der celtischen, germanischen und skandinavischen Völker nicht vollendeter angetroffen werden. Von besonderer Bedeutung für ethnologische und archäologische Studien sind endlich jene vielen Kunstobjecte, die zum Schmucke und Geschmeide jener kaum halbcivilisirten Völkerconglomerate gehörten, die seit dem IV. bis zum VII. Jahrhundert vorübergehend von den herrlichen Weideplätzen an der untern Donau und ihren Nebenflüssen Besitz ergriffen haben[1]. Hieher sind vornehmlich zu rechnen jene massiven goldenen Arm- und Fingerringe, Nadeln, Ohr- und Halsgeschmeide, Gewandhalter (fibulae), kurz eine

[1] Zum Beweise, welche Überfluthungen der Völker und ihrer Kunstwerke seit dem grauen Alterthum in Ungarn und seinen Nachbarländern stattgefunden haben, machen wir hier auf jene unvergleichlich schöne und seltene Giesskanne nebst Becken aufmerksam, die erst im Jahre 1831 im Ödenburger Comitat zufällig beim Aufwerfen eines Grabens gefunden worden sind und welche in der feinsten und entwickeltsten Technik Figuren und Ornamente in Silber und Gold auf metallener Grundlage eingeschweisst zeigen. Wie die Figuren und Ornamente es offenkundig besagen, gehören diese beiden Prätiosen der entwickelten Kunst der Pharaonen an. Wie aber gelangten diese Objecte, die ein mehr als 2000jähriges Alter beanspruchen, aus Ägypten nach Ungarn?

grosse Anzahl der verschiedenartigsten goldenen Zierathen des Hausgebrauches und Kleiderschmuckes, die in ihren primitiven Formbildungen und in ihrer eigenthümlichen abweichenden Technik es deutlich zu erkennen geben, dass sie mit den Formen und dem Machwerk der bereits untergegangenen Römerkunst nichts mehr gemein haben, sondern welche ein neues Formenprincip in seinem Entstehen errathen lassen. Wir würden uns in Einzelheiten verlieren, wenn wir hier auch nur in Kürze jene hervorragenden Schmucksachen in Gold und Silber namhaft machen wollten, die, aus der Sturm- und Drangperiode der Völkerzüge herrührend, in Mitte des römischen Saales in grossen Schaukästen aufgestellt sind. Es genüge hier anzuführen, dass neben den interessanten Schmuckgegenständen in Gold, die 1860 auf der Puszta Bakodc bei Kalócsa gefunden und in diesen Heften im Jahre 1861 eingehend mit den nöthigen Abbildungen gewürdigt worden sind, eine grosse Zahl ähnlicher Kleinodien und Prätiosen im Pester Museum vorkommen, die sämmtlich als charakteristische Merkmale, anstatt der eingefassten Edelsteine zellenförmig in Goldwändchen eingeschlossene dünne Schälchen, meistens von Rubinen und Granaten, erkennen lassen. Wie M. de Lategrie, der gelehrte Beschreiber der vor wenigen Jahren zu Guarrazar bei Toledo in Spanien entdeckten Kronen der Westgothenkönige Recesvinth und Svinthilla hervorzuheben nicht unterlässt, finden sich ähnlich verzierte Goldgeschmeide, von halbbarbarischen Völkern germanischer Raçe herstammend, in allen jenen Ländern Europa's zerstreut vor, welche von den Alemannen und Longobarden, den Ost- und Westgothen auf ihren weiten Streifzügen berührt worden sind[2]. Desgleichen hat das ungarische National-Museum auch aus den Zeiten der Merovinger und Karolinger eine Zahl von Waffen und Geräthschaften aufzuweisen, die jene bis zur Stunde noch unaufgeklärte Culturepoche kennzeichnen, als die, von älteren byzantinischen Schriftstellern sogenannten Τουρκοι, nämlich die heutigen magyarischen Volksstämme mit den umwohnenden Völkerschaften der Griechen, Serben, Bulgaren und Rumänen in fortwährenden Kämpfen verwickelt waren. Die vergleichenden Studien der Kunsterzeugnisse aus der eben erwähnten fernliegenden Epoche vom VI.—X. Jahrhundert sind noch nicht weit genug fortgeschritten, um mit einiger Sicherheit den verschiedenen Objecten aus diesem Zeitabschnitt eine bestimmte Stelle in der Chronologie anweisen zu können. Nur auf ein merkwürdiges Geräth, das man in späterer Zeit aquamanile oder lavatorium benannte, machen wir hier aufmerksam, das als interessantes Gusswerk im ungarischen National-Museum im Saale der Broncen Aufnahme gefunden hat[3]. Es dürfte schwer halten, für diesen sehr merkwürdig und originell geformten Wasserbehälter, den wir unter Fig. 1 auf S. 84 abgebildet haben, ein bestimmtes Alter zu fixiren. Wenn auch der mit runden Panthertlecken regelmässig gemusterte Thierleib, sowie die auf demselben aufrecht stehende Flötenbläserfigur und deren Costüm für eine Anfertigung im fernen Orient, und zwar in einer halbbarbarischen Culturepoche massgebend zu sein scheinen, so lässt doch andererseits das geringelte und sehr manierirt behandelte Haupthaar der auf den Thierleib aufgesetzten menschlichen Halbbüste, welches mit den ganz ähnlich stylisirten Mähnen der als Kirchenthürverzierung im IX. und X. Jahrhundert häufig angewendeten Löwenköpfe übereinstimmt, den, wie wir glauben, nicht gewagten Schluss ziehen, dass das vorliegende aquamanile vom X. bis zum XI. Jahrhundert, vielleicht durch byzantinische Erzgiesser seine Entstehung gefunden habe. Auch der in technischer Beziehung vortrefflich gelungene Guss spricht für eine Anfertigungszeit in jenen Tagen, als sich die Kenntniss des Erzgusses, von griechischen Künstlern, den Erben der Technik und der Kunsttraditionen des

[2] Mit diesem Goldfunde von Kalócsa, heute aufgestellt im National-Museum zu Pest, und den vielen übrigen dort befindlichen goldenen Schmucksachen aus derselben Zeitepoche stimmen auch vollkommen überein jene kostbaren goldenen Geräthe und Gefässe, die 1838 zu Petréosa bei Buzen in der grossen Walachei gefunden worden sind und die wir nächstens in Text und Bild der Öffentlichkeit zu übergeben beabsichtigen.

[3] Dieser Wasserbehälter in einer Höhe von 16 Zoll und einer Länge von 15 Zoll wurde vor wenigen Jahren bei Eisenbahnbauten in der Nähe von Kaschau ausgegraben.

12*

Fig. 1.

classischen Roms, ausgehend, im Abendlande wieder auszubreiten und zu entwickeln begann. Anstatt der Handhabe, die sich an ähnlich gestalteten aquamanilia in Form von vierfüssigen phantastischen Thierbildungen immer wieder vorfinden, zeigt sich hier der eben erwähnte kleine Flötenbläser. Die Öffnung zum Eingiessen des Wassers befindet sich auf dem Flachtheile des haargelockten Menschenkopfes; jedoch fehlt heute die ursprüngliche Klappe. Das Ausgussröhrchen in Form eines carrikirten Thierkopfes ladet stark an dem scheibenförmigen glatten Behälter aus, der vermittelst eines Riemens an den Unterarm der grotesken Menschenfigur befestigt ist.

Eine ausführlichere Besprechung dieses originellen lavatorium kann in diesen gedrängten Notizen keine Stelle finden. Wir behalten es uns vor, in einer späteren Monographie über die aquamanilia des Mittelalters auch diesen Wasserbehälter unter den übrigen formverwandten Seitenstücken näher zu beschreiben und ihm chronologisch jene Stelle anzuweisen, die er unter den übrigen ähnlich gebildeten Gusswerken des Mittelalters einnimmt.

Schliesslich sei hier noch auf eine überraschend ähnlich gestaltete Parallele zu diesem Wassergefäss aufmerksam gemacht. Es ist dies ein Wasserbehälter von 2—3' Höhe, welcher heute in der Sammlung von Kunstwerken verschiedener Epochen in dem bekannten Campo Santo zu Pisa aufgestellt ist und häufig die Neugierde der Touristen auf sich zieht. Auch dieser ausgezeichnete Behälter scheint uns orientalischen Ursprungs zu sein, womit auch die locale Tradition übereinstimmt, welche angibt, dass derselbe von Kreuzfahrern nach Pisa mitgebracht worden sei.

I. Mittelalterliche Kleinodien und Geräthschaften vom XI. bis XV. Jahrhundert.

Wenn wir es in Folgendem versuchen, in numerischer Aufzählung nur die vorzüglichsten Gegenstände der mittelalterlichen Kunstwerke des ungarischen National-Museums mit Beigabe einiger Abbildungen in kurzen Zügen zu beleuchten, so kann unmöglich unsere Aufgabe darin bestehen, in diesen allgemeinen Notizen eine auch nur im mindesten auf Vollständigkeit Anspruch machende Arbeit liefern zu wollen; vielmehr geht der Zweck dieser kurzgedrängten Angaben dahin, in weiteren Kreisen die Aufmerksamkeit der Kunstfreunde und Archäologen auf die reichhaltigen Schätze des Pester Museums hinzulenken, die seither in der Alterthumswissenschaft weniger gekannt waren. Da das Interesse für nationale und kunsthistorische Studien in den letzten Jahren durch die erfolgreichen Bemühungen der archäologischen Abtheilung in der ungarischen Akademie und durch deren gelehrte Zeitschrift „Die archäologischen Mittheilungen" fast in allen Comitaten Ungarns und seiner Nebenländer wachgerufen worden ist, so steht es mit Sicherheit zu erwarten, dass ohnedies in nächster Zeit in einer umfangreichen wissenschaftlich behandelten Schrift der reichhaltige Schatz des ungarischen National-Museums mit Zugabe zahlreicher erklärender Abbildungen als Catalogue raisonné in allen seinen Theilen von befähigten Sachkennern bearbeitet, der Öffentlichkeit übergeben werden wird.

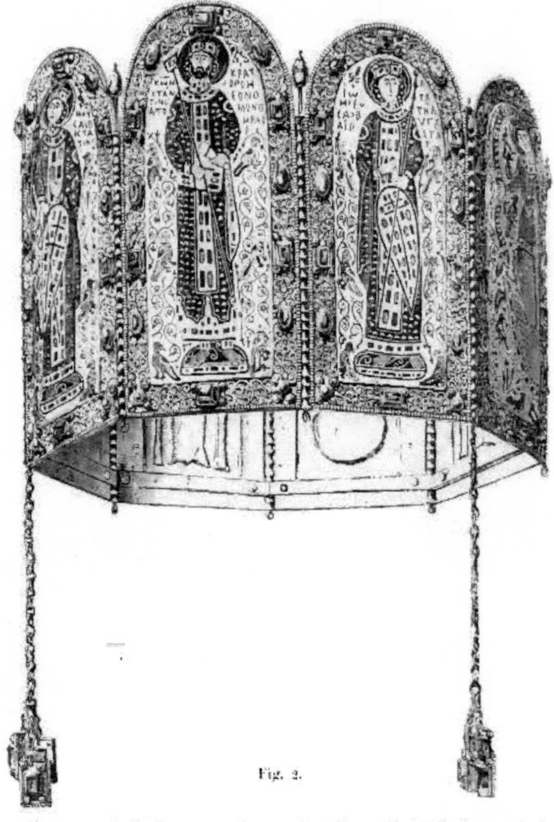

Fig. 2.

Zu den bedeutendsten Kunstwerken des XI. Jahrhunderts im sogenannten Antikensaale des Pester Museums gehören jene acht Rundbogenschildchen von eingeschmelzten Goldblechen, die in den Jahren 1860 und 1861 im Neutraer Comitat beim Pflügen eines Feldes gefunden worden sind. Es bieten diese acht goldenen areolae, ausgeführt im byzantinischen Zellenschmelz (émail cloisonné), auch schon deswegen für archäologische und chronologische Forschungen ein erhöhtes Interesse, weil durch die eingeschmelzten Inschriften die Anfertigungszeit dieser merkwürdigen Schmelzwerke und die ehemalige Bestimmung derselben deutlich bezeichnet wird. Auf dem grösseren dieser Schilde, die wir unter Fig. 2 in verkleinertem Massstabe mit Hinzufügung einer filigranirten Einfassung zusammenstellen, ist ein griechischer Kaiser in vollem Schmuck seiner Pontificalkleider in vielfarbigem Zellenschmelz dargestellt; derselbe hält in der Rechten das labarum und mit der verhüllten Linken das volumen. Das Haupt ist mit einer polygonen Kaiserkrone geschmückt, an welcher auch die pendilia, zuweilen auch lemnisci, taeniae genannt, nicht fehlen. Zu Häupten dieser Kaiserfigur von typischer Gesichtsbildung und mit dem auszeichnenden Nimbus umzogen, liest man ohne Abkürzungen in griechischen Versalien und zwar in blauem Schmelz folgende interessante Inschrift:

ΚΩΝϹΤΑΝΤΙΝΟϹ ΑΥΤΟΚΡΑΤΟΡ ΡΟΜΕΟΝ Ὁ ΜΟΝΟΜΑΧΟϹ

(Constantin der Zweikämpfer, römischer Kaiser). Die beiden zur Seite stehenden Goldbleche stellen die beiden Töchter Constantin des VIII., die Kaiserinnen Theodora und Zoe vor, deren Gewandung für die Costümkunde der Byzantiner im XI. Jahrhundert von grossem Belang ist. Die dabei befindlichen Inschriften in ziemlich unregelmässigen Grossbuchstaben und sehr fehlerhafter Schreibweise lauten:

ΖΩΗ ΟΙ ΕΥϹΑΙΒΑΙϹΤΑΤΗ ΑΥΓΟΥϹΤΑ

(Zoe, die äusserst fromme Kaiserin) und

ΘΕΟΔΩΡΑ Η ΕΥϹΑΙΒΑΙϹΤΑΤΗ ΑΥΓΟΥϹΤΑ

(Theodora, die äusserst fromme Kaiserin). Dann folgen auf den beiden nächsten Goldblechen zwei Figuren, in denen Einige wegen der Haltung und des Costüms nicht mit Unrecht Tänzerinnen, andere aber auf Grund der Nimben, Engel haben erkennen wollen. Auf den zwei kleinsten Goldblechen endlich, die zum Goldfunde des Neutraer Comitates gehören, sind zwei weibliche Figuren dargestellt, die, wie es die eingeschmelzten Inschriften besagen, als allegorische Darstellungen der „αλιθηα" (ἀλήθεια, veritas) und der „ταπινοσις" (humilitas) aufzufassen sind. Als letzte figürliche Darstellung erblickt man auf dem achten Goldschildchen in einer Kreiseinfassung das Halbbild des heil. Andreas mit der Inschrift:

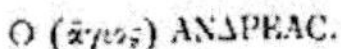
Ο (ἅγιος) ΑΝΔΡΕΑϹ.

Fig. 3.

Wir geben beifolgend unter Fig. 3 die Abbildung dieses Brustbildes in wirklicher Grösse und fügen hier die, wie uns scheint, nicht gewagte Hypothese hinzu, dass dieses monile vielleicht als pendile, an Kettchen schwebend, an der Krone befestigt gewesen ist, ähnlich wie wir die jetzt an dem Diadem unter Fig. 2 befindliche, im Hinblick auf jene an der ungarischen Krone des heil. Stephan ergänzt haben. Findet unsere Annahme Beifall, so würde noch ein ähnliches pendile als Gegenstück angenommen werden müssen, das verloren gegangen ist. Die Halbfigur des heil. Andreas ist als bärtiger Greis dargestellt und hält in der Linken die Rolle, während die Rechte in griechischer Weise zum Segen erhoben ist[4].

Welchem Zwecke dienten nun diese in meisterhafter Technik emaillirten Goldbleche? Bevor wir diese Frage stellten, haben wir schon durch die Zusammenfügung der Schildchen zu einer Krone in unserer Abbildung unter Fig. 2 vorgreifend die Antwort geliefert. Nach Analogie der acht Schildchen, aus welchen die deutsche Kaiserkrone besteht, ferner der areolae, wie sie sich an der ungarischen Krone vorfinden, dürfte es nicht dem mindesten Zweifel unterliegen, dass aus diesen sieben eingeschmelzten Compartimenten ehemals eine byzantinische Kaiserkrone, ein modiolon, wie sie die kaiserliche Schriftstellerin Anna Comnena bezeichnet, zusammengesetzt war. Würde man dieser Annahme, für welche wir an anderer Stelle mehrere archäologische und historische Belege geltend gemacht haben, beipflichten, so liegt es nahe, die Entstehung dieser Krone in die Regierungstage Constantin's IX. des Zweikämpfers (1042 — 1054) zu verlegen, in welchem Falle sich auch die Darstellungen der beiden Kaiserinnen Zoe und Theodora, Töchter des Kaisers Constantin VIII., abgebildet auf der Krone Constantin IX., durch mancherlei interessante historische Daten erklären liessen.

Auf welche Weise jedoch dieses byzantinische Diadem nach Ungarn gelangte und auf einem dem Huszar János zugehörenden Acker in Vergessenheit gerieth, darüber herrscht zur Zeit noch undurchdringliches Dunkel. Mit Grund steht es indessen zu erwarten, dass an jener Stelle, wo 1860 und 1861 diese acht Zellenschmelze gefunden worden sind, bei systematisch geleiteten Nachgrabungen vielleicht auch noch andere Kleinodienstücke ausfindig gemacht werden dürften, die

[4] Indem wir hier von der ausführlichen Beschreibung dieser Goldbleche abstehen, verweisen wir auf die betreffende mit Abbildungen versehene Abhandlung des Hrn. v. Erdy, Custos am ungarischen National-Museum in Pest, sowie auf unsere detaillirte Besprechung dieses Goldfundes in unserm Werke: „Die Kleinodien des heil. römischen Reiches deutscher Nation nebst den Kroninsignien Böhmens, Ungarns und der Lombardie" S. 180 — 185, Taf. XXXVIII, Fig. 58 und 59, a—g. Wien in der k. k. Hof- und Staatsdruckerei 1864.

mit dem Diadem des Constantin Monomachos ehemals in Verbindung standen. Was diesem Funde für Ungarn noch ein erhöhtes Interesse gewährt, ist der fernere Umstand, dass der Hauptbestandtheil der ungarischen Krone des heil. Stephan, der den deutlichen Inschriften zufolge ein Geschenk des Kaisers Michael Doukas an Herzog Geisa ist, genau in derselben Technik des Zellenschmelzes und in durchaus verwandten Formen, nur um wenige Jahre später, nämlich in den Jahren 1072—1078, angefertigt worden ist.

II. Langseite eines kleinen Reliquienschreines.

Dieser Bruchtheil eines Reliquiars gehörte ursprünglich einer in mittelalterlichen Schatzverzeichnissen sogenannten arcula oblonga in forma domus redacta an. Derselbe stellt in seiner Mitte den gekreuzigten Heiland dar, während Johannes und Maria, zu beiden Seiten stehend, die Passionsgruppe vervollständigen. Zu Häupten des Herrn erblickt man die bei der Kreuzigung stets angebrachte Allegorie von Sonne und Mond; zu beiden Seiten des Kreuzes stehen unter Rundbogen die Bildwerke der Apostel, je zwei und zwei unter einer Nische vereinigt. Ein Vergleich mit vielen heute noch erhaltenen Reliquiarien in mattem Grubenschmelz (émail champlevé) lässt die Annahme nicht gewagt erscheinen, dass dieser interessante Überrest entweder von den cölnischen Schmelzwirkern oder der Innung der Emailleurs zu Limoges, die ihre Kunstobjecte handwerksmässig für den Welthandel anzufertigen pflegten, in der letzten Hälfte des XII. Jahrhunderts Entstehung gefunden habe. Ähnliche Reliquienbehälter haben sich noch in der Abtei Kremsmünster, im Domschatze von St. Veit zu Prag, und angefertigt von der confraternitas aurifabrorum zu Cöln, in ziemlicher Anzahl in den Kirchen des Niederrheins erhalten. Wie bei den Limousiner Schmelzarbeiten aus der letzten Hälfte des XII. Jahrhunderts überhaupt, treten auch an unserem Reliquiar die Köpfe der Figuren als haut-reliefs hervor, während die übrigen Körpertheile, in vielfarbigem Schmelz gearbeitet, flach gehalten sind. Die unstreitig schönste Emailplatte dieser Art, eben aus derselben Zeit mit der im ungarischen Museum, besitzt unter andern vortrefflichen Meisterwerken mittelalterlicher Kunst Herr Rentner Ruhl zu Cöln und stellt dieses Schmelzwerk ebenfalls die Kreuzigung des Herrn dar.

III. Grabesschmuck des Königs Bela und seiner Gemahlin Anna, gefunden bei Eröffnung ihres Grabes im Jahre 1849.

Die Könige des christlichen Abendlandes pflegten im frühen Mittelalter gewöhnlich in vollem Schmuck ihrer königlichen Würde und bekleidet mit allen jenen Ornaten und Insignien nach ihrem Absterben beigesetzt zu werden, mit denen sie bei besonders hervorragenden Veranlassungen öffentlich erschienen und die als Krönungsornate nicht dem Reiche angehörten, sondern meistens ihr persönliches Eigenthum waren. Seltener jedoch kommt es in jener Zeitepoche vor, dass man die Leichen verstorbener Fürsten mit eigens zu diesem Zwecke angefertigten metallischen Funeral-Insignien bekleidete. Ein solcher Fall ist indessen bei Eröffnung des Grabes Königs Bela III. († 1196) und seiner Gemahlin Anna zu constatiren. Man fand nämlich in der Grabeskirche der ungarischen Könige zu Stuhlweissenburg im Jahre 1849 bei den irdischen Überresten dieses Königs und seiner Gemahlin anspruchslose metallene Insignien, welche niemals zu königlichem Gebrauche verwendet worden zu sein scheinen[5]. Sowohl die beiden aufgefundenen

[5] Dass man bei Eröffnung dieses Grabes die vorgefundenen metallenen Überbleibsel erhob und in dem Museum aufstellte, wird man erklärlich finden; das aber muss gewiss befremden, dass man selbst die Schädel des königlichen Paares

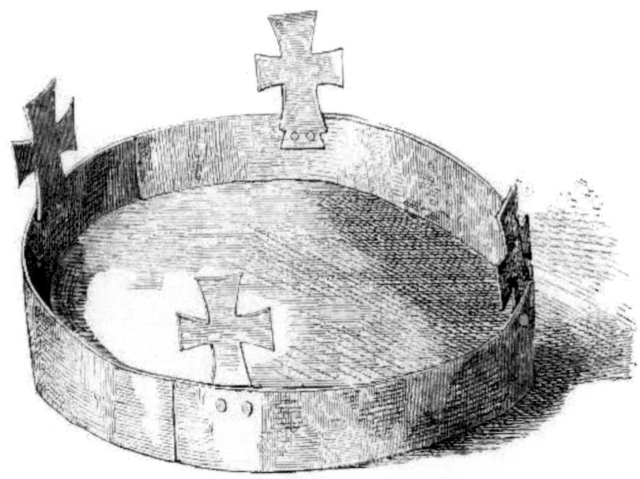

Fig. 4.

Kronen, wie sie Fig. 4 und 5 veranschaulichen, als auch das Scepter unter Fig. 6 und endlich das Schwert (Fig. 7) beweisen durch ihre höchst einfachen schmucklosen Formen in Silberblech, dass sie nicht bei Lebzeiten des königlichen Paares als Hoheits-Insignien benutzt, sondern aller Wahrscheinlichkeit nach eigens als Grabesschmuck unmittelbar vor dem Begräbnisse angefertigt worden sind.

Die Grabeskrone Königs Bela III., die unter Fig. 4 in verkleinertem Massstabe wiedergegeben ist, besteht aus einem einfachen Stirnringe von vergoldetem Silberblech, der eine Höhe von 0·17 Meter hat. Nach den vier Seiten erheben sich als pinnae vier Kreuze, welche in ihrer Form mit dem Maltheserkreuze einige Ähnlichkeit haben. Diese ziemlich unregelmässig ausgeschnittenen Kreuze sind blos durch zwei Nietnägel mit dem Stirnbande verbunden.

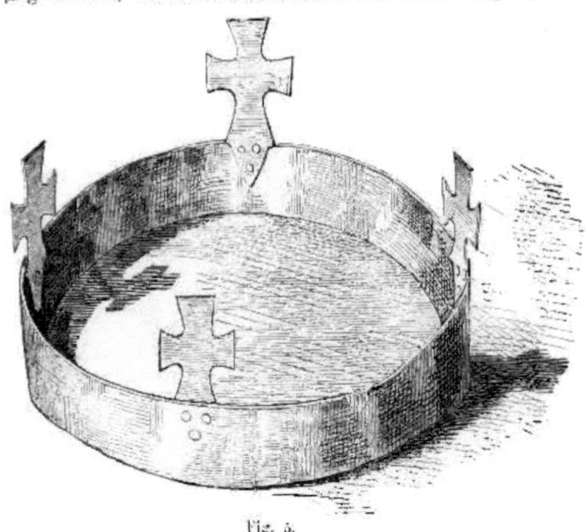

Fig. 5.

Die Grabeskrone der Königin Anna, wie sie Fig. 5 veranschaulicht, stimmt mit der ihres Gemahls in der Form überein, und ist auch der Durchmesser nur unbedeutend kleiner. Die Kreuze

der Grabesruhe entzog und sie in einem öffentlichen Museum den Blicken jedes Neugierigen blossstellte. Ein solches Verfahren scheint uns nicht im Einklang zu stehen mit der Pietät, die eine gebildete Nation einer dahingeschiedenen ruhmvollen Königsdynastie schuldig ist.

Fig. 6.

derselben sind nach unten hin spitz ausgerundet und durch drei Nietnägel mit dem Stirnbande in Verbindung gesetzt.

Auch der silberne Scepterstab mit seinem krönenden Aufsatze, den wir unter Fig. 6 wiedergeben, fand sich im Grabe Bela's vor; derselbe hat eine Länge von 0·35 Meter. Die Einfachheit und anspruchslose Form dieser Ausmündung eines sceptrum regale scheint anzudeuten, dass auch diese Insignie blos zur Auszeichnung der königlichen Leiche angefertigt worden ist.

Das Gleiche kann jedoch nicht von den Sporen und dem Schwert gesagt werden, die sich bei der Königsleiche vorfanden. Obschon das Schwert, abgebildet unter Fig. 7, in seiner Form und Verzierungsweise sehr einfach gestaltet ist, so scheint dasselbe doch ehemals als Waffe im persönlichen Gebrauche des Königs Bela gewesen zu sein. Dasselbe bildet in seiner Klinge nebst Parirstange und Griff die Form eines lateinischen Kreuzes und zeigt durchweg die Anlage und Beschaffenheit jener Schwerter, wie sie in der romanischen Kunstepoche allgemein gebräuchlich waren. Jedoch lässt nur die eigentliche Waffe und der am Griff befindliche Abschlussknauf noch die ursprüngliche Beschaffenheit erkennen. Die Handhabe scheint ehemals mit einem verdeckenden Gespinnst oder Drahtgeflecht zum bequemeren Gebrauche umgeben gewesen zu sein, welches jedoch heute verloren gegangen ist.

Fig. 7.

Sporen aus der romanischen Kunstepoche sind heute gewiss zur Seltenheit geworden: deswegen dürfte die Form und Beschaffenheit der Sporen des Königs Bela von Interesse sein, die sich ebenfalls in seinem Grabe vorfanden und die unter Fig. 8 abgebildet wurden. Dieselben sind äusserst schlicht und einfach gestaltet und entbehren jeglicher Verzierung. Eine bei weitem entwickeltere Form zeigten jene kaiserlichen calcaria, die sich bis zum Schlusse des vorigen Jahrhunderts noch unter den übrigen deutschen Reichskleinodien in dem Schatzgewölbe der Heiligen-Geist-Kirche zu Nürnberg vorfanden. Leider sind dieselben zu Anfang dieses Jahrhunderts unwiederbringlich verloren gegangen, glücklicherweise jedoch haben sich bei einem Schriftsteller des vorigen Jahrhunderts genaue Abbildungen derselben erhalten.

Ausser den schon erwähnten Insignien fanden sich bei Eröffnung des oft erwähnten Königsgrabes auch noch andere Merkwürdigkeiten vor, die einer der hervorragendsten Archäologen Ungarns, Dr. Henszlmann, in seinem Berichte über die Ausgrabungen bei Stuhlweissenburg beschrieben und abgebildet hat, und von dem mehrere in das k. k. Münz- und Antikencabinet nach Wien übertragen worden sind. So fand sich daselbst der obere Theil eines königlichen Stabes vor, der mit einem Kreuze bekrönt ist, ferner ein Brustkreuz (encolpium) in Vierpassform und zwei Ringe. Von diesen beiden Ringen, die wir unter Fig. 9 veranschaulichen, hat der grössere eine mit arabischen Schriftzeichen eingravirte Siegelgemme, deren Inschrift in der Übersetzung lautet: Abdallah, Muhamed's Sohn. Der kleinere Ring ist ebenfalls mit einem Edelstein geschmückt, welcher als Intaglio eine Figur in römisch-classischen Formen erkennen lässt. Von ähnlicher Beschaffenheit sind auch die königlichen Ringe, die sich im Porphyrsarge der Kaiserin Constanze II., der Gemahlin Friedrich's II., im Dome zu Palermo vorfanden, und die wir der Parallele wegen unter Fig. 10 veranschaulichen[6]. Diese Ringe des ungarischen Königsgrabes zeigen jene Form und Fassung der Edelsteine, wie dieselbe auch an den bischöflichen Ringen der romanischen Kunstepoche sich bemerklich macht[7].

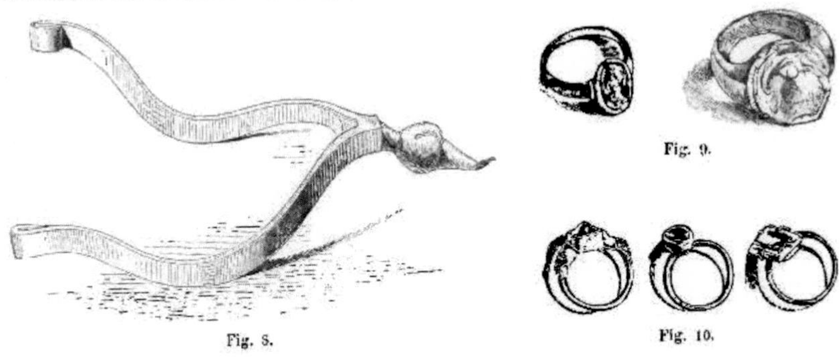

Fig. 8. Fig. 9. Fig. 10.

IV. Wasserbehälter in Kupferguss.

Die archäologischen Forschungen der letzten Jahrzehente haben es offen gelegt, dass das Mittelalter im Anschluss an ältere römische Gefässe und Vorbilder es liebte, an den Wasserbehältern zum Handwaschen, im kirchlichen wie profanen Gebrauch, groteske Thier- und Menschengestalten in Anwendung zu bringen. Soweit heute die vergleichenden Studien reichen, kommen bereits seit dem X. Jahrhundert bis zum Ausgang des Mittelalters aquamanilia, zuweilen auch urcei genannt, vor, die nicht nur in Gestalt von vierfüssigen Thieren, von Löwen, Pferden, Hunden, Greifen, sondern auch von Vögeln die verschiedensten Thiergebilde dieser beiden Abtheilungen in origineller Stylisirung darstellten. Das Pester Museum besitzt zwei Wasserbehälter in Form von stylisirten Löwen, die nach unserem Dafürhalten dem Schlusse des XIV. Jahrhunderts angehören dürften; ferner ein kupfernes Giessgefäss in Gestalt eines Pferdes, welches seinen Ursprung im XV. Jahrhundert gefunden haben mag. Ein bei weitem interessanteres aquamanile in der Form eines phantastischen Vogels mit sichtbaren Spuren einer ehemaligen Emaillirung, das dem Beginne des XIII. Jahrhunderts zuzusprechen ist, findet sich in dem k. k. Münz- und Antikencabinet zu Wien[8]. Seltener jedoch sind mittelalterliche Giesskännchen in Gestalt von Brustbildern heute anzutreffen, wie sich ein solches, eine männliche herma vorstellend, in den

[6] Eine nähere Besprechung und Abbildung dieser Ringe s. in dem Werke: „Il regale sepulcro del duomo di Palermo“ von Fr. Danielo.

[7] Vgl. unsere betreffende Abhandlung über die bischöflichen Ringe des Mittelalters in unserem Werke: „Geschichte der liturgischen Gewänder des Mittelalters“, 2. Bd., S. 205—213, Taf. XXVIII. Fig. 1—6. Bonn 1866.

[8] Wir haben im Januar-Februar-Hefte der „Mittheilungen der k. k. Central-Commission zur Erforschung und Erhaltung der Baudenkmale“ im IX. Jahrgange 1864 eine Abhandlung über die ampullae gegeben und bei Fig. 16, S. 22 diesen urceus des k. k. Münz- und Antikencabinets besprochen.

mittelalterlichen Kunstsammlungen Sr. Hoheit des Fürsten Karl Anton von Hohenzollern-Sigmaringen vorfindet. Ein anderes aquamanile in reicherer Formentwicklung, das unter Fig. 11 veranschaulicht ist[9], hat sich bis zur Stunde noch im Aachener Schatze erhalten und dürfte aller Wahrscheinlichkeit nach ehemals dazu benutzt worden sein, um bei der Krönung deutscher Könige am Grabe Karl des Grossen zu Aachen, dem Coronandus nach der Salbung der Hände, das Wasser zur Abwaschung darzureichen. Bei der grossen Seltenheit von Wassergiessern in dieser Form überraschte es uns nicht wenig, zum Aachener aquamanile eine höchst interessante formschöne Parallele in einem der Schränke des ungarischen National-Museums vorzufinden, das offenbar eine und dieselbe Enstehung wie jenes beansprucht. Diese Giesskanne des Pester Museums, welche Fig. 12 veranschaulicht, zeigt einen weiblichen Kopf in sehr markirten Zügen, der von einem eigenthümlichen Flechtwerk umschlungen ist. Die Ohren sind mit reichverzierten Gehängen geschmückt, die nach Art jener Ohrgehänge auf griechischen Kaisermünzen durchaus ein byzantinisches Gepräge zeigen. Aus beiden Händen des Pectoralbildes entwickelt sich nach hinten hin eine zierlich gestaltete Verzweigung, deren weit vorspringende Öffnung zugleich als Handhabe dient. Auffallenderweise steht das Blätterwerk, das sich stellenweise von diesem manubrium aus entwickelt, mit dem eigenthümlich stylisirten Blattornament des Aachener Aquamanile, einem offenbar byzantinischen Gusswerk, durchaus in Einklang.

Fig. 11.

Auf der Laubverschlingung, die sich über dem Haupte des Pester urceus bildet, erhebt sich ein quadratischer, über Eck gestellter Aufsatz, der auf den vier Kanten von einer sitzenden allegorischen Figur flankirt wird. Obgleich sich in den schedulae, welche diese Figuren in der Linken halten, die Deutung derselben nicht findet, so verrathen doch die symbolischen Abzeichen in der Rechten deutlich, dass sie die vier Cardinaltugenden vorstellen: die prudentia mit der Schlange, die fortitudo mit dem Schwerte, die justitia mit der Wage und endlich die temperantia mit den Mischgefässen. Einen ähnlichen Aufsatz, jedoch im Dreieck angelegt, ersieht man auch auf dem berühmten encensoir de Lille, wo in formverwandten Bildwerken die drei Jünglinge im Feuerofen „laudantes et benedicentes dominum" dargestellt sind. Darüber erhebt sich als Abschlussfigur der Engel in der Mitte, der die Flamme löscht. Ähnlich wie an dem Liller Rauchfasse ist auch

[9] Wir haben dieses Giessgefäss in dem ersten Theile unseres neuesten Werkes „Die Pfalzcapelle Karl des Grossen zu Aachen und ihre Kunstschätze" S. 89 ausführlich beschrieben.

13*

der Aufsatz des Pester aquamanile mit einem sitzenden Bildwerke gekrönt, nämlich mit einer weiblichen Figur, die in der Rechten eine Geissel hält und wahrscheinlich irgend eine der christlichen Tugenden darstellt.

Wie aber gelangte dieser Wasserbehälter nach Ungarn und in welcher Zeitepoche fand er seine Entstehung?

Betrachtet man aufmerksam das Blätterwerk, das sich als Henkel am Hinterhaupte unseres aquamanile befindet; erwägt man den strengen Ernst und die Charakteristik, die sich an den Figuren an dem oberen Aufsatz ausdrückt; rechnet man hiezu die charakteristische Form der Ohrringe und ihre Ausbildung, so dürfte kaum ein Zweifel aufkommen, dass unser urceus in jenen Guss- und Metallwerkstätten von Byzanz im Beginne des XII. Jahrhunderts Entstehung gefunden habe, in welcher Zeit auch der gleichartig gestaltete und ähnlich ornamentirte Wasserbehälter des Aachener Schatzes, abgebildet unter Fig. 11, Entstehung gefunden hat. Da bis zur Stunde geschichtliche Nachrichten über Ursprung und Herkommen des höchst interessanten ungarischen aquamanile fehlen, so dürfte die allerdings gewagte Hypothese nicht so ganz von der Hand zu weisen sein, dass vielleicht von zurückkehrenden Kreuzfahrern das in Rede stehende merkwürdige Gefäss in das Abendland überbracht worden ist.

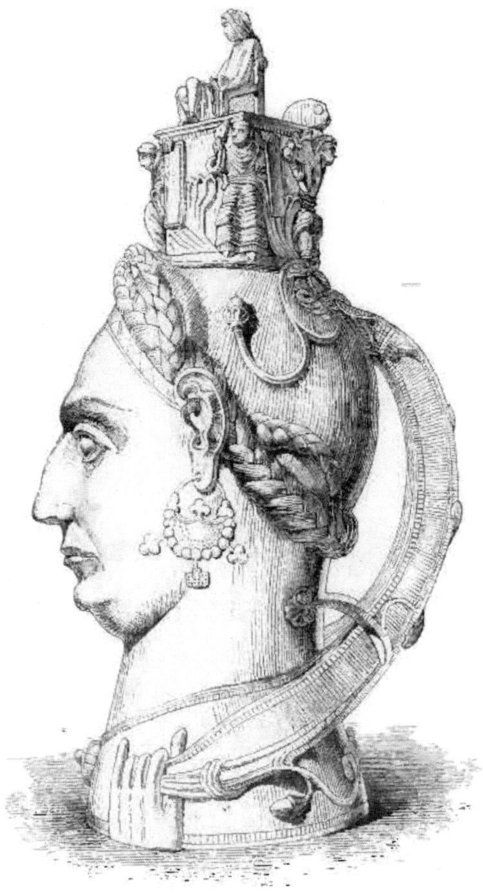

Fig. 12.

V. Überreste von romanischen Leuchtern.

Obgleich das Pester Museum sich vor vielen andern ähnlichen Sammlungen gerade dadurch auszeichnet, dass es verhältnissmässig viele Gebrauchsgeräthe aus den ersten Jahrhunderten des Mittelalters und der späteren sogenannten romanischen Kunstperiode besitzt, so hat dasselbe doch auffallenderweise keine romanischen Lichterträger aufzuweisen, wie solche im XII. Jahrhundert in der reichsten Formentwicklung für kirchliche, desgleichen auch für profane Zwecke angefertigt zu werden pflegten, und die von den Limousiner Schmelz- und Metallarbeitern in Menge für Handelszwecke ausgeführt wurden. Nur drei Überreste, und zwar Fusstheile von solchen romanischen Leuchtern haben sich im ungarischen National-Museum erhalten, die wir beifolgend in natürlicher Grösse veranschaulichen. Den ersten, abgebildet unter Fig. 13, der im Metallguss ziemlich roh gehalten ist, aber eine sehr originelle Form zeigt, möchten wir, seiner unentwickelten Technik und anderer Eigenthümlichkeiten wegen, dem Beginne des XII. Jahrhunderts zusprechen, während die entwickelten Pflanzenornamente an dem zweiten tripes, abgebildet unter Fig. 14, unbedingt in der letzten Hälfte des XII. Jahrhunderts entstanden sind.

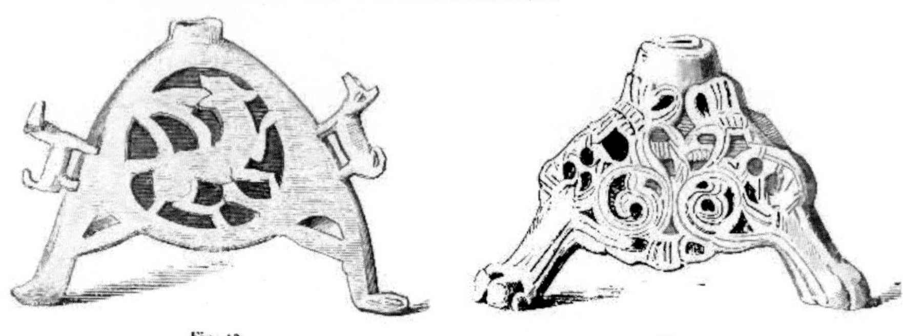

Fig. 13. Fig. 14.

Der heute fehlende Ständer dieses letzteren Leuchterfusses war höchst wahrscheinlich ebenfalls in à jour durchbrochenen Pflanzenornamenten gehalten und fehlten gewiss auch die Salamander-Unholde nicht, die, nach der mittelalterlichen Physiologie dem Lichte feindlich, fast an allen aus jener Epoche erhaltenen Leuchtern zum Tragen der obern, das Wachs auffangenden Schale angebracht waren. Noch findet sich im ungarischen Museum ein Leuchter vor, der in seinen Formen sehr einfach und anspruchslos gehalten ist, und dem Übergangsstyl aus der romanischen in die gothische Kunstepoche anzugehören scheint. Der untere Fuss ruht auf drei einfachen Ständern, der mittlere Ständer wird von einem runden kleinen Knauf unterbrochen, auf welchem sich ein schmaler Hals ansetzt, der sich oben zu einer runden Schale zum Auffangen des Wachses ausbreitet. In süddeutschen Kirchen haben wir noch ähnliche Leuchter des XIII. Jahrhunderts in grosser Zahl angetroffen.

VI. Überreste von Beschlägen einer Truhe des XIII. Jahrhunderts.

Wie wir an anderer Stelle ausführlich nachzuweisen gesucht haben[10], pflegte man in der romanischen Kunstepoche die Kroninsignien und andere Juwelen und Kleinodien in einer grösseren Truhe aufzubewahren, die auch auf Reisen leicht mitgenommen werden konnte. Als jedoch mit dem Aufkommen der Gothik die Lederarbeiten sich reicher zu entwickeln begannen, wurde es Brauch, die Kroninsignien in verschieden gestalteten, meist illuminirten und mit plastischen Darstellungen verzierten Lederkapseln getrennt aufzubewahren. So findet sich heute noch in dem reichhaltigen Domschatze zu Aachen eine arca aus dem Beginne des XIII. Jahrhunderts vor, die wir auf mehrere Gründe gestützt, als Krönungsornaten-Truhe dem Gegenkönig Richard von Cornwallis zugeschrieben haben. Dieselbe ist, wie ein Blick auf die nebenstehende Abbil-

[10] Siehe „Die Kleinodien des heil. römischen Reiches deutscher Nation, nebst den Kroninsignien Böhmens, Ungarns und der Lombardie", Anhang S. 46. Wien, k. k. Hof- und Staatsdruckerei 1861.

Fig. 15.

dung unter Fig. 15 zeigt, nach vier verschiedenen Seiten mit kleineren Rundschildchen, die theils durchbrochen, theils flach gehalten und emaillirt sind, aufs reichste belebt. Mit diesem Kleinodienschrein des ehemaligen Krönungsstiftes deutscher Könige zu Aachen, steht jene interessante Coffrette in Bezug auf Form, Ausdehnung und künstlerische Ausstattung vollständig im Einklang, die sich ehemals in der Kirche zu Damari le Lys in Frankreich vorfand, und die wir unter Fig. 16

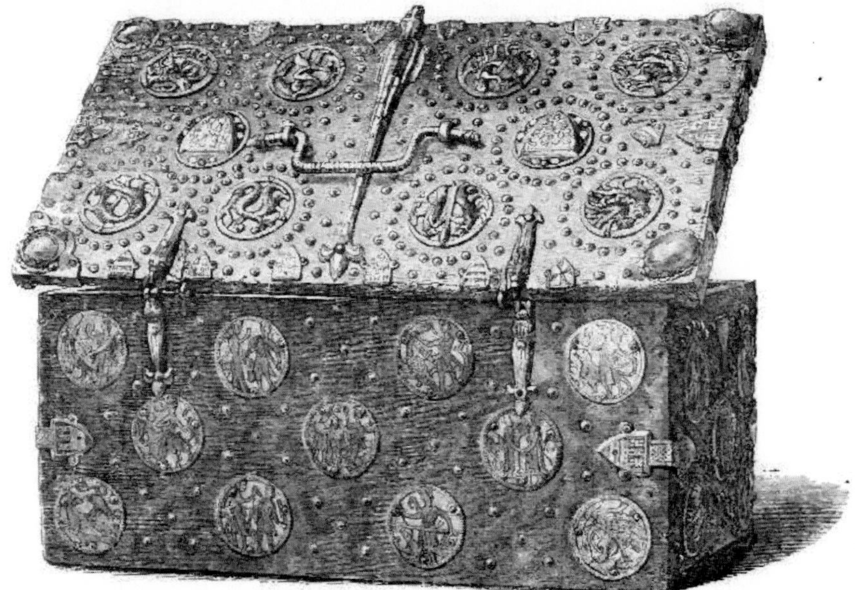

Fig. 16.

Fig. 17.

Fig. 18.

des Vergleiches halber bildlich wiedergeben. Da sich in dieser zierlichen Truhe kleinere Gebrauchsgegenstände und Kostbarkeiten vorfanden, die von Ludwig dem Heiligen herrühren, und dieselbe, wie franzöische Archäologen mit Recht annehmen, sich ehemals im Besitze jenes heiligen Königs befand, so ist sie in jüngster Zeit in das Musée des Souverains[11] in das Louvre zu Paris übertragen worden. Wie die Abbildung zeigt, ist auch diese arca des heil. Ludwig mit ähnlich gearbeiteten runden Schildchen von älteren Schriftstellern monilia oder tasselli genannt, verziert, die theils durchbrochen, theils flach gehalten, mit emaillirten Darstellungen gefüllt sind[12].

Nicht wenig waren wir überrascht, als wir im ungarischen National-Museum in einem Kasten des Antikensaales mehrere Rundschildchen vorfanden, die hinsichtlich ihrer Ausdehnung, Verzierung und Technik auffallend mit den kunstreichen Beschlägen an den gedachten Truhen im Schatze zu Aachen und im Museum des Louvre übereinstimmen. Von diesen tasselli, die unter Fig. 17, 18, 20 und 21 nach stylgetreuen Abbildungen wiedergegeben sind, beansprucht jenes unter Fig. 17 ein besonderes Interesse, da es einen Löwen im Kampfe mit dem sagenhaften Vogel Greif darstellt. Ähnliche phantastische Thierkämpfe mit eingeschmelzten und durchbrochenen Darstellungen kommen auch an der arca des heil. Ludwig in grosser Abwechslung der Formen vor. Die Farbtöne des Rundschildchens unter Fig. 18 erinnern durch den blauen, weissen, grünen und gelblichen Schmelz auffallend an die ähnliche Technik von mattem Grubenschmelz, wie dieser an religiösen und profanen Utensilien von den Kölnischen Schmelzwirkern angebracht zu werden pflegte, und lässt aller Wahrscheinlichkeit nach eine erotische Darstellung erkennen, wie sie in den

Fig. 19.

[11] Vgl. die ausführliche Beschreibung dieser Truhe, sowie die näheren Gründe für die obige Annahme in unserer neuesten Schrift: „Die Pfalzcapelle Karl des Grossen zu Aachen und ihre Kunstschätze", Cöln und Neuss bei L. Schwann, 1867, Theil II, S. 10—11.

[12] Eine eingehende Beschreibung und detaillirte Abbildung des St. Ludwig-Schreines findet sich in der Monographie „La cassette de St. Louis p. E. Gauneron", Paris, J. Claye & Comp. 1855.

Fig. 20.

Fig. 21.

Tagen der Minnesänger zur Verzierung an Schmuckkästchen, namentlich in Elfenbein häufig vorkommen. Dass diese Schildchen des ungarischen National-Museums sich in der That ehemals als Beschläge an einer reichverzierten Truhe vorgefunden haben, beweisen auch die befestigenden Behänge und Bindungen, wovon Fig. 19 ein emaillirtes Exemplar veranschaulicht. Diese Eckverbindungen und Besetzstücke dienten offenbar, wie in der Aachener Truhe ersichtlich, dazu, das Bretterwerk zusammen zu halten und gegenseitig in Verbindung zu setzen.

Von besonders schön entwickelter Form ist jener tassellus, der unter Fig. 20 in natürlicher Grösse wiedergegeben ist. Derselbe scheint den Menschen als Sieger über die rohe Naturkraft, die durch ein phantastisches, drachenartiges Thierungeheuer repräsentirt wird, darstellen zu wollen.

Derselbe Gedanke ist auch auf verschiedenen monilia der Truhe zu Aachen und der Cassette im Louvre zu Paris in verschiedenen Auffassungen zum Ausdruck gebracht.

Ob das unter Fig. 21 in natürlicher Grösse abgebildete Rundschildchen ebenfalls jener Truhe zur Zierde gedient habe, auf welcher die vorhin besprochenen angebracht waren, müssen wir dahin gestellt sein lassen. Es fehlen hier nämlich die bei den übrigen tasselli ersichtlichen Durchbohrungen in der Peripherie, die wohl nicht füglich durch die am obern Theil befindlichen Oese ersetzt werden sollen.

Dass überhaupt alle hier besprochenen runden Schildchen als Ornamente an einer mittelgrossen Truhe ehemals Anwendung gefunden, zeigt augenfällig das monile unter Fig. 22, das in seiner Mitte eine Durchbrechung in Form eines Schlüsselloches erkennen lässt, welches von einem Greifen, der sich in gekrümmter Stellung um dasselbe herumzieht, und seine Klaue darüber hält, bewacht und gehütet wird.

Fig. 22.

Wann fanden diese verschiedenen Beschläge einer ehemaligen Truhe ihren Ursprung, und welchem Zwecke diente jener Behälter? Die Formbildung, sowohl in den eingeschmelzten, als in den durchbrochenen Rundschildchen spricht deutlich für eine Entstehung in der letzten Hälfte des XII. Jahrhunderts, ein Zeitabschnitt, in welchem auch die unter Fig. 15 und 16 abgebildeten feretra verfertigt wurden. Leider findet sich unter diesen Beschlägen

Fig. 23.

keines vor, das einen mit Ornamenten umgebenen Wappenschild zeigte, wie solche mit Wappen verzierte Schildchen an den Truhen von Aachen und im Louvre vorkommen. Ein solches Vorfinden von heraldischen Abzeichen in Metallschildchen würde als erwünschter Fingerzeig zu betrachten sein, welcher fürstlichen Person die ehemalige ungarische Truhe zugehört habe. — Schwieriger noch ist die Beantwortung der zweiten Frage, welchem Zwecke jene arca diente, mit welcher unsere monilia verziert war. Wahrscheinlich wurden in den Tagen der glanzliebenden ungarischen Könige im XIII. und XIV. Jahrhundert, die Kroninsignien des heiligen Stephan in einer arca mit entsprechenden Ornamenten aufbewahrt. Es läge nun nahe anzunehmen, dass die eben besprochenen schildförmigen Ornamente nach der Analogie der mehrfach erwähnten deutschen, sowie der französischen Truhe, ebenfalls einem solchen hervorragenden Zwecke gedient haben. Da jedoch diese Hypothese vor der Hand jedes geschichtlichen Beleges entbehrt, so könnte man mit demselben Fug auch annehmen, dass diese reichverzierten tasselli vielleicht als Beschläge eines grösseren Reliquienbehälters oder irgend einer Kleinodientruhe eines ungarischen Fürsten gedient habe. Auffallend bleibt es, dass die ungarischen Kroninsignien aus den Tagen des heil. Stephan heute in einem anspruchslosen Schrein mit eisernen Beschlägen, den wir unter Fig. 23 bildlich veranschaulichen, im Kronschatzgewölbe zu Ofen aufbewahrt werden, da es doch einleuchtend ist, dass im Mittelalter unmöglich in einer solchen Kiste so kostbare Pfänder und Überbleibsel aufbewahrt, und bei feierlichen Gelegenheiten öffentlich exponirt werden konnten, zumal eine Inschrift derselben ausdrücklich die Jahreszahl 1608 nennt, mit welchem Datum auch die Form und artistische Beschaffenheit dieser Truhe übereinstimmt.

Im Hinblick auf die eben besprochenen Überreste einer früheren arca dürfte die Annahme vielleicht gestattet sein, dass die ältere ungarische Kleinodientruhe durch die vielen Stürme der Jahrhunderte dermassen unbrauchbar und schadhaft geworden war, dass im Anfang des XVII. Jahrhunderts zum Zwecke einer gesicherten Aufbewahrung die arca unter Fig. 23 für die Reichskleinodien angefertigt werden musste.

VII. Untertheil eines emaillirten Hostienbehälters.

In den Schatzkammern grösserer Kirchen, sowie in öffentlichen und Privat-Sammlungen sind heute noch eine ziemliche Anzahl von emaillirten custodes anzutreffen, die, meistens aus den Schmelzwerkstätten von Limoges im Laufe des XIII. Jahrhunderts massenweise hervorgegangen,

Fig. 21.

auf dem Wege des Kunsthandwerks angefertigt wurden und auf Handelswegen im Abendlande als sehr gesuchte opera lemovitica, op. de Limugis oder auch op. lemovicensia, Verbreitung fanden. In der Regel dienten sie dazu, das viaticum zu den Kranken zu tragen und waren mit einem helmförmigen Deckel verschlossen, der in eine Spitze auslief und meistens von einem kleinen Kreuze gekrönt wurde. Die Verzierungen auf diesem Deckel waren in ähnlichen Emails und Gravuren angebracht, wie sie auch auf der Peripherie des untern Behälters, abgebildet unter Fig. 24, sich zeigen, während das Innere der Pyxis mit einer starken Feuervergoldung überzogen ist.

An der unter Fig. 24 abgebildeten Custode des Pester Museums, die im Beginne des XIII. Jahrhunderts als Limousiner Kunstproduct nach Ungarn gekommen sein dürfte, fehlt heute jener thurmförmige Deckelverschluss, und ist auch der Ständer nicht primitiv mit der Pyxis anzusetzen, sondern um mehrere Jahrzehnte jünger. Während sich an ähnlichen Gefässen zur Aufnahme der heil. Eucharistie häufig das bekannte griechische Monogramm IHS vorfindet, sind die Kreise des vorliegenden Behälters mit griechischen Kreuzen verziert, deren Querbalken in rothem Email gehalten sind und die nach den vier Seiten in fleurs de lis ausmünden, wie sie in der ersten Hälfte des XIII. Jahrhunderts allgemein zur Anwendung kamen. Der heute unter diesem ehemaligen Hostienbehälter befindliche Fuss nebst Ständer gehört einer viel jüngeren Epoche an, und beansprucht kein besonderes Interesse.

Fig. 25.

VIII. Wärmapfel mit durchbrochener Arbeit.

Eines der originellsten metallenen Kunstwerke des Mittelalters, welche das ungarische National-Museum in so grosser Zahl besitzt, ist jenes unter Fig. 25 veranschaulichte, das von der localen Tradition als Wärmapfel bezeichnet wird. Solche poma calefactoria, wie sie in mittelalterlichen Schatzverzeichnissen ziemlich häufig erwähnt werden, waren mehr diesseit als jenseit der Berge in liturgischem Gebrauch; auf den Altar gelegt, dienten dieselben bei kalter Winterszeit zur Erwärmung der Hände des celebrirenden Priesters. Im Innern konnten sie nämlich eine erhitzte Metallkugel aufnehmen, die dann vermittelst eines einfachen, aber sinnreichen Mechanismus, wie es ähnlich noch bei den Schiffslampen der Fall ist, stets in der Mitte haftete, und ihre Wärme durch die zugleich künstlerisch gestalteten Durchbrechungen der kapselförmigen Oberfläche durchstrahlen liess. Während nun die meisten poma ad calefaciendas manus, wie sie uns in St. Peter zu Rom (ehemals zu den deutschen Reichskleinodien gehörend) und im Dome zu Halberstadt zu Gesicht gekommen sind[13], rund gestaltet und auf ihrer Oberfläche mit vielfachen Durchbrechungen und ein-

[13] Vgl. die Beschreibung und Abbildung dieser beiden Wärmäpfel in unserem Werke: „Die Kleinodien des heil. römischen Reiches deutscher Nation etc.“ S. 119, Fig. a und S. 13 des Anhanges, Fig. a.

gravirten Ornamenten verziert waren und vom Celebrans zur Erwärmung in die Hand genommen wurden, scheint der Wärmapparat des Pester Museums, da er auch mit einem Fussgestell versehen ist, auf den Altar gestellt worden zu sein, so dass der Priester seine Hände, namentlich bei der Consecration, beweglich erhalten konnte. Die beiden Theile desselben werden, wie die Abbildung es andeutet, durch ein Charnier zusammengehalten.

Es dürfte schwer halten, für unseren Globus den Zeitpunkt zu fixiren, wann derselbe Entstehung gefunden habe. Während nämlich die kleinen Kreise auf dem Fusstheile und dem Rande des unteren Behälters für eine ziemlich frühe Epoche sprechen[1], so verräth doch der obere Verschluss mit seinen Durchbrechungen ein jüngeres Datum, indem dieselben auffallend an jene schalenförmigen Metallbleche mit ganz ähnlichen Durchbrechungen erinnern, wie sie an den Messklingeln des XVI. Jahrhunderts immer wieder zum Vorschein kommen.

Was schliesslich noch den Zweck dieses eigenthümlichen Gefässes betrifft, so hat es uns fast scheinen wollen, als ob dasselbe ursprünglich als Wärmapparat einem profanen Gebrauche gedient habe oder auch in seinem orientalischen Entstehungsort als Rauchpfanne benützt worden sei: jedenfalls wäre es interessant, wenn von kundiger Seite Nachforschungen angestellt würden, ob sich nicht in ungarischen Kirchen noch poma calefactoria vorfinden, deren ursprünglicher liturgischer Zweck mit Sicherheit nachgewiesen werden könnte, und die auch Parallelen zu dem vorliegenden Gefässe bildeten.

IX. Krondiadem mit lilienförmigen Aufsätzen. XIV. Jahrhundert.

Fig. 26

Vor wenigen Jahren fand man bei Eröffnung eines Grabes auf der Margarethen-Insel in der Nähe von Pest eine merkwürdige Krone, die beifolgend unter Fig. 26 bildlich wiedergegeben ist.

[1] Ähnliche kreisförmige Ornamente in derselben Anordnung zeigen sich auf den zwei orientalischen Reliquienbehältern von Elfenbein, die sich in dem heute sehr zusammengeschmolzenen Schatze der Abtei Werden vorfinden. Auch in der Schatzkammer von St. Gereon zu Cöln haben sich orientalische Kapseln in Bein erhalten, die mit kufischen Inschriften und durchaus ähnlichen kreisförmigen Ornamenten verziert sind.

14*

Leider hat sich in dem Grabe keine Inschrift erhalten, welche mit Sicherheit den Namen und das Herkommen der fürstlichen Leiche angäbe. Die reichverzierte Krone jedoch, welche direct in das Pester Museum übertragen wurde, lässt es als ziemlich ausgemacht erscheinen, dass die Trägerin von hoher Abkunft war und vielleicht sogar der königlichen Familie angehörte. Das Diadem besteht aus acht verschiedenen Theilen, die durch Charniere zusammengehalten sind, deren Goldstifte nicht wie gewöhnlich von Edelsteinen, sondern von je drei trefflich eiselirten Rebenblättchen bekrönt sind. Zu beiden Seiten der Charniere sind auf dem Kronreifen gefasste Edelsteine befestigt, die in ihren Kapseln stark vorspringen. In der Mitte der acht Krontheile erhebt sich je eine schlanke Lilie, die in ihrem äusseren Aufriss grosse Ähnlichkeit mit den fleurs de lis an der böhmischen Königskrone zeigen, und auch in gleicher Weise mit Edelsteinen in hervorspringenden Kapseln und mit durchbrochenen, auf Rosetten frei aufsitzenden Perlen verziert sind. Unterhalb einer jeden Lilie ist auf dem Stirnband der Krone eine Rose im Sechsblatt angebracht, deren spitz ausmündende Blätter, mit Ausnahme des untersten, von einer durchbohrten Perle gekrönt werden.

Die zierlichen Ornamente, die an diesem Diadem vorkommen, der dünne Kronreifen, dessen geringes Metallgewicht beim Tragen nicht beschwerlich war, lassen den nicht gewagten Schluss ziehen, dass diese Krone wahrscheinlich einer Prinzessin angehört habe, die sich derselben auch im Leben als Hauptschmuckes bediente. Wenn es gestattet ist, bei dem Fehlen sonstiger geschichtlicher Angaben aus der formellen und technischen Beschaffenheit unseres Diadems die Zeit zu bestimmen, wann dasselbe Entstehung gefunden habe, so deuten die Form und Verzierungsweise der Lilien, die Beschaffenheit der trefflich stylisirten Rebenblätter, ferner die acht auf dem Stirnbande aufgesetzten Rosen, endlich auch die Fassung der Edelsteine fast unwiderleglich darauf hin, dass diese Krone unter der Regierungszeit jenes Zweiges der neapolitanischen Anjou's angefertigt worden ist, die den ungarischen Thron in der letzten Hälfte des XIV. Jahrhunderts eingenommen haben.

X. Die Armbänder der Königin Maria I.

Unter den vielen Kleinodien und Prachtstücken der profanen mittelalterlichen Goldschmiedekunst werden im ungarischen National-Museum zwei goldene reichverzierte Armbänder aufbewahrt, die nach der örtlichen Angabe der Königin Maria I. von Ungarn angehört haben sollen (?). Im Umfange verschieden, stimmen dieselben jedoch in der künstlerischen Ausstattung ziemlich überein. Nach den Angaben des Museum-Katalogs wurden diese armillae bei Ausgrabungen der Trümmer der alten bischöflichen Kirche von Grosswardein gefunden, wo sie bei Erstürmung der grossen Burgfeste mit andern Pretiosen wahrscheinlich in den Brunnen versenkt worden sein dürften. Vergleicht man die kaiserlichen armillae, die bis 1793 sich bei den deutschen Reichskleinodien vorfanden, jetzt aber nur noch in Abbildung existiren, hinsichtlich ihres Umfanges mit jenen Armspangen, von denen wir eine unter Fig. 27 veranschaulichen, so wird man unbedingt zugeben müssen, dass dieselben zum Schmucke eines weiblichen Armes bestimmt waren. Die Anlegung wurde durch die Charniere, die jedes Armband in zwei Theile theilen, bequem ermöglicht. Auf der Oberfläche der Goldbleche sieht man je drei cordonnirte Streifen, welche die beiden Ränder abfassen. Zwischen diesen vorspringenden Einfassungen

Fig. 27.

sind erhaben aufliegende Ornamente angebracht, die als rosenförmige monilia in Filigran hervortreten und mit polygonen Verzierungen abwechseln, welche mit filigranirten Knöpfchen bekrönt sind.

XI. Schnalle eines Gürtels mit figuralischen Darstellungen in Niello.

Ausser den verschiedenen Gürteln, welche sich heute noch unter den Krönungsornaten deutscher Kaiser im Schatze der Burg zu Wien vorfinden, haben sich nur verhältnissmässig wenige cingula aus dem frühen Mittelalter erhalten, welche durch ihre kunstreichen und werthvollen Schnallen deutlich bekunden, dass man diesem Gewandstück sowohl in der romanischen als gothischen Kunstepoche eine grössere Aufmerksamkeit zuwandte. Eine besondere Beachtung verdient in dieser Hinsicht jener Gürtel, welcher der h. Elisabeth, Landgräfin von Hessen und Thüringen, zugeschrieben wird und sich heute im Besitze des Grafen Montalembert vorfindet[15]. Im Pester Museum dagegen bewahrt man neben so vielen andern Gebrauchsgegenständen der bürgerlichen Bekleidung und Bewaffnung auch eine reichverzierte interessante Gürtelschnalle, deren stoffliche Zubehör, wahrscheinlich übereinstimmend mit den Verzierungen des St. Elisabeth-Gürtels, leider verloren gegangen ist. Dass diese unter Fig. 28 abgebildete Schliesse ehemals ein cingulum militare schmückte, beweist nicht nur die kräftige Profilirung und das starke Silberblech, auf welchem die Figuren angebracht sind, sondern namentlich auch die Darstellung selbst, welche ein Turnier in Niello auf silberner Unterlage zeigt. Obgleich aber das Niello vorzugsweise von italienischen Goldschmieden schon im frühen Mittelalter zur Verzierung an profanen und religiösen Gebrauchsgegenständen angewendet wurde, so sind wir nichtsdestoweniger der Ansicht, dass diese Gürtelschnalle auf ungarischem Boden von einem Künstler angefertigt worden ist, der vielleicht bei einem italienischen Meister das Nielliren und Graviren erlernt hatte; in chronologischer Hinsicht ist es auch nicht unmöglich, dass dieses Meisterwerk der Niellirkunst durch einen Schüler des Magister Peter von Siena Entstehung gefunden habe, der unter den ersten Anjou's als sehr geschickter Hofgoldschmied künstlerisch thätig war und in hohem Ansehen stand[16]. Mit dieser Annahme stimmt nämlich auch das Costüm der Ritter, ihr Waffenschmuck, die Bekleidung der Pferde und endlich auch die Form der Wappenschilder überein. Obwohl bis jetzt alle historischen Notizen und Anhaltspunkte über diesen Gürtelabschluss nebst Schnalle fehlen, so würden wir doch, nach Analogie ähnlicher Leistungen zu urtheilen, dieses seltene Kunstwerk ohne Wagniss der letzten Hälfte des XIV. Jahrhunderts, also der Regierungszeit Ludwig's des Grossen von Ungarn, zuschreiben.

Von besonders guter Wirkung ist die kräftig gearbeitete und stylisirte Schnalle, nebst der beweglich gestalteten Zunge, die in ihrer Anlage und Form ebenfalls für die eben angegebene Epoche charakteristisch sein dürfte. Überhaupt stimmt die Schnalle im Pester National-Museum in vielen Einzelheiten mit der an dem Gürtel der h. Elisabeth überein, den wir unter Fig. 29, S. 102, veranschau-

Fig. 28.

[15] Vgl. die Beschreibung und Abbildung dieses interessanten Gürtels in unserem grossen Werke: „Die Kleinodien des heil. römischen Reiches deutscher Nation etc.", S. 60, Fig. a.

[16] Vgl. hierüber die näheren Angaben in unserer Schrift: „Die Geschenke Ludwig des Grossen von Ungarn an die Krönungskirche deutscher Könige zu Aachen", Wien 1862, S. 2, Anm. 2.

11*

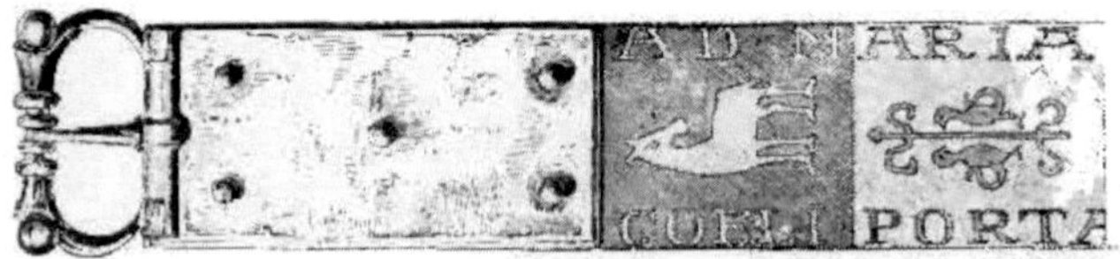

Fig. 29.

licht haben. Dass die letztere jedoch viel feiner und zierlicher gestaltet ist, als die ungarische Schliesse, hat wohl darin seinen Grund, dass der Gürtel der heil. Elisabeth sammt seiner Schnalle als ein Prunkstück betrachtet wurde, wohingegen die in Rede stehende Schnalle den starken ledernen Soldatengürtel und zugleich jenen Riemen halten musste, an welchem das Schwert schwebend hing.

XII. Silbervergoldete Schüssel mit getriebenen figuralischen und ornamentalen Verzierungen.

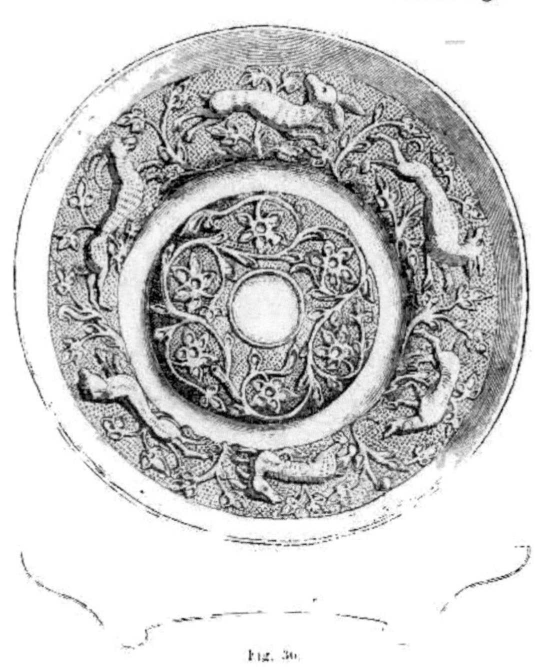

Fig. 30.

Während mittelalterliche Schüsseln zum häuslichen Gebrauch mit getriebenen Ornamenten im Allgemeinen zu den grössten Seltenheiten geworden sind, erfreut sich das ungarische National-Museum des Besitzes fünf solcher Schalen, die einen Begriff davon geben können, mit welcher Pracht und Kunstfertigkeit die Prunkgefässe und Tischgeräthe für die prunkhaften Festgelage und Gastmähler auf mittelalterlichen Schlössern und Burgen angefertigt wurden.

Die unter Fig. 30 abgebildete kleinere Schüssel mit einer Tiefe von 0·45 Meter zeigt stark hervortretende getriebene Darstellungen aus der animalischen und vegetabilischen Schöpfung, nämlich eine Verfolgung von Kleinwild durch Jagdhunde. Der Tiefgrund zu diesen Gebilden ist mit der Punze geringelt, eine Technik, die bereits im X. und XI. Jahrhundert bei hervorragenden Werken der religiösen und profanen Goldschmiedekunst vorkommt.

Hinsichtlich der Entstehungszeit dieses meisterhaften opus malleatum oder propulsatum glauben wir im Hinblick auf viele uns zu Gesicht gekommene Analogien nicht zu irren, wenn wir dasselbe dem Schlusse des XIV. oder dem Beginne des XV. Jahrhunderts zuschreiben. Wir haben nämlich dieselbe Technik und verwandte Ornamentationen auch anderwärts an den Goldschmiede-Arbeiten aus jener Zeit vorgefunden, als Sigismund nach Absetzung seines Bruders Wenzel den deutschen Kaiserthron bestiegen hatte. Wir haben nicht unterlassen, auch das eigenthümliche Profil und den Durchschnitt der Schüssel unter der oben gegebenen Figur in Contourzeichnung anzudeuten. Da heute das reiche Tischgeräth des Mittelalters in seinen Formen und seiner ornamentalen Ausstattung ziemlich unbekannt geworden ist, und sich unseres Wissens nur noch wenige Originale bis auf unsere Tage im westlichen Europa erhalten haben, so würde es als eine Bereicherung der archäologischen Wissenschaft anzusehen sein, wenn von Seiten ungarischer Archäologen jene aus dem Mittelalter stammenden Tafelgeräthe in Text und Abbildung mitgetheilt würden, die sich auf den Schlössern und Burgen der hohen ungarischen Aristokratie, wie uns von unterrichteter Seite mitgetheilt wurde, noch in grosser Anzahl vorfinden.

XIII. Gewandhalter von vergoldetem Silber. XIII. Jahrhundert.

In der classisch-römischen Zeit bildeten die Spangen und Gewandhalter, welche zur Befestigung der Obergewänder meistens auf der rechten Schulter getragen wurden, einen wesentlichen Theil des Kleiderschmuckes, und war die Goldschmiedekunst auch deshalb bestrebt, den grössten Reichthum der Formen, verbunden mit der feinsten Technik an diesen ornamentalen fibulae in Anwendung zu bringen. Als die Stürme der Völkerwanderungen die griechisch-römische Cultur fast gänzlich zu vernichten drohten, blieben die Spangen doch noch immer bei jenen halbbarbarischen Völkern ein Gegenstand besonderer Vorliebe. Daher findet man auch heute noch fast in allen grösseren Museen eine verhältnissmässig bedeutende Anzahl jener oft sehr originell und phantastisch ausgestatteten Prunkspangen, die aus den ersten germanisch-fränkischen Zeiten bis zu den Tagen der Karolinger herrühren und meistens bei Eröffnung frühchristlicher Gräber aufgefunden worden sind. Gold und Silber, häufig auch die im classischen Zeitalter so beliebte Bronce, mit eingeschweissten silbernen Verzierungen wurden meistens zur Anfertigung des morsus verwendet.

Als mit dem XI. und XII. Jahrhunderte das mantelförmige Obergewand, eine Nachbildung des antiken sagum und der chlamys, in Wegfall kam und durch anders gestaltete Gewänder ersetzt wurde, traten auch die Spangen, die jetzt keinen hervorragenden Platz und Anwendung mehr fanden, in Hinsicht auf besondere künstlerische Ausstattung mehr in den Hintergrund, bis sie vom XIII. Jahrhunderte ab wieder bei den kirchlichen Ornaten und namentlich bei den Chorkappen zu Ehren kamen, und während mehrerer Jahrhunderte eine besondere Aufmerksamkeit und Pflege von Seiten der Goldschmiedekunst erfuhren.

Bei der Seltenheit von grösseren Gewandhaltern des späteren Mittelalters, die zu profanen Zwecken angefertigt wurden, ist es für die Alterthumswissenschaft von grossem Interesse, ein schönes und kunstgerecht gearbeitetes Exemplar einer solchen fibula im Pester Museum anzutreffen. Dieser morsus, unter Fig. 31 in natürlicher Grösse veranschaulicht, zeigt dieselbe Form und Ausdehnung, wie man sie auch bei den Pectoralkrampen zur Befestigung der Chormäntel aus dem Mittelalter findet; darin jedoch unterschieden sich diese profanen Gewandhalter von den kirchlichen Pectoralschilden, dass, wie auch im vorliegenden Falle, in der Mitte derselben ein Dorn oder eine nadelförmige Zunge beweglich an einer Seite angebracht war, welche durch das Gewand gesteckt und dann in eine an der andern Seite befestigte Oese eingelassen wurde, eine

Fig. 31.

Einrichtung, die ja auch noch heutzutage bei modernen Damenbrochen meistentheils beibehalten ist. Wir lassen es dahin gestellt sein, ob unser morsus als Brustzierde gedient habe, wie es allerdings manche Analogien wahrscheinlich machen, oder ob derselbe in alter Weise zur Befestigung des ungarischen nationalen Obergewandes, des Dolman, auf der rechten Schulter eine Anwendung fand.

Es dürfte schwer halten, die Zeit genau zu fixiren, wann diese fibula von Meisterhand, und zwar auf ungarischem Boden, Entstehung gefunden habe. Das auf der Rundung aufliegende Blattwerk, welches nach gleichen Zwischenräumen von vier Pfauen belebt wird, zeigt offenbar noch Anklänge an das spätromanische, conventionell behandelte Laubwerk, wie es am Schlusse des XII., mehr aber noch im Beginne des XIII. Jahrhunderts im westlichen Deutschland an kirchlichen und profanen Werken der Goldschmiedekunst immer wieder anzutreffen ist; die Fassung der Edelsteine jedoch sowie die nach Innen und Aussen angebrachten freistehenden Pflanzenornamente im Vierblatt scheinen eher der entwickelten Gothik anzugehören. Es lässt sich demnach mit Grund annehmen, dass die vorliegende Schnalle von einem Meister herrührt, der beim Durchbruch der Gothik noch die liebgewonnenen traditionellen Formen des romanischen Styles beibehielt und weiter entwickelte, wie sich ja auch in der Architectur der südöstlichen Länder an der Donau ein unmittelbares Anschliessen der romanischen Formen an die völlig entwickelte Gothik nachweisen lässt. Wir versäumen es nicht, die Besucher des ungarischen Museums und namentlich jene, welche für mittelalterliche Werke der profanen Goldschmiede-

Fig. 32.

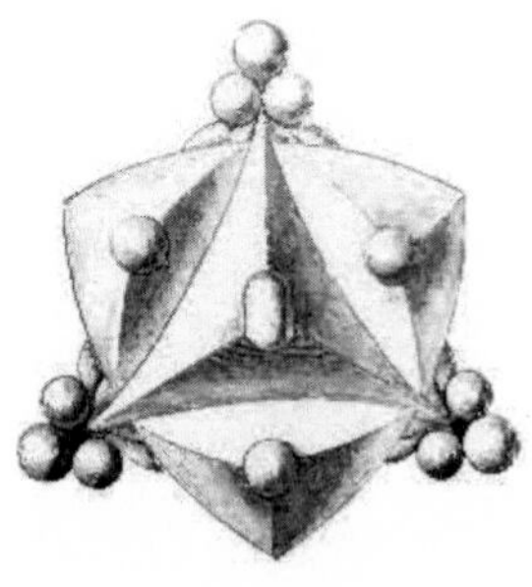

Fig. 33.

kunst ein besonderes Interesse haben, noch auf zwei kleinere morsus hinzuweisen, die durch die Originalität und Zierlichkeit der Formen eine besondere Beachtung verdienen. Unter Fig. 32 veranschaulichen wir die eine dieser formschönen fibulae, die durch Ineinanderschieben von zwei Vierecken zu einem Achteck gestaltet ist. Auf den Spitzen dieser acht Ecken erheben sich Perlen von gleichmässiger Rundung. Dasselbe Ornament ist auch in den Bandverschlingungen, die den Stern bilden, fortgesetzt. Eine andere, nicht weniger interessante Form macht sich bei jener fibula geltend, die wir unter Fig. 33 in natürlicher Grösse wiedergeben. Dieselbe ist in getriebener Arbeit ausgeführt und im Dreieck gestaltet. Diese dreieckige Form kehrt an den Einzelnheiten dieser Schnalle immer wieder, so zwar, dass sich vier dreiseitige Pyramiden in symmetrischer Ordnung bilden, die jedesmal auf ihrer Spitze von einer Perle bekrönt werden. Die zierliche Form, sowie der geringe Umfang machen es wahrscheinlich, dass diese kleinen morsus, die nach ihren ornamentalen Details dem XIV. Jahrhundert angehören dürften, ursprünglich einen integrirenden Theil eines Frauenschmuckes bildeten.

XIV. Vier glasirte und figurirte Belegplättchen des XIV. Jahrhunderts.

Wie das ungarische National-Museum überhaupt viele Gegenstände mittelalterlicher Kleinkunst in seinen Sammlungen birgt, zu welchen man anderwärts vergebens Parallelen sucht, finden sich daselbst auch ausser anderen in Thon gebrannten Gefässen mehrere interessant gemusterte, glasirte Belegplatten, die hier nicht wegen ihrer höchst einfachen und anspruchslosen Technik, sondern wegen ihrer merkwürdigen Darstellungen bildlich wiedergegeben werden. Die bedeutungsvollen Symbole auf denselben scheinen anzudeuten, dass diese Thonziegel nicht auf flachem Boden, wenn auch in noch so vornehmer Wohnung, sondern vielmehr an der Wandfläche aufrecht stehend angebracht waren. Die erste dieser Belegplatten stellt den Pelikan dar, wie er, den Physiologien des Mittelalters zufolge, sein Herzblut den Jungen dargibt, eine Darstellung des mittelalterlichen Physiologus, wie sie bekanntlich auch in den kirchlichen Kunstwerken häufig Anwendung gefunden hat. Die zweite zeigt den gekrönten aufrecht stehenden Löwen mit gespaltenem Schweife, der bekanntlich im Mittelalter als heraldisches Abzeichen von Böhmen galt. Dies besagt auch deutlich die an den vier Seiten hinlaufende Inschrift in Grossbuchstaben, welche in eigenthümlich harter Orthographie lautet:

† LEB PIN ICH KENART MICH TREIT DER CVNENG VAN PEHEMLANT.

15*

Fig. 34.

Fig. 35.

Die Haltung und Stylisirung dieses heraldischen Abzeichens (Fig. 36), wie die Form der Buchstaben und der Wortlaut der Inschrift lassen es ziemlich begründet erscheinen, dass diese Platte in der Regierungszeit des ungarischen Königs Sigismund Entstehung gefunden, der die Krone Böhmens mit der deutschen Kaiserkrone vereinigte. Dieser Annahme dient auch noch die Darstellung des dritten glasirten Belegsteines unter Fig. 34 zur Stütze, welcher den einköpfigen deutschen Reichsadler heraldisch so zum Vorschein treten lässt, wie derselbe in dem Wappenschilde auf dem deutschen Kaisersiegel in den Tagen Karl's IV. und seiner Söhne Wenzel und Sigismund vorkommt. Auch die Umrandung dieses kräftig stylisirten Adlers ist für die angegebene Zeit charakteristisch und von bester Wirkung. Unter Fig. 35 veranschaulichen wir eine vierte Belegplatte, die sich ebenfalls im Pester Museum vorfindet. Dieselbe scheint ihrer Form und Ausdehnung nach zu einer anderen Serie von gemusterten

Belegsteinen zu gehören, obschon die Composition und charakteristische Stylisirung der phantastischen Thierfratze es anzudeuten scheint, dass auch diese glasirte Belegplatte mit der unter Fig. 36 abgebildeten in derselben Zeit und sogar von derselben Hand Entstehung gefunden hat. Wir würden dieses Thierungeheuer zu der Classe der sagenhaften Greifen rechnen, die, halb Lindwurm halb Vogel, in den Kunstschöpfungen der Sculptur, Goldschmiedekunst, Stickerei und Weberei aus den Tagen Karl's IV. und seiner unmittelbaren Nachfolger immer wieder anzutreffen sind.

Fig. 36.

XV. Brustbild in Rothkupfer mit starker Feuervergoldung, welches ehemals das Haupt eines ungarischen Heiligen barg, aus dem XV. Jahrhundert.

Ohne Zweifel befanden sich vor den verheerenden Einfällen der Türken in den reichen Stiften und Schatzkammern Ungarns eine grössere Anzahl jener prachtvollen, meistens in Silber getriebenen Brustbilder vor, die als Reliquiare die Bestimmung trugen, unter einem beweglichen Kapselverschluss grössere Theile des Schädels oder andere Gebeine gefeierter Heiligen der öffentlichen Verehrung auszusetzen.

Auch das meisterhaft gearbeitete caput pectorale, das sich heute im National-Museum zu Pest vorfindet, hatte offenbar ehemals einen gleichen Zweck, wie es das Fehlen der oberen Deckplatte des Hauptes und die Anbohrungen an demselben bekunden. Einzelne scheinbare Andeutungen, sowie die augenfällig technische und ornamentale Verwandtschaft unserer herma mit der das cranium Karl's des Grossen enthaltenden Reliquienbüste des Aachener Münsters, machen es wahrscheinlich, dass das vorliegende Brustbild vor seiner heutigen Entstellung und Erniedrigung von einer schmuckvollen Krone überragt war; ferner dürfte auf der Brust unseres Bildwerkes sich ehemals eine verzierende Agraffe in Form eines morsus vorgefunden haben, sowie auch die untere Umrandung ursprünglich mit dem Schmuck einer reich ornamentirten Prunkkette garnirt gewesen zu sein scheint. Endlich lässt sich auch aus der Analogie ähnlicher grösserer Pectoralbilder, die sich

Fig. 37.

unter den metallischen Kunst- und Reliquienschätzen der abendländischen Kirchen noch zahlreich vorfinden, der sichere Schluss ziehen, dass unser Brustbild früher auf einem zweckmässigen Gestelle angebracht war, welches demselben bei der öffentlichen Exponirung zum Sockel diente.

Was nun den technischen und künstlerischen Werth des in Rede stehenden caput pectorale betrifft, so wird man unbedingt zugeben, dass dasselbe von einem Meister des Goldschmiedegewerkes herrühren muss, der es in der schwierigen Kunst des Metalltreibens zu einer grossen Vollendung gebracht hatte. Zum Belege dieser Behauptung verweisen wir auf den scharf markirten Kopf; auf die prächtigen prägnanten Züge, die einem feststehenden Typus nachgebildet zu sein scheinen; ferner auf das trefflich stylisirte Bart- und Haupthaar, dessen Behandlung und Durchführung einen Mann im kräftigsten Lebensalter kennzeichnet; und endlich auf die zart durchgeführten Blattornamente, welche deutlich an jene eigenthümliche Verzierungsweise erinnern, wie sie von den Goldschmieden des XIV. Jahrhunderts vermittelst der Punze so häufig angewendet wurde. Gleich wie an der herma Karl's des Grossen im Krönungsschatze deutscher Könige zu Aachen, waren auch die Augenlider und Lippen unseres Brustbildes ehemals in vielfarbigem Email eingeschmelzt.

Fasst man den Entwurf und die stylistische Ausprägung unserer herma genauer ins Auge, rechnet man dazu die punzirten Blätter, sowie die charakteristische Stylisirung des gespalteten Bartes, so dürfte man wohl der Annahme beipflichten, dass dieses Brustbild in der letzten Hälfte des XIV., wenn nicht im Beginne des XV. Jahrhunderts Entstehung gefunden habe.

Was den specielleren Zweck unseres Pectoralbildes betrifft, so ist von competenter Seite die Ansicht geltend gemacht worden, dass ursprünglich in demselben das cranium divi Stephani verschlossen war, welches heute in der Kathedrale zu Stuhlweissenburg ehrfurchtsvoll aufbewahrt wird. Wir geben die Möglichkeit dieser Hypothese nicht unbedingt zu und würden es sehr gerne sehen, wenn sich aus einem älteren Schatzverzeichnisse positive Belege für dieselbe beibringen liessen.[17]

[17] Irrthümlicherweise schrieb man bis in die letzten Zeiten diese in Rede stehende Büste eines Heiligen dem berühmten Dynasten Matheus Trencsiniensis (Csák Máté) zu, der sich als Nebenbuhler Karl Robert's einen bedeutenden Namen und Anhang verschaffte.

XVI. Rauchfass in Messingguss. XV. Jahrhundert.

Fig. 38.

Da sich aus der Blüthezeit der gothischen Kunstepoche verhältnissmässig wenige Gegenstände in Gelbguss bis auf unsere Tage erhalten haben, so mag hier ein einfaches in Messing gegossenes Rauchfass des Pester National-Museums eine Stelle finden, da ja vorzugsweise in unseren Tagen aus allzu ökonomischen Rücksichten möglichst einfache Compositionen für Anfertigung kirchlicher Gefässe zum täglichen Gebrauche geboten sind.

Dieses Rauchfass, wie es unter Fig. 38 abgebildet ist, scheint von einem schlichten Gelbgiesser angefertigt worden zu sein, welcher darauf verzichtete, seiner Arbeit die höhere Weihe der Kunst zu verleihen. Nichtsdestoweniger bekundet dieses einfache und doch für seine Zeit äusserst charakteristische thuribulum einen ausgebildeten Sinn für architektonisch richtige Formen. Der untere Theil zeigt gar keine Verzierungen und besteht aus einem gegossenen Fusse mit darauf befindlicher Kuppe zur Aufnahme der Kohlen. Auch der reicher entwickelte Helm ist ein Erzeugniss des Gusses und zeigt ähnliche Formen, wie auch am Rheine die kupfernen Rauchfässer im XV. und im Beginne des XVI. Jahrhunderts zahlreich angefertigt zu werden pflegten. Offenbar würde der Helm und das ganze Gefäss eine reichere Entwicklung der Formen gefunden haben, wenn dasselbe in dem gefügigen Silber angefertigt worden wäre; das rohe Material des Kupfers und die Schwierigkeit des Gusses bedingen jedoch derbere und einfachere Formen, wie sie auch das vorliegende Gefäss zeigt. Der Helm möchte immerhin von Seiten eines stylkundigen Componisten eine verdiente Beachtung und Verwendung finden. Den charakteristischen Formen des Helmes nach zu urtheilen, dürfte unser thurieremium gegen Mitte des fünfzehnten Jahrhunderts auf ungarischem Boden Entstehung gefunden haben.

XVII. Pectoralschild als Krampe eines Chormantels. XVI. Jahrhundert.

Als Gegenstück zu der unter Nr. XIII Fig. 31 besprochenen reicheren fibula aus dem Übergangsstyl veranschaulichen wir unter Fig. 39 einen morsus, der in seiner äusseren Form wie in den vielen charakteristischen Einzelheiten die höchste Entwicklungsstufe der Gothik und die schon beginnende Renaissance kennzeichnet. Gleichwie die im Vorhergehenden besprochenen fibulae sich durch ihre Darstellungen als Geschmeide für profane Zwecke zu erkennen geben, so verräth der vorliegende Gewandhalter sowohl durch mehrere eigenthümliche Verzierungen als auch durch seine verschiedenen ciselirten Heiligenfiguren, dass derselbe ehemals einem kirchlichen Zwecke

Fig. 39.

diente und an einer Chorkappe als Pectoralkrampe angebracht war. Sowohl die architektonischen Ornamente als auch die durchbrochenen Baldachine, die sich über den in der Mitte angebrachten Figuren wölben, lassen in ihrer ziemlich nachlässigen Technik auf eine Entstehungszeit schliessen, als die Blüthe der gothischen Kunst schon bedeutend im Abnehmen begriffen und sogar die ersten Decennien des XVI. Jahrhunderts bereits verflossen waren.

Besonders originell und charakteristisch ist der äussere Rand gestaltet, der, wie das ganze monile, im Sechseck angelegt ist und durch kräftig filigranirte Streifen nach beiden Seiten abgefasst wird. Ein eigenthümliches cordonnirtes Ornament, fast in Muschelform, ersieht man in den sechs Zwikkeln der Einfassung; dasselbe ist uns übrigens noch an manchen ähnlichen morsus aus jener Zeit sowie an ungarischen Geschmeiden zu Gesicht gekommen. Überhaupt bietet die vorliegende fibula so viel Eigenthümliches im Gegensatze zu den monilia, die in derselben Zeit von rheinischen und schwäbischen Goldschmieden aus der Nürnberger und Augsburger Schule Entstehung fanden, dass dieselbe wohl nicht mit Unrecht als Norm und Typus für die ungarischen kirchlichen Goldschmiedearbeiten des sechszehnten Jahrhunderts angesehen werden kann, wie dieselben in formaler und technischer Hinsicht während und unmittelbar nach der Regierungszeit des grossen Mathias Corvinus (1458—1490) in Ungarn auftraten.

An den Formen dieses Pectoralkrampen kann man es sich auch erklärlich machen, dass, als die Gothik sich in solchen gewagten und zugleich abgelebten und ziemlich geistlosen Formbildungen in constructiver wie ornamentaler Hinsicht gefiel, die Renaissance und ihre neuen Formen mit Freuden begrüsst werden und allseitige Aufnahme finden musste.

XVIII. Kelch in vergoldetem Silber. Schluss des XV. Jahrhunderts.

Gleichwie die Holzsculptur im Mittelalter an der Hand der Madonna, d. h. durch die Darstellung der Bildwerke der allerseligsten Jungfrau nach und nach erstarkte, so dass am Schlusse des Mittelalters der Bildschnitzer die reichsten figuralen Darstellungen an den Schrein- und Klappaltären mit Leichtigkeit auszuführen verstand, so errang sich auch die mittelalterliche Goldschmiedekunst bei der Ausbildung des Messkelches, des ältesten und vorzüglichsten Cultgeräthes, ihre stufenweise Entwicklung und Vervollkommnung.

Durch die mannigfaltige Ausstattung des Messkelches in seinen einzelnen Bestandtheilen erlangte der Goldschmied eine solche Fertigkeit im Cisliren, Graviren, Nielliren und Emailliren, dass selbst die reichsten und schwierigsten Compositionen in einer überwuchernden Formenfülle und äusserst delicaten Technik der schaffenden Hand des Meisters kaum genügten. Ein solches Beispiel eines überschwenglichen Formenreichthums und einer äusserst gewandten Technik bietet jener Prachtkelch des ungarischen National-Museums, den wir unter Fig. 40 in verkleinertem Massstabe veranschaulichen. Ähnlich wie an dem Prachtkelche des heil. Godehard, aufbewahrt in der gleichnamigen Kirche zu Hildesheim, der die Blüthezeit der romanischen Kunstepoche kennzeichnet, wo der Fuss, der Knauf und die cuppa mit einer übergrossen Menge von filigranirten und ciselirten Ornamenten mit abwechselnden Edelsteinen übergossen ist, sind auch die Haupttheile an dem in Rede stehenden Kelche des ungarischen National-Museums, der dem Schlusse des Mittelalters angehört, der Art mit einer Menge von erhaben aufliegenden, getriebenen und ciselirten Pflanzenmotiven gleichsam überwachsen, dass zu einer Vermehrung und Steigerung des Ornamentes der Raum fehlen würde. Die grosse manuelle Fertigkeit nämlich, welche sich die Goldschmiede der schwäbischen Schule, als deren Hauptrepräsentanten die opifices zu Nürnberg, Augsburg und Regensburg galten, in jeder, auch der schwierigsten Technik ihres Gewerkes erworben hatten, verleitete sie gegen Ausgang des Mittelalters zu den verwickeltsten und schwierigsten Arbeiten. Anstatt desshalb die Flachtheile der liturgischen Gefässe, wie im XIII. und XIV. Jahrhundert, mit Email oder Niell oder allenfalls mit zartem Filigran zu beleben, wurden hier frei aufliegende ciselirte Pflanzen- und Blumenornamente angebracht, wodurch zwar der Reichthum und das prunkvolle Äussere bedeutend gehoben wurde, der kirchliche Ernst jedoch und die Bequemlichkeit beim praktischen Gebrauch keine Berücksichtigung mehr fand. So kam es denn auch, dass eine Reinigung solcher Prachtkelche nur noch durch die Hand des Goldschmiedes selbst möglich war. Eine Menge solcher überreichen Festtagskelche aus dem XV. Jahrhundert finden sich heute noch in grösseren Kirchenschätzen Ungarns vor, und sind dieselben zwar geeignet, als Prachtgeräthe im Schatzgewölbe ihre Stelle würdig auszufüllen, erweisen sich aber beim liturgischen Gebrauche wegen der allzugrossen Häufung des Ornamentes häufig als zweckwidrig.

Fig. 40.

Wir würden Gefahr laufen, für unsern Zweck zu ausführlich zu werden, wenn wir es versuchen wollten, auch nur in Kürze die Menge der koketten, spielenden Formen des überwuchernden Laubornaments zu beschreiben, wie es sich am Fusse, Ständer, Knaufe und der Kuppe unseres Kelches entwickelt. Fast scheint es, als ob der Meister nach den überladenen Formenhäufungen der Fussflächen an dem unteren Ständer zu einfacheren, mehr architektonischen Principien wieder zurückgekehrt sei, um hier für das Auge einen Ruhepunkt eintreten zu lassen. Am schönsten und gelungensten jedoch ist der breite Knauf ausgestattet, der gleich dem Fusse sechsseitig gestaltet ist und zwischen stark gekörnten und durchbrochenen Rändern ein frei gearbeitetes Pflanzenornament abwechseln lässt. Das ganz gleichförmig gestaltete Laubwerk der untern cuppa erhält einen passenden Abschluss in einer architektonisch durchbrochenen Bekrönung. Die cuppa selbst hat nicht mehr die streng geometrische Form des früheren Mittelalters, sondern ist schon pocalförmig angelegt.

Überschaut man die Totalwirkung des Kelches mit seinem phantasievollen Ornamentenreichthum und nimmt man die charakteristische Form der beiden Wappenschilder auf dem untern Theile der Kuppe hinzu, so wird man zugeben müssen, dass dieses Prachtgefäss am Schlusse des XV., wenn nicht im ersten Viertel des XVI. Jahrhunderts von einem Meister Entstehung gefunden hat, welcher der Entwickelung der schwäbischen Goldschmiedekunst unmittelbar bis zum Eintritt des neuen Styles gefolgt war. Eine Steigerung des Ornamentes ist nach solchen Leistungen, wie sie der vorliegende Kelch zeigt, nicht füglich denkbar, und war es desshalb erklärlich, dass die Renaissance zuerst in der Goldschmiedekunst Eingang fand, weil sie der Sucht nach neuen frappanten Formen genügen zu können schien.

Fig. 41.

Für ungarische Archäologen dürfte es vielleicht ein Leichtes sein, anzugeben, auf wessen Veranlassung der in Rede stehende Kelch angefertigt worden ist und welcher Kirche derselbe ursprünglich zugehört habe, da sich nämlich auf dem untern Ansatz der Kuppe zwei Wappenschilder vorfinden, deren eines wir unter Fig. 41 veranschaulichen: dasselbe lässt eine männliche Halbfigur erkennen, die aus einer Krone hervorragt, während das andere, abgebildet auf der oberen Kelchkuppe in Fig. 40, einen Theil einer von zwei Sternen überragten Mauerkrone zeigt.

XIX. Messkännchen aus vergoldetem Silber. XVI. Jahrhundert.

Unter den reichen liturgischen Gefässen, die sich im National-Museum zu Pest in ziemlich bedeutender Anzahl vorfinden, verdienen zwei spätgothische Messkännchen hinsichtlich der Originalität ihrer Anlage und der Vortrefflichkeit ihrer Technik hier eine besondere Erwähnung, welche der localen Tradition zufolge ehemals dem Schatze der bischöflichen Kirche zu Grosswardein angehört haben.

Was den Entwurf dieser äusserst zierlich ausgeführten Messkännchen betrifft, deren eines wir unter Fig. 42 in zwei Drittel der natürlichen Grösse veranschaulichen[18], so ist der Grundgedanke derselben bei den traditionellen Formbildungen stehen geblieben, wie sie schon im XII. und XIII. Jahrhundert bei den kirchlichen ampullae zur Anwendung kamen. Auf einem im Sechseck angelegten Sockel mit langgestrecktem Hals erhebt sich der ausgebauchte Behälter des Gefässes zur Aufnahme der Flüssigkeiten; nach der einen Seite hin ist ein zierliches Ausgussröhrchen

[18] Diese Abbildung hat bereits einmal in diesen Blättern eine Stelle gefunden, und zwar in unserer Abhandlung „Über die christlichen Messkännchen". IX. Jahrgang, 1864, Januar-Februar-Heft, S. 1—39. Der Vollständigkeit wegen ist dieselbe auch hier zur Anwendung gelangt.

angebracht, während an der entgegengesetzten Seite eine stark gekrümmte Handhabe sich befindet. In unserer Abhandlung über die christlichen Messkännchen haben wir unter Fig. 9, 10 und 11 drei kostbare in Krystall und Onyx gearbeitete ampullae abgebildet und näher besprochen, welche, der romanischen Kunstepoche angehörig und heute noch im Schatze von St. Marcus zu Venedig vorfindlich, eine ähnliche Anlage und Einrichtung zeigen, wie die des Domes von Grosswardein. Die Technik ist jedoch eine ganz verschiedene, indem die eigentlichen Behälter jener venetianischen Parallelstücke aus Krystall oder Onyx bestehen, wohingegen die des Pester Museums in meisterhafter getriebener und eiselirter Arbeit gehalten sind, ein opus malleatum, wie man es in dieser Perfection der Technik wohl schwerlich anderswo antreffen möchte.

Ähnlich den sogenannten Ananasbechern, wie sie im XVI. Jahrhundert besonders von Augsburger und Nürnberger Goldschmieden als Schau- und Prunkgefässe für fürstliche Tische gearbeitet wurden, ersieht man auch auf der Ausbauchung unserer Messkännchen zwölf birnenförmige Ornamente, welche in zwei Reihen übereinander geordnet sind und von einem frei aufliegenden Pflanzenwerk umrankt werden, wie es an derartigen Prunkgefässen aus der zweiten Hälfte des XVI. Jahrhunderts häufiger angetroffen wird. Der schlanke Ständer des Fusses, der Hals und der Deckel sind filigranartig mit feinen Quadraturen umsponnen, welche mit den schuppenförmigen Ornamenten an dem Ausgussröhrchen harmoniren. Sowohl die traditionell kirchliche Form dieser zierlichen Gefässe, als auch die Majuskel-Buchstaben A (Aqua) und V (Vinum), welche, von blauem Email umgeben, in starker Vergoldung im inneren Deckel angebracht sind, dienen zum Belege, dass dieselben gleich ursprünglich als Messkännchen angefertigt worden sind und nicht zuerst einem profanen Gebrauche gedient haben.

Fig. 12.

Ebenbürtige Gegenstücke zu diesen Grosswardeiner ampullae sahen wir in der reichhaltigen Sammlung von Meisterwerken der profanen Goldschmiedekunst des Baron Anselm von Rothschild in Wien. Dieselben geben sich ebenfalls durch die Majuskel-Buchstaben A und V als Messkännchen zu erkennen und dürften gleichzeitig mit den Pester ampullae zu jener Zeit von Meisterhand Entstehung gefunden haben, als unter Karl V. die ars fabrilis ihre grösste Höhe der artistischen und technischen Entwicklung erreicht hatte.

16*

Da die Messkännchen im Mittelalter entweder auf den Altartisch oder auf den breiten Rand der ausgehöhlten piscina gestellt wurden, so ist es erklärlich, dass die heute gebräuchlichen Schüsseln bei den mittelalterlichen ampullae nicht vorkommen.

XX. Trinkbecher in Silber mit vergoldeten Ornamenten. XVI. Jahrhundert.

Fig. 43.

Von den vielen interessanten silbernen Trinkbechern, die sich im ungarischen National-Museum vorfinden, ist unter Fig. 43 ein formschönes Exemplar abgebildet. Derselbe hat eine Höhe von 3″ 11‴, bei einem Durchmesser von 3″. Sowohl der untere Rand als auch die mittlere Fläche dieses Trinkbechers ist mit einem gothischen Laubwerk verziert, dessen Formen für die ersten Jahrzehente des XVI. Jahrhunderts massgebend sind. Diese stellenweise aufgelötheten, nachlässig ciselirten Ornamente sind im Feuer vergoldet, während die übrigen Flachtheile des Bechers in Silber gearbeitet sind. Auch der äussere Rand ist vergoldet und zeigt bereits in seinen feinen eingravirten Ornamenten den Durchbruch der Renaissance. Es liegt die Annahme nahe, dass unser Trinkbecher in dem ersten Viertel des XVI. Jahrhunderts von einem Meister angefertigt worden ist, der noch aus früherer Zeit ältere Stampiglien und Matrizen besass, die er zur Verzierung desselben angewandt hat.

XXI. Sechs Trinkbecher in vergoldetem Silber mit der Jahreszahl 1540.

Ausser einem artistischen Werthe haben diese sechs Trinkbecher, wovon einer unter Fig. 44 abgebildet ist, für das ungarische Landes-Museum auch noch einen bleibenden historischen Werth. Die lateinische Inschrift nämlich, die, um den geschichtlichen Ursprung der Becher zu constatiren, erst später auf einem derselben eingravirt worden zu sein scheint, besagt ausdrücklich, dass die Stadt Grosswardein diese sechs Trinkbecher dem Fürsten Stephan im Jahre 1540 zum Geschenk verehrt habe: „Serenissimo Principi Stephano urbs Varadina vovet 1540 sex cyathos“.

Nach Cáprinai und Schwandtner liegen mehrere Andeutungen und Nachrichten vor[19], dass der Grosswardeiner Magistrat im Jahre 1540 in der That sechs Becher dem Sohne des Johann Zápolya zum Geschenk machte. Es gebar nämlich Isabella, die Tochter des polnischen Königs Sigismund I., im Jahre 1540 einen Sohn, der in der Taufe den Namen Stephanus erhielt, jedoch später auf Befehl des Sultans Suleiman nach dem Namen seines Vaters Johann Zápolya, Königs von Ungarn, Johann II. genannt wurde. Bei Gelegenheit dieser Taufe nun sollen die Grosswardeiner dem Neugeborenen diese sechs Becher geschenkt haben. Diese sämmtlichen

[19] Einen ausführlichen Nachweis dieses Factums siehe in den illustrirten Monatsheften „Ungarn und Siebenbürgen“ von Rublayi Ferencz, Pest 1851, Lieferung 3.

Trinkgeräthe wurden im Jahre 1778, als der Eeseder Sumpf trocken gelegt wurde, aufgefunden und von dort nach Debreczin gebracht. Später gelangten sie durch Kauf in die Sammlungen des Nikolaus Jankovich, dessen sämmtliche Kunstschätze dem ungarischen National-Museum nach und nach einverleibt wurden.

Was nun die Form unserer Trinkbecher betrifft, so stimmen in der That die einzelnen Verzierungen, sowie die gesammte Composition mit der Zeitangabe der erwähnten historischen Notiz durchaus überein. Es finden sich nämlich die drei Hirsche, die an den Bechern als Pedalstücke angebracht sind, auch heute noch in dem Wappen der Stadt Grosswardein. Obgleich die Anlage und der Aufriss der Becher noch durchaus ein mittelalterliches Gepräge zeigt, so ist doch das breitgezogene ciselirte Laubornament am untern und obern Rande ein deutlicher Beleg, dass die neue Stylform der Renaissance mit ihrem antikisirenden Laubwerk und ihren neuverjüngten Akanthusblättern sich schon volle Anerkennung und Verwerthung verschafft hatte. Nur die mittleren Wulste mit den ciselirten Vierpassrosen sowie die untere Verzahnung können noch als Reminiscenzen an die überwundene Gothik betrachtet werden.

Fig. 11.

Wir würden ohne Zweifel die engen Grenzen dieser kurzen Besprechung der vorzüglichern metallischen Schätze des Pester Museums, die am allerwenigsten Anspruch auf Vollständigkeit macht, überschreiten, wenn wir hier auch die grosse Menge jener kleineren metallenen Kunstobjecte einer genaueren Betrachtung unterziehen wollten, welche sich, als Schmucksachen dem Profangebrauch angehörend, daselbst heute noch vorfinden. Nichtsdestoweniger können wir es uns nicht versagen, hier im Vorbeigehen auf die grosse Anzahl von Fingerringen aufmerksam zu machen, welche, aus verschiedenen Jahrhunderten des Mittelalters und der Renaissance stammend, sich kaum in einem anderen Museum so zahlreich vertreten finden[20]. Mit Hilfe dieser merkwürdigen Sammlung von mehreren Hunderten von Fingerringen, die meistens mit Perlen und Edelsteinen in kostbarer Fassung verziert sind, liesse sich wohl die Geschichte der allmählichen Entwickelung dieses Schmuckartikels seit den Tagen der römischen Kaiser und der Völkerwanderung bis herab zum Schlusse des XVII. Jahrhunderts zusammenstellen, wenn man überdies noch die reich-

[20] Eine noch reichhaltigere Sammlung von Ringen aus den Tagen der Völkerwanderung bis zum XVII. Jahrhundert, als jene ist, welche im Pester Museum angetroffen wird, findet sich im Besitze des Chevalier E. Waterton zu London. Diese Sammlung, ein Unicum eigener Art und von grossem historischen und archäologischen Werth, sahen wir vor wenigen Jahren im Kensington Museum zu London aufgestellt und eine Abtheilung derselben kürzlich in der Exposition d'objets d'art et d'antiquités, die gegenwärtig in Bruges eröffnet ist. Bei der grossen Zuvorkommenheit und dem wissenschaftlichen Interesse, das Mr. Waterton für metallene Kunstgegenstände hegt, steht mit Sicherheit zu erwarten, dass der kunstsinnige Besitzer dieser Sammlung sich in nächster Zeit veranlasst finden dürfte, seine seltene Collection mittelalterlicher Ringe und Schmucksachen in dem k. k. Museum für Kunst und Industrie gelegentlich zu exponiren.

haltige analoge Sammlung des Chevalier E. Waterton dabei zu Rathe zöge. Auch die Zahl der reich ornamentirten Vorstecknadeln ist im ungarischen National-Museum umfangreich anzutreffen. Ein besonderes Interesse beanspruchen ferner noch die zahlreichen Löffel, Gabeln und Messer, deren kunstvoll geschnitzten Stiele durch ihre delicaten Arbeiten der Emaillerie und Krystallschneiderei hinlänglich zeigt, welch grossen Werth man in den letzten Jahrhunderten auf kostbare Ausstattung der Tischgeräthe und Necessaires verwandte; auffallend wenige unter diesen Bestecken gehören dem Schlusse des Mittelalters, keines einer früheren Zeit an.

Überhaupt, wir wiederholen es, finden sich im ungarischen National-Museum jene Schmucksachen des Privatlebens am zahlreichsten vertreten, welche den Metallarbeiten des XVI., XVII. und theilweise des XVIII. Jahrhunderts angehören und eine vollständige Übersicht des Reichthums der verschiedenen Prunkgeräthe bilden, die sämmtlich als integrirende Theile des ungarischen National-Costüms zu betrachten sind, wie sich dasselbe seit den Tagen des grossen Matthias Corvinus bis auf Maria Theresia entwickelt und gestaltet hat. Dahin gehören zunächst die Brustkrampen, deren sich mehr als 20 daselbst vorfinden. Wir heben unter diesen reichen Geschmeiden aus dem Ausgange des Mittelalters, welche die ungarische Goldschmiedekunst auf der Höhe ihrer Entwickelung zur Zeit des Matthias Corvinus und seiner nächsten Nachfolger zeigen, besonders zwei monilia hervor, die dazu bestimmt waren, die stattlichen, häufig mit Pelzwerk verbrämten ungarischen Mäntel auf der Brust oder Schulter zusammenzuhalten.

Unter diesen Brustzierden verdient insbesondere eine interessante fibula, deren ciselirte Einzelheiten für eine Anfertigung in der letzten Hälfte des XV. Jahrhunderts sprechen, hervorgehoben zu werden. Aus derselben Zeit dürfte auch eine zweite Agraffe herrühren, die in einem runden Medaillon den doppelköpfigen Reichsadler in Filigranarbeit erkennen lässt. Wir müssen jedoch darauf verzichten, in diesem kurzen Berichte diese sämmtlichen Prachtgeschmeide genauer zu beschreiben und verweisen desswegen auf den wegen der Fülle des Materials nöthig gewordenen Katalog des Museums, der für Männer von Fach alle diese kostbaren Utensilien nach chronologischer Reihenfolge angeben und präcisiren wird. Blos erwähnt sei hier noch eine grössere Zahl interessanter eingeschmelzter und ciselirter Ornamente, die als Forgó auf die ungarische Kopfbedeckung (Kalpak) befestigt wurden, um die Reiherfeder zu halten. Nicht weniger merkwürdig sind auch eine Menge formreicher, meistens silbervergoldeter Leibgurte, die unter der Bezeichnung Övek von ungarischen und siebenbürgischen Magnaten als Prachtgeschmeide getragen zu werden pflegten. Die vielen goldenen Ketten endlich zeigen in der Fügung und den Gliederungen eine grosse Formverschiedenheit und Abwechslung und liefern den Beweis, dass die ungarischen Goldschmiede in der sogenannten Renaissance-Periode bei Herstellung dieser Geschmeide sowohl mittelalterliche als auch classische Vorbilder sich zum Muster und Vorbild gewählt haben.

Bereits im Beginne des Frühjahres 1862 haben wir es angesichts der vielen Objecte mittelalterlicher Kleinkunst im National-Museum zu Pest versucht, in allgemeinen Zügen eine kurze Besprechung der hervorragendsten Kunstwerke des gedachten Museums niederzuschreiben. Seit dieser Zeit ist von der kundigen Feder zweier ausgezeichneter ungarischer Alterthumsforscher, Professor F. Römer und Dr. Henszlmann ein archäologischer Führer in magyarischer Sprache unter dem Titel erschienen: Muregeszeti kalauz kulonos tekintettel magyarorszagra, in 4°. Pest, 1866. Auch unser auf dem archäologischen Gebiete unermüdlich thätiger Freund Ch. de Linas hat das Verdienst, in seiner neuesten interessanten Schrift „L'histoire du travail à l'exposition universelle de 1867" Heft IV, die merkwürdigsten Kunstwerke des ungarischen National-Museums ausführlich besprochen und gewürdigt zu haben, die heute einen hervorragenden Theil des Musée rétrospectif auf der diesjährigen Weltausstellung zu Paris bildeten. Indem wir Alterthumskundige von Fach auf diese einschlagenden gleichzeitigen Arbeiten in der Hoffnung verweisen, dass in nächster Zeit ein ausführlicher und möglichst vollständiger Catalogue raisonné unter Beigabe zahlreicher Abbildungen der Schätze des Pester Museums angefertigt und publicirt werden möge, beschränken wir uns schliesslich darauf, hier noch einige kurzgefasste Angaben über jene Sculpturen in Elfenbein als Anhang folgen zu lassen, welche, aus dem Mittelalter herrührend, sich heute noch ziemlich zahlreich im ungarischen National-Museum vorfinden.

XXII. Sculpturen in Elfenbein vom XI. bis XV. Jahrhundert.

1. Eine grosse geschnitzte Platte in Elfenbein, vorstellend die Kreuzigung des Herrn und den Gang der Frauen zum Grabe. Dieses Werk, das wohl dem XI. Jahrhundert angehören dürfte, wie es wenigstens das die eine der beiden Darstellungen umgebende Akanthusblatt andeutet, scheint von einem alten Diptychon herzurühren oder das Frontale eines Evangelistarium gebildet zu haben.

2. Zwei kleine Sculpturen in quadratisch durchbrochener Arbeit. Dieselben stellen die vier Evangelisten, sitzend an einem wenig entwickelten pulpitum, vor und zeigen durchaus die nämlichen Formbildungen, wie man sie in den Miniaturen aus der Ottonenzeit, wo namentlich die Evangelisten an ihren Schreibpulten ein Gegenstand häufiger Darstellung waren, vielfach vorfindet. Die vorliegenden Sculpturen jedoch möchten wir doch bereits etwas später ansetzen und dem XI. Jahrhundert als Entstehungszeit zuweisen.

3. Eine Sculptur des XI. Jahrhunderts, welche den heiligen Franciscus von Assisi vorstellt, wie er, der Legende zufolge, sich mit den aufmerksam lauschenden Fischen und Vögeln unterhält. Dieselbe scheint jedoch einer Reihe verschiedener Bildwerke ehemals angehört zu haben, welche die Wunder und Thaten des heiligen Franciscus Seraphicus darstellten.

4. Ein Reliquiar in Form der im Mittelalter häufig angewendeten arculae oblongae, dem XII. Jahrhundert angehörend. Die Flachseiten dieses Reliquienschreines sind mit kleinen stehenden Bildwerken in ziemlich ungeübter Sculptur verziert, die theils Apostel, theils andere Heilige vorstellen, welche wohl auf Ungarn Bezug haben dürften.

5. Ein Diptychon oder Klappaltärchen mit Spuren ehemaliger Bemalung. Dasselbe ist ohne Zweifel ein Meisterwerk der Elfenbeinschnitzerei, und rührt aller Wahrscheinlichkeit nach von den „ymagiers“ aus dem nördlichen Frankreich (Abbéville) oder aus Flandern her, wo sich auch heute noch die meisten Elfenbeinschnitzereien dieser Stylgattung erhalten haben. Was die Entstehungszeit dieses Schnitzwerkes betrifft, so zeigen die reiche Gewandung der vielen Figuren, die geschlungenen Bewegungen der letzteren, sowie auch die überragenden Baldachine derselben an, dass dasselbe bereits der Mitte des XIV. Jahrhunderts angehört.

6. Ein Diptychon in Elfenbein gearbeitet, welches verschiedene Scenen aus der Passion des Heilandes darstellt, die capellenförmig von je zwei Spitzbogen überragt werden. Dasselbe gehört ebenfalls der Mitte des XIV. Jahrhunderts an, hat aber in artistischer Hinsicht einen entschieden geringeren Werth als das vorige.

7. Zwei kleine Relief-Darstellungen der Anbetung der heilgen drei Könige. Die eine dieser Schnitzarbeiten hat im Laufe der Jahrhunderte bedeutend gelitten, wogegen die andere sich ziemlich erhalten hat, und, was das Interessanteste ist, eine noch fast vollständige Bemalung zeigt. Mit Rücksicht auf die vielen uns zu Gesicht gekommenen Sculpturen des XIV. Jahrhunderts in Holz, Stein, Elfenbein und Metall glauben wir ohne Wagniss die Behauptung aufstellen

zu können, dass die meisten geschnitzten und getriebenen Statuen und ornamentalen Kunstobjecte jener Zeit polychromirt zu werden pflegten.

8. Elfenbeintäfelchen in rechteckiger Form, dem XIV. Jahrhundert angehörend. Die obere Hälfte dieser Sculptur zeigt eine reich construirte Burganlage, während die untere entweder die biblische Erzählung von Baleam mit der Eselin oder aber irgend eine andere ähnliche Scene vorstellt, deren Deutung uns nicht einleuchtend war.

9. Zwei sculpirte Elfenbeinplättchen aus dem XV. Jahrhundert, welche in den entwickelten Formen der Spätgothik die osculatio St. Joachim et St. Annae inter auream portam templi Salomonis, sowie die annunciatio B. Mariae V. zeigen. Diese beiden Darstellungen finden sich im Mittelalter in den Werken der Sculptur, Malerei und Stickerei sehr häufig vereinigt vor, indem nach traditioneller Darstellungsweise das erstere die conceptio beatae Mariae Virginis, das letztere den Moment der Menschwerdung unseres Heilandes andeuten soll.

10. Sculptur in Elfenbein mit Überresten ehemaliger Vergoldung, welche verschiedene Engel unter gothischen Baldachinchen zur Darstellung bringen. Über dieser Architectur erblickt man in dem Gesims als Ornament die immer gedoppelte fleur de lis, die in ihrer Formbildung dafür zu sprechen scheint, dass dieser Bruchtheil einer grösseren Elfenbeinschnitzerei seine Entstehung im XIV. Jahrhundert, und zwar gegen Ausgang desselben fand, in jenen Tagen nämlich, als die Königin Maria aus dem Hause Anjou den ungarischen Thron einnahm.

11. Zwei Schmuckkästchen, deren Flachtheile theils mit eingelegten Holzarbeiten, theils mit sculptirten Figuren in Elfenbein verziert sind. Das Costüm der vielen sculptirten Bildwerke stellt dieses Kästchen zu jenen zahlreich heute noch erhaltenen Schmuckkästchen, wie sie, von den Elfenbeinschnitzern aus dem Schlusse des Mittelalters herrührend, sich in öffentlichen wie Privatsammlungen noch zahlreich vorfinden.

Die offenbar hervorragendsten und interessantesten Sculpturen in Elfenbein, die als wirkliche unica heute noch in vortrefflicher Erhaltung sich wie in keinem anderen Museum des Continentes in Pest vorfinden, sind jene zwei prachtvoll geschnitzten Reitsättel in Elfenbein, welche wir behufs einer späteren Publication von der geübten Meisterhand des Herrn Architekten Zimmermann bereits im Jahre 1862 haben aufnehmen und auf Holz übertragen lassen. Da diese von uns veranstalteten Abbildungen bereits früher in den „Mittheilungen" veröffentlicht worden sind, so erübrigt es noch, um nicht auf bereits Besprochenes zurück zu kommen, auf jene frühere Beschreibung dieser Prachtsättel, veröffentlicht von unserm Freunde Prof. F. Römer im Jahrg. 1865, p. I bis VIII, zu verweisen.

Das Mithraeum von Kroisbach.

Von Dr. Friedrich Kenner.

(Mit 3 Holzschnitten.)

Der Steinmetz Herr Georg Malleschitz entdeckte im Juni 1866 in einem Walde, der dem damaligen Bischofe von Raab, nunmehrigen Erzbischofe und Primas von Ungarn, Sr. Excellenz Herrn Johannes Simor gehört, auf dem Kroisbacher Hotter, nahe an der von Kroisbach nach Mörbisch führenden Strasse, die Reste eines Mithraeum und zeigte diesen Fund dem Director der k. k. geologischen Reichsanstalt, Herrn Sectionsrath Ritter v. Hauer an. Der letztere hatte die Güte, dem k. k. Münz- und Antiken-Cabinete Mittheilung davon zu machen, in Folge deren Herr Director Joseph Ritter v. Bergmann bei der k. k. Central-Commission für Erforschung und Erhaltung von Baudenkmalen die Aufnahme des Fundobjectes beantragte. Der Correspondent Herr Franz Storno in Ödenburg, welcher sich der Besichtigung des Fundes unterzog, sendete eine sorgfältige Beschreibung mit Zeichnungen und Plänen ein, zu deren Herstellung ihm der als Förderer der Wissenschaft allgemein bekannte nunmehrige Herr Primas die nothwendige Unterstützung angedeihen liess. Der Kirchenfürst hatte selbst nachträglich Grabungen an der Fundstelle veranstalten lassen, welche erfreuliche Resultate ergaben, sowie er auch die Güte hatte, selbst die Beschreibung der mitgefundenen 22 römischen Münzen zu übernehmen und der Central-Commission zukommen zu lassen.

Auf diesen Mittheilungen beruht die folgende Darstellung des Fundes, der weniger durch die mitgefundenen Inschriften und Sculpturwerke, die nichts hervorragendes enthalten, als vielmehr durch die deutlich erkennbare Anlage des Heiligthumes selbst eine hervorragende Stelle unter den bisher in den österreichischen Ländern gefundenen Mithraeen einnimmt.

1. Das Mithraeum bei Kroisbach liegt sehr schön am Abhange eines bewaldeten Hügels, aus dessen dünner Erdhülle der felsige Grund allenthalben vorragt; an der Westseite floss ein Bächlein, das sich ehedem einige hundert Schritte vom Fundort in den Neusiedlersee ergoss, jetzt aber, wie dieser, trocken liegt. Das Heiligthum erstreckt sich der Länge nach (von Nord nach Süd) $16^1/_2$ Fuss; die Breite ist ungleich und beträgt am Eingange auf der Nordseite $16^1/_2$—17 Fuss, auf der entgegengesetzten, der Südseite, wo ein Bildwerk mit dem Stieropfer angebracht war, nur $11^1/_4$ Fuss; das Heiligthum erweiterte sich also gegen den Eingang hin um mehr als die

Hälfte. Die südliche und östliche Seite werden von Naturfelsen gebildet, während die Westseite und wahrscheinlich auch die Nordseite aufgemauert war[1].

Im Innern zeigt das Mithraeum jene merkwürdige Abtheilung in drei Räume, der man auch bei den zwei Mithrastempeln in Heddernheim[2] und bei jenem von Ostia[3] begegnet; sie gehört zu den entfernten Analogien, welche dieser Cultus im Äusserlichen mit dem Christenthum aufweist[4]. In der Mitte des Heiligthumes ist nämlich ein rechtseitiger Raum von 14 Fuss Länge und 6½ Fuss Breite ausgetieft, so dass er 2½ Fuss tiefer liegt als das Niveau der beiden Seitenräume. An den Langseiten und der nördlichen Schmalseite ist der vertiefte Raum mit niedrigen Mauern eingefasst, die bis in den Fond des Mithraeums, bis an das Bildwerk, reichen; auf den ersten Anblick gleichen sie an den Wänden hinlaufenden Bänken; ihre Oberfläche bildet den Boden der Seitenräume und des Pronaos. In der Breite sind sie ungleich: im Fond messen sie 2 — 2¾ Fuss, am Ende der Vertiefung 5 Fuss Breite.

Dieser Anlage zufolge kam der auf der Nordseite Eintretende zunächst zu einer Thüröffnung von 6½ Fuss in der Breite und 2½ Fuss in der Länge, die ursprünglich wahrscheinlich zwei oder mehrere Stufen enthielt[5], über welche man in das Heiligthum hinabstieg. Sodann befand man sich in einem Vorraume, einer Art von kleinem Pronaos, welcher der Tempelzelle nach ihrer ganzen Breite vorgelagert war; er beträgt 17 Fuss in der Breite, während die Länge nicht bestimmt ist. Von diesem Vorraume weg theilte sich das Innere des Tempels in jene drei Theile: den vertieften Mittelraum und die beiden erhöhten Seitenräume. In den Tempeln von Heddernheim und in jenem von Schwarzerd im Elsass, über welche noch zu reden sein wird, war der Mittelraum mit Längsmauern umschlossen, die bis nahe an die Decke des Gebäudes gereicht haben, so dass er völlig von den Seitenräumen getrennt war. Dagegen liefen bei dem Tempel in Ostia die erhöhten Seitenräume wie breite Bänke frei neben dem Mittelraume hin, ohne durch Mauerwände von ihm getrennt zu sein. Dasselbe war sehr wahrscheinlich auch bei dem Kroisbacher Mithraeum der Fall, da sich keine Spuren solcher Scheidungsmauern finden, wenn gleich die Dimensionen desselben ganz ähnlich sind, wie bei jenem in Schwarzerd im Elsass, von dessen Mauern die deutlichen Spuren noch vorhanden sind. Als ein mit dem Cultus innerlich zusammenhängendes Erforderniss erscheint demnach nur die Abtheilung in drei Räume, sehr wahrscheinlich um die Priester und die Eingeweihten durch die verschiedenen Plätze auszuzeichnen[6], welche sie bei der Feier der Mysterien einnahmen. Aber keine nöthige Eigenschaft des Baues scheint die Trennung des Mittelraumes von den Seitenräumen durch Längsmauern zu sein, sonst wäre sie wohl auch in dem grösseren Tempel zu Ostia eingehalten worden.

[1] Natürliche Felsen benützte man, wo es thunlich war, mit grosser Vorliebe für den Dienst des Mithras, da er der aus dem Fels geborene Gott des Feuers war und in Persien nur in Grotten gefeiert wurde.

[2] Die Mithrastempel in den römischen Ruinen bei Heddernheim von F. G. Habel in den Annalen für nassauische Alterthumskunde, I. Band, 2. und 3. Heft, S. 161 ff., mit Tafeln.

[3] Del Mitreo annesso alle terme ostiensi di Antonino Pio von C. L. Visconti in den Annali di corr. Arch. 1864, p. 117 ff., mit Tafeln.

[4] Habel a. a. O. S. 172, Note, und Visconti p. 158. Hat man doch bei den Einweihungen in den Mithrasdienst die christlichen Sacramente äusserlich nachgeahmt. Tertullian de bapt. c. 5, de praescript. c. 40. Vgl. Zell, Mithrageh. p. 133 ff.

[5] In Heddernheim fanden sich sieben Stufen am Eingange, die symbolisch auf die Lehre von den sieben Phasen der Seelenwanderung gedeutet werden. Diese wurde durch eine Treppe von sieben Stufen dargestellt. „Die erste von Blei war dem Saturn, die zweite von Zinn der Venus, die dritte von Erz dem Jupiter, die vierte von Eisen dem Mercur, die fünfte von gemischtem Erz dem Mars, die sechste von Silber dem Monde, die siebente von Gold der Sonne gewidmet." Celsus in Origines' Buch wider diesen Philosophen. Seel, Mithrageheimnisse S. 253.

[6] Über eine derartige Bestimmung der drei Räume sind alle Schriftsteller einig, verschieden aber sprechen sie sich aus über die Classen der Mithrasverehrer, denen sie angewiesen wurden. Seel (S. 253) versetzt in den Mittelraum die Priester, in die Seitenräume die Einzuweihenden (Novizen), ähnlich wie in den altchristlichen Kirchen (z. B. S. Clementis) für die Priester in der Mitte der Kirche ein Chorraum abgeschlossen wurde. Dagegen stellt Visconti, wohl mit Unrecht, die Eingeweihten auf die erhöhten Seitenräume, die Profanen in den vertieften Mittelraum (p. 157); die Ansicht Seel's verdient den Vorzug.

Wir haben uns eben auf die Überreste eines Mithraeum im Dorfe Schwarzerd bei Zweibrücken bezogen, wo sich ein Relief mit dem Stieropfer des Mithras, gleichfalls in den Naturfelsen gemeisselt, findet wie in Kroisbach. Um dasselbe merkt man noch heute die deutlichen Spuren der an den Naturfelsen[7] angebauten Wände und des Dachstuhles. Nach diesen Andeutungen und andern vorhandenen Spuren kann man das dortige Mithraeum in seinen Dimensionen reconstruiren; auf letztere müssen wir um so mehr aufmerksam machen, als sie mit jenen des Kroisbacher Heiligthumes in der Hauptsache nahe übereinstimmen und daher, was bei jenem von Schwarzerd nicht mehr erkennbar ist, nämlich die Länge, aus jenem von Kroisbach, und was bei letzterem fehlt, die Höhe und Construction der Decke, aus dem ersteren sich herstellen lässt. Der Mittelraum des Schwarzerder Baues war $6^1/_3$ Fuss breit[8] (in Kroisbach $6^1/_2$ Fuss), die Seitenräume massen kaum 2 Fuss in der Breite (in Kroisbach im Fonde ebenso breit). Auch die Länge dürfte somit jener des Kroisbacher Mithraeum ähnlich gewesen sein, also $16^1/_2$ Fuss betragen haben. Nach den Löchern der in den Felsen eingesetzten Balken war der Mittelraum des Schwarzerder Heiligthumes an den Langseiten mit Mauern abgegrenzt, welche bis zu einer Höhe von 9 Fuss 3 Zoll reichten und ein Gewölbe trugen, das aber, da jene Mauern schwach gewesen sein müssen, wohl nur aus hohlen Ziegeln hergestellt war; dies Gewölbe spannte sich wie ein Bogen über das Bildwerk und deckte den Mittelraum nach seiner Länge ein. Die äusseren Wände, welche die Seitenräume und den Pronaos umgeben, waren $10^1/_3$ Fuss hoch, also um einen Fuss höher als die Wände des Mittelraumes. Sie trugen den Dachstuhl, dessen Giebelspitze 13 Fuss 10 Zoll, also nahe 14 Fuss über dem Boden der erhöhten Seitenräume erhoben war[9]. Die Flügel des Dachstuhles sowie das Gewölbe des Mittelraumes wurden mittelst Balken an dem Naturfelsen befestigt. In dieser Art war das Schwarzerder Mithraeum, mit Benützung des Naturfelsens als seiner Rückwand, gebaut. Ganz ähnlich dürfen wir uns das Kroisbacher Mithraeum aufgeführt denken, da es ja in den wichtigsten Massen auffallend mit jenem übereinstimmt; nur darin besteht ein Unterschied zwischen beiden, dass in Kroisbach die Cella nicht mit Wänden eingeschlossen war wie in Schwarzerd und dass der Naturfelsen nach seiner Lage dort einen Win-

Fig. 1.

[7] Nach Schöpflin Alsatia illustrata I, 501 ff., wo eine interessante Abbildung des Naturfelsens in Kupferstich (Tab. IX, 1 ad pag. 491) beigebracht wird. — Habel a. a. O. S. 176. Vgl. auch Seel, Mithrageheimnisse S. 283, Tafel XV.

[8] Rheinisches Mass, 1 Fuss = 11 Zoll 11 Linien Wiener Mass.

[9] Habel gibt die Höhe der Giebelspitze auf 9 Fuss 3 Zoll an (S. 176), was unrichtig ist, da Schöpflin die Höhe der Wände der Seitenräume schon auf 10 Fuss 1 Zoll angibt, wozu noch die ganze Höhe des Dachstuhles zu rechnen kommt.

17*

kel bildet und sich daher eignete, nicht blos für die südliche Rückwand, sondern auch für die östliche Langseite benützt zu werden. Da aber letztere mit der Südwand keinen rechten, sondern einen stumpfen Winkel bildete, so führte man auch die Mauer an der Westseite nicht im rechten Winkel zur Südwand, sondern gleichfalls in einem stumpfen; dadurch gewann die Symmetrie und man erhielt für die Seitenräume, die sich nach dem Eingang hin erweiterten, und für den Pronaos mehr Platz. Dass das Heiligthum mit Ziegeln eingedeckt war, beweisen die vielen Bruchstücke römischer Dachziegel, die man dort gefunden hat, wie Herr Storno in seinem Bericht hervorhebt.

Es stellt sich also unser Mithraeum, wenn wir es uns nach Analogie anderer Mithrastempel restaurirt denken, dar als ein grösserer von dem Naturfelsen auf der Ost- und Südseite, von der Tempelmauer auf der Nord- und Westseite eingeschlossener Raum, der auf gleichem Niveau den Pronaos und die Seitenräume enthält, und bei einer Höhe von 14—15 Fuss eine Breite von 17 und eine Länge von $16\frac{1}{2}$ Fuss hatte. Umgeben von diesem Raume lag das innere Heiligthum, die Cella, der vertiefte, von den erhöhten Seitenräumen an den Langseiten und von dem Bildwerke an der südlichen Schmalseite abgeschlossene Mittelraum.

Das Mithraeum empfing das Licht nur von der Eingangsthür, die anderen Wände und die Decke waren ohne Lichtöffnung, und da die Pforte wohl zumeist verschlossen war, so musste das Innere durch Lampen erhellt werden. Die gemauerten Wände sind ohne Zweifel bemalt gewesen: die Wände des Heddernheimer Tempels waren in senkrechten Streifen abwechselnd weiss, roth, blau und grün[10], jene des Tempels von Ostia roth bemalt[11]. Auch das Bildwerk, wie noch angezeigt werden wird, war bemalt und zwar vorzugsweise roth, welche Farbe ja Mithras, „dem rothen Feuer, dem Sohne des Ormuzd“, entspricht. Denken wir uns dazu noch die dunklen Felswände, die völlige Abgeschiedenheit vom Tageslichte, so können wir uns den geheimnissvollen und feierlichen Eindruck wohl vorstellen, welchen in dem mit Lämpchen erleuchteten Raume, das Vorwiegen der rothen Farbe, die edle Bildung des Gottes auf dem Relief und das mystische Stieropfer, das er vollbringt, hervorgebracht haben müssen.

2. Der Umstand, dass unser Heiligthum zu den kleineren der bis jetzt bekannt gewordenen Mithrastempel gehört[12], erklärt auch die mannigfachen Abweichungen in der Anlage des Innern. Die um vieles grösseren Tempel von Heddernheim und Ostia haben einen dem Eingange gegenüberliegenden, aus der Rückwand vorspringenden Altarraum, ähnlich dem Chor in den christlichen Kirchen; im Tempel zu Ostia stand vor dem Bildwerke, das die Rückwand des Altarraumes bildete, der viereckige Opferaltar, um denselben standen die kegelförmigen Steine, Symbole der petra genetrix, des den Feuerfunken (Mithras) hervorbringenden Felsens, und die sieben kleinen Feueraltäre, die auch auf einem Mithrasrelief aus Rom abgebildet sind[13]. Auch bei dem in Deutsch-Altenburg gefundenen Mithraeum standen sechs Votivaltäre um das Bildwerk herum[14].

Dagegen im Kroisbacher Mithraeum fanden sich die Altäre nicht vor dem Bildwerke, sondern im Pronaos am Eingange, so dass man schliessen muss, es sei das Opfer im Vorraume vollzogen

[10] Ebenda S. 174.

[11] Visconti a. a. O. in den Annali p. 159.

[12] Der Tempel in Ostia war $50\frac{2}{3}$ Fuss lang, $16\frac{5}{6}$ Fuss breit, der eine von den Tempeln in Heddernheim $35\frac{5}{6}$ Fuss lang, ohne Eingang und Altarraum $25\frac{3}{4}$ Fuss breit; der andere 46 Fuss 7 Zoll lang, 11 Fuss 7 Zoll breit. Die Dimensionen des Schwarzerder Heiligthums wurden schon genannt; sie sind jenen von Kroisbach ähnlich.

[13] Vgl. die Abbildungen bei Zell, Mithrageheimnisse Tafel IX. nach dem Stich von A. Lafreri Franccomtois.

[14] Freiherr v. Sacken, Neueste Funde in Carnuntum, Sitzungsberichte der philosophisch-historischen Classe der kais. Akademie der Wissenschaften XI, 340.

worden, was Habel auch für den Heddernheimer Tempel vermuthet[15]. Man fand in Kroisbach zwei Votivaltäre mit einfach profilirten Gesimsen und Postamenten, beide auf getrennte Steinplatten aufgestellt. Der eine, $2^1/_2$ Fuss hoch, $1^2/_3$ Fuss breit, enthielt die Inschrift:

Auf dem Gesims:

D . S . I . M

Auf dem Spiegel:

L . AVIT M
TVRVS . DC
COL . FARN (sic)
V . S . L . M

„Deo Soli invicto Mithrae Lucius Avitus Maturus decurio coloniae Farn (offenbar Karnunti) votum solvit libens merito." Der Altar war also von einem Decurio, von einem Mitgliede des Stadtrathes der benachbarten Colonie Karnuntum (bei Petronell) errichtet. Der Stein stand auf einer Platte von 2 Fuss Breite, $2^1/_6$ Fuss Länge und $^2/_3$ Fuss Höhe. Das Materiale ist, wie bei allen in unserem Mithraeum gefundenen Objecten aus Stein, der in der Umgebung brechende Sandstein von Kroisbach und St. Margarethen.

Der andere Inschriftstein, $2^1/_4$ Fuss hoch und 1 Fuss breit, enthielt die Inschrift:

. I . M
SET . IVSI (sic)[16]
AN'S . ARM
C'ST . L . XIIII . G
ANTON . V . S

„(Soli) invicto Mithrae Septimius Iustinianus armorum custos legionis decimae quartae geminae Antoninianae votum solvit." Es war demnach ein Waffenmeister (eine der unteren Chargen), welcher den Altar widmete; er diente in der XIV. Legion, deren Stab seit Marc Aurel in Karnuntum lag, und zwar zu einer Zeit, als sie den Beinamen Antoniniana führte, nach dem Vornamen des Kaisers Caracalla (211 — 217). Der Stein kann also nicht vor der Regierungsepoche dieses Kaisers errichtet worden sein, worauf auch der Vorname des Widmenden Septimius, der in unserer Gegend mit dem Beginne der Dynastie des Kaisers Septimius Severus häufig wird, hindeuten dürfte. Der Stein stand auf einer Platte von 2 Fuss Breite, 1 Fuss 7 Zoll Länge und $^3/_4$ Fuss Höhe.

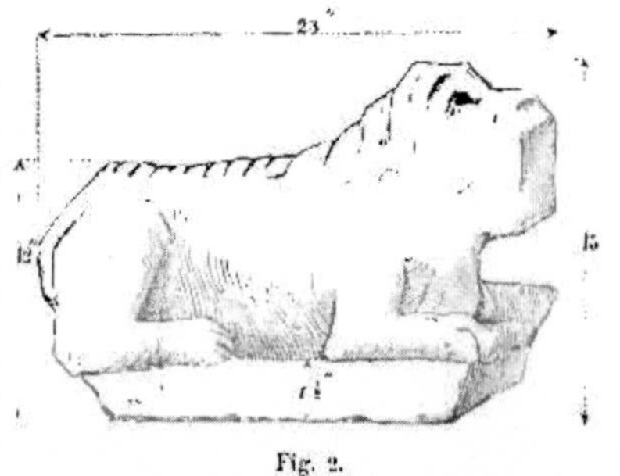

Fig. 2.

Zugleich mit diesen Steinen fand man am Eingange die Figur eines liegenden Löwen (Fig. 2) und einer Löwin, 21—23 Zoll lang und 12—115 Zoll hoch, aus Stein, welche sehr wahrscheinlich zur Ausschmückung des Portales oder als Wasserspeier gedient haben. Ähnliche, etwas kleinere Löwen fanden sich in den Heddernheimer

[15] A. a. O. in den Annalen der nass. Alterthumskunde I. Band, 2.—3. Heft, S. 192.

[16] Die Schreibung des zweiten Namens ist offenbar ein Versehen des Steinmetzen; V oder die Ligatur 'S ist überflüssig; in dem zweiten Steine mit demselben Namen (s. unten) ist die Schreibung richtig.

Tempeln[17]; einer der letzteren soll als Wasserspeier gedient haben; auch im Mithraeum von Deutsch-Altenburg fand sich ein liegender Löwe von 12 Zoll Länge[18], der nach der Durchbohrung des Mundes gleichfalls als Wasserspeier gedient haben dürfte.

In die südliche vom Naturfelsen gebildete Wand war das grosse Bildwerk gemeisselt. Es misst in der Breite $7^1/_4$ Fuss, wovon 1 Fuss auf den 6 Zoll breiten Rahmen abzurechnen ist. Die Höhe beträgt $4^1/_2$ Fuss. Das Relief zeigt in einer nischenförmigen Vertiefung, die nach oben durch einen bogenförmigen Rahmen abgeschlossen ist, die gewöhnliche Darstellung. Mithras mit eiförmiger Mütze und gelocktem Haar, von vorn gesehen, setzt das linke Knie auf den zusammengebrochenen Stier, dessen Nüstern er mit der linken Hand fasst, um den Kopf des Thieres festzuhalten, während er mit der Rechten den Dolch in seinen Nacken stösst. Er ist mit der geschürzten Kandys bekleidet, über welcher der wehende Mantel mit grossem ruhigen Faltenwurf dargestellt ist. Der Stier erhebt den Schweif und stampft mit dem linken Vorderfuss den Boden. An seinen Hals springt von der rechten Seite des Beschauers der Hund hinauf, von der linken windet sich die Schlange heran, beide um das aus der Wunde quellende Blut zu lecken. Von dem Skorpion ist nur mehr eine undeutliche Spur erhalten.

Zu beiden Seiten befinden sich die bekannten Genien, hinter dem Stiere jener mit der gesenkten, vor ihm der mit der erhobenen Fackel; sie sind mit phrygischen Mützen bedeckt und mit kurzen ärmellosen Röcken und einem Mantel bekleidet. Über ihnen ausserhalb des Rahmens und zu beiden Seiten des den Mithras überspannenden Bogens finden sich zwei stark abgestossene Brustbilder nach vorn gekehrt[19]. Nach Analogie vieler anderer ähnlicher Reliefs stellt das Brustbild zur Linken des Beschauers den Sonnengott, jenes zur Rechten die Mondgöttin dar.

Das Relief wurde, wie gesagt, in den rohen, ziemlich grobkörnigen, sehr porösen Naturfelsen gemeisselt, dann mit Gips überzogen und bemalt; von der Bemalung haben sich mehrfache Spuren erhalten; der Grund war blau angelegt, die Gewänder roth, wie dies auch in Ostia der

[17] Habel a. a. O. S. 180. Nr. 9, Tafel IV, 7, und S. 195, Nr. 2, Tafel V, 7, 7 a. — In Ostia fand sich im Mithrastempel unter andern ein Löwenkopf aus Marmor mit viereckigem Ansatz zum Einlassen in einen Stein oder eine Wand. Visconti in den Annali XXXVI. 171.

[18] Freiherr v. Sacken. Über die neuesten Funde zu Carnuntum, Sitzungsberichte der philosophisch-historischen Classe der kais. Akademie der Wissenschaften XI. S. 341. Der Löwe steht in enger Beziehung zum Mithrascult als astrales Symbol. Vgl. die folgende Note.

[19] Die vielfach und im wesentlichen ziemlich übereinstimmend gedeutete Symbolik erklärt B. Stark in der Abhandlung „Zwei Mithraeen der grossherzoglichen Alterthümersammlung in Karlsruhe", welche in der Festschrift zur XXIV. Versammlung deutscher Philologen und Schulmänner in Heidelberg (Heidelberg 1865) abgedruckt ist, als eine Darstellung des elementaren Einflusses, den die Sonne im Weltsysteme ausübt und der zugleich als Symbol der Macht des Lichtes im ethischen Sinne gilt. Die nischenförmige Vertiefung, die im Relief den Grund bildet, ist „die irdische, die Körperwelt, die unter der Macht des Mondes und der Planeten steht, in die die Sonne nur gebeugt, geschwächt durch die Beugung der Ekliptik, eintritt, um immer von neuem kämpfend, den lunaren Einfluss begrenzend, in bestimmtem Umlauf der Zeiten als Sieger hervorzugehen. Die Sonne (das Brustbild links oben) ist der Pförtner nach oben; der Weg zum ewigen unvergänglichen Licht, zu dem Fixsternhimmel, zu der seligen Götterwelt, geht mit ihr und durch sie aus dieser irdischen, dunkeln, nur halberleuchteten Welt, während der Weg des Mondes abwärts führt aus dem Licht in das Halbdunkel und der ewigen Geisterwelt in die Körperwelt." Der Gegenstand der Hauptgruppe „die Stierbändigung und Tödtung ist das Bild des Sonnenhelden, der im Umlauf des Sonnenjahres immer neu die Kraft des Mondes, der den Monatwechsel und in ihm das Werden und Vergehen alles Lebens, des Pflanzen-, wie des Thier- und Menschenlebens bedingt, der in sich die Samen der lebendigen Wesen trägt, begrenzt, ja ihn mit schmerzlicher Theilnahme tödtet, um aus dem Tode neues Leben, ein neues Jahr hervorgehen zu sehen. Der Stier ist durchaus Symbol des Mondes; die Ähren (in welche der Stierschweif endet) Bild der Jahresfruchtbarkeit, die Fackelträger (zu beiden Seiten des Stieres) Vertreter der Äquinoctien im Frühling und Herbst, des aufsteigenden und sich senkenden Lichtes, der Skorpion, der den Stier an seiner Zeugungskraft anpackt, das dem Stier als Sternbild des Frühlings streng entgegengesetzte Zodikalgestirn des Spätherbstes, der ersterbenden Natur, der wächterartig aufschauende, das Blut leckende Hund der Sirius, der Wächter des Himmels, dieses Gestirn verzehrender Gluth, dieser uralte Zeitmesser und Regulator gleichsam des Sonnenjahres mit seinen Epagomenen." Auch die Wasserschlange und der Löwe haben eine astrale Beziehung.

Fall war, die Locken des Gottes gelb[20]. Die Fleischtheile hatten wohl ihre natürliche Farbe wie am Relief in Ostia[21].

Wer der Stifter dieses Bildwerkes gewesen, ist uns nicht bekannt, da die Inschrift auf dem Rahmen unten, welche den Namen desselben enthielt, theilweise zerstört ist; der erhaltene Theil zeigt schöne grosse Charaktere und lautet:

.. (zerstört) . . . FECIT IN'ENDIO SVO . . . (Bruch)

Wir erfahren daraus nur, dass der Stifter das Bildwerk auf eigene Kosten (inpendio suo) herstellen liess.

Neben dem grossen Relief in dem stumpfen Winkel, den die Süd- und Westseite zusammen bilden, fand man liegend eine Steinplatte von $4^2/_3$ Fuss Höhe, $3^1/_4$ Fuss Breite. Der obere Theil derselben zeigt innerhalb einer rechtwinkeligen Vertiefung eine ähnliche Darstellung des Stieropfers wie das grosse Bildwerk an der Rückwand des Mittelraumes; nur befanden sich bei dem kleineren Relief die Büsten von Sonne und Mond innerhalb der Vertiefung; die obere rechte Ecke war weggebrochen, daher fehlt die Büste des Sonnengottes; dagegen ist in der linken Ecke das Bild der Mondgöttin vollkommen erhalten; es ragt über den Fackelträger (Genius des Aufganges) hervor und wird von seiner Mütze zum Theile verdeckt. Der Kunstwerth dieses zweiten Reliefs ist aber um vieles untergeordneter als an dem grossen Bilde, die Ausführung ist plump und steif. Der untere Theil der Platte zeigte über dem Sockel eine seichte rechteckige Vertiefung von $2^1/_2$ Fuss Länge und 1 Fuss Höhe und einer Inschrift, deren Buchstaben mit rother Farbe ausgefüllt sind; sie lautet:

D . INVICTO
M . I . T . R . E . S
IVL . SATVRNNVS (sic)
EX VOTO . POSVIT
L M

„Deo invicto Mitre sacrum Julius Saturninus ex voto posuit libens merito." Die Schreibung des Namens des Gottes deutet übereinstimmend mit der Arbeit am Relief auf eine spätere Zeit, die zweite Hälfte des III. Jahrhunderts. Das Innere des Mantels des Mithras, die Röcke der Fackelträger, der Hund und der glatte Rahmen der Inschrift zeigen Spuren von Bemalung mit rother Farbe; da aber die Gesteinart, aus welcher dieses Relief hergestellt wurde, feinkörniger ist, fand sich kein Gipsüberzug unter der Bemalung.

Unter diesem kleineren Bildwerk soll sich ein Sarg, gebildet aus römischen Ziegeln, vorgefunden haben, der das Skelet eines Menschen enthielt. Leider fand Herr Storno an Ort und Stelle nur mehr zerschlagene Fragmente von Ziegeln und Knochen vor. Es wäre etwas ganz abnormes, in einem Tempel ein Grab zu finden: es könnte dies höchstens vorausgesetzt werden in einer Zeit, wo der Mithrascult nicht mehr geduldet und unser Heiligthum bereits verlassen war. Dann hätte das Grab nur von einem Heiden, sicher nicht von einem Christen herrühren können; letztere würden gewiss nicht einen heidnischen Tempel zur Bestattung gewählt haben, da sie die Gräber nur in geweihter unberührter Erde, nicht aber an einer durch heidnischen Götterdienst entweihten vornahmen. Wir werden unten noch Gelegenheit finden, auf diesen Sarg zurückzukommen.

[20] Auch diese Farben sind symbolisch; die blaue des Grundes bezieht sich auf den Weltraum, die rothe der Gewänder auf das Feuer, die blonde Farbe der Haare wohl auf die Jugend der Gottheit.

[21] Visconti a. a. O. in den Annali XXXVI. p. 159.

Dass sich in unserem Mithraeum ein zweites Relief fand, darf nicht überraschen; es wurde als Opfergabe eines Verehrers der Gottheit an die Wand gestellt. Ebenso fand sich in dem einen Tempel von Heddernheim ausser dem Hauptrelief ein kleineres aus weissem Marmor[22]; auch im Deutsch-Altenburger Heiligthum fanden sich zwei Bildwerke[23]. Nach seiner Breite scheint es eben an der Wand der westlichen Langseite aufgestellt gewesen zu sein und nicht ein specielles Bildwerk für den Seitenraum gebildet zu haben; in diesem Falle hätte es nach der Breite desselben errichtet gewesen sein müssen, wie das Hauptrelief nach der Breite des Mittelraumes. Dies war aber unmöglich, da der Seitenraum im Fond nur 2 Fuss, das Relief aber 3¼ Fuss breit ist.

Herr Storno führt noch andere Fundobjecte aus dem Mithraeum auf, von denen aber der Platz, wo man sie auffand, leider nicht mehr genau angegeben werden kann. Es waren: eine Ara von 21 Zoll Höhe, der Aufsatz gebrochen; die Inschrift, deren oberste, vorletzte und letzte Zeile zerstört sind, lautet:

. . . .
SEP IST
ANVS
. . . .
. . . .

Sie gehört wahrscheinlich demselben Septimius Justinianus an, der armorum custos in der XIV. Legion gewesen und den oben aufgeführten Inschriftstein setzen liess; ferner eine Thonlampe, 3 Zoll lang, von der einfachsten Construction, ohne Handhabe und Töpfernamen; das Bruchstück einer zweiten ähnlichen Lampe und eine Urne, 3½ Zoll hoch, aus grauem Thon von grober Technik und ziemlich dicken Wänden; am geschlossenen Feuer gebrannt, auf einer Seite beschädigt.

3. Eine besondere Eigenthümlichkeit des Kroisbacher Mithraeums sind die stossweise übereinander aufgeschichteten Aschenbehälter, die aus Leistenziegeln zusammengesetzt waren. Sie fanden sich im Mittelraume und bestanden aus je zwei mit den Leisten aufeinandergestellten Ziegeln; da die letzten nur an den Schmalseiten Leisten haben, so waren die Behälter an den Langseiten offen. Nach den Massen der einzelnen Ziegel waren sie 18½ Zoll lang, 14¼ Zoll breit und etwa 6 Zoll hoch. Je drei solcher Behälter waren aufeinander gelegt und mit einem noch vorgefundenen unregelmässig behauenen Steine beschwert. In jedem jener hohlen Räume, welche die Ziegel bildeten, fand sich Asche und je eine Münze. Die letzteren hatte, wie schon am Eingange bemerkt, Seine Excellenz der Herr Primas die Güte zu bestimmen: es sind nach dem in lateinischer Sprache abgefassten Verzeichnisse desselben 28 Stücke, welche die Periode von K. Gallienus bis Gratianus, d. h. von

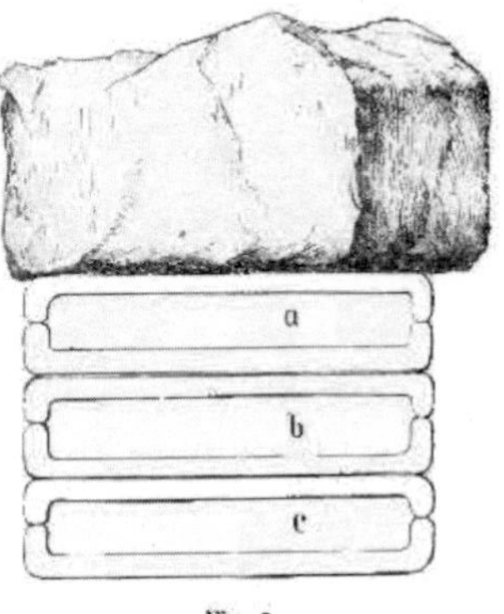

Fig. 3.

22 Habel a. a. O. in den Nassauer Annalen I, 2. und 3. Heft, S. 180, Nr. 2.

23 Beide, ein grösseres, stark fragmentirt, und ein kleineres, gleichfalls fragmentirt, jetzt in der Sammlung im untern k. k. Belvedere. Das grössere war gleichfalls mit einem weissen Grunde (Gips?) überzogen und darüber bemalt. Freiherr von Sacken, Sitzungsberichte XI, 340, und die Sammlungen des k. k. Münz- und Antikencabinets S. 27, Nr. 26 f, g.

254—383 umfassen[24]. Da in jedem Behälter nur eine Münze gefunden wurde, so müssten demnach 28 Behälter vorhanden gewesen sein, die in neun Stössen, jeder zu drei Behältern, aufgerichtet waren, wobei ein Behälter mit der 28. Münze nicht gerechnet wird. Der ganze Mittelraum hätte aber nach seiner Grösse und Tiefe 72 Behälter gefasst; er war also nicht ganz mit solchen ausgefüllt, was im Fundberichte auch ausdrücklich hervorgehoben wird.

Das Vorkommen dieser Aschenbehälter ist eine unseres Wissens bisher noch nicht beobachtete Erscheinung an Mithraeen. Es kann kein Zweifel sein, dass sie in das Heiligthum gekommen sind nicht bei seiner Erbauung, sondern eine geraume Zeit später; denn dasselbe bestand schon in der Zeit, als Caracalla regierte (211—217), unter ihm wurden Gelübdesteine darin aufgestellt, wie jener von Septimius Justinianus; die älteste der mitgefundenen Münzen rührt aber erst aus dem Jahre 254 her, kann also vor dieser Zeit nicht hineingelangt sein. Auch ist nicht wohl in Abrede zu stellen, dass die Behälter mit dem Mithrascultus in keinem Zusammenhang standen; sie finden sich zwar, wie nach den Münzen geschlossen werden muss, fortlaufend aus verschiedenen Zeiten durch mehr als 100 Jahre und brechen plötzlich ab unter der Regierung jenes Kaisers, der die Aufhebung desselben verfügte[25]. Allein es kann daraus nicht gefolgert werden, dass sie mit einer Einrichtung verbunden gewesen seien, die zum Mithrascult gehörte: denn es müsste eine solche erst in späterer Zeit aufgekommen sein, in dem letzten Jahrhundert seines Bestehens, was an sich unwahrscheinlich ist; dann müsste man in den Tempeln von Ostia und Heddernheim, mit denen unser Heiligthum viele Analogien hat, auf ähnliche Vorkommnisse gestossen sein, was nicht der Fall ist; endlich wäre es unpassend gewesen, die Behälter gerade in dem Mittelraum unterzubringen, der doch, sei es für die Priester oder für die Eingeweihten höheren Grades bestimmt war, um diese bei der Feier der Mysterien vor den andern Anwesenden auszuzeichnen.

[24] Die Münzen sind folgende:

a) Gallienus (254—268)	2	℞ fortuna redux mit Steuer und Füllhorn. — Jovi victori, Jupiter mit dem Blitz.
b) Aurelianus (270—275)	2	℞ Concordia militum, Mann mit einem Lorbeer in der Toga, reicht die Rechte einer verschleierten Frau. — Jovi conservatori. Jupiter reicht dem Kaiser (in der Feldherrntracht) die Erdkugel.
c) Probus (277—282)	2	℞ Conservat. Aug. Sol, die Rechte erhebend, in der Linken die Geissel. — Soli invicto. Sol im Viergespann von vorne.
d) Licinius (307—323)	1	℞ Jovi Conservatori. Jupiter stehend, auf der Rechten die Victoria, in der Linken das Scepter, zu Füssen der Adler.
e) Constantin d. Gr. (305—337)	3	℞ Ähnlich wie *d*, nur hält der Adler einen Kranz im Schnabel, 2 Stück. — Soli invicto comiti. Sol stehend, die Rechte erhebend, 1 Stück.
f) Crispus († 326)	1	℞ Caesarum nostrorum Vot. X innerhalb eines Kranzes.
g) Constantin II. († 337)	1	℞ Ähnlich.
h) Constans († 350)	2	℞ Caesarum nostrorum vot. XX innerhalb eines Kranzes: — Victoria laeta dominorum et caess. nn. Zwei Victorien mit Kränzen.
i) Constantius (337—361)	3	℞ Felix temporum reparatio. Der Kaiser stösst einen berittenen Barbaren vom Pferde.
k) Constantius Gallus († 354)	1	℞ Ähnlich.
l) Julianus Apostata (355—363)	1	Ähnlich.
m) Valentinianus (364—375)	4	Gloria Romanorum. Der Kaiser stehend, in der Rechten das Labarum, in der Linken einen Gefangenen. — Restitutor reipublicae, der Kaiser stehend, in der Rechten das Labarum, in der Linken die Victoria. — Securitas reipublicae, schreitende Victoria, 2 Stück.
n) Valens (364—378)	4	Gloria Romanorum. Der Kaiser setzt den Fuss auf einen berittenen Barbaren, 1 Stück. — Securitas reipublicae, schreitende Victoria, 3 Stück.
o) Gratianus (367—383)	1	Gloria Romanorum. Der Kaiser, das Labarum in der Rechten, setzt den Fuss auf einen Barbaren.

Metall und Münzsorte sind nicht angegeben; wahrscheinlich aber waren es Kupferdenare.

[25] Bekanntlich wurde der Mithrascult im Jahre 378 unter der praefectura urbis des Gracchus verboten und die Tempel und Grotten (spelaea) zerstört. Hieronym. im Brief an Leta. Visconti, Annali XXXVI, 171.

Der Raum wäre, wenn 28 Behälter angebracht waren, dadurch um ein Drittel eingeschränkt worden, obwohl er an sich schon klein war; er mass nur 49 Quadratfuss, wovon dann nur etwa 33—34 Fuss verwendbar blieben; man muss also annehmen, dass die Aschenbehälter in keinem inneren Zusammenhang mit dem Mithrascult gewesen seien. — Die Art der Aufschichtung zeigt allerdings eine gewisse Methode und Sorgfalt, sie verräth, dass die Beisetzung ein Act der Pietät, in gewissem Sinne eine gottesdienstliche Handlung gewesen sei; dagegen die Wahl von Leistenziegeln zu Aschenbehältern, die an einer Seite offen waren, und die primitive Beschwerung derselben mit rohen Steinen, damit die einzelnen Ziegeln nicht aus ihrer Lage verrückt würden, diese Umstände deuten auf eine Herstellung durch arme Leute, nicht etwa durch Priester eines vielverehrten Gottes. — Über den Inhalt endlich lässt sich mit Bestimmtheit vermuthen, dass er von Leichenbränden herrührt. Die Asche kann zwar durch die Verbrennung sehr verschiedener Gegenstände entstanden sein; die Münzen aber deuten ganz bestimmt auf die Sitte hin, den Todten für den unterirdischen Fährmann ein Lohngeld mitzugeben, zumal da man sie einzelweise fand. Man kann also nicht zweifeln, dass die Aschenbehälter im Mithraeum dieselbe Rolle gespielt haben, wie in den Columbarien die Aschenurnen, in denen man auch noch häufig Asche und Münzen findet. Es ist aber schon oben angedeutet worden, dass man ein Mithraeum zur Bestattung oder Beisetzung von den Überresten verstorbener Menschen nicht benutzt haben dürfte, so lange der Mithrascult noch betrieben wurde. Es muss also weiter gefolgert werden, dass die Pflege des Cultus zu irgend einer Zeit vernachlässigt wurde, dass das Heiligthum damals verlassen war und in Verfall gerieth, und eben, weil sich niemand darum kümmerte, von armen heidnischen Leuten, etwa aus Scarabantia und der Umgebung, zur Beisetzung der Behälter benützt worden ist, die mit der Asche von Leichen ihrer Angehörigen gefüllt waren.

Wir können diese Erklärung, die uns die einzig mögliche zu sein scheint, um so mehr annehmen, als aus dem benachbarten Noricum ein ähnlicher Fall bekannt ist, wo ein Mithraeum gleichfalls durch 50 Jahre verlassen war und später wieder hergestellt worden ist. Es ist das bekannte interessante Denkmal, das, auf dem Zollfelde bei Klagenfurt gefunden, nach dem Schlosse Tangenberg kam und bei Orelli (1064) als in Brandelhof befindlich aufgeführt wird. Der Präses von Noricum mediterraneum (Inner-Österreich), Aurelius Hermodorus, liess, wie die Inschrift besagt, einen Mithrastempel restauriren, der im Jahre 311 erbaut worden, mehr als 50 Jahre verlassen (per annos amplius e desertum) und durch das Alter zusammengefallen war. Diese 50 Jahre erstrecken sich auf die Zeit zwischen dem Beginne von Constantius d. Gr. Regierung, unter welchem auch in den Provinzen das aufnehmende Christenthum die heidnischen Culte verdrängte, bis auf die Zeit, die wieder eine grössere Toleranz für die letzteren beobachtete; sie beginnt mit Julianus Apostata (355—363) und dauert bis Theodosius d. Gr. Regierung (378—395), der alle heidnischen Culte verbot. Die Restauration jenes Mithrastempels von Virunum (Zollfeld bei Klagenfurt) fällt also in die Jahre 355—378, und jene 50 Jahre der Verlassenheit beziehen sich wohl auf die Zeit von 320 oder 326—376.

Vergleichen wir damit die Reihe der in Kroisbach gefundenen Münzen, so ergibt sich eine ähnliche Periode als diejenige, in welcher die Aschenbehälter in das Mithraeum gelangt sein müssen. Von den 28 Kupfermünzen gehören nur 6 dem III., 22 dem IV. Jahrhundert an. Jene sechs von Gallienus, Probus und Aurelianus sind Weisskupferdenare, die nach der Münzreform unter Constantin d. Gr. als devolvirte Kupferdenare noch sehr gut neben den neuen kupfernen Denaren (ÆIII oder Kleinbronce) in Cours gewesen sein können[26], so dass man annehmen kann, sie seien

[26] Die alten weisskupfernen sogenannten Antoniniani der legitimen Kaiser des III. Jahrhunderts sind fortdauernd neben der Diocletianisch-Constantinischen Kupfermünze des IV. Jahrhunderts in Umlauf geblieben. Mommsen, Geschichte des römischen Münzwesens S. 824.

noch lange nach der Regierung jener Kaiser mit verringertem Werth in Geltung geblieben. Es ist also nicht nothwendig, dass die Münze von Gallienus in der Epoche seiner Regierung in den Aschenbehälter gelegt worden sei, oder jene des Probus und jene des Aurelius zur Zeit dieser Kaiser, sondern sie können noch einige Zeit coursirt haben und erst unter Constantin d. Gr. den Leichen mitgegeben worden sein. — Weitaus die Mehrzahl der Münzen gehört dem IV. Jahrhundert an, vorzüglich der Epoche von 364—375; es finden sich acht Stücke von den beiden Kaisern Valentinianus und Valens allein, während sich von den übrigen neun Kaisern des IV. Jahrhunderts, die im Funde vertreten sind, gewöhnlich ein Stück, höchstens drei finden, letzteres nur bei Constantin d. Gr. und Constantius, zweien bekannterweise sehr münzreichen Fürsten mit langer Prägezeit.

Darnach können wir nicht wohl anstehen, die Zeit, in welcher die Aschenbehälter angelegt wurden, der Hauptsache nach auf dieselben 50 Jahre zu verlegen, während welcher der Mithrastempel von Virinum verlassen war. Das bestärkt uns in der Ansicht, die wir oben ausgesprochen haben, dass auch das Heiligthum von Kroisbach in der Zeit der Abnahme des Cultes verlassen war und wie ein Columbarium für Beisetzung der Aschenkästchen benützt worden ist[27].

Diese Benützung hat selbst in der Epoche von Julianus Apostata (355—363) und bis in die Zeit des K. Gratianus (367—383) fortgedauert, wie aus den Münzen zu entnehmen ist; es muss daraus geschlossen werden, dass das Kroisbacher Mithraeum nicht wie jenes von Virinum, nachdem der Verfall des Mithrasdienstes aufgehört, restaurirt worden ist; es müsste sich dann ja auch eine darauf bezügliche Inschrift vorgefunden haben; bekanntlich findet man derlei mit der Angabe der Restaurationen bei uns häufiger als mit der Angabe der Erbauung[28]. Auch würde es dann unerklärlich sein, die Aschenbehälter im Mittelraum noch vorzufinden; bei jeder auch noch so geringfügigen Restauration würde man ohne Zweifel dieselben zuerst hinausgeschafft haben. — Der Umstand, dass die Münzen in den Behältern aufhören in der Zeit des K. Gratianus, d. h. um jene Zeit, als der Mithrascult aufgehoben wurde, wonach also dieselben mit diesem Culte verbunden gedacht werden mussten, darf uns nicht irre machen, das Zusammentreffen ist nur ein zufälliges. In unserer Gegend gehen überhaupt die Münzfunde nicht über das letzte Drittel oder gar das Ende des IV. Jahrhunderts hinaus[29]. Nicht die Aufhebung des Mithrascultes, sondern der Verfall des römischen Lebens in Pannonien ist die Ursache, dass die Münzreihe in unserem Heiligthum mit Gratianus zu Ende geht.

In Verbindung mit diesen Aschenbehältern lässt sich auch sehr wohl erklären, dass ein aus Ziegeln gebildeter Sarg mit einem Skelette unter dem zweiten kleineren Relief gefunden wurde; wenn es auch auffällig ist, dass neben so vielen Leichenbränden ein vereinzelter Fall von Bestattung vorkommt, so hindert doch nichts, denselben aus jenem Umstande zu erklären, aus welchem auch das Vorhandensein der Aschenbehälter erklärt werden muss, man hat nämlich die Leiche zur Zeit des Verfalles des Mithrascultes dort ebenso beigesetzt wie die Aschenbehälter. Die Art, Särge aus Ziegelplatten zu bilden, die überhaupt auf eine sehr späte Zeit hindeutet, ist auch aus der Umgebung von Ödenburg bezeugt, wie denn in Bruck a. d. Leitha[30] deren aufgefunden wurden:

[27] Dass neben der Bestattung der Leichen die Verbrennung selbst bei Christen, noch mehr bei Heiden bis in die späte Zeit (bis Karl d. Gr.) angedauert habe, siehe bei Becker, Handbuch der römischen Alterthümer V, 1, S. 377, Note 2123.

[28] So von den Tempeln zu Töltschach, Orelli 1922, restaurirt im Jahre 239 n. Chr., zu Carnuntum ein Tempel restaurirt unter Septimus Severus und Caracalla (198—211), ein Sacrarium restaurirt unter Diocletianus und Maximianus c. 292 n. Chr. (v. Sacken u. K., die Sammlungen des k. k. Münz- und Antikencabinets S. 92, Nr. 230 und S. 106, Nr. 14); zu Rohitsch, Tempel restaurirt im IV. Jahrhundert, Wiener Jahrbücher der Literatur 115, Anzeigeblatt 23 ff.; Karlsburg, Zeit der Restauration unbekannt (Ackner-Müller, die römischen Inschriften Daciens 363) u. s. w.

[29] Vgl. Büdinger, Österr. Geschichte I, 47 Note 1 und 2.

[30] Freiherr v. Sacken, die bei Bruck an der Leitha aufgefundenen römischen Gräber. Sitzungsberichte der phil.-hist. Cl. der Akad. 1851, VII, 156.

18*

sie gehören wohl in eine Linie mit jenen Särgen, die eilfertig aus Bestandtheilen älterer und verfallener oder zerstörter Steinbauten hergestellt wurden, und deren sich auch in der Umgebung von Wien gefunden haben[31]. Wir haben hier dieses Grabes mit dem Skelette noch einmal gedacht, weil noch eine andere Erklärungsweise für sein Erscheinen in einem Mithraeum möglich ist, die uns aber vollkommen unstatthaft erscheint. Es kann kein Zweifel sein, dass bei Mithrasfesten, vielleicht erst in der römischen Umbildung des Cultes, auch Menschenopfer gebracht wurden. Zell erwähnt in den „Mithrageheimnissen" einer Stelle aus Socrates Kirchengeschichte (III, 2), der zufolge zu Alexandria ein schon von alten Zeiten her leerer und unbesuchter Ort gewesen sei, in welchem die Heiden, wenn sie die Mysterien des Mithras feierten, Menschen zu opfern pflegten. Als die Christen ihn reinigen wollten, fand sich eine Höhle von ungeheurer Tiefe, welche die Alexandriner die mithrische nannten; in ihr seien die Mysterien der Heiden verborgen gewesen, nämlich mehrere Menschenschädel von jungen und älteren, die, wie man sagt, vor Zeiten geopfert worden waren[32]. Nun könnte man versucht sein, das im Kroisbacher Mithraeum gefundene Skelett auf ein solches Menschenopfer zu deuten, was unrichtig wäre, schon aus dem Grunde, weil man dann sicher mehrere Skelette gefunden und weil man sie nicht im Mithraeum selbst beigesetzt haben würde, sondern in einer dazu bestimmten Höhle oder in einem Schachte. Es soll damit nicht gesagt werden, dass in unserem Mithraeum dem Lichtgotte gar keine blutigen Opfer — wenn auch gerade nicht Menschenopfer — gebracht worden seien; das aber muss bestimmt in Abrede gestellt werden, dass man die Überreste solcher Opfer im Heiligthum selbst untergebracht habe. Zwar ist in dem Mithraeum von Deutsch-Altenburg eine beträchtliche Menge von Asche mit Knochen und Zähnen von Ochsen, Schafen und Böcken, vorzüglich aber mit vielen Hühner- und Gänseknochen gefunden worden, die ohne Zweifel richtig auf Opfer- und Opfermahlzeiten gedeutet werden[33]. Aber es lässt sich hier nicht mit voller Bestimmtheit sagen, ob sie im Mithraeum selbst vorhanden waren oder in einem Nebenraum, wenn gleich dieser noch in derselben natürlichen, vor der Felsenbucht des dortigen Steinbruches gebildeten Grotte lag; denn bekanntlich ist dies Mithraeum in völlig zerstörtem Zustande gefunden worden. Einen Beweis für die Beisetzung solcher Überreste von Opfern an einem vom Heiligthume getrennten Orte liefern die beiden Schachte, die Habel sehr nahe bei dem ersten Heddernheimer Mithrastempel gefunden hat[34]. Man grub dort nahe an 36 Klafter tief, ohne sein Ende zu erreichen und fand in beträchtlicher Tiefe nebst Gefässtrümmern, Kohlen, Knochen und Asche auch hier wieder kleinere Knochen von Geflügel, darunter das feine Brustbein und den „wohlbespornten" Schenkelknochen eines Haushahnes, dann Zähne, so einen Eberzahn von ungewöhnlicher Grösse, der an einem Ende durchbrochen und ursprünglich zum Tragen bestimmt war[35]. — Ein ähnlicher Schacht oder ein verborgener Raum für die Beibringung von Opferabfällen würde sich bei genauer Durchforschung wohl auch in der Umgebung unseres Mithraeums finden.

4. Die Erscheinung der im Kroisbacher Heiligthum beigesetzten Leichen und Leichenbrände verleiht diesem Heiligthum auch insofern einen Reiz der Neuheit, als sie das erste Beispiel darbietet, aus welchem praktisch jener Verfall des Mithrasdienstes nachgewiesen werden kann, der im Laufe des III. Jahrhunderts durch das Aufnehmen des Christenthumes bedingt wurde und aus

[31] Beiträge zu einer Chronik der archäologischen Funde in der österreichischen Monarchie, Archiv für Kunde österreichischer Geschichtsquellen XV, 217, XXX, III, 12.

[32] S. 442.

[33] Freiherr v. Sacken, über die neuesten Funde von Carnuntum, Sitzungsber. XI, 339.

[34] Annalen für nassauische Alterthumskunde, I. Band, 2.—3. Heft, S. 183 ff.

[35] Offenbar war es der Zweck dieser Schachte, die Abfälle der Opfer und die schadhaft gewordenen Gefässe aufzunehmen, die man aus Scheu vor der Weihe, die sie durch den gottesdienstlichen Gebrauch erlangt hatten, nicht mit zu den gewöhnlichen Abfällen des bürgerlichen Hauses werfen wollte.

der Inschrift vom Zollfelde schon früher bekannt war. Überdies gewinnen wir aus dieser Erscheinung einen neuen Anhaltspunkt für die Bestimmung der Zeit, in welcher unser Mithraeum zu gottesdienstlichen Handlungen benützt wurde. Da es nach dem Vorbemerkten im Laufe des IV. Jahrhunderts, als der Mithrasdienst anderwärts wieder zu Ehren kam, nicht mehr restaurirt wurde, kann das erste Viertel dieses Jahrhunderts als die äusserste Zeitgrenze betrachtet werden, bis zu welcher die Mysterien in demselben gefeiert wurden. Es handelt sich also noch um die Bestimmung des Zeitpunktes seiner Begründung, über welche die mitgefundenen Inschriftsteine Auskunft geben. Es war schon mehrmals davon die Rede, dass der Gelübdestein des Septimius Justinianus in die Regierungszeit des K. Caracalla falle, da die XIV. Legion, in welcher er als armorum custos diente, auf dem Stein zu Ehren dieses Kaisers den Beinamen Antoniniana führt[36]; damals hat also das Heiligthum schon bestanden. Der andere Gelübdestein des Avitus Maturus nennt diesen einen decurio coloniae Karnunti, es muss also eben damals Karnuntum schon den Rang einer Colonie innegenommen haben. Diesen erreichte die Stadt in den beiden letzten Regierungsjahren des Kaisers M. Aurelius zwischen 178 und 180[37]. Avitus muss also seinen Gelübdestein nach dem Jahre 180, er kann ihn nicht vor dem Jahre 178 gesetzt haben. Ein anderes inschriftliches Denkmal, das ein älteres Datum gäbe, fand sich nicht; wir müssen daher weiter annehmen, dass eben in die Zeit zunächst nach der Erhebung von Karnuntum zu einer Colonie die Gründung des Mithraeum falle. Dies trifft zusammen mit der Regierung des Kaisers Commodus (180—192), von der es allgemein gilt, dass während ihrer Dauer der Mithrascult, dem er sehr anhing, in den Provinzen zugenommen habe; auch die Regierung des Kaisers Septimius Severus (193—211) könnte als Zeit der Errichtung beansprucht werden, weil Avitus Maturus damals noch sehr wohl am Leben gewesen sein kann, und weil diesem soldatischen Kaiser die Förderung eines so innig mit dem Militärwesen zusammenhängenden Cultus, wie jener des Mithras, recht gut zugeschrieben werden kann. Mag nun aber unser Mithraeum unter Commodus oder unter Septimius Severus errichtet worden sein, jedenfalls war es jünger als der Tempel des Mithras, der in Stixneusiedel stand; schon unter Septimius Severus war der letztere durch das Alter zerfallen und wurde von den Sexvirn Valerius und Valerianus zu Ehren des Septimius Severus und Caracalla restaurirt[38].

5. Die vorstehende Untersuchung führt uns, wenn wir ihre Ergebnisse zusammenfassen, darauf, das Kroisbacher Mithraeum als das erste genauer bekannte Beispiel für die bauliche Anlage von Mithrastempeln auf österreichischem Boden zu bezeichnen; wie älter bekannte Bauten (Heddernheim, Ostia und Schwarzerd), bestand es aus drei durch verschiedene Höhe des Niveaus geschiedenen Längsräumen mit vorgelegtem Querraum (pronaos). In der Zeit von etwa 180—217 erbaut, wurde es im ersten Viertel des IV. Jahrhunderts mit dem Aufblühen des Christenthums verlassen und blieb dies, so lange römische Herrschaft in Pannonien dauerte; in dieser Zeit wurde es von armen Leuten der Umgebung zur Beisetzung der Überreste ihrer verstorbenen Angehörigen benützt — eine freilich mit dem Mithrascult nicht in Zusammenhang stehende, aber

[36] Das Denkmal des k. k. Antikencabinets (v. Sacken und K., die Sammlungen etc. S. 76, Nr. 198), welches die Officiere der drei Antoninianischen Legionen dem Caracalla im Jahre 212 widmeten, wurde an der Stelle des alten Karnuntum gefunden; zu diesen drei legiones Antoninianae gehörten die X. und XIV. gewiss; die dritte ist unsicher, wahrscheinlich war es die I. oder die II. adjutrix, welche letztere bei Orelli 2129 diesen Beinamen führt.

[37] Der im Deutsch-Altenburger Rathhause befindliche Votivstein (Freih. v. Sacken in den Sitzungsberichten IX, 1712) des Flavius Probus vom Jahre 178 nennt Karnuntum noch ein municipium; da es nun sehr wahrscheinlich ist, dass M. Aurel die Stadt zur Colonie erhoben (Zumpt Comm. epigr. p. 428), dieser Kaiser aber im Jahre 180 starb, so muss die Erhebung nach 178 und vor Ende 180 geschehen sein.

[38] Freiherr v. Sacken und K., die Sammlungen des k. k. Münz- und Antikencabinets S. 85, Nr. 217.

culturgeschichtlich wichtige Eigenthümlichkeit, die unseres Wissens bisher noch in keinem Mithraeum beobachtet worden ist.

Nachdem einmal die Aufmerksamkeit der Bewohner jener Gegend durch die Auffindung des Mithraeums erregt worden ist, steht wohl zu erwarten, dass noch andere Funde dortselbst gemacht und beachtet werden dürften. Herr Storno selbst berichtet, dass man unweit von der Grotte auf einem kleinen Hügel die Spuren bedeutender Gebäude aufgefunden habe; man sei bei Anlage von Weingärten auf Grundmauern und grosse Quadern aus dort brechendem Sandstein gestossen, von welchen noch manche Simswerke zeigen; auch der untere Theil einer cannelirten Säule von 10 Zoll Durchmesser und $10\frac{1}{2}$ Zoll Höhe, aber in arg beschädigtem Zustande, wurde aufgefunden.

Mögen diejenigen, welche als Grundeigenthümer oder in irgend einer andern Eigenschaft in der Umgebung von Kroisbach einen Einfluss haben, nicht versäumen, für den Fall neuer Funde die Interessen der Wissenschaft in gleicher Weise zu vertreten, wie es bei dem jüngst gefundenen Mithraeum geschehen ist.

Der Hausaltar der seligen Margaretha, Tochter Königs Bela des IV.

Besprochen von Dr. Florian Römer.

(Mit einer Tafel.)

Es dürfte in Europa kaum ein Land geben, das im Verhältnisse zu seinem einstigen Reichthume, im Vergleiche zu seiner Culturstufe, auf der es hauptsächlich durch seine Verbindungen mit den Regenten Deutschlands, Italiens und des byzantinischen Reiches stand, so wenige Denkmäler der alten Kunst aufzuweisen im Stande wäre als Ungarn. Mögen wir hier unter Kunstschätzen Überbleibsel von monumentalen Baulichkeiten, oder Meisterwerke der Kleinkünste von kirchlicher oder häuslicher Bestimmung verstehen, beinahe Alles das vernichtete vielleicht weniger der Zahn der Zeit, als die barbarischen Horden, die sich zu wiederholten Malen, überall Verwüstung und Öde verbreitend, von Osten her über das blühende Reich dahinwälzten. Es blieb zwar Vieles auch in den Verstecken, wohin man die Schätze vergrub, bis heute noch unentdeckt, zurück; noch mehr behielten sich die mächtigen Dynasten, deren Schutze die geistlichen Körperschaften ihre Habe anvertrauten; grösstentheils wanderten sie aber in der Zeit der Kriegsnoth in die Münzen, oder als altes, geschmackloses, unnützes Zeug, ohne Rücksicht auf den Kunstwerth, als pure Werthsache in den Schmelztiegel des Goldschmiedes, neu eingeschmolzen und in eine neue, gefälligere Form umgegossen zu werden.

Übrigens wirthschaftete man mit Kunstwerken nicht allein in Ungarn so: dieselbe Geschichte wiederholte sich bis noch vor kurzer Zeit in vielen Ländern, die in der Civilisation viel weiter fortgeschritten sind. Dies geschah hauptsächlich in der Periode der alles nivellirenden Renaissance; wodurch natürlich mehrere Alterthümer, besonders aus den ersteren Jahrhunderten des Christenthums in der That zu Seltenheiten geworden sind. Was Wunder daher, wenn wir einem prachtvollen, in seiner Art seltenen Meisterwerke unsere Aufmerksamkeit widmen, das wir noch vor kurzem mit Stolz als das unsrige betrachten durften, das aber leider heute nicht mehr uns angehört, weil man entweder zu wenig Energie, oder zu wenig Geld hatte, um es für eine unserer Museen zu erstehen.

Indem uns also benannter Hausaltar als Meisterwerk des Mittelalters gewiss werthvoll erscheinen muss, muss es uns auch interessiren, die Zweifel zu bekämpfen, die neuerer Zeit aus sehr leicht begreiflichen Gründen erhoben wurden, indem man den Besitzern des Altars begreiflich zu machen versuchte, dass dieser Altar weder in die letzten Decennien des XIII. Jahrhunderts gesetzt werden könne, noch je der Tochter Königs Bela IV. gehört habe.

Es wäre daher die Aufgabe dieser Zeilen, zu beweisen, dass erstens der Hausaltar der seligen Margaretha nichts enthalte, was dem Geschmacke des erwähnten Zeitraumes entgegen läuft; natürlich vorausgesetzt, was zu beweisen wir ohnehin keinen festen Anhaltspunkt haben, dass wir den Altar für kein Erzeugniss der vaterländischen Industrie halten; zweitens: dass das Kunstwerk wirklich ein Eigenthum der seligen Margaretha gewesen sein könne.

Gelingt es mir, was natürlich dadurch sehr erschwert wurde, dass ich den Altar selbst, trotz allem möglichen Bestreben, während dieser Arbeit, nicht zu Gesicht bekommen konnte, obige zwei Sätze wenn auch nur zur Wahrscheinlichkeit zu erheben, dann wird es erst desto bedauerlicher erscheinen müssen, dass dieses Meisterwerk der Goldschmiedekunst und Emailmalerei gerade in der jüngstverflossenen Zeit, in der man auf heimische Alterthümer einen so grossen Werth zu legen angefangen hat, ins Ausland wandern musste, von wo es sehr schwer gelingen dürfte, dasselbe je wieder zurück zu erhalten.

Die hohe Verehrung, welche man vom Beginne des Christenthums an den Überresten der Vorkämpfer für den göttlichen Glauben zollte, brachte es mit sich, dass man nicht allein die Theile der heiligen Körper, sondern auch deren Gewand und alles, was mit deren Leben im Bezuge stand, sorgsam aufbewahrte und in den kostbarsten Fassungen zur Bewunderung und Nachahmung in den Gotteshäusern aufstellte. Nicht allein in den prunkhaftesten Verzierungen wetteiferten die verschiedenen Kirchen, auch die Form der Reliquiarien wechselte, den heiligen Theilen entsprechend, derart, dass man schon am Äusseren des Behälters den Inhalt selbst errathen konnte. Aber es gab auch Reliquiare, welche im allgemeinen, dem Style des Zeitalters nach, Capellchen, Häuserchen, Altärchen nachahmten, in denen die Heilthümer zur öffentlichen Verehrung ausgestellt oder im Kämmerlein der Privatandacht vorbehalten wurden.

Dem letzteren Zwecke scheint der, auf dem beiliegenden Steindrucke abgebildete Altar gedient zu haben, indem schon seine beschränkten Massen zur gerechten Vermuthung Anlass geben, dass er zur öffentlichen Schaustellung kaum gedient haben könne.

Es ist nicht das erste Mal, dass dieses Meisterwerk der Kleinkünste vor die Öffentlichkeit gebracht wird. Vor allem war es Alois Primisser, der es in Hormayr's und Mednyansky's Taschenbuch, V. Band, Seite 97—103, dem damaligen Stande des archäologischen Wissens gemäss, beschrieb. Nach dessen Angaben misst der vergoldete und reich mit Email verzierte Altar aus Silber in der Höhe etwas über 10 Wiener Zoll; seine Länge macht bei geöffneten Flügeln 15 $^{3}/_{4}$", die Tiefe 2" aus. Das Werk hat den Charakter des Übergangsstyls und ist ein Pentaptychon, mit einer sehr hübsch ornamentirten Basis, welche die Breite des eigentlichen Schrankes um Weniges, dessen Tiefe aber um Bedeutendes übertrifft. Die Bestimmung dieses Gestells harmonirt mit derjenigen des Altärchens selbst; denn $^{3}/_{5}$ der schrägen Fläche sind mit Glas bedeckt und dienten einstens ebenfalls als Reliquienbehälter. Die Ornamentirung der einzelnen flachen und hohlen Glieder machen schiefstehende Kreuzchen und Blümchen aus, deren einzelne Blättchen im feurigsten Email strahlend, der Pracht des Aufsatzes selbst vollkommen entsprechen. Die Rückseite des Fusses ist der vorderen ganz ähnlich, der einzige Unterschied besteht darin, dass der Reliquienbehälter abgeht, und die ganze schiefe Fläche gleichförmig geschmückt ist.

Auf den Schrank selbst übergehend, muss bemerkt werden, dass derselbe, was den constructiven Theil anbelangt, durch das schöne Ebenmass der edlen Gothik und das Einfache der angewendeten Mittel einen sehr angenehmen Eindruck macht. Der Schrank ist in drei Theile getheilt, die sich aber nur oben aussprechen, indem die drei Giebel, auf Consolen ruhend und sich an die Seitenstreber lehnend, das ganze untere Feld ungetheilt der figürlichen Hauptdarstellung überlassen. An den Seiten stehen unter Baldachinen zwei und zwei Figürchen auf Postamenten; das Ganze wird vom Dache überragt, das noch von einer Vierpassbalustrade umgeben und gekrönt ist.

Die Flügel haben nicht allein die Bestimmung, den Schrank vorne zu schliessen, sie schliessen auch die beiden Seiten, wodurch nicht allein ihre Ungleichheit bedingt, sondern auch ihre Bekrönung verschiedenartig wird, indem nämlich die zwei dem Schranke nächsten, das ist die Seiten deckenden Theile von Trapezoiden, die folgenden, breitesten von gleichschenkligen Dreiecken, die das Mittelfeld schliessenden halben Flügel aber, von rechtwinkligen überhöht, mit herumlaufenden Krabben und Kreuzblumen geziert sind [1]. In den Giebelfeldern sind von aussen und von innen musicirende Engel angebracht, desgleichen auch an der äusseren Seitenwand vorkommen, wodurch bei geschlossenem Schreine die Mitteldarstellung von Engeln umgeben erscheint. Übrigens ist jeder Flügel in zwei Theile getheilt, deren jeder, so wie der Giebel selbst mit einem Rahmen umgeben ist, wodurch 36 Bildchen verschiedener Grösse entstehen.

Der bildliche Theil des Altars besteht aus plastischen Figürchen und aus Emailbildern. Im Schreine selbst ist der Hauptgegenstand, die heilige Jungfrau mit dem Jesuskinde und zwei, Reliquienkästchen haltenden Engeln dargestellt, die sich von schön gemustertem, glänzenden Goldgrunde vortheilhaft abheben. Die Gottesmutter sitzt auf einem einfachen Schemel, ohne Kissen, mit himmlischer Ruhe, und hält mit der Rechten die bedeckte Brust [2], während sie mit der Linken den, nach derselben haschenden Säugling an sich drückt. Die Gesichter und Hände der Gestalten prangen im natürlich gefärbten Email, aber die höchst einfachen Kleider strahlen in glänzendem Gold. Das nach hinten zu wellenförmig herabfallende Haar ist von einem Schleier bedeckt, der auf die Schultern herabfällt, darauf ruht die Lilienkrone. Der Nimbus fehlt sowohl bei den Hauptfiguren, so wie den daneben stehenden Engeln. Das Kleid der heiligen Jungfrau, so wie auch der übrigen Gestalten fliesst in ziemlich breiten, natürlich gebogenen Falten herab, schliesst sich knapp an den Hals und die Hände an, und lässt nur die blossen Füsse sehen. Weder das Kleid, noch der über den Schooss geworfene Mantel hat einen Saum. Das links stehende Jesuskindlein klammert sich an die Brust an, hat nach rückwärts gekämmtes Haar und ein ganz einfaches Hemd, das sogar seine Füsse bedeckt.

Wir sehen in dieser Darstellung die züchtigste Art, die mütterliche Pflicht zu erfüllen, welche im Alterthume seltener vorkömmt, von den Künstlern der Renaissance aber oft auf eine zu naturalistische, sich in den Nacktheiten zu sehr gefallende Weise ausgebeutet wurde.

Die Mutter mit dem Kinde finden wir sehr häufig auf alten Darstellungen zwischen zwei Engeln, welche entweder Kerzen halten oder Weihrauchfässer schwingen, oder wie in diesem Falle, Reliquienkästchen halten. So erwähnt Didron Annales Archéologiques XX, 212: „Un tabernacle d'argent doré de saint Thomas, fait de maçonnerie, où il y a par dessus des vestements de Notre-Seigneur, et au dessous a deux angels tenant chacun un reliquiaire rond, où il y a des reliques de saint Jacques.“ Obwohl aus dem XIV. Jahrhunderte, befinden sich in der Sammlung des Louvre, am Altare der heiligen Geistcapelle, zwei freistehende Engel mit cylindrischen Reliquienbehältern, welche zwar mit den unsrigen sowohl des Haarschmuckes als auch des Gewandes wegen grosse Ähnlichkeit haben, aber mit ausgebreiteten Flügeln dargestellt sind.

[1] In der französischen Abtheilung der histoire du travail hat Herr Basilewsky zwei Elfenbeinaltäre von grosser Ähnlichkeit mit dem Margarethenaltare ausgestellt, die mit 6 Flügeln, davon zwei die Seiten decken, ausgerüstet sind und dem XIII. Jahrhunderte zugeschrieben werden. Ein Altärchen in Holz geschnitzt hat zwei die Seiten deckende Flügel und zwei halbe, welche das Mittelstück decken.

[2] Der grösste Theil der gleichzeitigen Marienstatuettchen auf Altärchen und Siegeln zeigt die selige Jungfrau, wie sie dem Jesuskinde einen Apfel entgegenhält, und dieses darnach greift.

Die Engel auf unserem Altärchen sind mit dem Gesichte gegen den Beschauer gekehrt, ihre kindlich-lieblichen Antlitze werden von nach rückwärts eingerollten Locken umrahmt; ihre Kleider fallen in ziemlich breiten, kaum geknitterten Falten herab und lassen nur die Zehen unbedeckt; die Füsse sind nach alter Sitte unbeschuht. In den Händen halten sie vor die Brust viereckige Kästchen, deren Hintergrund einen Blumendessein durchblicken lässt.

Diese ganze Gruppe trägt dermassen das Gepräge der hehren Auffassung, der himmlischen Ruhe, und erinnert uns so sehr an die innige Religiosität der Kirche im Mittelalter, dass wir dieselbe nicht ohne Rührung und Andacht zu betrachten vermögen und uns ermächtigt glauben zu versichern, dass wir uns das natürliche Verhältniss zwischen Stoff und Gedanke kaum besser angewandt denken können, wo gleichermassen die unbehilfliche Steifheit, die unnatürliche Hagerkeit, wie die unverhältnissmässige Gedrängtheit vermieden ist. folglich diese Figürchen zu den besseren zählen. die wir jenem Zeitalter verdanken.

Es sind zwar noch vier Statüettchen an den Seiten des Schrankes angebracht, die ich nur nach dem Werke Szeremlei's angeben kann, obwohl sie daselbst nicht mit nöthiger Genauigkeit beschrieben werden. So soll, rechts vom Beschauer, der König Stephan mit einem Palmenzweige vorkommen, welche Bezeichnung jedenfalls falsch ist, da dieser König kein Märtyrer war; ferner der heilige Laurentius mit dem Roste. Links aber: Johannes der Täufer mit dem Lamme Gottes im Heiligenscheine. endlich der heilige Stephan. der erste Märtyrer, in beiden Händen die bezeichnenden Steine haltend.

Hinsichtlich des Emails, welches die Flügel des Altärchens ziert, müssen wir behaupten, dass es durch den Prachteffect den Werth des Reliquiars bedeutend hebet, und dieses Kunstwerk unter die schönsten Erzeugnisse der Emailmalerei versetzt. Die Darstellungen selbst beziehen sich auf den Mariencyclus, auf die Apostelschaar und noch einige andere Heilige; in grösster Anzahl aber sind die das Ganze rahmenartig umschwebenden, musicirenden Engel vorhanden. Alle diese Bildchen sind von gleichen Rahmen umgeben, und haben zu oberst je einen Zickzackbogen mit dem entsprechenden, in die Länge gezogenen Dreipasse.

Auf den inneren Flügelseiten finden wir vornehmlich den Freudencyclus der heiligen Jungfrau entwickelt, und zwar rechts, auf dem vom Schreine zweiten Flügel, in gewöhnlicher Art den englischen Gruss. Die heilige Jungfrau mit dem Nimbus sitzt in einem ganz einfachen Lehnstuhle, hält in der Linken das zum Gebete geöffnete Buch, mit der Rechten scheint sie ihre Verwunderung über die göttliche Botschaft auszudrücken. Der Engel hält in der Linken das Spruchband, auf dem das gewöhnliche: AVE GRATIA PLENA, wegen der Winzigkeit des Gegenstandes, kaum zu lesen sein dürfte; den Zeigefinger der Rechten erhebt er, um dadurch gleichsam die Wahrheit seiner Kunde zu bestätigen.

Das nächste Bild, gegen die linke Hand zu, stellt die Heimsuchung Mariens dar Die beiden Verwandten umarmen sich; Maria hält in der linken ein geschlossenes Buch. Diese Auffassung unterscheidet sich von ähnlichen derselben Zeit dadurch, dass sich die zwei Heiligen meistens in einer felsigen Wüstenei oder zwischen Gebäuden begegnen, während hier nichts von allem dem zu sehen ist. Unter diesem Bildchen verkündigt der, links oben in den Wolken schwebende Engel mit einem Spruchbande in der linken Hand, die Geburt Christi, und deutet mit der Rechten auf das daneben stehende Feld. Von den zwei Hirten blickt der eine gegen den Freudenboten und hält seinen Stock auf die Erde gestützt, während der andere sitzend die Schalmei bläst; die Ziege scheint freudig empor zu springen, die Lämmer umgeben den stehenden Hirten. — Die Vorstellung der Geburt des Heilandes gleicht denjenigen, die wir aus derselben Epoche kennen. Das Kindlein mit dem Heiligenscheine liegt, ganz in Windeln gehüllt, in der Krippe, hinter welcher der Ochs und Esel stehen; die heilige Mutter, die aber keinen Nimbus hat, liegt auf den Pfühl hingestreckt, von dem die Decke in reichlichen Falten herabfällt, mit der Linken deutet sie nach der Krippe. Zu ihren Füssen ist der Nährvater Christi, stehend und ohne Nimbus, die Rechte emporhebend, gemalt. Diese Auffassung der Geburt Christi weicht schon dadurch von denen der späteren Zeit ab, dass man später das Kindlein nackt in die auf die Erde gestellte Krippe legt, um welche herum die Eltern anbetend knien; oder auf einem Bündel Heu auf der Erde liegend malt, wo dann der Vater, als alter, gebrechlicher Mann, auf einen Stock gestützt, stehend vorkömmt, und, zum Zeichen der Nacht, ein Licht in der Hand hält.

In der oberen Reihe des linken Flügels sitzt im mittleren Bilde mit dem Heiligenscheine die heilige Jungfrau, die Krone auf dem Haupte, in einem hölzernen Armsessel, der dem bei der Verkündigung angebrachten gleicht. In der linken Hand hält sie wieder ein Buch; auf ihren Knien steht das Jesukindlein ohne Nimbus, ganz wie auf der Hauptdarstellung bekleidet, und fasst mit beiden Händchen das von dem knieenden, kahlen, bärtigen Könige dargereichte grosse, kelchartige Gefäss. Der König zeigt mit der Rechten nach seiner Krone, die er zu den Füssen Mariens legte. Auf dem nebenan stehenden Bilde, das dem Schreine zunächst ist, folgen die beiden anderen Könige mit aufgesetzten Kronen; in ihren Rechten halten sie bedeckte Kelche, mit den Linken gesticuliren sie, gleichsam im Gespräche begriffen, vorwärtsschreitend. Der vordere hat einen Vollbart, der folgende ein jugendlich-bartloses Gesicht. Es ist daher die Behauptung Primisser's (Hormayr's Taschenbuch, S. 101), dass hier nur einer der heiligen drei Könige dargestellt sei, die auch in Szeremlei's Werk wiederholt wird, falsch. Dass übrigens dieselbe Art der Darstellung auch anderswo so vorkomme, beweiset ein ähnliches Bild im germanischen Museum in Nürnberg, in dessen Kataloge, Seite 9, Nr. 20 folgendes steht: „Anbetung des Christkindes durch einen der heiligen drei Könige, von einem unbekannten Meister des XV. Jahrhundertes.“ Vermuthlich ist auch hier von einem schmalen Altarflügel die Rede, auf dem die ganze Gruppe drei Weisen nicht leicht angebracht werden konnte [5].

In der unteren Reihe sehen wir zunächst dem Schreine die Darstellung des Neugebornen im Tempel. Alle Gestalten haben Heiligenscheine. Die heilige Jungfrau hält in der Rechten ein Buch, in der Linken das im Hemde auf dem linken Arme sitzende, mit seiner Rechten den Nacken seiner Mutter umfassende Christkindlein. Rückwärts steht eine Gestalt mit dem Korbe und der Kerze als Opfergaben.

Das nächstfolgende Bild ist die Flucht nach Egypten. Die heilige Jungfrau sitzt auf dem traurig dahintrabenden Esel, und hält das Wickelkind mit beiden Händen. Joseph ist ohne Nimbus, hält mit der Linken den auf seiner Achsel ruhenden Stab mit dem Bündel, indem er sich mit der Rechten auf den Nacken des Lastthieres stützt.

Mit diesem Bilde aus dem Schmerzenkreise, ist der Mariencyclus des joies de la Vierge, als würdiger Rahmen zur Hauptdarstellung, geschlossen. Die beiden Schmalflügel, deren Bestimmung es ist, das Mittelfeld zu bedecken, enthalten ebenfalls in zwei und zwei Feldern einzelne Heilige. Die an der rechten Seite blicken gegen die Mitte, und sind: der obere, junge, mit dem Buche dargestellte Heilige, vielleicht Johannes der Evangelist; unter ihm, mit dem Buche in der Rechten und dem Messer in der Andern, der heilige Bartholomäus. Die entsprechenden Gestalten am linken Flügel stehen gegen rechts und sehen sich beinahe gleich. Beide sind jugendlich dargestellt, halten in der Rechten ein Buch, in der Linken einen Palmenzweig,

[5] Ein ähnlicher Altarflügel befindet sich in der französischen „histoire du travail“, der, beiderseits mit Hülsen versehen, anzeigt, dass demselben wenigstens noch ein Flügel angehängt war. Hier finden wir nämlich die heilige Jungfrau mit dem Buche aber der sie begrüssende Engel fehlt, während sich dagegen alle drei heil. Könige auf demselben Flügel befinden, die heilige Jungfrau aber mit dem Kindlein abgeht. Der Altar mit seinen schönen Emails, gedrückten Spitzbogen und Strebepfeilern mag unserem Flügelaltar der Zeit nach gewiss sehr nahe stehen.

Zeichen, die vielen Heiligen zukommen, weshalb auch die nähere Bestimmung derselben nach der Zeichnung allein sehr erschwert ist.

Die Rückseite des Reliquiars entspricht vollkommen dem Vordertheile. Und zwar ist die Rückwand des Schreines mit ähnlichen Arabesken verziert wie die Wand, vor der die Hauptgruppe steht; nämlich, es stehen in drei Reihen drei Rauten übereinander, deren Diagonale durch vier, kreuzartig gestellte Blätter bezeichnet sind; aus der oberen und unteren Ecke geht ein Stängel hervor, der, sich verzweigend, mit einem hinabgebogenen Epheublatte endiget. Nach den Seiten hin ist dieses Motiv nicht entwickelt, aber obenaus stehen die Blätter seitwärts, indem sich an der Spaltung des Stängels eine Epheuinflorescenz erhebt.

Auf der Rückseite der Flügel, die beim Schliessen des Altars die Aussenfläche bildet, befindet sich in den Hauptfeldern der Apostelkreis. Die Hauptgestalten sind auf dem Mittelflügel links angebracht, und entsprechen den Hauptbildern der rechten Vorderseite; auf allen vier Mittelbildern, welche zugleich ihrer Grösse nach die vorzüglicheren sind, stehen je zwei und zwei Apostel, folglich acht, die mit den vier Gestalten an den Schmalflügeln der Vorderseite die complete Zahl geben, wenn wir die zwei nicht bestimmten Heiligen mit Buch und Palmenzweig den Zwölfboten beifügen. Indem die Apostel bei der Sendung des heiligen Geistes, beim Tode Mariens und ihrer Himmelfahrt eine so hervorragende Rolle spielen, scheinen wir zu dieser Annahme vollkommen berechtigt zu sein. Den vornehmsten Platz nehmen die Apostelfürsten ein, sie sind so wie die übrigen gegeneinander gekehrt und halten in der Rechten ein Buch. Der bartlose Petrus steht rechts mit dem Schlüssel, links stemmt Paulus die Hand auf ein gerades Schwert. Von den darunter befindlichen Gestalten hat der eine ein messerartiges Werkzeug, der andere schultert ein gerades Schwert. — Auf dem rechten, mittleren Hinterflügel, der dem vorderen linken entspricht, hält der oben rechts stehende Heilige sein Schwert gerade in die Höhe, sein Nachbar hat in der Linken den Pilgerstab. Unter diesen ist der rechts stehende mit der Lanze, Thomas; der links stehende aber, der sich auf das Schwert stützt, Jakob der ältere.

Die äusseren Schmalflügel enthalten vier Frauenheilige. Rechts oben ist die heilige Katharina, mit der Krone dargestellt, mit der Rechten hält sie das scharfzähnige Rad, in der Linken den Palmenzweig; die untere Gestalt streckt die Rechte aus und hält in der Linken ein gleichschenkliges Kreuz, zu ihren Füssen liegt ein Thier; Häufler gibt es als einen Drachen an, dies wäre sodann die heilige Margaretha; ihr Kleid ist um die Hüften gebunden, sie ist ohne Mantel gemalt. Diesen gegenüber finden wir auf der rechten Seite — am linken Flügel von vorn genommen — oben eine nach links gekehrte Gestalt mit einem Buche in der Rechten, und einem Thurme in der linken Hand, die heilige Barbara; die untere Gestalt kehrt sich nach Aussen rechts, hält in der Rechten ein Kreuz, in der Linken ein Buch.

Auf den alten Heiligenbildern, besonders aber auf denen, die zur Verherrlichung der Gottesmutter dienten, fehlen beinahe nie die Chöre der Engel, die oft Rauchfässer schwingend, oder musicirend, die Hochheilige umschweben, auf den neueren Gemälden aber als beflügelte Köpfe eine erhabene Umfassung bilden. Am Hausaltar war eine solche Umrahmung nicht leicht möglich, aber der Künstler benutzte doch jeden, vom Marien- und Apostelcyclus übriggebliebenen Raum, sowohl die inneren Zinnen, als auch von aussen, selbst die zwei schmäleren Seitenwände benützend, um dieser hergebrachten Idee Genüge zu leisten. Im Chore der musicirenden Engel sind die Saiten-, Blas- und Schall-Instrumente der früheren Jahrhunderte vertreten, und zwar sieben Blas-, fünf Saiten- und vier Schallwerkzeuge, wie sie auf dem beigelegten Steindrucke und der stylgerechten Zeichnung der Rückseite, die sich im Besitze der k. k. Central-Commission befindet, zu sehen sind.

Es möge hinsichtlich dieser prachtvollen Emails noch die Bemerkung erlaubt sein, dass die Contouren der Darstellungen in den Grund geritzt sind, und dass allein die stärkeren Schichten des durchsichtigen Glasflusses, die sich in die Ritzen ablagerten, die Schattirungen bilden; ferner dass durch die wenigen Farbentöne, die hier in Anwendung gebracht sind, die angenehmste Abwechslung erzielt wurde; so dass sich von dem durchsichtigen Blau der Luft, und dem bräunlichen Schmelze der Wolken die Gestalten kräftig abheben; die Kleider aber, mit ihren violetten, roth, grün und goldfarbigen Abstufungen, einen berechneten Gesammteindruck des gefälligen Erfolges erzwecken. Das Erheben der Rahmen und anderer Ziertheile, das Wiederstrahlen der Bedachung vom Schmelzglanze, genügen, um das Ganze als ein prachtvolles Meisterwerk erscheinen zu lassen.

Nach dieser eingänglichen Beschreibung des Reliquiars [1], das seit Jahrhunderten als Hausaltar der seligen Margaretha bekannt war, drängen sich obige zwei Fragen auf, deren Beantwortung ich im folgenden versuchen werde.

Gleich weit entfernt von der Leichtgläubigkeit des Laien, der selbst die Werke des XV. und XVI. Jahrhunderts in die entferntesten Epochen der mittelalterlichen Kunstthätigkeit zurückführt, um damit grosse Namen zu verbinden und dieselben dadurch in einen historischen Nimbus zu hüllen, als von dem Skepticismus der neueren Forscher, die selbst das Unbezweifelbare angreifen, weil es Fälle gibt, in denen die Wissenschaft ihr Urtheil zurückhält, oder hie und da gegen falsche Angaben Zweifel erhebt, bin ich selbst vom Standpunkte des baren Leugnens ausgegangen; habe aber keine Mühe gescheut, kein mir zugängliches Hilfsmittel unbeachtet gelassen, um mir selbst die thunlichst befriedigende Lösung zu ermöglichen. Das Resultat meiner ersten Forschung war, dass ich auf die erste Frage: Kann der Altar dem Ende des XIII. Jahrhunderts zugeschrieben werden? ein bejahendes Resultat erhielt, während ich auf die zweite: War der Altar Margarethens Eigenthum? nur bis zu einem gewissen Grade der Wahrscheinlichkeit gelangte. Bis jetzt ist auch dieses als ein genügender Erfolg zu betrachten. — Wir wollen hoffen, dass es bei der Fortsetzung von einschlägigen, unverdrossenen Forschungen endlich gelingen wird, den letzten Zweifel zu bannen, und auf diesem Felde einen sicheren Anhaltspunkt zu gewinnen.

Wir können als ein sicheres Resultat der bisherigen Forschungen annehmen: dass der Spitzbogenstyl im vierten Jahrzehent des XII. Jahrhunderts entstanden, in seiner Verbreitung nach Osten in die Rheingegend im dritten, nach Ungarn im siebenten Jahrzehent des XIII. Jahrhunderts gelangte; obwohl sich dessen einzelne Gliederungen schon im XI. Jahrhunderte hie und da in Deutschland zeigten. Wenn diese Beobachtung hinsichtlich der Gebäude richtig ist, so müssen wir dieselbe ebenfalls für die Erzeugnisse der Kleinkünste alsobald geltend machen, da die Erfahrung erhärtet, dass die kirchlichen Geräthschaften, mögen sie aus welchem immer Materiale bestanden haben, der Architectur auf dem Fusse folgten, und deren Einzelheiten, in ihrem bildlichen und figürlichen Theile, sogleich annahmen, und zwar in einem Masse, dass wir im Stande sind, sogar einzelne Bruchstücke derselben mit Sicherheit dem Alter nach zu bestimmen, ja oft sogar ihre Entstehungsstelle zu errathen.

Bei Aufstellung obigen Grundsatzes müssen wir aber wohl bemerken, dass sich derselbe blos auf die Bauwerke der Gothik bezieht; die Geräthschaften der Kirche und des Hausbedarfes, als leicht hin und her tragbare Gegenstände, können als Geschenk, als Waare binnen Jahresfrist

[1] Primisser gab am obengedachten Orte gar keine Darstellung; Szerémlei veröffentlichte dagegen, vermuthlich nach Häufler's sehr schwachem Gemälde, ein farbiges Bild, das nicht allein hinter unserer meisterhaften Lithographie weit zurückbleibt, sondern theilweise auch ganz fehlerhaft ist, indem es Darstellungen der Rückseite auf den Vorderflügeln anbringt, und dadurch in dem Beschauer Zweifel gegen die Richtigkeit der obigen Beschreibung erregen muss.

dahingelangt sein, wohin die Ideen der Baumeister, durch die Mönchscolonien, durch Übersetzungen der Bischöfe in ferne Länder, durch Hofcapläne, die mit den Bräuten der Fürsten gegen Osten versetzt wurden, erst in Jahrzehenten, in halben Jahrhunderten hingelangen konnten.

Wenn wir nun die zahlreichen, prächtigen Reliquiare betrachten, die noch heute in den Schatzkammern vornehmer Dome und mächtiger Stifter aufbewahrt werden, oder in den alten Inventaren umständlich beschrieben vorkommen, so sehen wir, dass sie alle nach der verschiedenen Zeitfolge, der sie zuzuschreiben sind, das Gepräge des byzantinischen, romanischen oder gothischen Styles an sich tragen; als natürliche Folgerung müssen wir daher annehmen, dass auch die Gegenstände der häuslichen Andacht so wie: Reliquientafeln, Bilder u. s. w. als Nachahmungen der kirchlichen Geräthschaften zu betrachten sind, wie es auch in der That die in den Museen aufbewahrten derartigen Stücke bezeugen.

Wenn wir daher unseren Blick auf den fraglichen Altar richten, wird denselben wohl mancher schon darum, weil er in Ungarn gefunden wurde, dem XIV. oder XV. Jahrhunderte zuzuschreiben geneigt sein; wenn wir aber das Meisterwerk genauer untersuchen, und einer strengen Kritik unterwerfen, werden wir zu dem Resultate kommen, dass der Hausaltar der seligen Margaretha, vorausgesetzt, dass wir denselben für kein heimisches Erzeugniss halten [5], sondern seiner prächtigen Emailbildung wegen, sein Entstehen in Italien, am Rheine oder in Frankreich suchen, weder in der Architectur, noch in der Sculptur und Malerei irgend etwas enthält, was mit dem Charakter und der Auffassung der letzten Decennien des XIII. Jahrhunderts im Widerspruche wäre, vielmehr sehr viel Analogie mit ähnlichen Werken des Auslandes hat, die von Fachmännern dieser Epoche zugeschrieben werden.

Die erste triftige Einwendung, die man gegen das Alter unseres Reliquiars machen könnte, wäre dessen Form als Flügelaltar, indem doch die meisten Reliquienbehälter des XII. und XIII. Jahrhunderts entweder den Gräbern, oder den Häuschen jener Zeit ähnlich sind, oder die Gestalt irgend eines Körpertheiles, den sie einschliessen, nachahmen. So lange die Zeit der Entstehung der Flügelaltäre überhaupt nicht genau bestimmt sein wird, werden wir hier den Zweifel nicht leicht los werden können. Es ist daher die Sache jener Fachmänner, die sich mit dem christlichen Altare eingehend beschäftigen, diese Frage rechtgiltig zu entscheiden.

Es wäre zwar sehr leicht, die Flügelaltäre aus den in den ersten Jahrhunderten der Christenheit üblichen Diptychen und Triptychen abzuleiten, obwohl diese eher Gedächtnisstafeln als Reliquienbehälter waren. Vielleicht könnte man die Entstehung der zwei- und mehrflügeligen Altarschränke auch auf eine andere Art erklären. Während meiner Beobachtungen

[5] In Hormayr und Mednyansky's Taschenbuch 1821, S. 103, schreibt Primisser dieses Werk einem deutschen Meister zu, weil er den Baustyl seiner Nation so trefflich auffasste; ja, er geht in seinem patriotischen Gefühle so weit, dieses Kunststück einem Wiener Goldschmiede zuzuschreiben, weil diese Kunst in Wien schon im XIII. Jahrhunderte in der Blüthe stand, und es im Jahre 1320 einem Wiener Meister gelang, den werthvollen Verduner Altar in Klosterneuburg nach dem Brande wieder herzustellen. — Dass uns solche Voraussetzungen zu keiner Überzeugung führen können, ist gewiss. Mit eben demselben Rechte könnten wir die geschicktesten Goldschmiede Ungarns aufführen, von denen in den ältesten Urkunden Erwähnung gemacht wird, die von den ersten Königen den Kirchen und Klöstern geschenkt wurden, um für dieselben die kostbaren Geräthschaften zu verfertigen; die wegen der Vorzüglichkeit ihrer Kunstwerke in den Adelstand erhoben, zu den ersten Würden des Reiches befördert wurden; von denen urkundlich erwiesen ist, dass sie die kostbarsten Geschenke für die Könige und Grossen des Reiches in Ofen und Pressburg verfertigten. Indem wir aber keine Spur des Blühens der Emailmalerei in Ungarn bisher vorfinden konnten; indem auf dem Altar keiner der ungarischen Heiligen, als: Stephan, Emerich und Ladislaus vorkommt, die doch kaum auf irgend einem kirchlichen Werke Ungarns fehlen durften, können wir auch nicht annehmen, dass der Hausaltar auf den ausdrücklichen Befehl des Königs oder irgend eines andern Grossen des Landes im Lande selbst gemacht wurde, sondern glauben vielmehr, dass er im Auslande, wo die Emailmalerei schon damals auf einer Stufe der Vollkommenheit stand, verfertiget, als ein Meisterwerk an den königlichen Hof, von da, mit den übrigen Kostbarkeiten, in die Zelle der königlichen Nonne gelangte.

in Bezug auf den altchristlichen Altar, fiel mir der Ciborienaltar auf, der gewöhnlich von sehr prunkvollen Gittern umgeben und durch meisterhafte Thürflügel, portes saintes, abgeschlossen wurde, um so die Mauer, welche das Sanctuarium vom Kirchenschiffe trennte, zu ergänzen. Es wäre mithin der Ciborienaltar mit seinen Heiligthümern langsam in den Altarschrein übergangen, mit dem sich die prachtvollen Thüren als Flügel vereinigt hätten. Dieses führe ich blos als einen unmassgeblichen Versuch der Erklärung des Entstehens der Flügelaltäre an, der, wenn er nicht stichhältig ist, im Meere der Vergessenheit wieder spurlos verschwinden möge[6].

Dass solche Altärchen, und zwar nicht allein mit Flügeln, als blosse Erinnerungstafeln, sondern gleich dem Altare der heiligen Margaretha mit einem Untersatze zum Aufstellen eingerichtete Reliquiare, mit emaillirten Bildern, schon in der frühesten Zeit vorkommen, beweisen uns folgende Stellen. Im Schatze der Sainte-Chapelle de Bourges, dessen Verzeichniss im Jahre 1405 verfertiget wurde, dessen Gegenstände aber meistens dem XIII. Jahrhunderte angehören, war dem 8. Punkte nach: „Un tabernacle d'argent doré, oeuvre de maçonnerie, fermant a deux huissels emaillés par dehors d'une Annonciation. Et les dits huisselles, par dedans, avec le pied sur quoy porte le dit tabernacle, sont garni de pierrerie . . . . . Et au bout dessus est une croix . . . et dedans le dit tabernacle une Annonciation d'or, et est l'image de Notre-Dame, d'un saphir.“ Didron Annal. Archéol. X. 143. — 16. Item. „Un grand tabernacle d'argent doré, ou il y a un image de saint Georges, à cheval . . fermant a huissels (petites portes, historiées de sujets en email) émaillé dedans et dehors de plusieurs histoires: et au dessus a une Annonciation . . . .“ Ebenda Seite 211. Ferner: „Ymago eburnea beata Virginis cum filio in brachio, cum Tabulis quibus clauditur, et pluribus aliis ymaginibus in ipsis tabulis intrinsecus. Inventarium Bonifacii VIII. Didron XVIII. 32.

Obwohl ich unter den zahlreichen Reliquienbehältern, die in den mir zugänglichen archäologischen Werken vorkommen, kein einziges sah, das dem Gegenstande dieser Abhandlung ganz entsprechen würde, auch in den Sammlungen des Mittelalters umsonst nach einem gleichartigen Kunstwerke aus derselben Zeit forschte, muss es doch einzelne Stücke gegeben haben, welche unserem Altare nahe standen; so z. B. das silberne, vergoldete Reliquiar des Papstes Pascal II., das Flügel hatte und auf einem Fusse stand; ein triptychon (nach Passeri in der Einleitung zu Gori, Thesaurus S. XIV. Hagiothyris, das ist ein Reliquiar, dessen Mittelfeld durch zwei Halbflügel geschlossen werden kann), Didron Ann. Arch. XX. S. 219, u. s. w.

Der gedrückte Spitzbogen, der am Margarethen-Hausaltar vorkömmt, ist nicht allein auf Kunstwerken des XIII. Jahrhunderts im Auslande, sondern auch in unserem Vaterlande unter Bela IV. zu finden; in den übrigen Zierwerken aber, und dem Systeme der Strebepfeiler, ist ebenfalls nichts, was wir sowohl an kirchlichen Bauten, als an Siegeln und Münzen jener Zeit nicht bemerken könnten. Für erstere mögen als Beispiele der Altar der Sainte-Chapelle (1240—1250), die Cassette in Saint-Denis u. s. w., für letztere, ausser den Siegeln der englischen und französischen Herrscher, hauptsächlich die mandorla-artigen Siegel der Königinnen, Bischöfe und Capitel dienen, welche überhaupt mit gothischen Baldachinen geziert sind, als deren Nachahmungen wir von den heimischen nur das Siegel des Neutraer Capitels an einer Urkunde von

[6] Es kann nicht bestritten werden, dass schon während der Periode des Rundbogens emaillirte Flügelaltäre in Anwendung kamen. Ein Beleg dafür ist der emaillirte Flügelaltar des Herrn M. E. Dutuit in der französischen Abtheilung der Pariser Weltausstellung. Der Schrein selbst enthält unter zwei Rundbogen zwei geflügelte Gestalten, deren eine als Marterwerkzeug den Schwamm, die andere die Lanze hält, zwischen welchen sich in einem Doppelkreuze Stückchen des heiligen Kreuzholzes befinden. Auch hier kommen auf den Flügeln oben die knieenden Engel mit dem trisagion, darunter die zwölf Apostel vor. Übrigens würde es gar nicht schwer fallen, in französischen Werken mehrere Belege für diese Annahme zu finden.

1271, und jenes des Agramer Capitels, an einer Urkunde vom Jahre 1297 anführen: wo wir voraussetzen müssen, dass die Siegel sehr wahrscheinlicher Weise von früheren Jahren herrühren.

Auf den figürlichen Theil des Reliquiars übergehend, müssen wir behaupten, dass sowohl die Gruppe des Mittelstückes, als auch die Bilderreihe der Emails in ihrer Einfachheit, in ihrer Kleidung, in ihrer ganzen Zusammenstellung nichts enthalten, was dem oben angeführten Zeitraume entgegen wäre. Ich habe mir Mühe gegeben, in den verschiedenen Instrumenten der musicirenden Engel vielleicht etwas zu entdecken, was eine spätere Entstehung andeuten würde; aber sowohl hier, als in den Bildern des Marienevclus fand ich eine Übereinstimmung mit der Darstellungsart des XIII. Jahrhunderts, so dass ich bei der angenommenen Bestimmung verbleiben musste.

Die grösste und triftigste Schwierigkeit machten mir die „émaux de basse taille", auch „émaux translucides" genannt, welche die allgemeine Ansicht der betreffenden Schriftsteller in das XIV. Jahrhundert setzen, und dadurch meiner Annahme den Grund entziehen. Gegen diese Herren sei es mir aber erlaubt, auf De Laborde's gefeiertes Werk: „Notice des émaux" hinzuweisen, der Seite 101—108, vom Email translucide sprechend, sagt: „Il fallut à l'Europe entière . . un procédé, qui convint à la fois aux artistes et aux hommes de goût, s'il pouvaient associer aux pierreries enchassées, aux ciselures fines des émaux qui fussent égaux aux unes et aux autres en pureté de travail, qui leur fussent superieures en éclat de couleur, qui répondissent enfin à l'expression heureuse de Vasari: „Une sorte de sculpture associée à la peinture". L'émail translucide harmonisait les travaux des orfèvres et une ciselure incomplète faisait un tableau parfait." Und nachdem er die Emails des Johann von Pisa aus dem VIII. Jahrhunderte anführte, sagt er weiter: „Toutes les nations qui cultivaient les arts se l'approprièrent rapidement et facilement. La France fut la première à suivre l'Italie, et ses orfèvres, du nord au sud, de l'est à l'ouest prouvérent, dès le XIIe siècle, qu'ils pouvaient la suivre avec bonheur. Le fait est prouvé pour Montpellier au XIIe siècle." Falke sagt zwar in den Mittheilungen des k. k. Museums für Kunst und Industrie 1866, S. 199: „Eine gänzliche Umwandlung der Emailtechnik ging aller Wahrscheinlichkeit nach, von Italien aus, wo im XIV. Jahrhundert die neue Art (Email translucide genannt) entstanden zu sein scheint;" aber nach obiger Stelle glaube ich behaupten zu dürfen, dass diese Frage noch als eine offene zu betrachten sei, und erst in der Zukunft mit Bestimmtheit ausgetragen werden wird.

Ist es mir, wie ich hoffe, gelungen zu beweisen, dass das Hausaltärchen ein Werk der zweiten Hälfte des XIII. Jahrhundertes sein könne, so bleibt mir noch die zweite, wichtigere Frage zu beantworten: „Kann und darf man das Reliquiar der seligen Margaretha, der Tochter Königs Bela IV., zuschreiben?"

Obwohl ich unverdrossen alle Quellen durchforschte, die sich auf diese heilige Jungfrau beziehen, wollte es mir dennoch nicht gelingen, auf die Spur eines gleichzeitigen, directen Zeugen zu gerathen; nichtsdestoweniger aber finden sich in ihrem Leben, das im ersten Viertel des XVI. Jahrhunderts, wahrscheinlich auf Grund einer älteren Legende, die nach Toldy's competentem Urtheile, auf Grund des Commissionsberichtes von 1276, vermuthlich in den ersten drei Zehenten des XIV. Jahrhunderts geschrieben wurde, zahlreiche Spuren der hohen Verehrung, welche Margaretha den heiligen Bildern und den Reliquien der Heiligen zollte. Die vor der — wegen der Heiligsprechung Margarethens zusammengerufenen — Commission erscheinenden Zeugen sagten öfters aus: dass zwar Margaretha sich von dem Golde, Silber, Gelde, goldgesticktem Sammt, welchen ihr König Bela, die Königin und König Stephan brachten, nichts nahm, sondern es der Oberin zu kirchlichen Zwecken übergab; nichtsdestoweniger dennoch kostbare Andachtsgeräthschaften hatte, wie aus einer Stelle, die in Pray's: Vita S. Elizabethae et b. Margaritae, S. 320, vorkommt, ersichtlich ist, welcher sagt: „Sobald die heilige Jungfrau

Margaretha der kranken Schwester die Arznei gab, verlor die Kranke sogleich ihre Stimme und ihr Bewusstsein; als die heilige Jungfrau dieses sah, erschrack sie sehr, indem sie befürchtete, dass sie die Ursache des Todes jener Schwester werde, deren Gesundheit sie herstellen wollte. Darum schickte sie eilends eine Schwester und liess ihre aus Gold verfertigte Tafel holen, in welcher Tafel die Reliquien vieler grosser Heiligen und das lebendige Kreuzesholz enthalten sind. Diese Tafel hatte die heilige Jungfrau Margaretha, wenn sie des Tages oder des Nachts betete, vor ihren Augen. Vor dieser Tafel fiel die heilige Margaretha hin" . . . u. s. w. Es wird es mir Niemand übel nehmen, wenn ich unter der hier angeführten Reliquientafel unseren sogenannten Hausaltar verstehe, der schon wegen seiner Kostspieligkeit und künstlerischen Ausführung zu jener Zeit zu den Meisterwerken zählen musste, und nur ein, einer Königstochter würdiges Geräth vorstellen konnte. Nach dem Angeführten mag die Bezeichnung der aus Gold verfertigten Tafel oder des Bildes, das mit den Reliquien vieler grosser Heiligen und der heiligen Kreuzpartikel geziert war, weniger gezwungen erscheinen, besonders da in der Legende noch öfters die inbrünstige Verehrung des Kreuzes, der Bilder des Heilandes und seiner jungfräulichen Mutter erwähnt werden.

Nun vergehen wieder einige Jahrhunderte ohne eine Spur des Margarethen-Altars; aber können wir darum auch behaupten, dass uns vielleicht schon die nächste Zukunft nicht etwas Sicheres über diesen Gegenstand bringen könne? Wenigstens ist die Wahrscheinlichkeit vorhanden, dass man in unseren, bisher wenig beachteten kirchlichen Inventarien ebenso auf ähnliche Stellen gelangen könne, wie ich deren eine vom verehrten Herrn P. Provincial des Franciscaner-Ordens Cyriacus Piry unlängst erhielt. Der im Ordensarchive in Pressburg forschende hochwürdige Provincial entdeckte ein Inventar der Pressburger Clarisser-Nonnen vom Jahre 1656, in dem unter anderen zahlreichen Kostbarkeiten diese, für unsere Sache sehr wichtige Stelle vorkömmt: „Ein Bildniss der seligen Jungfrau, das der Jungfrau Margaretha gehörte; dessen Tafel ist inwendig von Gold, der Fuss von Silber." Es wird zwar noch unter den Leuchtern Nr. 21: „Nochmals ein silbernes Altärchen, in dem das Bildniss der heiligen Jungfrau enthalten ist" angeführt, aber indem das erstere Bildniss unter den Goldgeräthschaften erwähnt wird, das Bild der seligen Margaretha zugeschrieben ist, die innere Tafel von Gold, d. i. vergoldet heisst, hauptsächlich aber der silberne, vielleicht der Vergoldung hie und da entblösste Fuss zu bezeichnend ist, kann ich keinen Augenblick zweifeln, dass das Inventar unter dem mit einem Fussgestelle versehenen Bilde unseren Altar bezeichnet hat.

Zur Beglaubigung dieser Ansicht will ich von vielen Stellen nur eine anführen, die sich in Didron's Annal. Archéol. XVIII. S. 32 vorfindet, und auf das Inventar Bonifaz VIII., also gegen 1294 herum, sich beziehend, aus dem Anfange des XIV. Jahrhunderts stammt: „Una ymago argentea deaurata beatae Virginis cum filio in brachio et rosa in manu et cum ystoria nativitatis Dnj. in hostijs tabernaculi, cum tabernaculo ad summum magnum clozerium smaltatum, et quatuor pomis cum XIIII smaltis, in pede quadratoa" . . . Es ist wohl schwer möglich, sich ein Kunstwerk zu denken, dass unserem Hausaltar näher käme, als das hier beschriebene vergoldete Bild mit Flügeln und dem viereckigen Fusse!

Indem also kaum ein Zweifel obwalten kann, dass das in dem authentischen Berichte an den Ordens-General beschriebene Bildniss eines und dasselbe mit dem Margarethen-Altare sei wäre es nur noch zu beweisen nöthig: dass der im Clarisserkloster aufbewahrte, 1656 inventirte Altar, und die in der Legende vorkommende Reliquientafel sich auf eine und dieselbe Andachtsgeräthschaft beziehen.

29*

Wenn hier von dem Schatze eines Domes, eines Männerklosters, einer Burgcapelle u. s. w. die Rede wäre, würde ich auch nicht anstehen, meinen Zweifel offen und unumwunden auszusprechen. Hier aber glaube ich, muss ein Unterschied zwischen *einem Museal-Schaustücke* und *einem Kirchengeräthe einer geistlichen Corporation von Nonnen* gemacht werden, welcher Umstand mich endlich bestimmt, den Reliquienaltar, so lange keine positiven Anzeichen dagegen angeführt werden können, *unbedingt der seligen Margaretha zuzuschreiben.*

Es würde mir ein leichtes sein, aus der Margarethen-Legende sehr viele Stellen anzuführen, welche beweisen, mit welcher heiligen Pietät die Dominicanerinnen der Haseninsel, in deren Kloster die heilige Königstochter lebte und starb, alles aufbewahrten, was mit ihrer glorreichen Ordensschwester in irgend einer Beziehung stand. Sie benutzten zur Heilung von Krankheiten ihr *Cilicium*, ihre *Haare*, *Stücke ihres Scapulirs*, ihr *Velum*, ihren *Gürtel*: ebenso bewahrten sie ihre *Reliquien* bis zu den letzten Jahrzehenten des verflossenen Jahrhunderts. Indem nämlich die Dominicanerinnen sich von Ofen, nach der Besetzung dieser Stadt durch die Türken 1541 mit den *Alt-Ofner Clarisserinnen* flüchteten, und zwar erstere früher nach Gross-Wardein, später nach Tyrnau kamen, wurden sie endlich auf Befehl Kaiser Maximilian's II. mit den Pressburger Clarisserinnen vereinigt, wo einige der Schwestern die Ordensregel dieser annahmen, die übrigen aber bis zu ihrem Tode ihrem Gelübde treu blieben. Die letzte Dominicanerin starb im Jahre 1637; in eben demselben Jahre, als der Geschichtsschreiber des Dominicanerordens *Ferrarius* noch die Reliquien der Ordensheiligen, das ist: *Margarethens*, in Pressburg sah.

Wenn wir also auch zugeben möchten, dass die erwähnten *Kleidungsstücke* aus heiligem Eifer ersetzt worden wären; wenn wir selbst zugeben möchten, dass man von *ihren Reliquien* einige substituirte, obwohl es bis heute niemand einfiel, *mit ihren vermissten heiligen Gebeinen* einen solchen Frevel auszuüben; wer wird wohl behaupten wollen, dass eine solche Unterschiebung *mit dem Hausaltar der heiligen Margaretha vorgenommen wurde*, mit einem so kostbaren Kirchenschmucke, den die Nonnen schon wegen seines Werthes, seines heiligen Andenkens, seiner geringen Ausdehnung nicht allein überall mit sich nehmen konnten, mit sich führen mussten, und den gewiss *jede einzelne Schwester als den Stolz*, *als den grössten Schatz ihrer Genossenschaft zu betrachten genug Grund hatte!*

Dass *Ferrarius* in seinem Werke: De rebus Hung. Prov. Ord. Praedicatorum, S. 231, wo er die vom König Bela IV. dem Kloster der Dominicanerinnen geschenkten Schätze, nämlich: „candelabra duo ex jaspide elaborata, calix cum patena, duos palmos longus, pretiosis unionibus uroque ornatus: vestes sacerdotales lamellis aureis ac gemmis collucentes, in quibus crucifixi effigies ex margaritis unionibusque confertim stipata visitur, regiae olim munificentiae crebrum et insigne in religionem argumentum“ erwähnt, von dem Hausaltar kein Wort sagt, kann wohl nicht gegen die Authenticität des Reliquiars angeführt werden; und zwar, weil der Altar vielleicht nicht bei derselben Gelegenheit dem Kloster geschenkt wurde, die *Ferrarius* anführt, nämlich bei der Professablegung der königlichen Jungfrau; weil er überhaupt schon zu jener Zeit ein Eigenthum des Klosters gewesen sein konnte; oder weil er vielleicht der heiligen Nonne vom Könige oder ihren erlauchten Verwandten zum eigenen Gebrauche, nicht aber dem Kloster übergeben wurde. Dass Ferrarius weiter Seite 328 von den Reliquien der Heiligen, als Augenzeuge sprechend, den Altar wieder nicht anführt, ist ebenfalls natürlich, denn seine Aufgabe war an dieser Stelle blos, Reliquien, nicht aber auch die Geräthschaften der heiligen Margaretha zu beschreiben.

Weit auffallender ist es, dass wir in der Liste der Pretiosen, welche das Pressburger Kloster der Clarisserinnen 1770 besass und die auf Befehl der Kaiserin Maria Theresia verfertiget wurde [7], weder die von Ferrarius angeführten Kunstgegenstände, noch weniger den Reliquienaltar auffinden, obwohl derselbe nach Primisser's Zeugniss (Taschenbuch für vaterl. Geschichte 1824. S. 98) 1784 bei Gelegenheit der Aufhebung der Pressburger Clarisserinnen, ausdrücklich in die Hände des Reichsprimas Batthyanyi gelangte und sich im erwähnten Jahre 1824 im Besitze der Gräfin Vincenz Batthyanyi befand, und beschrieben wurde.

Es ist aus jenen Cassations-Documenten, zu denen ich gelangen konnte, überhaupt nicht ersichtlich, ob der fragliche Altar während der Licitation an den Fürstprimas überging, oder demselben als Oberhaupt der ungarischen Kirche vielleicht verehrt wurde. Möglich, dass uns da einstens aus dem gräflichen Familienarchive eine Aufklärung zukömmt. In der Literatur finden wir nur noch zweimal eine Erwähnung desselben, nämlich in dem 1847 erschienenen „Magyar Hajdan és Jelen" Seite 45. Col. 2, wo es heisst: dass der Margarethen-Altar nach dem Tode der Gräfin Vincenz Batthyanyi Baron von Hügel für seine archäologische Sammlung ankaufte; und das andere Mal, wo Häufler, aus dessen Feder obiger Artikel floss und in's Ungarische übersetzt wurde, in dem 1854 erschienenen Buda-Pest, II. Theil, Seite 43 in der Anmerkung sagt: Damals — also 1784 — waren laut Bericht der Aufhebungs-Commission — Schade, dass er denselben nicht mittheilte, oder wenigstens die Quelle andeutete — noch Überreste der Gebeine der seligen Margaretha, sammt Schmuck, der ihr Grab zierte, zu sehen. — Ein unschätzbares Denkmal damaliger Kunst ist der silberne Hausaltar der heiligen Margaretha, jetzt im Besitze Ihrer Excellenz der Frau Gräfin Vincenz Batthyanyi. — Ich habe aus sicherer Quelle erfahren, dass der Altar bei Baron Hügel nur deponirt war, um dessen Verkauf auf diese Art einzuleiten. Er wurde damals auch, wie ich hörte, dem ungarischen National-Museum um 8000 fl. angetragen, vermuthlich aber wegen Mangel des Kaufschillings nicht erworben.

Eines ist übrigens gewiss: dass ich den Altar der heiligen Margaretha noch 1864 während der Osterferien im Rakicsáner Schlosse des Herrn Grafen Arthur Batthyanyi sah. Jetzt soll er sich in Frankfurt am Main, bei einem der am meisten bekannten Antiquare befinden. Es bleibt uns daher nur eine einzige Hoffnung übrig, dieses prachtvolle Meisterstück wieder zu besitzen: nämlich die bekannte Hochherzigkeit des Fürstprimas von Ungarn — und dessen Vorliebe für kirchliche Alterthümer. Er ist der Einzige, der den Hausaltar, als einstiges Gut eines seiner erlauchten Vorfahren nicht allein zurückkaufen kann, sondern auch gewiss diesen unersetzbaren Schatz für das Thesaurarium seiner Metropole zurückkaufen wird!

[7] Aufzählung des Schatzes der Königin Elisabeth. „Ihre goldene mit Edelsteinen ausgelegte Krone, ein goldener Kelch zwei silberne, vergoldete Leuchter, ein grosses, goldenes mit Edelsteinen ausgelegtes Pacificale, drei silberne Patenen, welche die Nonnen während der feierlichen Messen zu küssen pflegen. Ein theures Messgewand, dessen Mitte, mit Perlen und Edelsteinen ausgelegt, die eigenhändige Arbeit der Königin ist. Ein silbernes Kästchen derselben Königin, in dem verschiedene Reliquien, die sie sich noch während ihres Lebens verschaffte, aufbewahrt werden." — Schatz der Margaretha, Tochter Königs Bela IV. „Ein grosser, vergoldeter, silberner Kelch, eine vergoldete silberne Kapse, zwei silberne Kännchen mit der Untertasse."

Über Rundbauten mit besonderer Berücksichtung der Dreikönigs-Capelle zu Tulln in Nieder-Österreich.

Von Dr. Karl Lind.

(Mit 45 Holzschnitten.)

Unter den zahlreichen mittelalterlichen Rundbauten, die sich bis zur Gegenwart im Erzherzogthume Nieder-Österreich erhalten haben, nimmt unzweifelhaft die Rundcapelle zu Tulln[1] einen hervorragenden Platz ein. Sie gehört nicht nur zu den grösseren Bauwerken dieser Art, sondern ist auch beachtungswerth durch ihre reichere Ausstattung, insbesondere durch ihr prächtig verziertes Portal.

In den Mittheilungen der Central-Commission[2] hat man jene im Volksmunde gern als Heidenthürme oder römische Tempel bezeichneten thurmähnlichen Gebäude schon zu wiederholten Malen zum Gegenstand eingehender Bearbeitungen gemacht, auch ist es gelungen ihre ursprüngliche Bestimmung unzweifelhaft festzustellen. Von den Resultaten dieser gründlichen Forschungen ausgehend, wollen wir nunmehr eine Überschau dieser eigenthümlichen Bauten geben, die ohne Zweifel in der Baugeschichte der österreichischen Länder einen eigenen Platz beanspruchen können, und damit die Beschreibung der in der Aufschrift bezeichneten Capelle einleiten.

Die gegenwärtige Anzahl dieser runden kirchlichen Gebäude ist immerhin eine beträchtliche; es dürfte kaum zu viel sein, wenn man sie mit Einem Hundert beziffern will, zumal diese Bauten bis heute noch nicht sammt und sonders bekannt sind und eine möglichst vollständige Verzeichnung derselben noch einige Zeit brauchen dürfte.

Wir finden solche kirchliche Rundbauten und polygone diesen ähnliche Bauten in Nieder-Österreich zu Burgschleinitz, Deutsch-Altenburg, Friedersbach, Gars, Globnitz, Gföhritz, Hadersdorf a. K., Hainburg, Hardegg, Kuenring, Loosdorf, St. Lorenzen, Mistelbach, Mödling, Petronell, Pottenstein, Pulkau, Scheiblingkirchen, Stahremberg, Tulln, Wiener-Neustadt, Zellerndorf; Lorch in Ober-Österreich; in der Steiermark zu Bruck a. d. M., St. Georgen bei Murau, Maria Zell,

[1] Über dieselbe brachten Nachrichten Ernst und Öscher „Baudenkmale des Mittelalters im Erzherzogthum Österreich" (1846) und (Dr. Heider.) „Die Capelle der heiligen drei Könige in Tulln" (1847).

[2] M. I. 53, 197. III. 263, IV. 17, V. 337. Besprochen werden auch derlei Bauten im Jahrbuche der Cent.-Com. I. und II., in Heider und Eitelberger's mittelalt. Kunstdenkmalen des österr. Kaiserstaates I. 83, ferner in den Mittheil. des histor. Vereines für Steiermark 1859, dann in den Mittheilungen des Alterthums-Vereines zu Wien V. bezüglich des K. O. M. B. und in dem von demselben herausgegebenen archäol. Wegweiser durch Nieder-Österreich, Kreis unter dem Wiener-Walde.

Hartberg, Jahring, Köflach, Lind, St. Marein bei Neumarkt, Pöls, St. Veit in der Gegend; ferner zu St. Leonhard und Völkermarkt in Kärnthen; zu St. Jak, Kallos, Kis-Peleske, Nagy-Paka, Ödenburg, Osku, Papocs, Raba, Totlak in Ungarn; zu Znaym in Mähren; zu Prag, Schelkowitz, auf dem Georgsberg in Böhmen[3] etc.

In früheren Zeiten bestanden noch viel mehr solcher Grabcapellen, wie z. B. zu Drosendorf, Fischament, Heiligenkreuz[4], Klosterneuburg, Meisling, Minichreut, Schweigers, St. Valentin am Forste[5], Weiten und Zwettl[6] in Nieder-Österreich, zu Grätz, St. Oswald, Reichenburg an der Save und Tüffer in der Steiermark, zu Friesach (neben der Pfarrkirche) in Kärnthen, zu Hedervara in Ungarn etc.

Betrachtet man die örtliche Vertheilung dieser Bauten, so zeigt sich deren zahlreichstes Vorkommen in Nieder-Österreich, wo sie sammt jenen in den angrenzenden Gegenden von Ungarn und Steiermark befindlichen zu einer grossen geschlossene Gruppe sich vereinen, die zwar durch politische Grenzen zerstückt, aber geographisch ein Ganzes bildend, auch von natürlichen Grenzen umgeben ist. Als Mittelpunct kann man die Gegend zwischen der Donau, dem Wiener-Walde und dem Leitha-Gebirge annehmen. Von da verbreiten sich diese Bauten, und zwar je weiter entfernt desto seltener werdend, über die Steiermark bis Kärnthen, über das nördliche Ungarn bis in die östlichen Gegenden jenseits der Donau[7] und über beide Kreise von Nieder-Österreich jenseits der Donau bis Mähren.

Diese Rundbauten machen einen befremdenden Eindruck, wenn man sich dabei an die prächtigen Centralbauten Frankreichs, Deutschlands und insbesondere Italiens erinnert. Man war früher in Folge blos oberflächlicher Betrachtung und unbegründeter Annahme gern geneigt, dieselben in Österreich, so wie in Deutschland, England und in Frankreich, wo sie besonders zahlreich vorkommen, für jüdische oder heidnische Tempel, für Monumente der Templer zu bezeichnen. Auch versuchte man, sie byzantinischem und in Böhmen altslavischem Einflusse zuzuschreiben. Jetzt ist man bereits zu einer besseren, zur richtigen Annahme gelangt. Das Ergebniss der bisherigen Forschungen ist, dass diese Rundbauten streng christlichen Ursprungs sind, und eine mehrfache, immer aber kirchliche Bestimmung hatten, die sich theils durch die bauliche Anordnung, theils durch die Situation des Gebäudes ergibt.

Sie waren nämlich entweder Pfarrkirchen, wie es in Scheiblingkirchen (Fig. 1 und 2)[8] und St. Georgen bei Markersdorf[9] in Nieder-Österreich, zu Baumgarten und Benedicten[10] in der Steiermark, in Holubetz, Schelkovitz und in der heiligen Kreuzkirche in Prag der Fall ist, oder sie waren Interimskirchen, erbaut neben den bestehenden Holzkirchen zur Sicherung von Werthge

[3] Diese Anführung ist nur eine beispielsweise, und macht keinen Anspruch auf Vollständigkeit. Auch in Deutschland finden sich hie und da, aber im Ganzen nur selten derartige Bauten, wie in Drüchelte (Westphalen), Bonn, Steingaden, Vilshofen Altenfurt (Bayern), Muhlhausen, Heiligenstadt, Murhardt etc.

[4] Wir wissen von dieser Capelle, welche wahrscheinlich in Folge eines Gelübdes Herzogs Friedrich II. entstanden ist, dass in ihr 1397 ein Frauenalter bestand (Heiligenkreuz Urk. B. 393, Lichnovski V, Reg. 165.)

[5] Freiherr von Sacken berichtet darüber im archäologischen Wegweiser 57: „Eine ganz einfache, oben ausladende Rundcapelle, die ursprünglich isolirt stand, bildet gegenwärtig das Ende der südlichen Abseite und dient als Sacristei. Unter ihr eine Gruft."

[6] Paltram, Bürger von Wien schenkt Geldbeiträge zur Erbauung einer Todtencapelle daselbst, und damit in derselben ein Altar zu Ehren des heiligen Andreas aufgestellt werde (1217). S. Frast's Stiftungen von Zwettl, 255, 256.

[7] Henszelmann (die mittelalterlichen Baudenkmale Ungarns, österr. Revue VII. 127) bezeichnet eine in die Kirche zu Neutra eingebaute Halbrunde als den Rest einer romanischen Rundcapelle.

[8] Freiherr von Sacken berichtet darüber im archäol. Wegweiser 53: „Die Kirche, um 1183 erbaut, ein Rundbau von bedeutender Grösse, ist von einem rundbogigen Kreuzgewölbe bedeckt; der wegen des flachen Daches gemachte Aufbau ober dem Kranzgesimse, Eingang und Fenster modern. Die Apsis mit Halbkuppel und Rundbogenfenstern. Aussen Lisenen mit Halbsäulen. S. auch M. d. C. C. 317 und Ber. d. Wien. Alterth. Ver. I. 15.

[9] Freiherr von Sacken berichtet (Jahrb. d. C. C. II. 138), dass dieser aus dem XII. Jahrhundert stammende, aus Quadersteinen aufgeführte Rundbau, der keinen unteren Raum hat, gegenwärtig sehr entstellt und verbaut ist.

[10] S. Mitth. d. hist. Vereines f. Steiermark IX. 257.

genständen, wie dies in Böhmen häufig geschah. Diese Rundbauten sind dort von so auffallender Einfachheit und solcher Ähnlichkeit untereinander, dass man mit Grund annehmen könnte, sie seien alle nach demselben Plane erbaut. Als später in Böhmen die gemauerten Kirchen entstanden, verschwanden diese Interimskirchen, nur in armen Gemeinden haben sie sich erhalten. Von der besprochenen Gruppe der Rundbauten im Erzherzogthume Österreich und in den Nachbarlanden kann man aber eine solche Bestimmung der Rundcapellen nicht annehmen, da dieselben

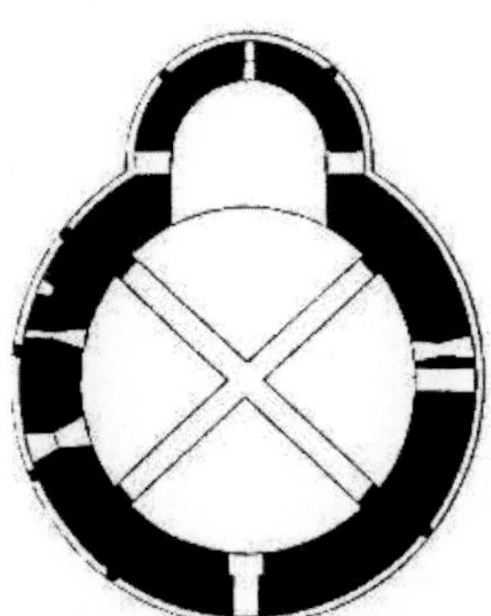

Fig. 1. Scheiblingkirchen.

Fig. 2. Scheiblingkirchen.

häufig mit grösserem Luxus ausgestattet sind, als für Interimsbauten nöthig erscheint, und sie oft neben Stein-Kirchen, die in ihrer Bauform noch älter sind, vorkommen.

Ferner waren derlei Rundbauten auch Schlosscapellen, wie in Znaym[11] (Fig. 3), oder in der Veste Stahremberg[12], oder am Gratzer Schlossberge[13], oder es hatten dieselben die Bestimmung von Taufcapellen, in welchem Falle sie fast immer dem Täufer Christi, dem heiligen Johannes geweiht waren. Mit der wahrscheinlichen Bestimmung als Baptisterium ist bis jetzt nur ein Rundbau in Nieder-Österreich bekannt, es ist jener zu Petronell[14]. Es ist auch leicht erklärlich, dass Bauten mit derlei Bestimmung sich bei uns so selten finden, da im XII. Jahrhundert, aus welcher Zeit frühestens unsere Rundbauten stammen, die Christianisirung in unserer Gegend schon so weit gekräftigt war, dass die Kindtaufe bereits fast allgemein vorkam, die von Erwachsenen aber nur mehr in seltenen Fällen vorgenommen wurde. Auch war das Taufrecht damals keineswegs mehr ein alleiniges Recht des Bischofs, sondern schon einzelnen bedeutenden Kirchen für ausgedehnte, mehrere Pfarrbezirke umfassende Sprengel ertheilt.

[11] Die Capelle steht in der ehemaligen Markgrafenburg, ist 27 Fuss hoch, die Apsis misst 18 Fuss im Durchmesser und 16 Fuss in der Höhe.

[12] Diese, dem zu Ende gehenden XII. Jahrhundert angehörige Rundcapelle im gewaltigen, geborstenen Thurme ist mit einem Kuppelgewölbe bedeckt, hat an den Wänden steinerne Sitzbänke und eine freitragende Treppe, die auf das Gewölbe führt. Die an der Ostseite angebrachte halbrunde Apsis hat $16\frac{1}{2}$ Fuss im Durchmesser und ein besonderes Kegeldach (Wegweiser 55).

[13] Die jetzt ganz demolirte chemals dem heiligen Thomas geweihte Schlosscapelle hatte eine angebaute Apsis, aber keine Gruft.

[14] Die ausser dem Orte Petronell gelegene Rundcapelle, wahrscheinlich früher ein Baptisterium, gehört zu den schönsten Bauten dieser Art in Österreich; der Hauptraum ist aussen mit Halbsäulen und Rundbogenfries reich geschmückt, nicht minder verziert ist der rundbogige Eingang. Bemerkenswerth erscheint an jener Capelle der in die Mauerdicke eingebaute Gang, durch welchen man auf das Dach gelangt. (Wegw. 51.)

Die fünfte Art der Bestimmung der Rundcapellen, welche auch die bei weitem grösste Verbreitung hatte, war die, als Grabcapellen zu dienen. Sie stehen alsdann auf den Friedhöfen und bilden durch ihre Bestimmung einen integrirenden Theil des Kirchencomplexes. Das Hauptkriterium für die Bestimmung der meisten Capellen zu Grabcapellen, die übrigens dann auch fast immer dem heiligen Michael[15] geweiht waren, besteht in dem stäten Vorkommen des Gruftraumes ad mortuorum ossa reponenda unter der Capelle[16]. In diesem Falle hatte der obere Raum die Bestimmung ad officia pro defunctis. Auch die in früheren Zeiten übliche Benennung von derlei Capellen als Carner hat sich hie und da im Volksmunde erhalten und gibt Zeugniss für deren ursprüngliche Bestimmung. Das Vorkommen des Gruftraumes spricht entschieden gegen die etwaige Bestimmung der Capellen zugleich zum Taufen und zum Officium mortuorum, da es sowohl dem kirchlichen Geiste des Mittelalters, wie auch den Concilbeschlüssen völlig widerspricht, in einer Begräbnisscapelle zu taufen oder in einer Taufcapelle den Todten-Gottesdienst abzuhalten. Auch findet man derlei Capellen oft zunächst kleiner unbedeutender Dorfkirchen, ja öfters in unmittelbar aneinander grenzenden Pfarrbezirken (Deutsch-Altenburg und Hainburg, Pulkau und Zellerndorf, Kuenring und Burgschleinitz etc.), ebenfalls ein Argument gegen die etwa gemeinschaftliche Bestimmung derselben als Tauf- und Begräbnisskirchen, da die mit einer solchen Pfarrkirche verbundenen kleinen Pfarrbezirke der Annahme widersprechen, dass nur den Pfarrern bedeutenderer Gemeinden in früherer Zeit das Taufrecht über grössere Bezirke ertheilt wurde. Überdies können wir das Entstehen solcher Capellen durch alle Zeiten, als bereits seit längst blos mehr in den Kirchen getauft wurde, herauf verfolgen. Es hat sich die Sitte, Capellen nur zum officium mortuorum neben der Kirche zu erbauen, bis zum Schlusse des Mittelalters erhalten, und findet man in den meisten dieser Capellen den zur Taufhandlung nicht unumgänglich nothwendigen Altar, so wie auch beim Eingange ein Weihwasserbecken.

Fig. 3. Znaim.

Will man hinsichtlich der runden Form der Grabcapellen das Bestehen irgend eines Vorbildes voraussetzen, so ist dasselbe wohl nur unter den römischen Grabdenkmalen zu suchen. Eben wie wir im Mittelalter überhaupt fast alle mit dem Grab- und Reliquiencultus zusammenhängenden Bildungen aus den römischen Sitten hergeleitet finden, wurde auch die runde Form für derlei Bauten typisch. Auch die von Kaiser Constantin erbaute heilige Grabcapelle zu Jerusalem

[15] Dem heiligen Michael geweihte Carner waren: jener zu Schweigers in Nieder-Österreich, der auf Befehl des Abtes Rainer I. von Zwettl abgetragen wurde, jener zu St. Oswald (abgetragen 1798), zu Reichenberg a. d. Save in der Steiermark (abgetr. Dec. 1830), zu Friesach (aus dem XIII. Jahrhundert, abgetragen 1815, s. M. d. C. C. VIII, 193). Diesem Erzengel, als dem Seelen-Wäger und Vertheidiger (s. Kreuser's Bildnerbuch 60) ist geweiht jener zu Lind, zu St. Lambrecht, zu Wiener-Neustadt etc.

[16] Die Chronik von Fulda erzählt aus dem Jahre 822: Ecclesiam parvam aedificavit rotundam, ubi defuncta corpora fratrum sepulturae tradita requiescunt, quam cimiterium vocant.

dürfte jene runde Form gehabt haben, wie wir aus jenem aus dem V. oder VI. Jahrhundert stammenden Elfenbeinschnitzbilde ersehen können, das sich im National-Museum zu München befindet[17].

Als die Ritter aus dem gelobten Lande heimkehrten, dürften von diesen, bei der durch die Kreuzzüge entstandenen Begeisterung für die Grabesstätte Christi und bei dem daraus entstandenen Bestreben für die Verstorbenen den Gottesdienst in solchen Capellen zu feiern, die durch ihre Gestalt an das heilige Grab erinnern, wahrscheinlich viele derartige Capellen erbaut worden sein. Auch finden wir solche öfters an solchen Orten, wo Adelsgeschlechter ansässig waren, von denen es bekannt ist, dass einzelne Glieder derselben an Kreuzzügen theilnahmen, wie z. B. das Geschlecht der Dürr von Wildungsmauer, das den Ort Deutsch-Altenburg im XIII. Jahrhundert besass.

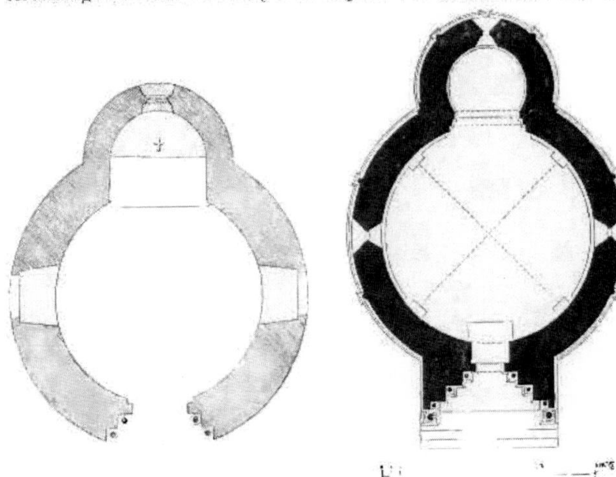

Fig. 4. Kuenring. Fig. 5. Deutsch-Altenburg.

Die fast immer als Quaderbau aufgeführten Rundcapellen stammen in ihrer Mehrzahl aus der Periode des romanischen Styles, haben beinahe alle die gleiche Gestalt und zeigen dann alle

Fig. 6 und 7. Jahring.

Entwicklungsstufen von der ersten einfach rohen Form bis zum Glanzpunct der reichsten Ausstattung. Sie bilden nach Art der Baptisterien, aber von kleinerem Umfange, einen kreisför-

[17] S. Mitth. d. C. C. VII. 85.

migen Hauptraum, dessen Durchmesser zwischen 12 und 40 Fuss[18] wechselt, überdeckt mit einem Kreuzgewölbe. An diesen schliesst sich als Altarraum ein halbrunder Ausbau an,

Fig. 8. St. Leonhard. Fig. 9. Pulkau. Fig. 10. S. Jak.

dessen Grundform einen Halbkreis oder ein grösseres oder kleineres Kreissegment, bisweilen auch mit verlängerten Schenkeln bildet. Beispiele dieser Art geben uns die Carner zu Kuenring (Fig. 4), Deutsch-Altenburg (Fig. 5) und Jahring (Fig. 6 und 7). Es kommt auch vor, dass der Apsisausbau ganz fehlt, wie dies bei der Rundcapelle zu St. Leonhard (Fig. 7)[19] und zu Lind[20] der Fall ist.

Fig. 11. Hardegg.

In der Zeit des Überganges vom romanischen zum gothischen Style verändert sich die runde Aussenform des Hauptraumes oder wenigstens des oberen Theiles derselben dem auftretenden Style gemäss in ein Polygon (Carner zu Pulkau, Fig. 9), meist in ein Achteck,

Fig. 12. Kuenring.

[18] Die Durchmesser betragen bei der Rundbaute nächst Rein 12', Kuenring 17', Jahring 18', Znaim 20', Ödenburg 21', Hardegg 23', Hartberg und Hadersdorf 24', Mödling 25', Deutsch-Altenburg 26', Stahrenberg 28', St. Lambrecht 30', Friesach 40'.

[19] Diese aus dem Anfange des XIII. Jahrhunderts stammende Rundcapelle steht ganz nahe dem Presbyterium der Pfarrkirche, besteht aus dem fast über dem Boden-Niveau heraussstehenden unteren Raume (Beinhaus) und der oberen Capelle (S. M. d. C. C. VIII. 279).

[20] Diese mit einer Gruft versehene Capelle hat, obgleich keine Apsis, doch im Innern eine in die Mauer eingeführte Altarnische (S. Mitth. d. h. V. f. St. IX. 262.)

welche Form sodann insbesondere bei Bauten auf dem Lande in zäher Weise durch mehrere Jahrhunderte festgehalten wird. Eine weitere eigenthümliche Bildung des Grundrisses während des Verschwindens des romanischen Styles finden wir an einigen Carnern in Ungarn, die die Figur von vier kreuzförmig ineinander geschobenen Halbkreisen haben (S. Jak. Fig 10).

Meistens findet sich, wie bereits erwähnt, unter der Capelle ein besonderer Raum mit der Bestimmung als Beinhaus ad ossa mortuorum recipienda. Heut zu Tage haben viele dieser Unterräume nicht mehr ihre ursprüngliche Bestimmung, sondern dienen unpassender Weise als Magazine. Endlich kommt es nicht selten, insbesondere während des zu Ende gehenden XIII. und zu Anfang des XIV. Jahrhunderts vor, dass der Gruftraum nicht völlig unter der Erde angelegt ist, oft ragt er weit über das Terrainniveau heraus, ja es kommt sogar vor, dass derselbe darüber ganz heraussteht, wodurch das ganze Bauwerk das Aussehen eines Thurmes bekommt, und dann die eigentliche Capelle das erste Stockwerk des Gebäudes bildet, zu welchem eine Stiege emporführt (s. Fig. 11. Carner zu Hardegg.)[21] In Marein (Steiermark) verjüngt sich die Capelle ober der Gruft so bedeutend, dass dadurch eine um dieselbe laufende Gallerie gebildet wird[22]. Oft auch ist es der Fall, dass zwar der obere Raum den Apsisausbau hat, während im unteren derselbe fehlt. In diesem Falle tritt dann die Apsis, wenn die Gruft über das Bodenniveau herausgeht, erkerartig hervor und ruht auf Tragsteinen, wie wir dies am Carner zu Kuenring[23] (Fig. 12) sehen.

Die Untercapelle hat immer ihren besonderen Eingang von aussen (s. Fig. 6, 11 und 12), der meistens klein, halbversteckt, schwer zugänglich und beinahe ohne allen Schmuck ist. Weit prächtiger ausgestattet ist hingegen bei fast allen derartigen kirchlichen Rundbauten der Eingang zur eigentlichen Capelle. Ja man kann sagen, dass gerade dieser Theil des Gebäudes der Hauptpunct

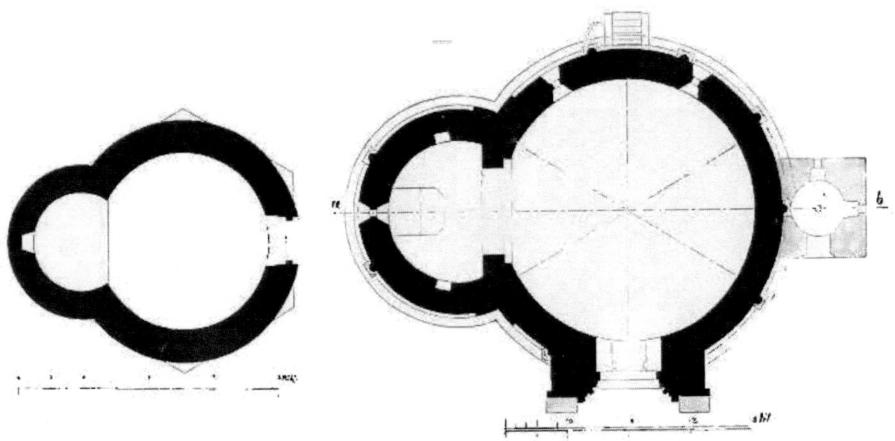

Fig. 13. Bruck a. d. M.

Fig. 14. Mödling.

[21] Die Rundcapelle zu Hardegg (Nieder-Österreich. K. O. M. B.), neben der dortigen Pfarrkirche erbaut und aus der 2. Hälfte des XIV. Jahrh. stammend, hat eine auffallend thurmartige Form (41 Fuss hoch). Der Gruftraum (16 Fuss hoch) liegt ganz oberirdisch und ist mit einem flachen Bogen überdeckt. Die kleine erkerartige Apsis hat einen Durchmesser von nur $6\frac{1}{2}$ Fuss, sie tritt nur wenig aus dem Gebäude hervor und ruht auf Kragsteinen. M. d. A. V. 104.

[22] S. Mitth. d. h. V. v. St. IX. 263.

[23] An der südlich der Pfarrkirche zu Kuenring stehenden Grabcapelle, die aus der Mitte des XIII. Jahrhunderts stammen dürfte, findet sich die Eigenthümlichkeit, dass die in der Regel unterirdisch liegende Gruft ($8\frac{1}{2}$ Fuss hoch) fast um eine Klafter über das Niveau heraufgeht, daher in die Capelle eine Treppe führt (s. Mitth. d. Alt. Ver. V. 78).

war, auf den der Baumeister den meisten Fleiss verwendete und den er mit reichlichem Schmucke zu versehen sich bestrebte.

Dieser Eingang befindet sich in den wenigsten Beispielen in der durch die Capelle und Apsis laufenden Längenaxe, wie dies z. B. beim Carner Kuenring (Fig. 4), zu Deutsch-Altenburg (Fig. 5) oder jenem zu Bruck a. d. M. (Fig. 13) der Fall ist; meistens ist er an der Seite gegen die fast immer südlich der Capelle erbaute Kirche, also die Längenaxe der Capelle durchschneidend angebracht, wie wir dies an dem Grundrisse der Rundcapelle zu Mödling (Fig. 14) ersehen können. Bei den aus der Übergangsperiode stammenden Rundcapellen ist das Portal nicht einmal in der Breitenaxe, sondern überhaupt nur in einem gegen die Kirche gewendeten Seitenfelde der Capelle angelegt (Fig. 15, Carner zu Hartberg).

Ein Grund für diese Anordnung mag die Rücksicht auf die zunächst stehende Kirche gewesen sein, ohne dass desshalb die Orientirung der Capelle aufgegeben werden sollte.

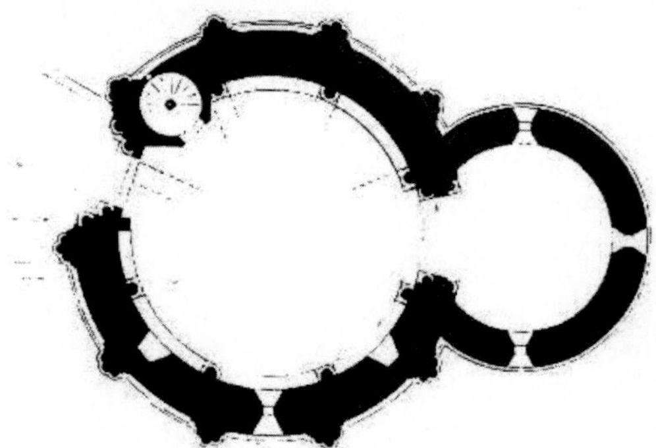

Fig. 15. Hartberg.

Die Portale, bisweilen in eigenen Vorbauten (Deutsch-Altenburg, Fig. 16) angebracht, sind alle rundbogig und nach innen verengend, stufenweise abgeschrägt, mit Säulen zu beiden Seiten verziert, die mittelst ihrer meistens prächtigen Capitäle die runden Wulste des Portalbogens tragen. Dessgleichen reich verziert sind die zwischen den Säulen einspringenden Mauerecken; die Thür hat meistens einen geradlinigen Sturz, und im Tympanon ist öfters ein Relief angebracht, wie z. B. am Mödlinger Carner.

Die übrige Verzierung der Aussenseite besteht in Halbsäulen, bisweilen mit Capitälen, in umlaufenden Rundbogenfries und Zahnschnitt unter dem gekehlten Dachgesimse, und öfters in einem breiten Sokkel, der um das Gebäude gezogen ist. Die Apsis ist selten gleich mit dem Hauptbaue ausgestattet, manchmal mehr verziert (Fig. 17 Rundbau zu Mödling), manchmal weniger, übrigens kommt es auch vor, dass derlei Gebäude fast ohne allen Schmuck sind, z. B. der Carner zu Hadersdorf am Kamp (Fig. 18)[24].

Fig. 16. Deutsch-Altenburg.

[24] Dieser aus dem XIII. Jahrhunderte stammende Carner hat eine Höhe von 2[illegible] Fuss.

Fig. 17. Modling.

Ragt die Umfassungsmauer des Gruftraumes aus der Erde heraus, so ist gewöhnlich die Untertheilung desselben von der oberen Capellenmauer durch eine stufenförmige Verzierung oder einen umlaufenden Fries dargestellt.

Das Mittelgebäude schliesst fast immer mit einem Kegeldache ab, das meistens aus Quadern erbaut ist und zu einer hohen Spitze ansteigt. Die Stiege in dem Dachraum ist schneckenförmig an den Innenrand des Gebäudes angefügt und hat ihren Zugang vom inneren Capellenraume (s. Fig. 15). Bisweilen ist sie nicht spindelförmig gebaut, sondern sie steigt in der Mauer des Baues selbst auf (s. Fig. 10).

Die Apsis ist gewöhnlich mit einem besonderen, aber kleinen Dache überdeckt, das sich an die Capellenmauer anschliesst. Manchmal hat dieses Dach ebenfalls die Kegelform, ist aber immer niedriger als die Spitze über dem Hauptraume. Bedachungen dieser letzteren Art finden sich an den Carnern zu Pottenstein [25] und Hartberg (Fig. 19).

An den meisten dieser Rundbauten fehlen bereits die ursprünglichen Steindächer. Bei einigen wurde ein Holzdach nach dem ursprünglichen Muster aufgestellt, bei manchen hat man sogar in geschmacklosester Weise Zwiebelkuppeln aufgesetzt (Mödling, Kuenring).

Fig. 18. Hadersdorf a. K.

In Böhmen ist das spitze Dach durch eine eingesetzte Laterne unterbrochen, die wieder mit einer Spitze versehen ist. Diese Gebäudeform mag wohl aus Rücksicht auf eine wahrscheinliche Nebenbestimmung der Carner angenommen worden sein, nämlich damit sie auch als Todtenleuchte dienen konnten. Im XII. und XIII. Jahrhundert durfte wohl das vor dem Altar brennende ewige Licht diesen Zweck miterfüllt haben, insbesondere, wenn es so hoch hing, dass es aussen sichtbar wurde, nämlich in jener eben besprochenen Laterne auf der Spitze des Gebäudes. Auch in Frankreich bestanden so eingerichtete Capellen. Als die Carner seltener wurden, errichtete man als deren Ersatz hinsichtlich dieser Bestimmung die Lichtsäulen um so häufiger [26].

In der Zeit der Spätgothik, die sich bei diesen Bauten unmittelbar an den sogenannten Übergangsstyl anschliesst,

[25] Dieser höchst einfache, aus dem XIV. Jahrhunderte stammende, neben der Kirche gelegene Carner ragt mit der Gruft hoch über die Erde heraus. Wegw. 52.

[26] Siehe Essenwein's Aufsatz über die Todtenleuchten. Mitth. d. k. k. Centr. Comm. VII, 319. Siehe auch Mitth. d. k. k. Centr. Comm. I. 198.

wurde die runde oder polygone Form ganz aufgegeben und statt deren die Capelle in oblonger Gestalt mit mehrseitig geschlossenem Altarraume aufgeführt. Eben diese Form erhielt sich in theils grösseren, theils kleineren Dimensionen bis zur Gegenwart massgebend. Oft geschah es, dass solche Carner im Mittelalter restaurirt oder vergrössert wurden, was dann mit Ausserachtlassung des Styles des Gebäudes im damals üblichen Style geschah. Ein Beispiel hiefür bietet uns der Carner zu Wiener Neustadt, der mit Beibehaltung der halbrunden Apsis aus einem Polygon in ein Oblong [27], und der zu Völkermarkt in Kärnten, dessen halbrunde Apsis mit Beibehaltung des runden Hauptraumes während des vierzehnten Jahrhunderts [28] in einen fünfseitigen Schluss (Fig. 20) verwandelt wurde.

Ein Beispiel des schon frühzeitigen Aufgebens der runden Form bildet die aus der ersten Hälfte des dreizehnten Jahrhunderts stammende St. Johannes-Capelle zu Margarethen am Moos [29] in Nieder-Österreich, welche bereits eine viereckige Grundform hat. Nicht minder interessant ist die freilich viel jüngere Heiligen-Geistcapelle bei Bruck an der Mur [30], deren Grundriss ein gleichschenkliges Dreieck bildet.

Fig. 19. Hartberg.

Die polygone Form des Carners zu Aflenz und zu Neumarkt [31], eines vollständig gothischen Baues mit einer aus drei Seiten des Achteckes gebildeten Apsis und einem Gruftraume, die auf einem Mittelpfeiler ruhet und sich auch unter die Chornische ausdehnt (Fig. 21), liefert den Beweis, dass selbst noch Mitte des XIV. Jahrhunderts die typische Grundform nicht ganz ausser Anwendung gekommen war.

Bevor wir nun zur Betrachung der Tullner-Capelle schreiten, seien die interessantesten jener Karner, die wir früher erwähnt haben, in Kürze beschrieben.

[27] Solche oblonge Grabcapellen existiren in Nieder-Österreich zu Anzbach, Randegg, Gross-Pöchlarn, St. Michael a. d. Donau (XV. Jahrh. mit Gruft), Lanzendorf, Perchtoldsdorf (Anf. XVI. Jahrh.), Winzendorf, Kirchschlag, Würflach, Aspang, zu Znaim mit der Aufschrift: hic est carnarium, orate pro animabus, in Mähren, zu Hallstadt in Oberösterreich, zu Schwaz, Wilten in Tyrol u. s. w.

[28] Siehe Mitth. d. k. k. Centr. Comm. I. 142.

[29] Freiherr v. Sacken im archäologischen Wegweiser, 39: Die Johannes Capelle neben der Kirche, viereckig, von einem Tonnengewölbe im gedrückten Spitzbogen überdeckt, mit der Gruft unterhalb, stammt aus der ersten Hälfte des XIII. Jahrhunderts.

[30] Siehe Mitth. d. k. k. Centr. Comm. X. 15.

[31] Siehe über diesen im Jahrb. d. k. k. C. C. II. 229 u. Mitth. des hist. Vereines für Steiermark. 1859.

Die aus Quadern erbaute Grabcapelle zu Hartberg (Steiermark) mit grosser, 16′ hoher und 13′ breiter Apsis, die ebenfalls fast einen ganzen Kreis bildet, besteht aus dem 18′ hohen Gruftraume ohne Apsis, und der darauf gebauten 24′ hohen und ebenso im Durchmesser grossen Capelle, die mit einer durch acht ungegliederte Gurtenbänder getragenen Kuppelwölbung überdeckt ist. Bemerkenswerth ist an dieser überhaupt reichgezierten Capelle das zweimal abgestufte rundbogige Portal mit Säulen an den Eckpfeilern und reichem Capitälschmucke an denselben (s. Fig. 15, 19, 21, 22) [32].

Fig. 21. Neumarkt.

Der neben der Kirche zu Deutsch-Altenburg in Nieder Österreich gelegene Karner gehört zu den zierlicheren seiner Art. Das mit Säulen reichverzierte rundbogige Portal mit geradlinigem Eingange befindet sich in einem eigenen Vorbau. Die Capelle liegt etwas über dem Bodenniveau und hat 26′ im Durchmesser. Der Gruftraum dehnt sich nicht unter die 9′ im Durchmesser betragende Apsis aus, die in ihrer Grundform noch beinahe Dreiviertheile eines Kreises bildet. Die Aussenseite dieser aus dem Anfange des XIII. Jahrhunderts stammenden Capelle ist mit Halbsäulen und an der Apsis überdies mit einem Rundbogenfries geschmückt (s. Fig. 5, 16, 23; ferner Mitth. d. C. C. I, 251. Wegw. 5).

Fig. 20.

Die rechts der Othmarkirche zu Mödling gelegene Pantaleonscapelle, gegenwärtig durch einen geschmacklosen Aufbau mit Zwiebelkuppel zum Glockenthurm missgestaltet, stammt aus dem Anfange des XIII. Jahrhunderts, hat in ihrem mit einem rippenlosen Kreuzgewölbe eingedeckten Hauptraum einen Durchmesser von 25′. Die Apsis ist in ihrem Grundrisse grösser als ein Halbkreis. Den Eingang ziert ein rundbogiges, auf jeder Seite mit Säulen und im Tympanon mit einem Relief ausgestattetes Portal. Unter der Capelle befindet sich eine grosse gewölbte Gruft. Die Aussenseite ist durch Halbsäulen, Rundbogenfries und Zahnschnitt geziert (s. Fig. 14, 17, Mitth. d. C. C. III, 263, des Alterth. Ver. zu Wien X. 173 und Wegw. 40).

Fig. 22. Hartberg.

Der dem heiligen Michael geweihte Carner zu Wiener-Neustadt, rechts der ehemaligen Domkirche gelegen, stammt aus dem XIII. Jahrhundert; er hat eine sechseckige Grundform mit Giebeln über den Seiten und mit halbrunder Apsis nach Osten. Bei einer späteren Restauration wurden die Spitzen der Giebel weggenommen und der Raum dazwischen mit Mauerwerk ausgefüllt. Der innere Raum der Capelle ist mit einem sechs-

32 Über diese Capelle s. Jahrb. d. k. k. C. C. II, 26 und Mitth. derselben I, 59.

eckigen Kreuzgewölbe überdeckt, die niedere Apsis mit einer Halbkuppel. Unter der Capelle befindet sich eine Gruft. Im XV. Jahrhundert wurde die Capelle durch einen oblongen Zubau mit Spitzbogenfenstern vergrössert und nach aussen durch Strebepfeiler verstärkt (siehe Fig. 24, und Heider-Eitelberger: Mittelalterliche Kunstdenkmale des österr. Kaiserstaates II, 195. Wegw. 44).

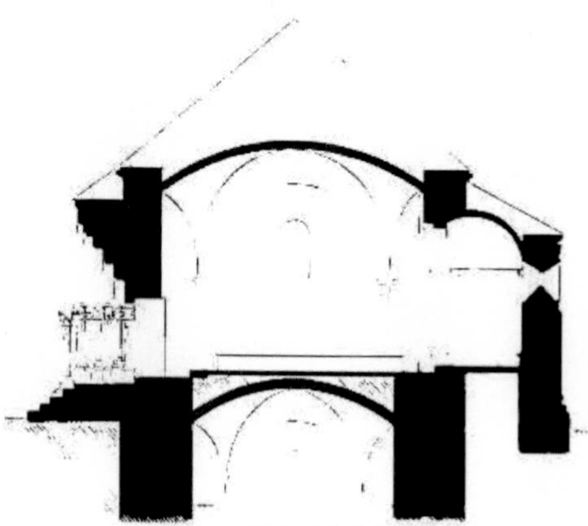
Fig. 23. Deutsch-Altenburg.

Die aus Quadern erbaute Rundcapelle zu St. Jak in Ungarn steht zunächst der Kirche. Sie mag in der ersten Hälfte des XIII. Jahrhunderts entstanden sein und hat die eigenthümliche Form von vier kreuzförmig in einander geschobenen Halbkreisen. Drei sind durch theilweise erhaltene Rundbogenfenster beleuchtet, die vierte Seite enthält den Eingang zu dem in die Mauer eingelassenen Stiegenhause, um auf das Dach zu gelangen. Das rundbogige Portal befindet sich an der Südseite des Baues (s. Fig. 10 und 25 und Jahrb. d. k. k. C. C. I, 139 und Heider-Eitelberger l. c. I, 89).

Ähnlich mit diesem Carner ist jener zu Papocs (s. Mitth. d. k. k. C. C. I, 46).

Fig. 24. Wiener-Neustadt.

Fig. 25. St. Jak.

Dem XIII. Jahrhunderte gehört auch an die einfache Rundcapelle im Dechanteihofe zu Hainburg, mit ihrer halbrunden Apsis und dem Rundbogen-Portal an; leider ist sie gegenwärtig in sehr verfallenem Zustande (Schlosserwerkstätte!) (Wegw. 13).

Der aus Bruchsteinen und Ziegeln erbaute Carner zu Jahring, südöstlich der Kirchenmauer gelegen, besteht aus zwei grossen Räumlichkeiten (18' Durchmesser), davon die untere

9' hohe fast ganz unter der Erde liegt. Sie ist mit einem apsisähnlichen Ausbau versehen, durch welchen der Eingang in den Gruftraum führt. Der obere, mit einem Kuppelgewölbe versehene 11' hohe Raum hat den Eingang gegenüber der Chornische. Der Bau mag ebenfalls dem XIII. Jahrhunderte angehören (s. Fig. 6 und 7, u. Mitth. d. k. k. C. C. II, 25).

Nächst Rein im Gaisthale befindet sich ebenfalls ein ganz einfacher, dem heiligen Kreuze geweihter Carner aus derselben Zeit stammend, ein doppelter Raum, davon der untere bedeutend über das Terrainniveau herausragt, daher zur oberen Capelle (12' im Durchmesser betragend) eine Stiege führt; die auf Tragsteinen ruhende Apsis springt in der Fussbodenhöhe des oberen Raumes erkerartig aus der Mauer heraus (Jahrb. d. k. k. C. C. II, 214).

Die kleine dem heiligen Erhard geweihte Rundcapelle zu St. Ruprecht bei Bruck a. d. Mur über einem Gruftgewölbe erbaut und mit halbkreisförmiger Apsis versehen, ist ganz einfach und schmucklos. Auf den ursprünglichen Bau des XIII. Jahrhunderts wurde in der gothischen Periode ein niedriges Sechseck aufgesetzt, das mit einem sehr steilen Dache abgeschlossen ist (s. Fig. 13 und 26, u. Mitth. d. k. k. C. C. X, 193 und des hist. Ver. f. Steierm. VII. 207).

Der grosse Carner neben der Stiftskirche zu St. Lambrecht in Steiermark hat im oberen, dem heiligen Michael geweihten Raume (32' hoch), so wie auch in dem halb über die Erde herausreichenden Gruftraume einen Apsis-Ausbau, der eine Höhe von $8^1/_2$' hat und dessen Gewölbe sich auf einen Mittelpfeiler stützt. Der Schmuck des Rundbogenfrieses ist nur an der Apsis angebracht, im übrigen ist der aus dem Ende des XIII. Jahrhunderts stammende Bau unverziert. Das Dach mit seinem Spitzthürmchen ist neu. Auch das Innere ist ganz schmucklos, mit Ausnahme von vier Halbsäulen, die die rundstabähnlichen Gurten tragen, eines sculptirten Schlusssteines und eines umlaufenden Karniesgesimses, das den Altarraum und Scheidungsbogen ziert. (Fig. 27, s. Jahrb. d. k. k. C. C. II, 215).

Fig. 26. Bruck a. d. M.

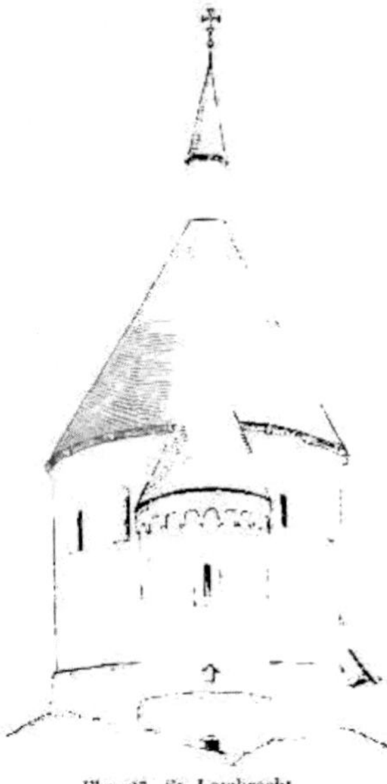
Fig. 27. St. Lambrecht.

Zu Ödenburg befindet sich zunächst der heiligen Michaelskirche in dem Raume des früher hier bestandenen Friedhofes eine dem heiligen Jacob geweihte Grabcapelle. Sie bildet in ihrem Grundrisse (Fig. 28) ein regelmässiges Achteck, so wie auch die Apsis aus fünf Seiten des Achteckes gebildet wird. Jene beiden an den Hauptraum stossenden Wände desselben sind, etwas breiter, so dass das ganze einem Quadratraume entspricht, der dem Altarschlusse vorgelegt ist. Der gedrückt spitzbogige Capellen-Eingang mit flachen Sturz ist auf der rechten, der Kirche zugewendeten Seite, jener in die fast ganz verschüttete Gruft auf der linken Seite des Gebäudes angebracht. Die Aussenseite dieses bereits der Übergangsperiode angehörenden und somit aus der zweiten Hälfte des XIII. Jahrhunderts stammenden Baues ist wenig geschmückt, nur Sockel und Lisenen bilden die einzige Verzierung. Übrigens hat die Capelle durch frühere Restaurationen stark an ihrem ursprünglichen Charakter verloren (Fig. 29).

Weit reicher ausgestattet ist der Innenraum der Capelle, wie uns ein Blick auf Fig. 30 belehrt. Acht Dreiviertelsäulen auf hohen Sockeln mit attischem Fusse und mit romanischen Blättercapitälen versehen, tragen die starken Rippen des Kuppelgewölbes, grosse spitzbogige Blenden beleben nebst etlichen modernisirten Fenstern die Wandflächen im Haupt- und im Altarraume der Capelle, ähnliche Halbsäulen tragen den Scheidebogen zwischen dem Capellen- und Altarraum (s. Mitth. d. k. k. C. C. I, 108).

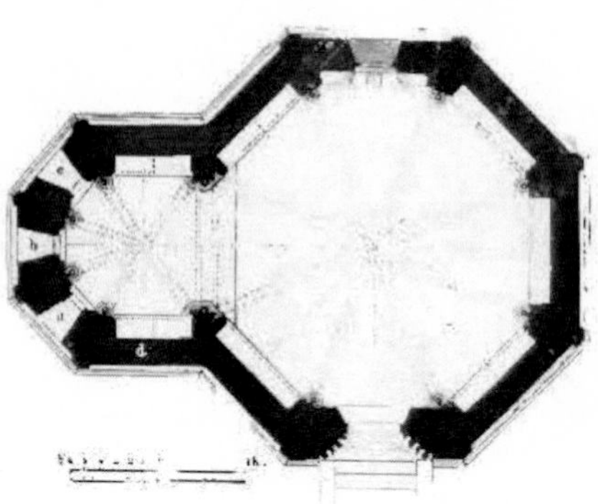

Fig. 28. Ödenburg.

Aus derselben Zeit stammt auch der aus Quadern erbaute Carner zu Pulkau (Nieder-Österreich), der mit Inbegriff des Daches eine Höhe von 77′ erreicht. Er ist in seinem unteren Theile rund und mit sechs Halbsäulenbündeln geschmückt, geht in einer Höhe von 21′ in ein Zwölfeck über, dessen Seiten nach oben mit Spitzgiebeln abschliessen, innerhalb deren sich das theilweise neue 24′ hohe Spitzdach aufbaut. Zwischen den Giebeln sind Wasserspeier angebracht. Die Apsis ist einem über die Hälfte grossen Kreissegment ähnlich. Der Gruftraum hat keine Apsis. Portal rundbogig mit geradlinigem Sturze. Die Rippen des achttheiligen, später entstandenen Spitzbogengewölbes ruhen auf Consolen (s. Fig. 9, 31 u. 32 und Freih. v. Sacken in d. Mitth. d. k. k. C. C. V, 329).

In das XIV. Jahrhundert gehört die mit einer Gruft versehene Capelle zu Friedersbach in Nieder-Österreich. Sie liegt am Friedhofe südlich der Kirche, hat eine halbrunde Apsis und bedeutend hohes Kegeldach. Den Hauptraum stützen fünf ganz einfache Strebepfeiler, über deren Zwischenräumen an der Dachhöhe kleine Giebel aufsteigen (s. Mitth. d. Alt. Ver. V, 104).

Fig. 29. Ödenburg.

Die aus Bruchsteinen erbaute Capelle zu Zellerndorf (Nieder-Österreich), aus dem Ende des XIV. Jahrhunderts stammend und mit einer Gruft versehen, zeigt bereits die Formen des ausgebildeten gothischen Styles, hat einen achteckigen Grundriss; die Seitenwände endigen nach oben ebenfalls mit Spitzgiebeln, innerhalb

22*

Fig. 30. Ödenburg.

deren das hohe Spitzdach sich erhebt. Die mit dem Hauptraume gleich hohe Apsis bildet sich aus drei Seiten des Achteckes (s. Freih. v. Sacken in d. Mitth. d. k. k. C. C. V. 340).

Aus dem XV. Jahrhundert stammt der Carner zu Burgschleinitz (Nieder-Österreich). Er ist ein Quaderbau, und hat noch sein ursprüngliches, mit einer Kreuzblume versehenes Spitzdach. Der Capellenraum hat eine Höhe von 16′. Die Chornische ist im Innern mehr entwickelt als aussen, wo sie nur unbedeutend vortritt. Die Gruft hat eine Höhe von 13′ und ragt etwas über das Terrainniveau herauf, daher zur Capelle

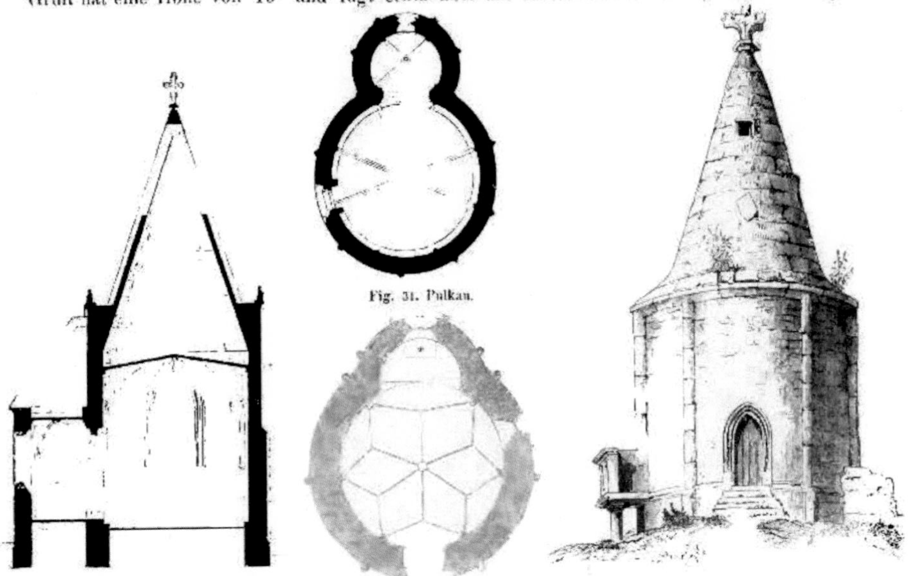

Fig. 31. Pulkau.

Fig. 32. Pulkau.

Fig. 34. Burgschleinitz.

Fig. 33. Burgschleinitz.

etliche Stufen emporführen. Ein hoher Sockel, sechs an der Wand hinauflaufende Dreiviertelsäulen ohne Capitäl, die die Aussenseite des Hauptraumes in fünf Felder, vier solche Säulen, die die Apsis-

Aussenseite in fünf Felder theilen, ein ganz einfaches Dachgesimse und endlich ein einfaches spitzbogiges Portal sind der ganze Schmuck des Gebäudes. Der Eingang zur Capelle liegt in der Axe der Apsis. Endlich erscheint noch bemerkenswerth das reiche Sterngewölbe über dem Hauptraume der Capelle (Fig. 33, 34, s. Freih. v. Sacken in d. Mitth. d. Alt. Ver. V, 82 [33].

Die Rundcapelle zu Gross-Globnitz (Nieder-Österreich) neben der Kirche, ist ein spätgothischer, aus dem XV. Jahrhundert stammender Bau. Der Hauptraum mit einem Netzgewölbe, dessen Rippen auf kleinen Consolen ruhen, überdeckt, ist aussen ganz ungeschmückt. Die dreiseitige Apsis mit einfachem Kreuzgewölbe bedeckt. Das Gruftgewölbe stützt sich auf einen in der Mitte stehenden achteckigen Pfeiler ohne Kämpfer. Zum Eingang der Capelle führen, der Höhe der Gruft wegen, Stufen empor (s. Freih. v. Sacken in d. Mitth. d. Alt. Ver. V, 81).

Zu den jüngsten Grabcapellen gehört jene zu Gars (gegenwärtig eine Ruine), mit achteckiger Altarvorlage und jene zu Unter-Aspang (beide Orte in Nieder Österreich), ein sechsseitiger Bau mit halbkreisförmiger Apsis (s. Freih. v. Sacken in d. Mitth. d. Alt. Ver. V, 87 und arch. Wegw. 5).

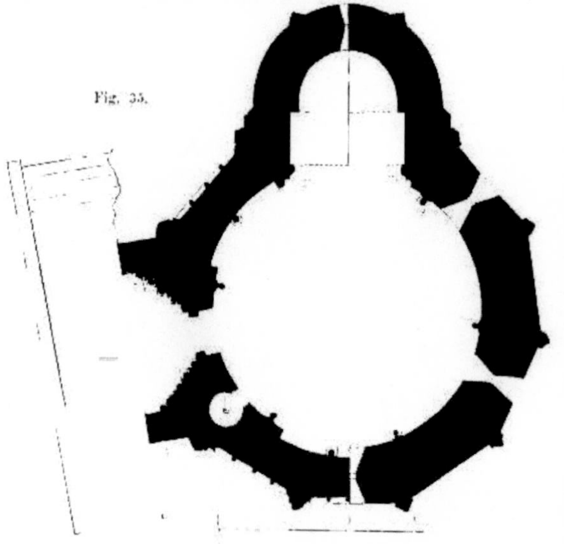

Fig. 35.

Die den heiligen drei Königen geweihte Capelle zu Tulln steht gleich den meisten Rundcapellen zunächst der dortigen Pfarrkirche und zwar rechts vom Presbyterium am ehemaligen Friedhofe. Über ihre ursprüngliche Bestimmung kann wohl kein Zweifel sein, da sie mit einer Gruft versehen ist und urkundlich im Jahre 1357 als Carner bezeichnet wird.

Trotz des Mangels an schriftlichen Aufzeichnungen über die Entstehungszeit dieser mit Ausnahme der Bedachung noch unversehrt erhaltenen Capelle kann man doch mit Berücksichtigung des Baucharakters und der Art der Ornamentation als deren Bauzeit das zu Ende gehende XII., oder was wahrscheinlicher ist, das beginnende XIII. Jahrhundert annehmen, jene Zeit in der sich das allmählige Verschwinden des romanischen Styles und ein Übergehen in den am Rheine schon aufblühenden gothischen Styl bemerkbar machte.

Das Gebäude aus Quadern, jedoch in sehr ungleichen Schichten aufgebaut, hat im Hauptraume eine Mauerdicke von 5′, in jenem der Apsis von mehr als 3′ und besteht gleich allen Carnern aus zwei über einander gelagerten Räumlichkeiten, wovon die untere grösstentheils unterirdisch angelegt ist. Nach aussen hat die Capelle, wie der Grundriss (Fig. 35) zeigt, die Gestalt eines fast ganz gleichseitig construirten Eilfecks. Vier Seiten desselben sind jedoch verbaut, nämlich je zwei durch die halbrunde Apsis an der Ostseite und durch den Portalvorbau an der Nordseite. An den Ecken des Hauptgebäudes steigen von der Erde an, da am ganzen

[33] So wie an diesem Carner finden wir an noch mehreren aussen eine Kanzel angebracht, sie scheint für Predigten bei der Feier des Todten-Gottesdienstes bestimmt gewesen zu sein.

Fig. 36.

Gebäude der Sockel fehlt, Halbsäulen empor, die, an einen Pilaster gelehnt, mit ihren aus gerollten Blättern gebildeten Capitälen den unter dem gegliederten und mit Zahnschnitt verzierten Hauptgesimse ununterbrochen herumlaufenden Rundbogenfries tragen (Fig. 36). Jede Wand wird überdies durch einen den oberen Theil derselben gliedernden Spitzbogen belebt, der durch Vermittlung besonders zierlicher Capitäle auf niedrigen Viertelsäulchen ruht, die sich zunächst des Wandpfeilers beiderseits anschliessen.

Als weiteren Schmuck der Wandflächen und zwar des unteren Theiles derselben erscheint in jeder derselben eine Gruppe von vier kleinen kleeblattförmig überdeckten und durch drei kleine Abtheilungssäulchen von einander getrennten Blenden. Die Capitäle sind jenen der Ecksäulen ziemlich gleich, aber bereits stark beschädigt. In einigen dieser Blendbogen sieht man als Verzierung theils Lilien-, theils Blüthenschmuck, in den Kehlungen derselben das bekannte Ornament von aneinander gereihten Kugeln und unter den über die Mauerfläche hervorragenden Säulenfüsschen Tragsteine, mitunter mit Darstellungen verzerrter Menschen- oder Thierköpfe. Nur in einer, in ihrem Hintergrunde gemusterten Nische steht eine Figur, die zwar stark beschädigt, doch das Bild des Gründers der Capelle vermuthen lässt. Dieses Figürchen trägt ein enges, langes, einem Waffenrocke ähnliches Kleid, das um die Mitte durch einen breiten Gürtel zusammengehalten wird. Die Füsse sind mit ziemlich spitzen Schuhen, der sichtbare Theil des Unterschenkels mit Panzerzeug bekleidet, das Antlitz bartlos, das mit langherabwallenden Haaren

Fig. 37.

geschmückte Haupt ist unbedeckt. In der rechten Hand hält die Figur einen stark verstümmelten Gegenstand, der mit grosser Wahrscheinlichkeit für das Capellenmodell genommen werden kann. In der anderen Hand dürfte sie, ihrer Stellung nach entweder ein Scepter aufrecht, oder ein Schwert gesenkt als Stütze gehalten haben (Fig. 37).

Fig. 38.

Der Hauptraum wird durch vier grössere, rundbogige Fenster beleuchtet, die sich nach innen und aussen erweitern. Die Kehlung der Fensterrahmen ist stellenweise gleichfalls mit Kugelchen oder Sternchen besetzt. Die Fenster befinden sich in der von der rechten Seite des Eingangs an gezählten zweiten, vierten, sechsten und neunten Wand. Noch ist eines eigenthümlichen Ornaments zu erwähnen, das sich an der ersten Wand in der Mitte des Spitzbogens befindet. Es sind dies drei kleine Tragsteine mit verzerrten Menschenantlitzen, die ohne allen weiteren Zweck aus der Wand heraustreten.

Fig. 39

Die Aussenseite der halbrunden nur durch zwei rundbogige nach innen und aussen erweiterte Fenster beleuchteten Apsis ist ziemlich einfach. Auch hier fehlt der Sockel und wird die ganze Mauerfläche durch vier auf Pilaster gelegte Halbsäulchen in drei Felder getheilt. Die Pilaster tragen den gegliederten Rundbogenfries sammt der darüber angebrachten Zahnschnittverzierung, die Halbsäulen mit ihren Blattcapitälen, den Rundbogenfries und Zahnschnitt unterbrechend, blos das Dachgesims. An jener Stelle der Apsis, wo der Fries und das Gesimse sich an den Hauptbau anschliessen, ist eine phantastische Thiergestalt [31] als deren Abschluss angebracht.

Wie schon erwähnt, befindet sich der zwischen der Längen- und Breitenaxe der Capelle angebrachte Eingang in einem grossen, die Portalhalle enthaltenden und mit der Capelle gleich hohen Vorbaue, welcher mit demselben Rundbogenfries und Zahnschnitt wie die Capelle, aber ohne Verbindung mit derselben und dem gleichen Dachgesimse versehen ist. An den Ecken des Vorbaues stützt sich der Fries auf kleine, ganz kurze Dreiviertelsäulchen, die auf Consolen aufsitzen.

Zum Capelleneingang führt eine quer vorgelegte Doppelstiege von sieben und neun Stufen empor, doch dürfte dieselbe ein neuerer Bau sein. Die Portalhalle verengt sich in fünf rechtwinkeligen Abstufungen, in deren einspringenden Ecken

[31] Die eine gleicht einem Vogel, die andere zwei Lindwürmern mit gemeinschaftlichem Kopfe (s. Dom zu Karlsburg. Jahrb. d. k. k. C. C. III, 169. und die Michaelerkirche zu Wien in den Mitth. d. Alt. Ver. III, Taf. VI. Fig. 1).

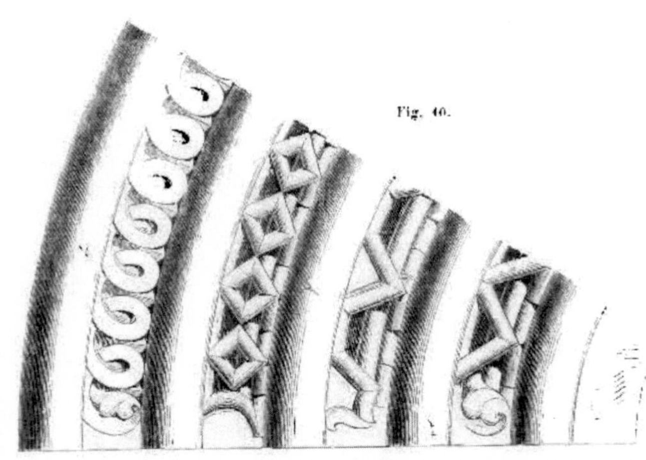

Fig. 40.

je eine Säule steht. Die Säulen, deren Schäfte ohne alle Verjüngung theils glatt, theils gemustert, theils in der Mitte mit dem bekannten Ringornament geziert sind, ruhen auf gedrückten attischen Füssen, deren unterer Wulst gegen den oberen weit vorspringt, auf hoher, rundbogig ornamentirter, würfelförmiger Unterlage. Die Capitäle sind unter einander gleich und haben die einfache Kelchform mit dem üblichen schönen Schmucke von in zwei Reihen angebrachten gerollten Blättern, die jedoch in ihrem Detail etwas verschieden sind. Die zwischen den Säulen hervordringenden Ecken der Portalabstufungen sind ebenfalls reich verziert. Die hohen Deckplatten der Capitäle sind breit gekehlt und haben in der Kehlung ein rankenförmig gewundenes Ornament mit Blättern besetzt und mit Rauten belegt (Fig. 38), welches sich längs beider Innenseiten des Vorbaues, um die Pfeilerecken, über den geraden Thürsturz und nach aussen über den Vorbau als bandartiger Sims fortsetzt. Am Thürsturz wird dieses Band durch je eine Figur unterbrochen. Die eine rechts hält in der linken Hand einen Zweig, in der rechten ein vogelähnliches Thier, und hat die Füsse gegen aufwärts gekehrt, die Figur zur Linken stellt eine Sirene vor, deren getheilten fischähnlichen und aufwärts gebogenen Unterleib sie mit den Händen hält. Das Thürgewände ist ebenfalls ornamentirt. Fig. 39 zeigt jenes der rechten Seite.

Die Aussenecken des Portals sind abgeschrägt und mit einer sehr schlanken Säule geschmückt, deren attischer Fuss viel tiefer steht als jener der Innensäulen.

Die Portalhalle ist rundbogig, ebenfalls sich nach innen verengend überwölbt. Die Säulen setzen sich im Gewölbe als rundstabförmige, ungeschmückte Rippen fort, in deren Zwischenräumen jenes Ornament fortgeführt erscheint, das die an den Seitenwänden zwischen den Säulen hervortretenden Ecken schmückt (Fig. 40). Wir sehen zuerst ein ovalförmig gewundenes Band, sodann mit den Ecken aneinander gereihte Vierecke, ein auf einer Seite abgestumpftes Zickzackornament und endlich ein solches auf beiden zugespitztes; Motive, wie wir sie am Portal zu St. Stephan in Wien [35], an der Kirche zu Klein-Maria-Zell [36] und Wiener-Neustadt [37], an dem Carner zu Mödling [38] u. s. w. ebenfalls finden. Im Tympanon ist ein Kleeblattbogen und darin ein Frescogemälde angebracht, doch ist dieses bereits fast ganz unkenntlich und dürfte die Huldigung des göttlichen Kindes durch die drei Weisen aus dem Morgenlande vorgestellt haben. Überhaupt scheint das ganze Portal bemalen gewesen zu sein, wie dies noch einige Spuren andeuten.

Der Eingang in die Gruft befindet sich unterhalb der Arcatur in der vierten Wand. Er ist reich und kräftig gegliedert, verengt sich etwas, ist bereits hinsichtlich der Ornamentation in

[35] Siehe Mitth. d. k. k. Centr. Comm. IX, 269.
[36] Siehe Arch. Wegweiser 39.
[37] Heider und Eitelberger: Mittelalt. Kunstd. II, 176.
[38] Siehe Mitth. d. k. k. Centr. Comm. III, 265, des Alt. Ver. X, 173 und arch. Wegw. 40.

Fig. 41.

Folge der Steinverwitterung fast unkenntlich, im Ganzen aber klein und enge. Die Gruft dehnt sich nur unter dem Mittelraum der Capelle, nicht aber unter die Apsis aus. Ihre Höhe lässt sich nicht bestimmen, da sie in beträchtlicher Weise verschüttet ist [39]. Breite, sich durchkreuzende Quadergurten tragen die in Bruchsteinen ausgeführte Wölbung (Fig. 41), die mit sogenanntem Schindelanwurf überzogen ist.

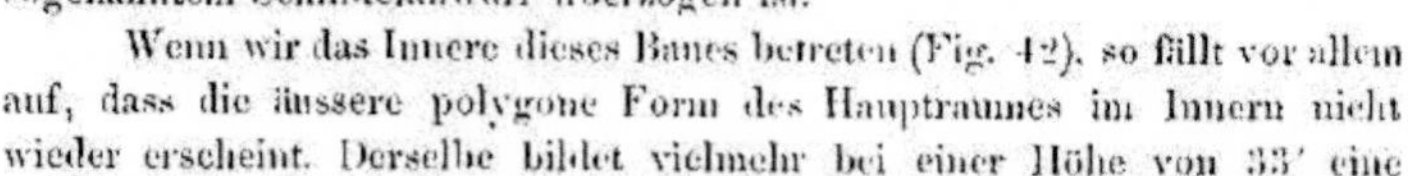

Wenn wir das Innere dieses Baues betreten (Fig. 42), so fällt vor allem auf, dass die äussere polygone Form des Hauptraumes im Innern nicht wieder erscheint. Derselbe bildet vielmehr bei einer Höhe von 33′ eine vollkommene Rundung und wird die Mauerfläche durch sechs an Pilastern aufsteigende Dreiviertelsäulen in sechs Felder getheilt. Fünf dieser Wandsäulen steigen vom Fussboden an empor, die sechste tritt erst ober dem Scheidebogen der Apsis aus der Wand heraus und ruhet auf einem mit reichem Figurenschmucke (Fig. 43) versehenen Console. Alle sechs Säulen haben einen niedrigen attischen Fuss mit Eckblatt, sind aber im übrigen mit jenen an der Aussenseite gleich.

Auf den Capitälen ruhet eine wulstige und gekehlte Deckplatte, die zurückspringend sich als gleichbehandeltes, um die ganze Innenseite laufendes Gesims fortsetzt. Ein hohes Kuppelgewölbe überdeckt den Raum. Die dasselbe tragenden Gurten (Fig. 44 im Profil) stützen sich durch Vermittlung einer Schildplatte auf die Deckplatte der Wandsäulen und vereinigen sich in der Mitte in einem mit zwei gegen einanderstehenden Köpfen gezierten Schlusssteine.

Einen besonderen Schmuck des Hauptraumes, dessen Längenaxe inclusive der Apsis 36′ beträgt, bilden die doppelten, kleeblattförmigen Blenden, welche paarweise in den vier Wandflächen eingefügt sind (Fig. 45).

Die Kleeblattbogen sind in ihrer Kehlung gleich den Fenstern mit Halbkugeln geschmückt. Das Säulchen hat ein hübsches Blättercapitäl und einen attischen Fuss, dessen breiter, unterer Wulst auf einem mit Bogenmischen verzierten Untersatze ruhet.

Rechts vom Eingange der Capelle führt eine in die Mauer eingefügte Wendelstiege auf den Dachraum empor.

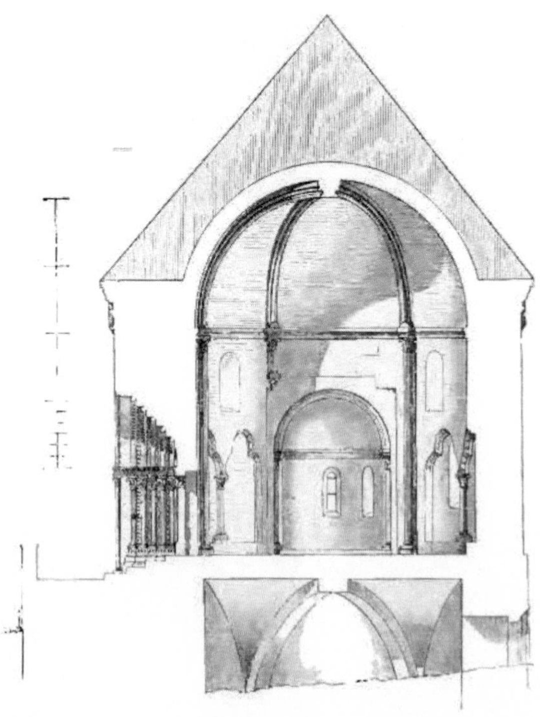
Fig. 42.

[39] Sie dient gegenwärtig als Requisitenmagazin.

Ein kräftiger Rundbogen, der sich auf zwei mächtige, gleich den Wandsäulen behandelte und mit besonders zierlichen Laubcapitälen ausgestattete Halbsäulen stützt, vermittelt den Eingang in die 15′ hohe, 10′ lange und 11′ breite Apsis, die um eine Stufe höher liegt und beim Beginne der Altarnische selbst sich auf 9′ verengt. In der Höhe der Deckplatten der Halbsäulen am Scheidebogen läuft ein einfacher Sims um die ganze Nische, als deren einziger Schmuck. Die Capelle war ehedem bemalt, wovon sich hie und da Spuren zeigen. So finden wir in der Halbkuppel der Apsis etliche Umrisse einer die heilige Maria vorstellenden Figur, so wie eines der heiligen drei Könige, ferner eines verbleichten Bandornaments. Auch an den Wandflächen des Hauptraumes zeigen sich hie und da Spuren von Malerei. Bei behutsamer Ablösung der Mörtelschichten wäre es wohl möglich, einen bedeutenden Theil der ursprünglichen Fresconialerei bloslegen und erhalten zu können.

Fig. 43. Fig. 45. Fig. 44.

Werfen wir endlich noch einen Blick auf den heutigen Zustand dieser werthvollen Capelle, dieses interessanten Denkmales aus einer so alten Zeit, von der sich bei uns nur mehr höchst wenige Zeugen erhalten haben, so können wir denselben nicht als befriedigend bezeichnen. Wohl hat man in neuester Zeit in pietätvollem Eifer eine Art Restauration an der Aussenseite vorgenommen, allein mit einfacher Tünche werden weder Sprünge, die Jahrhunderte gemacht, verschlossen, noch beschädigte Ornamente und abgestossene Capitäle wieder hergestellt, noch dicke Krusten von Kalktünche entfernt, die gegenwärtig, wie in neidischer Weise den schönsten Schmuck des inneren Raumes verhüllen. Noch wartet dieser auf Reinigung und Ausbesserung, jedoch auf eine solche, welche die kunstgeübte Hand des denkenden Fachmannes, nicht aber die plumpe Faust des Handwerkers an ihr vornimmt, damit sodann dieses Gotteshaus seiner ursprünglichen Bestimmung zurückgegeben und der Begehung des Todten-Gottesdienstes gewidmet werden könne.

Carlshof.
Taf.VI

Die Ornamentirung der Deckenwölbung der Kirche am Karlshofe zu Prag.

Von J. E. Wocel.

(Mit einer Tafel.)

Der eilfte Jahrgang der Mittheilungen brachte eine Schilderung der Kirche des ehemaligen Augustiner Chorherrnstiftes am Karlshofe in Prag, eines Baudenkmals, das insbesondere durch die kühne Spannung seiner Deckenwölbung an die interessantesten Kirchengebäude des gothischen Styles sich anreihet. Jenes Deckengewölbe ist, wie in der Schilderung der Kirche erwähnt wurde, prachtvoll decorirt, und diese Decorirung auf eine so eigenthümliche Weise ausgeführt, dass eine Beschreibung und die bildliche Darstellung einiger Partien desselben der Tendenz und dem Zwecke unserer Mittheilungen wohl entsprechen dürfte.

Die genauere Untersuchung jener Gewölbornamente führte den Verfasser dieser Skizze zu der Vermuthung, dass ein Theil derselben dem Schlusse des XIV. oder dem Anfange des XV. Jahrh., ein anderer aber der spätesten Renaissanceperiode oder dem Baroccostyle angehört.

Zu dieser Annahme berechtigt die Vergleichung der auf Taf. VI dargestellten Motive, welche in Gold auf rothem Grunde ausgeführt, die von den Gewölbrippen eingefassten Felder schmücken, mit den zahlreichen Kunstresten der karolinischen Periode in Böhmen. So gewahrt man die von Rhomben eingefassten Vierpässe auf mehreren Reliquiarien des XIV. Jahrhunderts und insbesondere auf dem mit dem Wappenschilde Peter Parler's gezierten Reliquiare im Prager Domschatze, und dasselbe Dessin, umsäumt mit Bogensegmenten, aus denen Lilien hervorquellen, erblickt man auf dem prachtvollen Liber plenarius im Stifte Brevnov bei Prag[1]. Rhomben mit Sternchen oder Punkten in ihrer Mitte findet man häufig als Teppichmuster auf dem Hintergrunde der Miniaturbilder des XIV. Jahrhunderts und an anderen Kunstwerken jener Zeit, z. B. am Goldgrunde vieler Tafelgemälde der Königscapelle zu Karlstein, in dem prachtvollen Liber viatiens im böhmischen Museum, dann am Rand des kostbaren Bildes im Prager Domschatze, welches in reicher Perlenstickerei die Brustbilder des Heilands und zweier böhmischen Landespatrone darstellt[2]. Von Vierecken eingefasste Sterne gewahrt man auf dem mit Gold broschirten Sammtstoffe

[1] Die Abbildung dieses Reliquiars enthalten die „Památky archaeol. II. Bd. S. 223.

[2] Siehe Bock, Geschichte der liturg. Gewänder I. S. 210. Die bildliche Darstellung dieses Kunstwerkes auf Taf. XI. XII.

der im Grabe Kaiser Karl's IV. gefunden wurde[3]; Rauten als Einfassungen von Sternchen oder Kügelchen (Taf. VI. *b.*) kommen als Ornamente im Goldgrunde der Wandflächen und auf einigen Gewölbgurten der Kaisercapelle der Burg Karlstein vor; auf dem vergoldeten eisernen Bogen, der diese Capelle in zwei Hälften theilt, bilden Bogensegmente mit hervorspriessenden Lilien (Fig. 1), und hie und da auch von Kreisen eingeschlossene Drei- und Vierpässe eine charakteristische Verzierung[4].

Fig. 1.

Übrigens ist es kaum nöthig zu bemerken, dass Kreise mit Drei- und Vierpässen in ihrer Mitte nicht blos als Architectur-Ornamente, sondern auch überaus häufig an Goldschmiedarbeiten und an Gemälden des XIV. und der ersten Hälfte des XV. Jahrhunderts vorkommen[5]. — Nicht selten stellen sich verschlungene Kreise, den Dessins unserer Gewölbkappen (*c*) ähnlich, als Teppichmuster auf dem Hintergrunde miniirter Anfangsbuchstaben in Pergamenthandschriften des XIV. Jahrhunderts dar, so z. B. in der sogenannten Bibel von Jaroměř, die das böhmische Museum bewahrt[6], und Beispiele ähnlicher Dessins liessen sich an Kunstwerken jener Zeit in bedeutender Anzahl nachweisen[7].

Die hier angedeuteten ornamentalen Motive bieten interessante Anhaltspunkte dar für die Bestimmung des Ursprungs eines Kunstdenkmals. Die Ornamentik der zweiten Hälfte des XV. Jahrhunderts hat nicht mehr die stylistische Strenge der früheren Periode: es tauchen da Motive auf, die nach und nach in die willkürlichen Formen der Renaissance übergehen. Die angedeuteten Dessins der Centralwölbung der Karlskirche haben jedoch im allgemeinen den Typus jener Periode, die noch nicht der Willkür des Künstlers den Zügel schiessen liess, sondern sich mit den einfachen, massvollen Formen des XIV. Jahrhunderts begnügte. Aus diesem Grunde glaubt der Schreiber dieser Zeilen die Vermuthung aussprechen zu dürfen, dass jene Golddessins ihrem Ursprunge nach der ersten Blüthezeit des Chorherrnstiftes am Karlshofe, d. i. der vorhussitischen Periode, angehören.

Aus der historischen Übersicht der Schicksale des Karlshofes (Mitth. 1866 S. 100) geht klar hervor, dass an eine so prachtvolle, kostspielige Ausschmückung der Kirche vom J. 1420 bis zum Schlusse des XVII. Jahrhunderts unmöglich gedacht werden konnte, weil das Kloster, kaum zur Noth aus seinen Trümmern hergestellt, sammt der verwüsteten Kirche mehrmal wieder in Verfall gerieth, und die Äbte des Klosters kaum das Geld zur nothwendigsten Herstellung dieser Bauten aufzubringen vermochten. Solch' einen Aufwand hätte man erst im Anfange des XVIII. Jahrhunderts, wo das Chorherrnstift zu neuer Blüthe gelangte, und insbesondere an der Witwe Leopold's I., Kaiserin Eleonore, eine freigebige Wohlthäterin fand, erschwingen können. Es muss aber sehr bezweifelt werden, dass man damals, als der Baroccostil in seinem blühendsten Übermuthe sich geltend machte, zu jenen einfachen Formen des XIV. Jahrhunderts zurückgegriffen und die Kirche mit jenen streng gothischen Motiven decorirt hätte.

[3] Bock, Gesch. d. lit. Gew. I. S. 111. Abgebildet auf Taf. XVIII.

[4] Vergl. die Zeichnung der heil. Kreuzcapelle im III. Band der Pam. archaeol.

[5] Vergl. mittelalt. Kunstdenkmale des österr. Kaiserstaates. I. 2. Heft.

[6] In dieser Bibel sind häufig phantastische, burleske Gestalten, zumeist auf den Arabeskenranken, dargestellt. Eine auf dieselbe Weise gezierte Bibel des XIV. Jahrhunderts befindet sich auf der öffentlichen Bibliothek zu Stuttgart, und der Hintergrund mehrerer Anfangsbuchstaben in diesem Codex ist auf gleiche Art wie in der Jaroměřer Bibel verziert. (Vergl. Kugler, Kleine Schriften, I. Band S. 63, wo der Rand des Buchstaben S teppichartig mit Rauten verziert ist.) — Burleske Figürchen von demselben Typus findet man häufig in französischen Miniaturhandschriften des XIV. Jahrhunderts (Vergl. „Revue de l'art. chret. 1861. S. 68). In Venedig sah ich in der Sammlung des Herrn Cicogna eine Miniaturhandschrift des XIV. Jahrhunderts, an deren letztem Blatte die Worte stehen: Explicit pontificale secundum consuetudinem romanae eccles. scriptum p. manum Montucii de Pisis. Die Miniaturen dieser Handschrift stimmen in den Motiven und der technischen Behandlung der Ornamente mit jenen der Jaroměřer Bibel überein; die letztere rührt daher offenbar aus dem XIV., nicht aber, wie man bisher behauptete, aus dem XIII. Jahrhundert her, und ist wahrscheinlich ein ausländisches Werk.

[7] Ich beschränke mich hier blos auf die Angabe einiger Kunstwerke der karolinischen Periode in Böhmen; wollte ich die ornamentalen Typen dieser Gattung, wie sie an Sculpturen, Gemälden, Metallarbeiten und Glasgemälden des XIV. Jahrhunderts in anderen Ländern vorkommen, nachzuweisen versuchen, so würden solche Citate wohl den Raum einiger Bogen füllen.

Wohl möglich, dass damals eine Auffrischung der mit der Zeit matter gewordenen Vergoldung stattgefunden, und jene Arabeskenschnörkel angebracht wurden, welche man in den Spitzen einiger Gewölbkappen gewahrt. Zur selben Zeit wurden wahrscheinlich die Ornamente einzelner Felder des Gewölbes mit vergoldeten Leisten und Arabesken eingefasst, und diese von blauen Streifen eingerahmt (*d*). Aus dieser Periode, dem Anfange des XVIII. Jahrhunderts, rührt ohne Zweifel die zweite Partie der Ornamentik der Wölbung und der Wände der Kirche her, die sich auf die auffallendste Weise von jenen einfachen, gothischen Dessins unterscheidet, und schon durch ihren lebhafteren Glanz und durch die grelle Färbung von den älteren Motiven absticht. Es sind vergoldete Stuccozieraten des Muschelstyles, die vom dunkelrothen Grunde sich hervorhebend, da und dort an der Decke der Centralkuppel und am Gewölbe des Presbyteriums angeklebt sind, und die, das Ganze verunstaltend, eben den Eindruck des verwilderten Zopfstyles auf den Beschauer machen, der bei flüchtiger Betrachtung der Ornamente des Gewölbes die gesammte Ausschmückung desselben in die Periode des prunkenden Zopfes versetzt.

Bei der Betrachtung der Gewölbkappen der Centralhalle fesselt ein besonderer Umstand unsere Aufmerksamkeit. Die Mitte mehrerer Kappen dieser Wölbung nehmen nämlich leere, von einfachen Leisten eingerahmte Felder ein (*e*), die, vom Fussboden der Kirche betrachtet, das Aussehen haben, als ob auf ihren grauen und schmutziggelben Flächen sich Überreste alter Deckengemälde darstellten. Bei näherer Untersuchung derselben erweiset sich aber diese Annahme als eine Täuschung. Nachdem es nämlich dem akademischen Maler H. Scheiwel und mir in Begleitung des Herrn Conservators Beneš gelungen, vom Musikchore aus einen näheren Standpunkt zur genauen Betrachtung dieser vermeinten Gemäldespuren zu gewinnen, überzeugten wir uns, dass jene Felder nichts anderes sind als ein Stucco-Anwurf, dem man ein marmorähnliches Aussehen zu geben versucht hatte, und dass die Streifen dieser Marmorirung von der Ferne sich als undeutliche Spuren alter Gemälde darstellen. Dieser von zopfigen Holzrahmen eingefasste Marmoranwurf rührt ohne Zweifel aus dem vorigen Jahrhundert her: ob er aber zur Zeit der prunkvollen Renovirung, in welche der Aufbau der heiligen Stiege an der Nordseite der Kirche fällt, oder bei einer späteren Veranlassung angebracht wurde, lässt sich mit Sicherheit nicht angeben. Wohl möglich, dass im Jahre 1755, wo, wie die Aufzeichnung des Thomas Kraus berichtet[*], das Kloster durch ein plötzlich ausgebrochenes Feuer beinahe in einen Schutthaufen verwandelt ward und das Dach der Kirche niederbrannte, das Gewölbe der Centralwölbung durch die niederstürzenden Balken des Dachstuhles beschädigt wurde, und dass man die beschädigten und wieder ausgebesserten Kappen desselben mit Kalk verputzt und als Marmorspiegel eingerahmt hatte.

An den Wänden der Kirche, die leider grossentheils vom vergoldeten Holzwerk der zahlreichen Altäre verdeckt sind, gewahrt man stellenweise dieselben schönen Golddessins auf rothem Grunde, die sich auf den Gewölbkappen darstellen.

Zugleich sieht man aber, dass grosse Partien der Wandfläche mit einem Ornamente bedeckt sind, das offenbar aus einer viel späteren Zeit herrührt. Man gewahrt da nemlich ausgeschweifte, birnenförmige Muster von rother Farbe auf silbernem Grunde, welche nicht blos durch ihre geschmacklose Form, sondern auch durch den lebhaften Ton der Farbe und den Glanz des Silbergrundes von den verblassten Rauten und Kreisornamenten der früheren Periode bedeutend abstechen. Diese Zierden mögen allerdings am Anfange des XVIII. Jahrhunderts, zu jener Zeit ausgeführt worden sein, wo unter dem Abte Thomas Brinke die Kirche in den prachtvollen Stand gebracht wurde, der die Bewunderung des Klerikers Kraus weckte.

Aus dem was hier angeführt wurde ergibt sich, dass es eine Zeit gab, wo nicht blos die Wölbung, sondern auch die Wände der Karlskirche auf eigenthümlich prächtige, jedoch dem Typus

[*] Mitth. d. k. k. Centr.-Comm. 1866. S. 108.

der Gothik entsprechende Weise verziert waren. Gleich einem prachtvollen, goldgewirkten Teppich dehnte sich dieser Schmuck über die imposante Wölbung, und breitete sich über die Wände des Gotteshauses aus, den Anblick eines durch Glanz und Pracht imponirenden Zeltes gewährend.

Ich habe in vorstehenden Zeilen die Gründe angegeben, die mich bewegen, der Vermuthung Raum zu geben, dass jene alterthümlichen Dessinformen vom Schlusse des XIV. oder aus dem Anfange des XV. Jahrhunderts herrühren, wage es aber nicht, diese Meinung mit voller Sicherheit zu behaupten, wohl wissend, dass so manches Bedenken einer solchen Behauptung entgegengestellt werden könnte. Vor allem kann eingewendet werden, dass die durchgängige Verzierung der Kirchenwände mit Teppichmustern im Mittelalter ungewöhnlich gewesen, und dass dieser Schmuck in unserer Karlskirche sich als eine isolirte Erscheinung darstellt. Dagegen kann geltend gemacht werden, dass ähnliche Dessins, die offenbar mittels Patronen angebracht wurden, an Kunstresten der karolinischen Periode vorkommen, wobei ich insbesondere an die mit Sternchen, Rauten, Pässen u. s. w. in Gold gemusterten Hintergründe an den zahlreichen Tafelgemälden in der heiligen Kreuzcapelle zu Karlstein hinweise[9]. Ferner könnte der Einwurf gemacht werden, dass man bei der Restaurirung der Kirche im XVIII. Jahrhundert auf den Einfall gerathen war, anstatt der damals beliebten Rococo-Motive sich nach älteren Mustern umzusehen, wozu vielleicht das Masswerk der Fenster der Karlskirche selbst die nächste Veranlassung geben mochte. Doch auch dieser Einwendung tritt die Thatsache entgegen, dass zwischen den verzopften, vom versilberten Hintergrunde sich abhebenden Schnörkeln, die als Ergänzungen der wahrscheinlich beschädigten älteren Wandzierden sich darstellen und die offenbar Producte des verflossenen Jahrhundertes sind, ein zu grosser Unterschied obwaltet, als dass man beide Verzierungsarten einer und derselben Periode zuschreiben könnte. Das einzige Mittel, um zur befriedigenden Lösung dieser für die Kunstgeschichte nicht unwichtigen Frage zu gelangen, wäre die sorgfältige Ablösung einiger Dessinpartien von der Wand und der Wölbung der Kirche, die genaue Untersuchung der Unterlage derselben und der Analyse ihres Farbematerials, ein Unternehmen, welches gegenwärtig kaum ausführbar erscheint. Schliesslich muss bemerkt werden, dass auf der grösseren Partie der Gewölbornamente auf unserer Tafel die eingerahmten Marmorspiegel nicht abgebildet erscheinen, indem unser Künstler bemüht war, den Schmuck der Wölbung in seiner ganzen Fülle und Wirkung so darzustellen, wie er sich aller Wahrscheinlichkeit nach ursprünglich dem Auge darbot. Zugleich muss ich erwähnen, dass die Schenkel der meisten Gewölbkappen von Lilienornamenten, die aus den Vereinigungspunkten der Bogensegmente hervorragen, eingefasst sind, und dass diese Einfassung an einigen Kappen ältere, gothische Formen weiset (Fig. 1), während andere Felder von ähnlichen Zierathen, die aber den Typus der späteren Renaissance haben, eingeschlossen sind; von dieser Art sind die Einfassungen der kleineren Partie des auf unserer Tafel abgebildeten Lilienschmuckes, welcher auf den Kappen des Gewölbes, das am Durchschnitte der Kirche (Mitth. 1866, Taf. VI.) sichtbar ist, prangt. Endlich darf nicht unerwähnt bleiben, dass jene Abbildung des Durchschnittes nach der grossen, von den Eleven der Wiener-Bauhütte unter der Leitung des Herrn Oberbauraths Fr. Schmidt, trefflich ausgeführten Zeichnung entworfen ward, und dass die Wiener-Bauhütte die erste vollständige Aufnahme jenes interessanten Baudenkmales unternommen hatte[10].

[9] Copien zweier Karlsteiner Tafelbilder enthält, im Farbendruck trefflich ausgeführt, das erste Heft 1866 der Památky archaeologické.

[10] Der Verfasser dieses Aufsatzes muss offen bekennen, dass er von der kunsthistorischen Bedeutung der Ornamentik der Karlshofer Kirche früher keine Ahnung hatte, und der allgemein herrschenden Meinung war, dass dieselbe durchaus im XVIII. Jahrhundert ausgeführt wurde. Erst nachdem er auf Anregung Seiner Excellenz des Herrn Präsidenten der k. k. Central-Commission für Baudenkmale jene Ornamente genauer untersucht hatte, gelangte er zu den hier niedergelegten Resultaten, die jedenfalls geeignet sind, das Interesse an diesem Baudenkmale zu erhöhen.

Die Siegel der österreichischen Regenten.

Von Karl von Sava.

(Mit 4 Tafeln und 35 Holzschnitten.)

III. ABTHEILUNG.

Die Siegel der österreichischen Fürsten aus dem Hause Habsburg.

(Fortzetzung.)

Rudolf IV., Sohn Herzog Albert's II. und der Johanna Gräfin von Pfirt. Geboren 1339, folgt seinem Vater in der Regierung 1358, gestorben 1365.

I. Vorderseite: ✝ RUDOLFUS . QVARTUS . DEI . GRACIA . PALATINUS . ARCHIDUX . AUSTRIE . STIRIE . KARINTHIE . SUEVIE . ET . ALSACI (2. Zeile) E . DOMINVS . CARNIOLE . MARCHYE . AC . PORTUS . NAONIS . NATVS . ANNO . DOMINI . M . CCC . XXXIX. Gothische Majuskel, zwischen drei Perlenlinien, mit einem gerauteten Siegelrande. AN in ANNO verschränkt. (Tafel VII, Fig. 27.) Der Herzog zu Pferde, rechts gewendet, in voller Rüstung. Diese besteht aus einem Panzerhemde, über welchem ein eng anliegendes Oberkleid ohne Ärmel getragen wird, es reicht bis über die Hüften, ist unten ausgezackt, und etwas kürzer als das Panzerhemd. Drahtgeflecht schützt die Arme und die Beine, die Handschuhe dagegen, die Kniestücke und die vordere Bedeckung der Schienbeine bestehen aus Plattenstücken, die Fussbekleidung aus Schnabelschuhen mit Sporen. Auf dem Haupte trägt der Fürst den Schlachthelm, an der Vorderseite kantig, zu beiden Seiten mit dem Sehschnitte, und unter dem letzteren an der linken Helmwand mit einem unbeweglichen Gitter versehen. Auf der flatternden Helmdecke ruht eine Laubkrone, aus welcher der Pfauenstutz emporragt. Die Hüften umgibt ein verzierter Gürtel, an welchem ein kurzes, schmales Schwert (perswert, Bohrschwert) hängt, dessen Griff oben in einen Knauf endet, die Parierstange ist sichelförmig nach abwärts gebogen[1]. In der Rechten hält der Herzog das Banner, worin der steierische Panther, am linken Arme trägt er den Schild mit dem österreichischen

[1] Das Schwert findet sich mit Ausnahme Albert's I. als Reichsverweser und seines Neffen Johann auf keinem früheren Siegel der Herzoge von Österreich aus dem Hause Habsburg, wohl aber sind die meisten Babenberger und Otakar mit demselben umgürtet.

Wappen, das Feld ist durch schräg gekreuzte Linien gegittert, darin je eine Blume, und die Durchschneidungspunkte sind je mit einem Sternchen belegt, die Binde ist damascirt. Das Pferd ist in eine faltenreiche Decke gehüllt, welche rückwärts hoch aufflattert, und am Halse mit dem Schilde von Kärnthen, an der Brust mit jenem von Habsburg, und am Schenkel mit jenem von Pfirt belegt ist. Das Hinterzeug der Decke wird mit Ringen an den Sattel befestigt, welcher vorne und rückwärts hohe Bogen hat, die mit dem österreichischen Schild belegt sind. Auf dem Haupte des Pferdes ruht eine Krone mit einem darüber schwebenden Adler, von ihr hängt ein Kreuz auf die Stirne des Pferdes herab, der Stangenzügel besteht in einer Kette. Das Siegelfeld wird durch in Reihen gestellte Blumenornamente (jedes aus vier Zirkeltheilen bestehend) ausgefüllt, in jedem derselben befindet sich ein geflügelter Drache, von denen je zwei neben einander sich zugekehrt sind. In den Räumen, welche zwischen vier an einander stossenden Blumenornamenten entstehen, befindet sich je ein einfacher Adler. Kehrseite (Taf. VII, Fig. 28). † RVOD . DEI . GRA . SAC . ROMANI . IMPERII . ARCHIMAGISTER . UENATOR . ALBERTI . DVCIS . ET . JOHANNE . DVCISSE . PRIMOGENITVS . Gothische Majuskel zwischen Perlenlinien, und einem geranteten Siegelrande. AR, CH in Archimagister, AL und AN in Alberti und Johanne sind verschränkt. — Nach dem letzten Worte folgt der österreichische Bindenschild. In einer Nische unter einem Baldachine, welcher auf einen von zwei Spitzsäulen getragenen geschweiften Spitzbogen, mit aufstrebender Schlussrose und Giebelblumen ruht, steht der Herzog als des heiligen römischen Reiches Erzjägermeister auf zwei liegenden Hirschen. Er trägt einen Korazin mit Streifen und Ringen geschmückt, unter welchen ein Panzerschurz hervorragt; am Halse ist Drathgeflecht sichtbar, solches schützt auch die Arme, Ringwerk deckt die Unterschenkel und die Füsse. An den Händen trägt der Fürst gefingerte Blechhandschuhe, und die Kniestücke, so wie die Rüstung der Schienbeine bestehen ebenfalls aus Plattenwerk. Statt des Helmes hat er den Herzogshut mit der Zinkenkrone, dem Diademe und Kreuz auf dem Haupte. Um die Schultern ist der Fürstenmantel gelegt mit breiter Verbrämung an den Säumen, welcher über der Brust durch eine reiche Spange festgehalten wird. In der Rechten hält er das Scepter, die Linke ist auf das Schwert gestützt, dessen Knopf an einer von der Brust herabwallenden Kette befestigt ist, eben so der Dolch, der an der rechten Seite, in dem aus Buckeln bestehenden Gürtel steckt. Zur Seite des Hauptes rechts befindet sich der Bindenschild, links der Schild mit den fünf Adlern (welcher hier zum ersten Male erscheint). Über und unter diesen Wappenschilden ist das Wort: † RV — ODO — LF — VS vertheilt. Der mittleren Nische schliessen sich zu jeder Seite drei Nischenreihen an, durch Spitzsäulen getrennt und von Giebeln überwölbt. Die zwei äusseren Reihen sind zu jeder Seite von einem Waldmanne gestützt. In den Nischen sind die Wappen der österreichischen Länder und Herrschaften angebracht, und zwar trägt zur Rechten des Herzogs eine stehende Frauengestalt das Wappen von Burgau vor sich, Engel halten die Wappen von Kärnthen, Pfirt und der windischen Mark, ohne Wappenhälter ist Portenau; zur Linken in symmetrischer Anordnung trägt eine weibliche Gestalt das Wappen von Kyburg, Engel halten die Schilde von Steiermark, Habsburg und Krain, ohne Wappenhälter ist Rapperswil. Über den beiden äussersten Nischenreihen ruhen gekrönte Helme mit Decken, jener rechts hat einen Adlerflügel, jener links einen hervorwachsenden gekrönten Adler als Zimier, über den anderen Nischenreihen ist die Inschrift vertheilt: NA — IDIE — $\overline{\text{OM}}$ — SAC (das S verkehrt) — TOR (Natus in die omnium sanctorum). Am äusseren Rande (Exergue) hat das Siegel die Inschrift zwischen zwei Perlenlinien: XX ∗ IMPERII ∗ SCVTUM ∗ FERTVRQ (que) ∗ COR ∗ AVSTRIA ∗ TVTVM ∗ PRIM (us) ∗ FRIDER(icus) ∗ TESTATUR ∗ CESAR ∗ AVGV(stus) ∗ ILLD (illud) ∗ SCRIPTURA ∗ OVA(m) ∗ ROBORAT ∗ AUREA ∗ BULLA ∗ UR und AU kommen verschränkt vor. Dieses Siegel von ausgezeichneter Arbeit hat $4^3/_4$ Zoll im Durchmesser.

Im Archive des Domcapitels hängt dieses Siegel in rothes Wachs abgedruckt an grünen und rothen Seidenfäden an einem Zeugnisse über Reliquien. Die Vorderseite mit dem kleinen Siegel als Contrasiegel befindet sich im Stiftsarchive von Melk an einer Urkunde, durch welche Herzog Rudolf für eine jährlich abzuhaltende Seelenmesse dem Stifte das Recht ertheilt, jährlich einmal zwei Pfund Salz des grossen und acht Pfund des kleinen Gebündes ohne Entrichtung einer Mauth zu Linz auf der Donau herabführen zu dürfen. Wien XIV. Kalend. Julii (18. Juni) 1359.

Der Wappenschild mit den fünf Adlern, welcher auf diesem Siegel zuerst erscheint, hat unter den Gelehrten früherer Zeit viel Hader und dazu viel Hypothesen geschaffen. Kauz in seiner Abhandlung über den österreichischen Wappenschild will, auf Ortilo gestützt, in den fünf Vögeln Lerchen erblicken, und sucht diesem Wappen, die Römerzeit und die legio auladarum zu Hilfe nehmend, ein höheres Alter als dem Bindenschilde zu vindiciren. — Herrgott, welcher die fünf Vögel für Adler erklärt, stellt folgende Hypothese auf: Rudolf nannte sich Pfalzerzherzog und des heiligen römischen Reiches Erzjägermeister, daher zwei Adler, und durch die andern drei wollte er die drei Provinzen bezeichnen, welche er erblich besass, und die einen Adler als Wappen hatten, nämlich Oberösterreich, Krain und Tyrol. Die Haltbarkeit dieser Hypothese fällt durch den Umstand zusammen, dass Rudolf so lange er dieses Siegel führte, vom Jahre 1358 bis 1362, Tyrol noch gar nicht besass. Gewiss ist übrigens, dass Rudolf selbst diesem Wappenschilde eine höhere Wichtigkeit beilegte, indem er ihn zu Häupten links dem österreichischen Schilde gegenüber stellt, und ich glaube folgende Hypothese annehmen zu dürfen; auf dem vorliegenden Siegel, auf welchem der Adlerschild zum ersten Male vorkommt, nennt sich Rudolf Pfalzerzherzog von Österreich, Steiermark, Kärnthen, Schwaben und Elsass, und mochte durch die Annahme eines Schildes mit fünf Adlern den Besitz von fünf Herzogthümern als grossen Reichslehen andeuten wollen. Diese Titel eines Pfalzerzherzoges, eines Herzogs von Schwaben und von Elsass zogen die Aufmerksamkeit des Kaisers und der Churfürsten auf sich, und Rudolf musste sich auf dem Reichstag zu Esslingen am 5. September 1360 durch einen Revers verpflichten, da er auf die Pfalz kein Recht habe, auch nicht Herzog von Schwaben und im Elsass sei, diese Titel abzulegen, und die Siegel, auf welchen sie vorkommen, bis Weihnachten brechen zu lassen, welchem Versprechen er aber erst im folgenden Jahre nachkam, als er von Kaiser Karl IV. neuerdings vor ein Fürstengericht berufen wurde; und auf dem in Folge dessen entstandenen grossen Reitersiegel ist mit den Titeln eines Herzogs von Schwaben und Elsass auch der Schild mit den fünf Adlern verschwunden, auf Rudolf's kleineren Siegeln kam er nie vor. Erst auf den Siegeln Leopold's IV. und Ernst's des Eisernen erscheint er wieder, und nach diesem führen Albert V., Friedrich V., Albert VI. und Maximilian I. denselben in ihren Siegeln; allmählich wurde er als zweites Wappen Österreichs betrachtet, und endlich als Wappen der Stände Unterösterreichs angenommen. Die Helmzierde dieses Wappens ist ein hervorwachsender Adler[2], und es gehört daher der Helm über der äussersten Nischenreihe links, diesem Schilde, jener rechts dem Bindenschilde an.

Zur Annahme des Titels eines Pfalzerzherzoges wurde Rudolf wahrscheinlich durch das Privilegium Kaiser Friedrich's I. bewogen, in welchem es heisst „ducem unum de palatinis archiducibus esse censendum", wornach er zur Rechten des Kaisers nach den Wahlfürsten seinen Platz hatte; und die Veranlassung gab Karl's IV. goldene Bulle, welche Österreich von der Churwürde ausschloss.

Der Titel eines Erzjägermeisters kam durch den Anfall Kärnthens, dessen Herzoge diese Würde bekleideten, an Österreich; nach Rudolf führte ihn noch Maximilian I. nach seiner Vermählung mit Maria von Burgund[3].

[2] Siehe das Siegel Kaiser Friedrich's III. als Herzog von Österreich vor der Königswahl. — [3] Herrgott l. c. 19.

Hanthaler hält die Kehrseite für ein eigenes Siegel, welches Rudolf bei Lebzeiten seines Vaters führte, ohne einen factischen Beweis oder einen Grund anzugeben[4]: die Worte der Umschrift: Alberti ducis et Johannae ducissae primogenitus, haben ihn vielleicht zu dieser Ansicht geführt. Derlei genealogische Angaben sind jedoch auf den Siegeln regierender Fürsten, wie z. B. in Böhmen und Ungarn, nichts seltenes. Auch nannte sich Rudolf bei Lebzeiten seines Vaters in Urkunden und auf Siegeln Herzog von Österreich, Steiermark etc.; er würde daher diese Titel auf einem selbstständigen grossen Prachtsiegel gewiss nicht weggelassen haben.

Abbildungen, welche entweder ganz ungenau sind, oder im günstigsten Falle dem Originale an Schönheit weit nachstehen finden sich: Monum. boic. III. Taf. 6. Ogesser, Beschreibung der Stephanskirche ad pag. 101. Gruber, Kurzgefasstes Lehrsystem seiner diplomatischen und heraldischen Collegien Taf. III. Fig. 1 und 2, ann. 1359 und 1360. Schönleben, Dissertatio de origine domus Habsb. Austr. mit der Jahrzahl 1360: auf der Vorderseite das Siegelfeld ganz leer. Hueber l. c. Taf. 18, Fig. 5, a. 1359, nur die Vorderseite, elend, Krone, Adler und Kreuz auf dem Kopfe des Pferdes fehlen. Das Geburtsjahr ist mit MCCCXXX angegeben. Herrgott l. c. die Vorderseite Taf. 6, Fig. 7, a. 1359; die Kehrseite Taf. 7. Fig. 2, ann. 1365 (?), letztere ganz missverstanden. Auf der Vorderseite das Siegelfeld mit Blumen verziert, der Herzog mit Reiterstiefeln, im Schilde das Feld nicht gegittert, die Binde nicht damascirt; das Pferd mit einem Haarbüschel am Kopfe statt der Krone, Adler und Kreuz. Bezüglich des letzteren Schmuckes sagt Herrgott[5]: quod genus additamenti in hujus formae sigillis hactenus haut vidi, und meint, dass dies in der Abbildung bei Schönleben ein Zeichnungsfehler sei; zugleich gibt er an, dass seine Abbildung nach einem Siegel an der mit n. 19 lit. S bezeichneten Urkunde des Schottenarchives gearbeitet sei; die Einsicht des Originales schaffte mir aber die Überzeugung von der Unrichtigkeit dieser Angabe, Krone, Adler und Kreuz schmücken auch hier das Haupt des Pferdes. Steyerer, Commentar. pro histor. Alberti II Fig. 12, die Vorderseite leidet an allen Fehlern der bei Herrgott befindlichen Abbildung, die Kehrseite Fig. 7 ist unbrauchbar.

II. † Rudolfus : quartus : dei : gracia : archidux : austrie : stirie : et : karinthie : dominus : carniole : marchie : ac : portus : naonis : comes : in : habspurg : ferretis : et : kiburg : marcio (sic) burgonie : ac : lantgrauius : alsacie. Zierliche deutsche Minuskel zwischen erhöhten Kreislinien. (Tafel VIII. Fig. 29.) Der Herzog zu Pferde, links[6] gewendet, ein knapp anliegender Waffenrock, mit Blättern gestickt, wahrscheinlich ein Korazin, schützt den Leib und die Oberschenkel, Hals und Arme sind mit Ringgeflecht bedeckt. An den Händen trägt er gefingerte Blechhandschuhe, die Kniebuckeln, so wie die Rüstung der Schienbeine sind Plattenstücke. Der Schlachthelm hat vorne eine Kante, an jeder Seite derselben befindet sich ein Sehschnitt, und unter demselben ist in die Helmwand rechts ein Gitter aus vier Reihen viereckiger Löcher geschlagen. Den Helm schmücken die flatternde Decke, und eine Laubkrone mit dem Pfauenwedel. Im Gürtel, der mit runden, besternten Buckeln verziert ist, steckt der Dolch an einer von der rechten Achsel herabwallenden Kette befestigt, der Schild wird an einer Schnur, von welcher rückwärts eine Quaste herabhängt, auf der Brust des Reiters getragen, der in der Rechten das Banner hält, von dessen oberstem Rande ein langes schmales Band ausläuft (dieses treffen wir von nun an auf allen Reitersiegeln der österreichischen Fürsten). Schild und Banner enthalten das österreichische Wappen mit gerautetem Felde und damascirter Binde, und an den vorderen Bogen so wie an der Rücklehne des Sattels ist dasselbe Wappen angebracht. Das Pferd ist in eine aus zwei Theilen bestehende Decke gekleidet,

[4] l. c. I. 216. — [5] l. c. 16. — [6] So wie auf den früheren Siegeln der österreichischen Herzoge aus dem Hause Habsburg seit Albert I. (mit Ausnahme Johannes Parricida) die Reiterfigur immer rechts gewendet ist, so erscheint sie von nun an immer links gekehrt, mit Ausnahme Albert's VI. und der Kehrseite des Münzsiegels, welches Kaiser Friedrich III. für die österreichischen Angelegenheiten führte.

die in reiche, gut geordnete Falten gelegt, rückwärts hoch aufflattert; weder Borten, noch Stickereien oder Wappenschilde verzieren dieselbe; auf dem Haupte trägt das Pferd eine Krone mit einem auf die Stirne herabhängenden Kreuz und einem aufliegenden Adler, der Stangenzügel besteht in einer Kette, die Trense in einem Riemen. Diese in bedeutendem Relief trefflich gearbeitete Reiterfigur umschliessen zwölf mit einander verbundene Bogenabschnitte, welche durch eingelegte Zirkeltheile verziert sind, und in deren Krümmungen sich Engel und Waldmänner mit den Wappenschilden der österreichischen Länder befinden. Ein zur Hälfte des Leibes aus Wolken hervorragender Engel hält dem Herzoge das steierische Wappen entgegen, im nächsten Bogen trägt eine dicht behaarte männliche Gestalt das habsburgische Wappen. Unterhalb des Pferdes ist ein Engel, neben welchem ein Waldmann in den auf seinen Rücken gelegten Händen den Schild der windischen Mark trägt. Zunächst diesem hebt ein Engel mit der Rechten das Wappen von Portenau, mit der Linken den Schild von Krain empor. Im Rücken des Reiters ein Waldmann mit den Fischen von Pfirt, über ihm ein Engel, welcher dem Herzoge mit zum Schutze erhobener Hand nachschwebt, endlich ein Waldmann mit dem Wappenschilde Kärnthens. Die übrigen vier Bogenkrümmungen werden durch den Federbusch des Reiters, durch das Banner, endlich durch die Vorder- und Hinterfüsse des Pferdes ausgefüllt. In den Aussenwinkeln der verbundenen Bogensegmente sind abwechselnd Engelsbüsten, und von Masswerk begleitete Kreise angebracht, in deren Mitte sich je ein Löwenkopf befindet. Rund, Durchmesser 5 Zoll. Abbildungen: Hueber l. c. Taf. 18, Fig. 8, elend. Von einer Urkunde des Stiftes Melk durch welche Rudolf dem genannten Kloster das Fischrecht in der Donau gibt[7], dazu das Siegel Fig. 35 als Contrasiegel.

III. Von dem vorigen Siegel erscheint eine Variante (Taf. VIII, Fig. 30), welche im Banner statt des österreichischen Wappens einen Adler zeigt, und über der Fahne ist im Siegelfelde das Wort $^{DY}_{ROL}$ angebracht. Diese Variante entstand einfach dadurch, dass nach der am 29. September 1363 geleisteten Huldigung der Stände Tirols im früheren Siegelstempel der Adler nachgegraben wurde. Man ersieht dies daraus, dass am oberen Rande des Banners ein Theil von dem gerauteten Felde des ehemaligen österreichischen Wappens, so breit als das davon auslaufende Band, belassen wurde, welcher daher tiefer liegt, als jener Theil der Fahne, worin sich der neu angebrachte Adler befindet[8].

Auf den beiden letzteren Siegeln fehlen bereits die Titel eines Herzogs von Schwaben und von Elsass, auch der Beisatz Palatinus zu Archidux ist weggelassen, der letztere Titel aber beibehalten. In seinen Urkunden nennt sich Rudolf bald Erzherzog, bald Herzog, im Stiftsbriefe für die Wiener Universität, und die Collegiatkirche bei St. Stephan führen er und seine Brüder Albert und Leopold den ersteren Titel[9]. Nach Rudolf verschwand dieser Titel bis zu Ernst dem Eisernen der ihn wieder annahm, bis er unter Kaiser Friedrich III. Curialtitel wurde, vermöge der mit Einwilligung der Churfürsten gegebenen Urkunde zu Neustadt am Heiligen drei Königstage (6. Jänner 1453). Auffallend ist übrigens, dass sich Rudolf nur auf einem einzigen seiner kleineren Siegel Archidux, auf allen übrigen aber Dux nennt.

Als Contrasiegel dieses grossen Reitersiegels kommen die kleinen Siegel Fig. 35 und 36, dann das nur als Contrasiegel verwendete, Fig. 37, vor.

Ich traf dieses Siegel in rothes Wachs abgedruckt in brauner Schale an rothen und grünen Seidenfäden hängend an der Friedens- und Aussöhnungsurkunde zwischen Kaiser Karl IV., Wenzel

[7] Hueber l. c. 86. — [8] Nach Hanthaler l. c. I. 215, kommt dieses Siegel bereits an einer Urkunde, gegeben zu Wien feria V. post Petronilla (5. Juni) 1363 vor. Den Adler auf dem Pferdekopf hält er für den tirolischen, was irrig ist. — [9] Hormayr, Geschichte Wiens V. pag. XLVII und LXVI.

von Böhmen (damals 3 Jahre alt), Markgrafen Johann von Mähren, dann König Ludwig von Ungarn einerseits, und den Herzogen von Österreich andererseits, nach dem Ausspruche Kasimir's von Polen und Bolko's von Schlesien, und vermittelt durch die Herzogin Katharina. Brunn, am Tage der heiligen Scholastica (10. Februar) 1364. — Auch an dem Stiftbriefe der Wiener Universität, so wie der Collegiatkirche zu St. Stephan vom 12. und 16. März 1365 befindet sich dieses Siegel.

Abbildungen dieses Siegels mit dem Adler in der Fahne befinden sich bei: Schlickenrieder. Chronologia diplomatica celeberimae ac antiquissimae Universitatis Vindobonensis. Die einzige Abbildung, welche dieses schöne Siegel entsprechend wiedergibt, ann. 1365. — Steyerer l. c. Fig. XI, hat in der Umschrift: comes in habspurg, tirolis et kiburg." allein „tirolis" ist eine irrige Ergänzung des Wortes „ferretis", an dessen Stelle das Originalsiegel welches er vor sich hatte, gerade verletzt war, wie seine Abbildung selbst erweist. Die Armrüstung besteht aus Plattenstücken und der Dolch ist weggelassen. Herrgott l. c. Taf. 7, Fig. 1, die ganze Abbildung plump, RVDOL über der Fahne statt DYROL; die Rüstung ist kein Schuppenpanzer, an den Ellenbogen sind Schienengelenke angebracht; der Gürtel fehlt; der Schild ist unten gerundet statt gespitzt, auf beiden Sattelbogen fehlt das österreichische Wappen. In den Aussenwinkeln der Bogenabschnitte sind statt der Kreise mit den Löwenköpfen Rosen angebracht, die Masswerkverzierungen fehlen ganz. In der Umschrift steht „hiburg" statt „kiburg" und „marc" statt „marcio". Hanthaler l. c. Taf. 23, Fig. 1. Im Charakter ganz vergriffen, die Draperie der Pferdedecke vollends entstellt, der Helm mit einem Rostgitter, die Rüstung ganz aus Plattenstücken bestehend, welche am Schenkel geschoben sind, hohe Reiterstiefel ohne Sporen, der Waldmann, welcher den Schild von der windischen Mark hält, ist in eine nackte Frauengestalt mit langem Haupthaar umgewandelt. In den Bogenkrümmungen sind Verzierungen angebracht, von denen auf dem Originale keine Spur vorhanden ist, in den Aussenwinkeln statt der Löwenköpfe Rosen. Riegger. Analecta academ. Frib. Taf. VII ad pag. 179. Hell, Diplome etc. der Wiener Universität. Taf. I höchst mittelmässig.

Fig. 31.

IV. † S. RVDOLFI DVCIS AVSTRIE. Gothische Majuskel zwischen zwei Linien. Fünf Köpfe in einander verschränkt. Oval, Höhe 10 Linien, Breite 8 Linien (Fig. 31). Dazu als Contrasiegel:

Fig. 32.

V. Ein gekrönter Schlachthelm mit dem Pfauenstutz. (Fig. 32.) Ohne Umschrift, mit einem Perlenrande, im Siegelfelde eine Perlenreihe zwischen zwei Kreislinien. Rund. Durchmesser 6 Linien. Abgebildet: Gruber l. c. Taf. 2. Fig. 2. Herrgott Taf. 7 Fig. 3, vom Jahre 1357. Steyerer l. c. Fig. 14. Smittmer fand dieses Siegel an dem Stiftsbrief für die neue Capelle in der Burg zu Wien im Thurme nächst dem Widmerthore, Wien am St. Nicolaustag (6. October) 1356, und an einem Freiheitsbriefe für dieselbe Capelle, Wien, Samstag nach St. Pankraztag (13. Mai) 1357[10]. — Die Sigillationsformel fehlt in beiden, und es scheint, dass Rudolf die daran hängenden Siegel nur als Petschafte, nicht als fürstliche Siegel betrachtete, daher er die Urkunden im Jahre 1358 neuerdings bestätigte mit dem Bemerken, weil er jetzt ein eigenes fürstliches Insiegel und volle Gewalt in Schwaben und in Elsass habe.

An der Urkunde Rudolf's, gegeben zu Gratz am 4. September 1351, wodurch er den Friedrich und Leopold den Hamauern erlaubt, ihre Lehensgüter in Österreich und Steiermark zu Jahrestagen an Gotteshäuser zu vermachen, befindet sich ein an den Enden geknüpfter Pergamentstreif; Spuren, dass daran ein Siegel war, sind nicht vorhanden, auch die Siegelformel fehlt, dagegen steht am Schlusse der Urkunde von des Herzogs eigener Hand: Hoc est verum.

10 Beide Urkunden bei Steyerer l. c. col. 258 und 259.

VI. † S. RVDOLFI DVCIS AVSTRIE. Gothische Majuskel zwischen Perlenlinien. In einem gestürzten Kleeornamente der österreichische Schild mit blankem Querbalken, das rothe Feld gegittert und mit Punkten belegt. Rund. Durchmesser 10 Linien. Nach der Abbildung bei Gruber l. c. Taf. 2. Fig. 3, unter den Zeichnungen von Weinkopf im kaiserlichen Hausarchive findet sich bei diesem Siegel die Bemerkung: Ex litteris Ruperti Senioris comit. palatini Rheni super venditionem quarundam munitionum et civitatum in Bavaria facta Carolo IV. ddo. feria III. ante omnium sanctorum. (29. October.)

VII. † RVODOLFVS . DEI . GRACIA . DVX . AVSTRIE . STYRIE . et KARINTH • Zierliche gothische Majuskel zwischen Perlenlinien. (Fig. 33.)

Das Siegelbild stellt ein Ornament aus Masswerk in Form einer reich geschmückten Fensterrose dar. Den Mittelpunkt desselben bildet ein Kreis, darin ein gestürztes Kleeornament, innerhalb dessen oben der österreichische und steierische, und unter beiden der kärnthnerische Wappenschild sich befinden. Ausserhalb dieser Gruppe, von Bogenabschnitten umschlossen, welche auf dem Mittelkreise aufstehen, sind von der Rechten zur Linken die Wappenschilde von Habsburg, Pfirt, Portenau, der windischen Mark und Krain angebracht. Rund, Durchmesser $1^3/_4$ Zoll. Rudolf gebrauchte dieses Siegel bereits bei Lebzeiten seines Vaters, und bestätigt mit demselben die Freiheiten der Burgcapelle in Wien, die er ihr vor einigen Jahren, „daher in zeiten, dieweile Wir sunder fürstlich Insigel nicht gehebt haben“ ertheilt hatte, neuerdings „als wir sunder fürstlich Insigel haben und ouch vollen gewalt ze Swaben und ze Elsazz“. Colmar am nächsten Freitag nach unserer Frauen Tag zder Lichtmess (9. Februar) 1358, und „unser gepurtlichen Zeit in den neunzehenden Jare“[11]. Siehe Fig. 31 und 32. Ein Originale in rothem Wachs auf ungefärbter Wachsschale, von Pergamentstreifen durchzogen, befand sich in Dr. Melly's Sammlung. Abbildung: Steyerer l. c. Fig. 10 sehr fragmentirt. Herrgott Taf. 6, Fig. 10 mangelhaft. Gruber l. c. Taf. II, Fig. IV gut.

Fig. 33.

VIII. † RVODOLFVS • DVX • AVSTRIE • STYRIE • KARINTHIE • SWEVIE • ET • ALSACIE. Gothische Majuskel zwischen zwei Kreislinien. Jene, welche das Siegelfeld begränzt, ist an der inneren schief aufsteigenden Fläche mit Sternchen belegt. Der österreichische Schild ist schräg gestellt, das Feld gegittert und mit Punkten belegt, die Binde blank. Auf der linken Ecke des Schildes ruht der Helm in das Visier gestellt, vorne mit einer Kante, zu deren Seiten je ein Sehschnitt, unter diesem auf der linken Helmwand ein Gitter und eine Rose durchgeschlagen. Den Helm zieren Decke, Krone und Pfauenstutz. Zu jeder Seite des Schildes sind zwei Löwen über einander gestellt, die beiden unteren aufgerichteten halten den Schild, die beiden oberen in schreitender Stellung halten den Helm. Jeder Löwe trägt einen geschweiften Wappenschild, der an seinem Körper anstatt eines Flügels angebracht ist, und zwar rechts Steiermark und Habsburg, links Kärnthen und Pfirt (Fig. 34). Auch dieses Siegel verschwindet wegen der anstössigen Titulaturen eines Herzogs von Schwaben und im Elsass und wurde in das Siegel Fig. 35 umgewandelt. Smittmer fand dieses Siegel im Archive des Stiftes Melk vom Jahre 1359[12] als Contrasiegel zu dem Reitersiegel Fig. 27; ferner in demselben Archive in rothem Wachs auf weisser Schale, an Pergamentstreifen hängend an der Urkunde, durch welche Rudolf dem Stifte Melk das Gut Grasperch bestätiget, welches der Abt Ludwig von Geins den Pehem gekauft hat, und das von dem Abte zu Ehren des heiligen Kreuzes zu einem ewigen Lichte „gefugt und gemacht wurde“. Melk. Samstag vor St. Lorenzentag (8. August 1360). Rund. Durchmesser

[11] Steyerer l. c. col. 261. — [12] Hueber l. c. S. 83.

25*

Fig. 34.

1¼ Zoll. Abbildungen: Hueber l. c. Taf. 18, Nr. 5, elend. Gruber l. c. Taf. 2, Fig. 5, mittelmässig. Eben so Steyerer l. c. Taf. 9.

IX. RVDOLFVS . DVX . AVSTRIE . Gothische Majuskel. Der Bindenschild mit Helm und Zimier. Achteckig, einem Zettel aufgedrückt zum Zeugnisse einiger von Rudolf der Kirche von St. Stefan geschenkten Reliquien, anu. 1360. Nach der Beschreibung in Smittmer's Siegelkatalog num. 4 c. Dürfte dem Siegel Leopold's IV. Fig. 59 ähnlich sein.

X. † RVDOLFVS : DEI : GRACIA : DVX : AVSTRIE : STYRIE : ET : KARINTHIE. Gothische Majuskel, mit einer äusseren Perlenlinie, die innere Randlinie ist nach innen mit Sternchen besäet (Fig. 35). Das Siegelbild ist identisch mit jenem von Fig. 34, nur die frühere Umschrift wurde wegen der Herzogstitel von Schwaben und Elsass auf dem Stempel herausgehoben, und in der so entstandenen Vertiefung die neue Umschrift nachgestochen, daher dieselbe auf den Abdrücken auf einem erhabenen Wulst erscheint. Rund, Durchmesser 1¾ Zoll. Dieses Siegel hängt an grünen und rothen Seidenfäden in rothes Wachs auf weisser Schale abgedrückt, an der Einigung zwischen Böhmen, Mähren und Österreich vom 1. August 1361 im kaiserlichen Hausarchive. Am häufigsten erscheint es an Pergamentstreifen hängend; bisweilen kommt es auch als Contrasiegel der beiden Reitersiegel num. 29 und 30 vor. Abbildungen: Herrgott l. c. Taf. 6, Fig. 8, anu. 1361. Hanthaler Taf. 23, anu. 1363 als Contrasiegel. Hueber l. c. ebenso Taf. 18, Fig. 8, anu. 1362. Alle drei gehören nicht zu den gelungenen.

Fig. 35.

XI. † RVODOLFVS AUSTRIE. STYRIE, KARINTHIE. TYROLIS ET KARNIOLE ARCHIDUX. Gothische Majuskel zwischen zwei Kreislinien. AU, ET, CH, dann alle AR zusammen gezogen. Der österreichische Bindenschild schräg gestellt, das Feld gerautet, die Binde damascirt, auf der linken Ecke des Schildes ruht der in das Visier gestellte Schlachthelm mit Decke, Krone und Pfauenstutz. Unter dem Sehschnitte ist ein Gitter in die linke Helmwand geschlagen. Im Siegelfelde sind zur rechten Seite die Schilde von Steier und Tirol, zur linken von Kärnthen und Krain pfahlweise aufgestellt. Diese Gruppe wird von einem Rosenornamente aus 6 Bogenabschnitten umschlossen, deren innere schief aufsteigende Fläche mit Sternchen verziert ist. Masswerk füllt die äusseren Winkel aus (Fig. 36). Rund, Durchmesser 1¾ Zoll. Dieses Siegel erscheint sowohl selbstständig, als auch als Contrasiegel von Fig. 65, an den Stiftsbriefen für die Wiener Universität, und der Collegiatkirche bei St. Stephan vom Jahre 1365. Abbildungen: Hanthaler l. c. Taf. 23, Fig. 3, anu. 1364. Herrgott l. c. Taf. 6, Fig. 9 und Taf. 7, Fig 1. Steyerer l. c. Fig. 13, alle mehr oder weniger unrichtig. Riegger l. c. ad pag. 182. Schlickenrieder l. c. Taf. 1 gut. Hell l. c. Taf. 1 als Contrasiegel, mittelmässig.

Fig. 36.

XII. Ohne Umschrift. Von einer Kreislinie umfangen der steierische Panther mit dem österreichischen Bindenschilde auf dem Leibe. Erscheint in rothes Wachs abgedruckt, nur als Contrasiegel sowohl der beiden Reitersiegel Fig. 29 und 30, als auch der kleineren Siegel Fig. 33, 34, 35 und 36. Rund, Durchmesser ³/₄ Zoll. Abbildungen: Herrgott Taf. 6, Fig. 8, ann. 1361, der Panther ist aber verkehrt, nämlich links statt rechts gewendet. Gruber l. c. Taf. 2, Fig. 6. (Fig. 37).

Fig. 37.

XIII. † S. DVCIS (RVDOLFI) AD JVRA MONTANA IN AVSTRIA. Gothische Majuskel zwischen Perlenlinien. Das Siegelfeld ist durch dreifache gekreuzte Linien in Vierecke getheilt, in denen je eine Blume; im Siegelfelde befindet sich der österreichische Schild schräg gestellt, darauf der Helm mit Decke, Krone und Pfauenstutz. Zu beiden Seiten der Krone sind die Buchstaben J—M. und unterhalb der Helmdecke zu den Seiten des Schildes R—V, wahrscheinlich Jura Montana RVdolfi. (Fig. 38.) Rund, Durchmesser 1¹/₄ Zoll. Nach einer Mittheilung des hochwürdigen Herrn Dominik Bilimek, Capitularpriesters des Cistercienserstiftes in Wr. Neustadt, im dortigen Stadtarchive roth in weisser Schale an Pergamentstreifen an einer Urkunde v. J. 1360. Smittmer fand dieses Siegel an der Urkunde: gegeben zu Wien 1365 „dez nasten Vreitages nach dem Perichtag (10. Jänner), wo Dietrich pei dem Prunne ze Gumpoltzchirchen und Elspet sein Hausfraw verichen — das Nyclas der Pergmaister geschaft hat einen Weingarten“ zur Stiftung eines Jahrestages bei der Pfarrkirche zu Gumpoldskirchen, und hierüber gegeben habe den Brief versiegelt mit des edlen und hochgebornen Fürsten Herzogs Rudolf Bergrechts Insiegel in dem Land zu Österreich, das der „erber Mann“ Herr Albrecht der Schenk sein oberster Kellermeister an den Brief gehangen hat. Abbildung: Duellius, hist. ord. teutonici S. 127, Fig. 70, ann. 1365.

Fig. 38.

Albert III., Sohn Albert's II. und der Johanna Gräfin von Pfirt, geboren 1349, regiert von 1365—1395.

I. † ALBERTVS : DEI : GRACIA : DVX : AVSTRIE : STYRIE : KARYNTHIE : ET : CARNYOLE : DOMINVS : MARCHIE : ET : PORTVS : NAONIS : COMES : (2. Zeile) IN : HABSPVRG : TYROLIS : FERRETIS : ET : IN : KYBVRG : MARCHIO : BVRGOWIE : AC : LANTGRAVIVS : ALSACIE. (Taf. IX, Fig. 39.) Gothische Majuskel zwischen drei Perlenlinien; an jene, welche die Umschrift vom Siegelfelde trennt, schliesst sich eine Verzierung aus Blumenbogen an. Im damascirten Siegelfelde eine links gewendete Reiterfigur, auf dem Haupte den gekrönten Schlachthelm mit flatternder Decke und dem Pfauenstutz. Der Helm hat unter dem Sehschnitte ein Gitter. Den Leib bis zu den Oberschenkeln deckt ein Korazin mit herzförmigen Schuppen oder Blättern, die Beinrüstung bis zu den Knien besteht aus Schuppenhosen, Arme und Hals dagegen schützt ein Drahtgeflecht, und die gefingerten Handschuhe, die Kniestücke und die Rüstung der Schienbeine sind Plattenstücke. Die Fussbekleidung ist schnabelförmig mit Sporen, die Hüften umgiebt ein reicher Gürtel. Im Schilde so wie im Banner befindet sich das österreichische Wappen mit gerauteten Felde und damascirter Binde; der Schild ist klein und unten gerundet; von der Schnur, an welcher er auf der Brust getragen wird, hängt die Quaste im Rücken des Reiters herab. Auf der Pferdedecke sehen wir an der Brust das steierische Wappen, an der Weiche und am Schenkel jene von Kärnthen und Tirol. Der Sattel hat hohe Bogen, von denen der vordere die Schenkel des Reiters deckt, und jener rückwärts mit langen Armen die Hüften desselben umschliesst. Die Riemen des Stangenzügels sind gestickt. Dieses Siegel ist eine vorzügliche Arbeit von guter Zeichnung und geschmackvoller Ausführung. Rund, Durchmesser 4¹/₄ Zoll. Smittmer fand dieses Reitersiegel im erzbischöflichen Archiv an der Urkunde, durch welche Albert dem Meister und der Bruderschaft des heiligen Geistes zu Wien die Handveste über ihr Haus in der Kärnthnerstrasse St. Johannes gegenüber bestätiget, Wien am Aschtage (19. Febr.) 1371, in ungefärbten Wachs hängen; ebenfalls in ungefärbten Wachs an Pergamentstreifen befestigt befindet sich dieses Reitersiegel, so wie jenes Leopold's (Fig. 45), an dem Gunstbriefe beider Herzoge für die in den Reichsgrafenstand erhobenen Freiherrn von Suneck (Grafen von Cilly) vom 7. September 1372 im kaiserlichen Hausarchive. Abbildungen: Herrgott l. c. Taf. 8, Fig. 2. Schlickenrieder l. c. Taf. 3, anno 1384, gut. Hell l. c. mittelmässig, die Schenkelbrüstung aus geschobenen Reifen bestehend. Schönleben l. c. II. Taf. 2, Fig. 5, anno 1377, ganz unbrauchbar. Mon. boic. II. Taf. 8, Fig. 44. anno 1366. Elendes Machwerk. Duellius, Excerpt. geneal. Taf. 15, Fig. 185, anno 1366 fehlten: die Blumenbogen an der Schriftlinie, die Reiterfigur ist verzeichnet, die Fahne leer, auf der Pferdedecke am Schenkel im Schilde das tyrolische Wappen, die übrigen Schilde leer.

Fig. 40.

II. † ALBERTVS . DEI . GRACIA . DVX . AVSTRIE . STYRIE . ET . KARINTHIE. Gothische Majuskel zwischen Perlenlinien. Im damascirten Siegelfelde der österreichische Bindenschild, das Feld und die Binde blank. (Fig. 40.) Dieses Siegel. in rothes Wachs abgedrückt auf weisser Schale, hängt mittelst rother und grüner Seidenfäden an der Friedens- und Aussöhnungsurkunde zwischen Kaiser Karl IV. und den Herzogen von Österreich. Brünn am 10. Februar 1364. — Auch an der Einigung zwischen Böhmen, Mähren und Österreich, St. Peter's Kettenfeier (1. Aug.) 1361, hängt dieses Siegel. Rund, Durchmesser $1^3/_4$ Zoll.

III. † ALBERTVS . DEI . GRACIA . DVX . AVSTRIE . STYRIE. KARINTIE, TYROLIS ET . CARNIOLE ET CETT. Gothische Majuskel zwischen zwei erhöhten Kreisen, AR in Karintie und Carniole, ER in Albertvs, ET in den beiden „et" zusammengezogen. Der schräg gestellte österreichische Schild, das Feld schräg gegittert, darin je eine Blume, der Querbalken damascirt. Auf seiner linken Ecke ruht ein gekrönter Schlachthelm mit fliegender Decke und dem Pfauenstutz. Unter dem Sehschnitte befindet sich auf der linken Helmwand ein Gitter, und zu jeder Seite des Helmes ein A. die Namenschiffre des Herzogs: Albertvs. Eine Rose aus acht Bogenabschnitten umschliesst dieses Siegelbild, der oberste und unterste Bogen sind durch den Federbusch und den Schild verdeckt, in den Krümmungen der sechs übrigen Bogen sind rechts die Wappenschilder von Steier, Tirol und Habsburg, links jene von Kärnthen, Krain und Pfirt angebracht. Die innere schief aufsteigende Fläche der Bogensegmente wird durch an einander gereihte Sternchen verziert, Masswerk füllt die Aussenwinkel des Rosenornamentes. Herrgott deutet das A zu jeder Seite des Helmes als Albertus Archidux. allein da der Herzog den letzteren Titel auf dem Siegel nicht führt, so kann ich diese Ansicht nicht theilen, das A Albertus bedeutend ist nur der Symmetrie wegen zweimal angebracht, so wie auf dem gleichen Siegel seines Bruders Leopold Fig. 47 sich zu jeder Seite des Helmes ein L befindet. (Fig. 41.) Rund, Durchmesser 2 Zoll 3 Linien. In rothem Wachs auf weisser Schale befindet sich dieses Siegel an dem Stiftungsbrief der Wiener Dompropstei am Sonntag Oculi in der Fasten (16. März) 1365, welchen der Herzog auch mit folgender Unterschrift bestätiget: „† Wir der vorgenant Herczog Albrecht Sterk disen brief mit dire Unterschrift unser selbs Hand †". Abbildungen: Herrgott l. c. Taf. 8, Fig. 1, ann. 1365, höchst mittelmässig, Helm und Schild ganz verfehlt, die A im Sie-

Fig. 41.

gelfelde und in der Umschrift sollen oben geschlossen sein, in der Umschrift steht „Bracia“ statt „Gracia“, „Carvioli“ statt „Carniole“. — Schlickenrieder l. c. Taf. 2. Fig. 2. ann. 1365.

IV. † ALBERTVS . DEI . GRA . DVX . AVSTRIE . STYRIE . KARINT . etc. Gothische Majuskel zwischen zwei Linien. Innerhalb eines Ornamentes aus vier Kreistheilen, dessen Spitzen durch Diagonallinien verbunden sind, befinden sich die Wappenschilder von Österreich, Kärnthen, Steier und Krain in Form eines Kreuzes gestellt, und zwar derart, dass die Schildesfüsse nach aussen, die Schildeshäupter nach innen gekehrt sind, und jedes der letzteren mit seinen beiden Ecken zwei einander gegenüberstehende Schilde berührt. Das Viereck, welches dadurch in Mitte der Schilde gebildet wird, ist durch eine Blumenverzierung ausgefüllt. Nach einer Abbildung bei Hanthaler Taf. 24. Fig. 1, ann. 1366. — Rund, Durchmesser 2 Zoll.

V. † ALBERTVS . DEI . GRACIA . DVX . AVSTRIE . ET . C. Scharf geschnittene gothische Majuskel zwischen Perlenlinien. (Fig. 42.) Innerhalb eines Ornamentes aus fünf Bogenabschnitten, deren innere schief aufsteigende Fläche mit Sternchen verziert ist, und deren Verbindungspunkte in Kleeblätter übergehen, sind die Wappenschilde von Österreich, Steier, Tirol, Krain und Kärnthen (von der Rechten zur Linken) sternförmig gestellt; von dem österreichischen Schilde hängt eine Quaste herab, welche den Mittelraum ausfüllt, um welchen sich die Schilde befinden. Rund, Durchmesser 1 Zoll 2 Linien. Dieses Siegel kommt an den meisten Urkunden Albrecht's vor an Pergamentstreifen hängend in rothem Wachs auf weisser Schale, bisweilen wird es als Contrasiegel zu Fig. 39 gebraucht. Abbildungen: Herrgott l. c. Taf. 8, Fig. 2 als Contrasiegel, es fehlen die Kleespitzen und die Quaste. Schlickenrieder l. c. Taf. III als Contrasiegel, gut. Duellius Exc. gen. Taf. 16. Fig. 200, ann. 1368, der kärnthnerische Schild ohne Löwen, auch mangelt die Quaste. Riegger l. c. ad pag. 187. Hell l. c. als Contrasiegel.

Fig. 42.

VI. s. alberti dei gra. dvcis avstrie etc. super ivre fvndi . † . montano. Deutsche Minuskel zwischen zwei Kreislinien. In den Worten dei und dvcis sind die beiden ersten Buchstaben verschränkt. Im schräg gegitterten Siegelfelde ein Kleeornament, darin der österreichische Bindenschild, Masswerk füllt die Aussenwinkel des Ornamentes, nach innen schmiegt sich an dasselbe ein bandartiger, mit Blumen belegter Streif. Das Original in rothem Wachs auf ungefärbter Schale, an Pergamentstreifen hängend, befindet sich im Grundbucharchive der Stadt Wien. Andreas der Koch des Herzogs Albert erhält Nutz und Gewähr über einen Weingarten, den ihm der Herzog gegeben hatte, gelegen im „Ierichueld pey sand Ulreich“ ⅛ Joch gross, der jährlich zu dienen hat fünf wiener helbling Grunddienst. Ausgestellt ist die Urkunde durch Nikolaus den Chlett, Kellermeister in Österreich, und besiegelt mit des Herzogs Insiegel, „daz vber die bestetigung seines perkrechts gehöret“. Wien am nächsten Samstag nach St. Katharinen Tag (29. November) 1393. Smittmer fand es an einer Urkunde ausgestellt des nächsten Freitags nach Sannd Johanstag ze Sunnbenden (26. Juni) 1394, in welcher Peter in dem Winnkhel Bergmeister in Medling den Verkauf eines Weingartens bestätiget und mit des Herzogs Siegel bekräftiget „daz do gehört uber die Bestetigung seines Perkrechtes in Osterreich“. (Fig. 43.) Rund, Durchmesser 1¼ Zoll. Wichtig ist das dabei befindliche Secretsiegel einen Drachen vorstellend. (Fig. 44.)

Fig. 43.

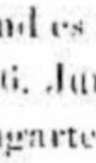

Fig. 44.

Leopold III. Sohn Herzog Albert's II. und der Johanna von Pfirt. Geboren 1351; fällt in der Schlacht bei Sempach im Jahre 1386.

I. † LEVPOLDVS . DEI . GRACIA . DVX . AVSTRIE . STYRIE . KARYNTHIE . ET . CARNYOLE . DOMINVS . MARCHIE . ET . PORTVS . NAONIS (2. Zeile) MES . IN . HABS-

PVRG . TYROLIS . FERRETIS . ET . IN . KYBVRG . MARCHIO . BVRGOWIE . AC . LANTGRAVIVS . ASACIE. Gothische Majuskel zwischen drei Perlenlinien, ER in Ferretis zusammengezogen. Die Verzierung des Siegelfeldes, so wie das Siegelbild sind vollkommen übereinstimmend mit dem Reitersiegel seines Bruders Fig. 39, mit der einzigen Abweichung, dass Leopold statt des österreichischen Wappens den steierischen Panther im Banner führt. Rund. Durchmesser 4¹/₄ Zoll (Taf. IX, Fig. 45). Im kaiserlichen Hausarchive in weisses Wachs abgedruckt an der Urkunde, durch welche Albert und Leopold den Dominicaner Nonnen in Gratz ihre Freiheiten und Rechte bestätigen. Gratz am Samstag vor St. Jakobstag des Zwölfboten (24. Juli) 1367. Abbildungen: Herrgott l. c. Taf. 7, Fig. 5. — Schönleben II. Taf. 1, Fig. 2 schlecht. — Mon. boic. XI. Taf. 9, Fig. 45 eben so. — Schliekenrieder l. c. gute Abbildung.

Fig. 46.

II. † LEVPOLDVS . DEI . GRACIA . DVX . AVSTRIE . STYRIE . ET . KARINTHIE. Gothische Majuskel zwischen Perlenlinien. AR in Karinthie verschränkt. Im damascirten Siegelfelde das österreichische Wappen in einem dreieckigen an den Seiten ausgebauchten Schilde. (Fig. 46.) Rund, Durchmesser 1⁷/₈ Zoll. An der Friedens- und Aussöhnungsurkunde zwischen Kaiser Karl IV. und den Herzogen von Österreich. Brünn, 10. Februar 1364 (siehe Siegel Fig. 30) befindet sich dieses Siegel an rothen und grünen Seidenfäden in rothes Wachs auf weisser Schale abgedruckt.

III. † LEVPOLDVS . DEI . GRACIA . DVX . AVSTRIE . STYRIE . KARINTHIE . TYROLIS . ET . CARNIOLE . ET . CETTERA. Gothische Majuskel zwischen zwei Kreisen, deren äusserer eine Perlenlinie ist. AR in Karinthie und Carniole, ER in Cettera und ET in den beiden „et" verschränkt. Das Siegelbild ist jenem auf dem Siegel seines Bruders Albert's III., Fig. 41 ähnlich, nur sind im Felde des österreichischen Schildes wellenförmige Streifen mit dazwischen gestreuten Punkten, und zu jeder Seite des Helmes befindet sich statt des A ein L. — Dieses doppelte L will Herrgott als „Leopoldus Dux" (!) deuten, und bemerkt dabei, dass Leopold dieses Siegel bei Lebzeiten seines Bruders Rudolf's IV. führte (gilt auch von Fig. 46), und erst nach dessen Tode ein Reitersiegel annahm. (Fig. 47). Rund, Durchmesser 2 Zoll, 2 Linien. In rothem Wachs auf weisser Schale am Stiftsbriefe der Dompropstei in Wien ann. 1365. Abbildungen: Herrgott l. c. Taf. 7, Fig. 4 ann. 1365, sehr mittelmässig, die beiden L zu Seiten des Helmes in L und D umgestaltet in der Umschrift „Braeia" statt „Gracia" u. s. w. Schliekenrieder l. c. Taf. 2, Fig. 3 ann. 1365 gut. Riegger, analecta etc. ad pag. 185.

Fig. 47.

IV. † LEOPOLDVS . DEI . GRACIA . DVX . AVSTRIE ETC. Gothische Majuskel zwischen zwei Perlenlinien. In der Mitte des Siegelfeldes befindet sich ein fünfeckiger Stern, um welchen fünf Wappenschilde ebenfalls sternförmig gestellt sind: der österreichische Schild mit gerautetem Felde und damascirter Binde, dann von der Rechten zur Linken: Tirol, Krain, Kärnthen und Steiermark. Zwischen je zwei Schilden wächst eine Blumenverzierung empor. (Fig. 48.) Rund, Durchmesser 1¹/₄ Zoll. Smittmer fand dieses Siegel in rothem Wachs auf ungefärbter Wachsschale an Pergamentstreifen hängend an folgenden Urkunden: Gunstbrief der Herzoge Albert und Leopold über 60 Pfd. Wiener Pfennige, welche Haug von Tibein auf die Feste Kharlsberg als sein österreichisches Pfand bezahlt habe und weisen möge. Wien, Montag

Fig. 48.

in der Pfingstwoche (6. Juni) 1373. Herzog Leopold bestätigt dem Abte Konrad von St. Paul, seinem Caplan, einen Brief seines Vaters Herzogs Albert II. (St. Veit in Kärnthen am St. Jakobstag (25. Juli) 1342. Gegeben zu Bleiburg am Samstag nach St. Lucientag (17. December) 1373. Hanthaler l. c. Taf. 21, Fig. 2 gibt eine Abbildung mit der Jahreszahl 1366, welche wahrscheinlich dieses Siegel darstellen soll. in der Umschrift folgt jedoch nach Stirie noch Karith etc. und die Folge der Wappenschilde von der Rechten zur Linken ist: Österreich, Steier, Tirol, Krain und Kärnthen. Im Durchmesser hat die Abbildung $1^3/_4$ Zoll.

V. † LEOPOLDVS . DEI . GRACIA . DVX . AVSTRIE . ET . CETERA. Zierliche gothische Majuskel zwischen zwei Kreislinien, deren innere gegen das Siegelfeld schräg abläuft, und mit Sternchen belegt ist. Im damascirten Siegelfelde rechts der österreichische, links der tirolische Wappenschild schräg gegen einander gestellt. Auf der rechten Ecke des ersteren ruht ein Helm mit ausgezackter Decke, darauf die Krone mit dem Pfauenstutz, ein gleicher Helm ruht auf der linken Ecke des tirolischen Schildes, nur besteht hier die Helmzierde in einem doppelten Flug, auf welchem ein schräg links laufender dünner Balken, an dem Blätter hängen. Die beiden Schilde und ihre Helmzierden unterbrechen die Umschrift, und die sie begränzende innere Kreislinie. Zwischen beiden beschriebenen Schilden und Helmen sind die Wappen von Steier, Kärnthen und Krain pfahlartig gestellt. Zarte, treffliche Arbeit. (Fig. 49.) Rund, Durchmesser $1^1/_4$ Zoll. In rothem Wachs auf ungefärbter Schale an Pergamentstreifen an der Urkunde im Wiener Stadtarchive, durch welche Leopold das Testament Lienhart des Poll Bürgers zu Wien bestätiget. Wien, Samstag vor St. Thomas-Tag (19. December) 1377. Abbildungen: Herrgott l. c. Taf. 4, beide als Contrasiegel zu dem Reitersiegel Fig. 45.

Fig. 49.

Friedrich III., Sohn Herzog Albert's II. und der Johanna von Pfirt, geboren 1347, auf der Jagd erschossen 1362.

† FRIDERICVS . DEI . GRACIA . DVX . AVSTRIE . STYRIE . ET . KARINTHIE. Gothische Majuskel zwischen Perlenlinien, deren jede von zwei feinen Kreislinien eingeschlossen ist. Im damascirten Siegelfelde der österreichische Schild. (Fig. 50.) Rund, Durchmesser 2 Zoll 1 Linie. — Das Originale in rothem Wachs mit weisser Schale hängt an einer grün und rothen Seidenschnur an der Einigung zwischen Böhmen, Mähren und Österreich am 1. August 1361.

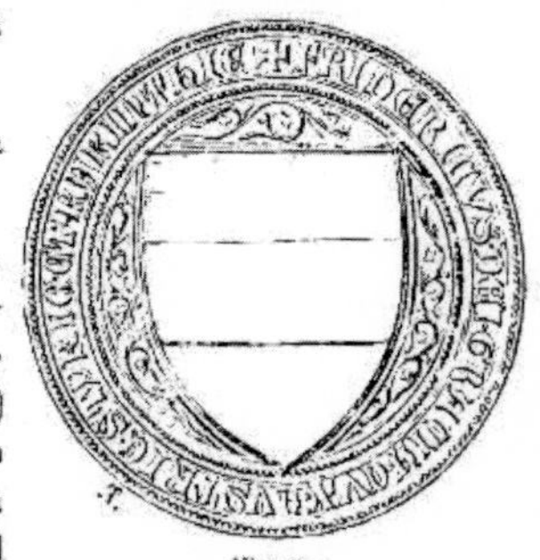

Fig. 50.

Albert IV., Sohn Herzog's Albert III. geboren 19.[12] September 1377, folgte dem Vater in der Regierung 1395, gestorben 11. September 1404.

[12] In einem Schreiben der Herzogin Beatrix an den Abt und Convent von Göttweig „feria tercia proxima post diem beati Mathei apostoli et evangeliste“ 21. September, 1377 gibt sie denselben bekannt, dass sie in vigilia beati Mathei apostoli et evangelista die xviiij mensis Septembris hora quasi nona eines schönen gesunden Knaben genesen sei, und fügt die erste Bitte bei, dem Weichard von Viechtach aus der Regensburger Diözese die nächst erledigte geistliche Pfründe, die ihrem Patronate untersteht, zu verleihen. — Orig. Perg. ohne Siegel im Kloster Göttweig. Die Vigilie des heil. Matthäus wurde im Jahre 1377 auf den 19. September als einen Samstag verlegt.

Fig. 51.

I. a. † ALBERTVS . DEI . GRACIA . DVX . AVSTRIE . ETC. Gothische Majuskel zwischen Perlenlinien. Ähnlich dem Siegel seines Vaters, Fig. 42, nur fehlen die Kleeblätter an den Spitzen der Bogensegmente, die Aussenwinkel des Ornamentes sind mit Kreisen ausgefüllt, und den Mittelpunkt der fünf in Sternform zusammengestellten Schilde bildet ein fünfeckiger Stern. (Fig. 51.) Rund, Durchmesser $1^1/_4$ Zoll. Dieses Siegel erscheint immer in Verbindung mit dem nachfolgenden Contrasiegel.

I. b. Eine antike Gemme, die Büste eines jungen Mannes darstellend. Sie ist von einem Lorbeerkranze umfangen, welcher der Fassung des Steines eingravirt war. Oval, Höhe 8 Linien, Breite 7 Linien. (Fig. 52.) Dieses Siegel, welches von 1396 bis 1404 im Gebrauch ist, kommt an Pergamentstreifen hängend immer in rothem Wachs auf ungefärbter Wachsschale vor, deren Rückseite die Gemme ebenfalls mit rothem Wachs eingedruckt ist. Im Bürgerspitalsarchive zu Wien befindet es sich an einer Urkunde, durch welche Herzog Albrecht den Zehent auf achthalb Lehen und ein Viertel, gelegen zu Gaunersdorf, welche Margareth Witwe Konrad's von Newndorff, zu Lehen gehabt, aber an Klement von Waidhofen, herzoglichen „Vngelter ze Wienn“ verkauft hat, diesen letzteren, seinen Söhnen und aus besonderer Gnade auch seinen Töchtern als Lehen ertheilt. Wien, Samstag nach dem heil. Auffahrtstage (10. Mai) 1399. Abbildungen: bei Herrgott l. c. Taf. 8, Fig. 3, ann. 1396, gut, nur ist das Siegelfeld damascirt. Hueber Taf. 20, Fig. 17, ann. 1400, das Haupt- und das Rücksiegel viel zu gross, ersteres $1^7/_8$ Zoll im Durchmesser. Dasselbe Siegel mit dem beschriebenen Contrasiegel hängt, wie ich mich durch Selbstanschauung überzeugte, mittelst Pergamentstreifen an der Urkunde im Stiftsarchive Lilienfeld, durch welche Herzog Albert den Unterthanen des genannten Stiftes zu Roseldorf, Gravenberg, und Radebrunn die Zollfreiheit in Eggenburg bestätiget. Wien, Samstag ante oculi (5. März) 1401. Hanthaler's Abbildung Taf. 24. Fig. 3 dem Siegel dieser Urkunde entnommen, und jene bei Kauz l. c. Taf. 3 (nach Hanthaler) sind daher irrig, und der Schild mit den fünf Adlern ist abermals ein Falsificat Hanthaler's.

Fig. 52

Fig. 53.

II. a. Ohne Umschrift. Von einer Perlenlinie umfangen im damascirten Siegelfelde ein vierfüssiger Drache, ohne Flügel, welcher den österreichischen Bindenschild umschliesst, als Contrasiegel. (Fig. 53.)

II. b. Dessgleichen eine Gemme, eine weibliche Büste darstellend. (Fig. 54.) Rund, Durchmesser 10, und die Gemme 5 Linien. Ich fand dieses Siegel im Archive des Wiener Bürgerspitales in rothem Wachs auf ungefärbter Wachsschale, das Contrasiegel ebenfalls roth mittelst Pergamentstreifen an folgender Urkunde hängend: Herzog Albert verleiht der Dorothea „Nearrenpekin“ Bürgerin zu Wien auf ihre Bitte zu Lehen „den zehnde ze Praitenlewen in Asparer Pfarr gelegn vnsr lehenschafft, den sie von ihrem ersten Gemahl weiland Hanns dem Görliczer als Morgengabe erhalten, und bereits von Herzog Albrecht, unserm Herrn und Vater, zu Lehen gehabt hat. Wien am St. Annentag (26. Juli) 1396. In gleicher Weise hängt dieses Siegel im kaiserlichen Hausarchive an einem Lehenbriefe Herzogs Albert für Rudolph von Walsee über zwei Weingarten, die Weissleiten, genannt, und über das alte Urfar zu Klosterneuburg. Wien, Freitag vor St. Gregorientag (10. März) 1396. Smittmer fand dasselbe ebenfalls an einer Urkunde vom Jahre 1396 im Archive des Jesuiten Collegiums, Wien. Sonntags als man singt Oculi in der Fasten (5. März): Herzog Albert verleiht dem Hanns Staindlain das Wein Ungeldt zu St. Ulrich vor dem Widmerthor zu Wien, am Schlusse heisst es: „Under vnser Pettschafft, wan wir vnser Insigl nuezemal bei vns nicht hetten“. Abbildungen: Österreichische Blätter für Litte-

Fig. 54.

ratur und Kunst, Mai 1844, Fig. 9 und Anzeiger für Kunde deutscher Vorzeit, Jahrgang 1857, col. 291.

Der Drache ist hier als Insignie des Drachenordens; zwar behaupten die meisten Geschichtschreiber, der Drachenorden sei von Kaiser Sigismund erst nach dem Jahre 1400 gestiftet worden, um gegen die Hussiten zu kämpfen, allein gewiss ist, dass es schon vor diesem Jahre Ritter des Drachenordens gab. So nennt im Jahre 1397 ein Testament: „dominum Victorium a Puteo militem draconis, qui modo praecepto magnifici et potentis domini Johannis Galeatii reperietur apud serenissimum Venceslaum imperatorem nostrum pro ejus negociis pertractandis“ [13].

Auch der im kaiserlichen Hausarchive befindliche Pergament-Codex, in welchem die ältesten Gutthäter zu der Capelle St. Christoph und dem Hause auf dem Arlberge [14] mit ihrem Wappen aufgeführt sind, und welcher mit dem Jahre 1493 beginnt und mit 1415 endet, weiset ein früheres Bestehen des Drachenordens und zwar mit der Jahreszahl 1394 nach. In diesem Codex erscheinen nämlich die Wappen der nachbenannten Herzoge von Österreich mit den Insignien des Drachenordens.

1. Albert IV. (Blatt 6): der österreichische Bindenschild, darauf ein gekrönter Stechhelm mit dem Pfanenstutz und einer ausgezackten Decke, welche aussen roth, und innen weiss ist. Ein Kettenglied verbindet den Schild mit jenem seiner Gemahlin Johanna von Baiern, welcher quadrirt die baierischen Wecken und den pfälzischen Löwen zeigt. An einer vom Helmfenster ausgehenden Kette ist der Drachenorden befestiget, der gekrümmte Drache ungefärbt mit ausgeschlagener rother Zunge hat am Rücken und beiden Augen rothe Flecken [15].

2. Wilhelm (Fol. 7 verso): der österreichische Schild und Helm wie auf der vorigen Abbildung, nur links gekehrt. Der Drachenorden mit dem Helme durch eine Kette verbunden, der Drache hat auf dem Rücken rothe und grüne Flecken und an der linken Seite einen gelben Streif. Die ausgeschlagene Zunge ist roth.

3. Leopold (Fol. 8 recto): Schild und Helm rechts gestellt. Der unbemalte Drache hat eine rothe Zunge, die Flecken auf dem Rücken sind durch Kreise angedeutet.

4. Leopold (Fol. 9 verso). Schild und Helm links gewendet, die Helmdecke roth mit einem weissen Querbalken; dabei die Jahreszahl 1394. Der Drache ist mit Gold bemalt und hat am Rücken blaue Flecken. Die Malerei des Kopfes, Kreidegrund auf Pergament, ist abgefallen.

Das Ordenszeichen beschreibt Eberhard von Windeck, der gleichzeitige Historiograph Kaiser Sigismunds [16]: „Ein Lintwurmb, der hinge an einem Crewze. Auf dem Crewze stunde: O quam misericors est deus nach der Länge; Justus et pius nach der Zwerche“. Zugleich macht derselbe einen Unterschied zwischen den 24 Rittern, welchen der Kaiser das Kreuz und den Lindwurm gab, und den vielen anderen Rittern, die den Wurm allein trugen. Mit der von Windeck gemachten Beschreibung stimmt auch das Ordenszeichen auf dem Grabsteine Reinbrechts von Walsee, obersten Marschalls in Österreich aus dem Jahre 1450 überein [17].

Wo sich der Drache als Ordenszeichen um einen Wappenschild schlingt, erscheint er ohne Kreuz, so um das Edlasbergische Wappen über einer Thüre im sogenannten Federlhof am Lugeck in Stein gehauen und dabei die Inschrift: Pati et abstinere et sapere a deo sunt. 1497. Ebenso ist der Drache vierfüssig und ohne Flügel um das Wappen des Königs Ladislaus Posthumus über der Thüre der Pfarrkirche zu Bertholdsdorf [18].

[13] Smittmer, Katalog zur Siegelsammlung des kaiserlichen Hausarchives. — [14] Ann. 1385, 27. December zu Graz. Herzog Leopold von Österreich bewilligt dem armen Knechte Heinrich von Kempten, einem Findelkinde, auf dem Arlberge eine Herberge zu bauen, damit jene, die vom Ungewitter überrascht nicht weiter können, ein Obdach finden, und nicht zu Grunde gingen, wie es bisher oft geschehen. Hormayr, Taschenbuch 1835, S. 278 — [15] Abgebildet im Anzeiger für Kunde deutscher Vorzeit, Jahrgang 1857 col. 292. — [16] De vita et gestis Sigismundi imperatoris bei Menken, I. Scriptores rer. germanicar. col. 1136. — [17] Hanthaler. Fasti campilil. II. und I. dec. IV. num. 18, wo aber „pacieus“ statt „pius“ gelesen wird. [18] Smittmer l. c.

In einem Wappenbriefe Kaiser Sigmunds vom Jahre 1418 für Andreas de Chap, einen Ritter des Drachenordens, kommt folgende Stelle vor: Clipeus dracone cruce rubra in dorso signato, cum pedibus quatuor et retro disjunctis et pennis quasi divisis ex utroque latere fuit circumflexus, cujus draconis os apertum, et inter dentes albos lingua rubra extensa, rostro subacuto et auribus erectis videbatur. Cujus draconis collum cauda propria tripliciter circumdedit, cujus caudae finis seu pars extrema erat erecta. (Ungarisches Magazin II, 115). In einem anderen Briefe, durch welchen er dem Herzoge Vitold von Lithauen und dessen Gemahlin Juliana den Drachenorden verleiht, ann. 1429, heisst es: Effigiem draconis curvati per modum circuli cauda collum circumgirantis divisi per medium dorsi ad longitudinem a summitate capitis usque ad extremum caudae effluente sanguine et desuper crucem.

Diesen Beschreibungen entspricht auch das auf der Vorderseite des **ungarischen** Majestätssiegels, welches Sigismund nach seiner Kaiserkrönung führte, vorkommende Ordenszeichen: zu beiden Seiten des Thrones befindet sich unter dem deutschen Reichs- und dem neu-ungarischen Wappen ein geflammtes Kreuz, an welchem ein geflügelter Drache hängt, dessen Schweif nach unten eingeschlagen, und um den Hals geringelt ist [19]. Auf der Vorderseite des grossen deutschen Kaisersiegels Sigismund's sind die Ordensinsignien getrennt, indem das geflammte Kreuz im Siegelfeld links zu Häupten des Kaisers schwebt, während der ungeflügelte vierfüssige Drache zusammengerollt auf dem Thronschemel zu den Füssen des Kaisers liegt [20].

Wilhelm, Sohn II. Leopold's III. geb. 1370, gestorben 1406.

I. † Wilhelmus . dei . gracia . dvx . Avstrie . Stirie . Karinthie . et . carniole . Dominvs . Marchie . sclavonice . ac . Portus . naonis . Comes . in habs (2 Zeilen) pvrg . Tyrolis . Ferretis . et . Kybvrg . Marchio . Bvrgovie . et . Lantgrafivs . Alsacie . cz . Die Anfangsbuchstaben grösstentheils Majuskel, die übrige Schrift deutsche Minuskel, zwischen 3 Kreislinien. Links gekehrte Reiterfigur, deren Rüstung aus einem Schienenharnisch mit dem Stechhelme besteht, die Decke des letzteren ist in zwei Theile geschlitzt, auf ihr ruht die Krone mit dem Pfauenstutz. Über der Brustrüstung wird ein kurzer Waffenrock, nur bis zu den Hüften reichend, getragen, dessen weite Ermel nur bis an den Ellbogen gehen, der Schild bedeckt die Brust und zeigt das österreichische Wappen, während das Banner den steierischen Panther enthält. Im verzierten Gürtel steckt der Dolch, mit dem Griffe nach abwärts, mit der Klinge nach oben. Die Fussbekleidung ist schnabelförmig mit Rädersporen. Auf der Pferdedecke befinden sich und zwar an der Brust das Wappen Tirols, an der Weiche und dem Schenkel jene von Kärnthen und Krain. Der Sattel hat vorne und rückwärts hohe Bogen, der vordere Bogen schützt zugleich den Schenkel bis zum Knie. Die Kreislinie, welche das damascirte Siegelfeld begränzt, ist zu Häupten des Reiters und bei den Vorder- und Hinterfüssen des Pferdes durch eingesetzte Zirkelabschnitte unterbrochen (Helmornament); die Blumenbogen lehnen sich der inneren Seite derselben an. Gefällige aber nicht fehlerfreie Arbeit, das bedeutende Relief des Pferdeleibes steht zu jenem des Kopfes, dann zu jenem des Reiters in keinem Verhältnisse. Rund, Durchmesser 4 Zoll. Taf. X, Fig. 55. — **Smittmer** fand dieses Siegel an einer Urkunde im Schottenarchive: Gegeben feria quarta post festum sanctae Luciae (17. October) 1404, welche bei Herrgott de Sigillis. 235. Nr. 27 gedruckt ist. Abbildungen: **Herrgott** l. c. Taf. 8, Fig. 5 ann. 1404.

II. † wilhelm . dei . gra . dvx . avstrie . stirie . etc. Deutsche Minuskel zwischen Perlenlinien. (Fig. 56.) Ein Kleeornament an den verbundenen Bogenspitzen mit Blumenknorren verziert,

[19] Abgebildet: Pray Syntagma historicum de sigillis regum et reginar. Hungariae. Taf. 14, Fig. 1 mit der Jahreszahl 1432 gänzlich verfehlt und das Ordenszeichen unkenntlich. — [20] Bei Dr. **Römer-Buchner**. Die Siegel der deutschen Kaiser und Könige. Frankfurt 1851, Fig. 73 blieb der Drache in der Beschreibung unerwähnt.

darin drei Wappenschilde: oben Österreich, unten rechts Steiermark, links Kärnthen. Feld und Querbalken des österreichischen Schildes mit schräg gekreuzten Linien gegittert, darin je eine Blume. Rund, Durchmesser 1³/₈ Zoll. In rothem Wachs auf ungefärbter Schale hängt dieses Siegel an Pergamentstreifen an der nachfolgenden Urkunde im Wiener Bürgerspitalsarchive: Herzog Wilhelm verleiht Christan Merttinger einen Getreidezehent zu „Praitenleb" in der St. Martins-Pfarre zu Asparn auf der Donau gelegen. Gegeben zu Wien am Sonntag nach unserer Frauen Geburt (10. September) 1396. Abbildungen: **Herrgott** Taf. 8, Fig. 4, ann. 1396 und **Duellius** Excerpt. geneal. Taf. 24, Fig. 326. ann. 1102.

Fig. 56.

III. ∘ s ∘ wilhelmi ∘ et ∘ alberti ∘ d. ∘ g ∘ dvcvm ∘ avstrie ∘ (2. Zeile) svper ∘ jvre ∘ fvndi ∘ . . . . mont . . . . Deutsche Minuskel zwischen 3 Perlenlinien. Der österreichische Bindenschild von einem gestürzten Kleeornament umschlossen, dessen innere aufsteigende Fläche mit Blumen und Masswerk verziert ist. (Fig. 57.) Rund, Durchmesser 1³/₈ Zoll. Ein Original in rothem Wachs auf weisser Schale von Pergamentstreifen durchzogen.

Fig. 57.

IV. † S. WILHELMI DVCIS AVSTRIE. Gothische Majuskel. Auf damascirtem Siegelfeld der österreichische Schild mit gerautetem Felde und damascirter Binde. (Fig. 58.) Rund. Durchmesser 1 Zoll. In rothem Wachs auf ungefärbter Schale an der folgenden Urkunde hängend: Die Herzoge Wilhelm und Albert schlichten einen Streit zwischen dem Bischof Georg von Passau einer- und den Klöstern Melk, Lilienfeld, Heiligenkreuz, Zwettel, Baumgartenberg, den Frauenklöstern in Ybbs und St. Nikolaus in Wien vor dem Stubenthor andererseits, wegen einer Steuer, mit welcher der Bischof diese Klöster belegte. Die Steuer soll aufhören, und beide Theile die hierüber ertheilten päpstlichen Bullen und andere Urkunden ausliefern, und diese ungültig sein. Wien, Montag nach St. Alexientag (19. Juli) 1400. Abbildung: **Hanthaler** l. c. Taf. 24, Fig. 4, zu gross, Durchmesser 1³/₄ Zoll, und die Umschrift: † WILHELMVS . DVX . AVSTRIE.

Fig. 58.

Leopold IV. Sohn Herzog Leopold's III., geboren 1371, gestorben 1411.

I. † leopoldvs ∘ dei ∘ gracia ∘ dvx ∘ avstrie ∘ stirie ∘ karinthie ∘ et ∘ carniole ∘ dominus ∘ marchie ∘ sclavonice ∘ ac ∘ portvs ∘ naonis ∘ comes ∘ (2. Zeile) in habsbvrg ∘ tirolis ∘ fertis ∘ et ∘ in kybvrg ∘ marchio ∘ pvrgonie ∘ ac ∘ lantgravivs ∘ alsacie ∘ et ∘ cetera ∘. Deutsche Minuskel zwischen drei Kreislinien. Der in der zweiten Zeile nach dem Schlusse der Umschrift übrig bleibende Raum ist mit Blumenranken ausgefüllt. Sternchen zieren die innere schief aufsteigende Fläche der Randlinie. Die links gekehrte Reiterfigur wird von einem Zwölfpass umgeben, dessen innere abgedachte Flächen mit Wellenlinien verziert sind. Masswerk füllt die Aussenwinkel, während die inneren Krümmungen, theils durch die Reiterfigur, theils durch Wappenschilde eingenommen werden, und zwar in der Brusthöhe des Pferdes durch den Adler von Krain, unterhalb des Pferdes hält ein Engel den Schild von Pfirt, in der zweitfolgenden Krümmung steht das Wappen der windischen Mark, weiter oben jenes von Portenau, im Rücken des Reiters schwebt ein Engel, der die Schilde von Habsburg und jenen mit den fünf Adlern trägt, darüber befindet sich das Wappen von Kärnthen. Der Reiter trägt einen Stechhelm mit Decke, Laubkrone und Pfauenstutz, gerüstet ist er mit einem Panzerhemde, die gefingerten Handschuhe dagegen, so wie die Ellbogen und Knietheile bestehen aus Plattenstücken. Der Schild am linken Arme zeigt das österreichische Wappen mit gerautetem Felde und damascirter Binde, in der Fahne prangt der steierische Panther. Die Fussbekleidung ist schnabelförmig mit Rädersporen. Die

Pferdedecke hat am Fürderbuge eine Verbrämung, auf dem Hintertheile ist am Schenkel der tirolische Schild angebracht, der Sattel mit gestickten Taschen hat mässig hohe Bogen, der Stangenzügel besteht in einer Kette, die Trense in einem gestickten Riemen. Rund, Durchmesser 4 Zoll, 3 Linien. (Taf. X, Fig. 59.) Dieses Siegel in rothem Wachs auf weisser Schale ist an einer Urkunde, durch welche Herzog Leopold seinem Rathe Niklas Potenbrunner 24 Pfund Gült, zu Potenbrun und Pottenstein gelegen, gibt. Wien, am St. Andreas Abend des Zwölfboten (29. November) 1408. Abbildung: Schmidl, österreichische Blätter für Literatur und Kunst. II. Quartal 1844, Nr. 9.

Fig. 60.

II. LVPOLDVS DVX AVSTRIE . ZC. Gothische Majuskel zwischen 2 Linien. AU in AVstrie zusammengezogen. Der österreichische Schild schräg gestellt, auf der linken Ecke desselben ruht ein gekrönter Helm mit Decke und Pfauenstutz. (Fig. 60.) Achteckig. $^3/_4$ Zoll Höhe, $^1/_2$ Zoll Breite. Als Contrasiegel zu Fig. 96.

Fig. 61.

III. † LEOPOLDVS . DEI . GRACIA . DVX . AVSTRIE . ETC . Gothische Majuskel zwischen zwei Kreisen, deren äusserer eine Perlenlinie ist. Ein Kleeornament umgibt die mit den Schildesfüssen zusammen gestellten Wappen von Österreich, Tirol und Steiermark. In den Aussenwinkeln Verzierungen aus Masswerk. (Fig. 61.) Rund, Durchmesser $1^1/_4$ Zoll. Roth auf ungefärbter Wachsschale hängt dieses Siegel an der Urkunde, durch welche die Herzoge Leopold und Ernst der Katharina, Witwe Heinrichs Maidmann, das Haus in der kremser Strasse, welches Heinrich von Herzog Albrecht erhalten hatte, zu Lehen geben. Wien am St. Jacobstag (25. Juli) 1409, und im melker Stiftsarchive an einer Urkunde über Zehente in Gainfarn ann. 1407 [21]. Abbildungen: Hueber Taf. 21, Fig. 6. Duellius hist. ord. teutonici. Fig. 80, ann. 1407 fragmentirt.

[21] Hueber l. c. 97

Fig. 27.

Fig. 28.

Fig. 29.

Fig. 30.

Fig. 39.

Fig. 45.

Fig. 55.

Fig. 59.

Kleinere Beiträge und Besprechungen.

Die Kirche zu Schwallenbach in Nieder-Österreich[1].

(Mit 5 Holzschnitten.)

Einen eigenthümlich reizenden Anblick gewähren dem Donaureisenden die am linken Ufer des Stromes in der Strecke zwischen der Ruine Aggstein und den Schwesterstädten Krems und Stein in malerischen Gruppirungen aufeinander folgenden Ortschaften St. Michael, Weissenkirchen, Schwallenbach, Spitz etc. mit ihren in scharfen charakteristischen Umrissen sich schon von ferne markirenden gothischen Gotteshäusern. Mehrere dieser hinsichtlich ihrer Grössenausdehnung verschiedenen Kirchen sind stark befestigt, mit Ringmauern und Wassergräben umgeben, ja auch noch durch besondere Thorthürme geschützt.

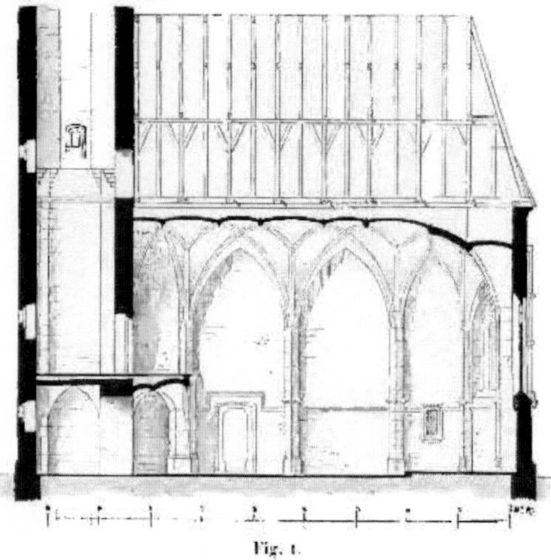

Fig. 1.

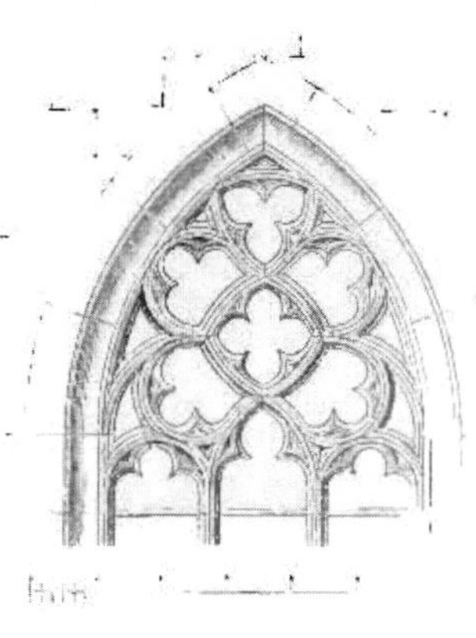

Fig. 2.

Von diesen Kirchengebäuden wollen wir für diesmal ein kleineres, aber immerhin beachtenswerthes Bauwerk, die Kirche in dem schon im XIII. Jahrhundert urkundlich erscheinenden Orte Schwallenbach einer näheren Würdigung unterziehen. Über einen dortigen Kirchenbestand im Anfange des XV. Jahrhunderts sind einige Nachrichten auf uns gekommen, indem nach Wissgrill's Schauplatz des niederösterreichischen Adels (III, 107) Gebhard Fritzensdorfer im Jahre 1419 für eine U. L. Frauencapelle an der Pfarrkirche daselbst eine Stiftung machte und 1422 dort auch seine Ruhestätte fand. Obwohl der Baucharakter der Kirche auf eine jüngere Bauzeit, allenfalls die zweite Hälfte des XV. Jahrhunderts deutet, so wäre es wohl möglich, dass der Bau der Kirche einige Decennien später, etwa um die Zeit der obgedachten urkundlichen Erwähnung vor sich ging.

Die Kirche ist (Fig. 1) ein einschiffiger Bau ohne Unterscheidung zwischen Chor und Schiff, ausser dass die drei Seiten des Chorschlusses um eine Stufe erhöht sind. Eine Eigenthümlichkeit des Baues bilden die nach dem Innern der Kirche gestellten Strebepfeiler; sie sind gegen das Schiff zugespitzt und dienen als Gurtenträger des Netzgewölbes, dessen Rippen unvermittelt aus den Strebepfeilern heraustreten. Im Chor erscheinen die Strebepfeiler bedeutend schwächer, haben eine dreieckige Grundform mit einem vorgesetzten Dreiviertel-

[1] S. darüber Sacken's Aufsatz „Kunstdenkmale des Mittelalters" im K. O. M. B. in den Mittheilungen des Alterthumsvereins zu Wien V, 114.

sänlchen, auf dem die Rippen des Sterngewölbes im Chorschlusse aufsitzen.

Die Kirche hat eine Länge von 7 Klaftern 4 Schuhen, ist 3 Klafter 1 Schuh breit und 4 Klafter 4 Schuh hoch. Das Schiff zerfällt in drei Joche, von denen das erste, in das der Musikchor eingebaut ist, 1 Klafter 2 Schuh, die beiden anderen 2 Klafter 2 Schuh lang sind. Drei zweitheilige Fenster im Chor und ein dreitheiliges an der Evangelienseite im dritten Joche geben dem Raume das nothwendige Licht. Das Masswerk ist reich und schön, theilweise erscheint die Fischblase (Fig. 2). Unter der Sohlbank der Fenster zieht sich im Inneren der Kirche um alle Wände ein kräftiges Kaffgesimse. Ein Sanctuarium ist in der rechtsseitigen Wand des Chorschlusses eingelassen (Fig. 3).

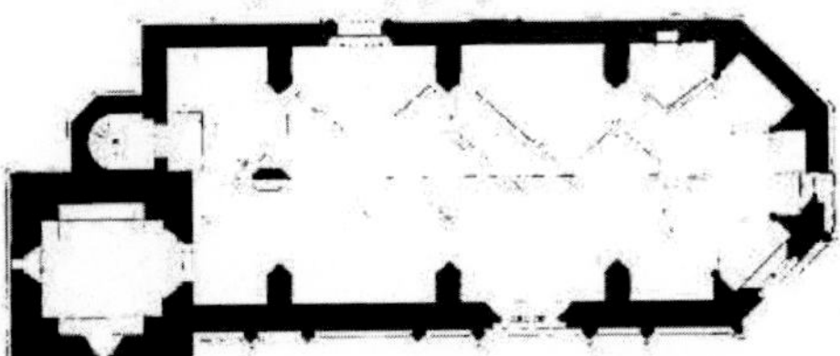

Fig. 3.

Höchst einfach ausgestattet ist die Aussenseite des Gebäudes. Ein breiter Sockel und unter den Fenstern ein Kaffgesims umzieht die Kirche. Den Strebepfeilern entsprechend, erscheinen dreieckige gepaarte Lisenen, die auf dem Kaffgesims aufsitzen und, giebelartig zugespitzt, unter dem Dachgesimse abschliessen. An den Aussenseiten des Chorschlusses erscheinen jedoch nur einzelne derartige dreimalig untertheilte Lisenen.

Fig. 4.

Der Eingang in die Kirche befindet sich an der Nordseite. Im Schlussfelde des spitzbogigen Portals sieht man zwei Wappenschilde (Fig. 4), der eine roth und weiss gerautet, der andere mit einem männlichen Brustbilde auf zwei gekreuzten Schwertern. Beide Wappen, die durch Kette und Schloss miteinander verbunden sind, überdeckt ein Helm mit rothweisser Spitzmütze als Zimier. Die Ostseite des Gebäudes ist ganz unregelmässig, dortselbst ist der Thurm und eine Wendeltreppe angebaut. Der Thurm ist unten viereckig, geht unter dem mit acht spitzbogigen kleinen Schallöffnungen versehenen Glockenhaus ins Achteck über und endiget in einer schlanken Steinpyramide, umgeben von acht niedrigen Giebeln (Fig. 5).

Fig. 5.

Noch zu bemerken sind ein gutes Frescobild oberhalb des Einganges, den heiligen Michael und wahrscheinlich den heiligen Mauritius, und ein zweites nicht minder gutes, den heiligen Christoph darstellend.

. . . m . . .

Neusohler Taufbecken.

(Mit 1 Holzschnitt.)

Das alte Schloss in Neusohl, aus den Zeiten der Anjou, mehrmals, zuletzt 1761 ein Raub der Flammen, beherbergt in seinem Schlosse eine deutsche und eine slavische Kirche. Die erstere nach erwähntem Brande im sogenannten Zopfstyle restaurirt, bewahrt in der Seiten-Capelle einen Flügelaltar, welcher die heilige Maria stehend mit dem Kinde Jesu darstellt, aber nicht in correcter Sculptur ausgeführt ist[1]. Der Altar ist ein Werk des XV. Jahrhunderts, im architektonischen hochstrebenden Aufbau, der, wie gewöhnlich, auch hier mit thurmartigen Spitzen bekrönt ist. Die Kirche selbst hat blos ein Taufbecken aus dem sonstigen mittelalterlichen Schmucke beibehalten. Dieses, aus Glockenerz ausgeführt, misst in der Höhe 43, in der oberen Breite 33 Wiener Zoll. Um die Einfassung des sechsblättrigen Sockels als Piedestal zwischen verschlungenen Bandstreifen läuft eine mit Vierpassformen durchbrochene Gallerie; in jedem der sechs ebenfalls durchbrochenen, durch Cordonirung abgesonderten Felder sowohl auf dem Fusse als auch auf dem aufsteigenden Schafte befinden sich phantastische Drachen, in denen der Vandalismus durch Beschädigung bedeutende Lücken verursachte. Über dem glatten rund gehaltenen Knaufe, der in durchbrochener Manier die Jahreszahl 1840 trägt, ist die sechseckige Ausbiegung mit gefälligen Laubornamenten und einer Fülle von Stäbegeflecht verziert, an dessen Ausmündungen sich Fratzenköpfe befinden.

Das runde Taufbecken (Taufschale) selbst ist in 12 Felder eingetheilt; 9 dieser enthalten je einen Apostel en relief abgebildet, 3 sind mit Wappenschildern, welche Einhorne tragen und mit ihren heraldischen Figurationen die Analogie mit den entsprechenden Ornamenten zeigen, ausgefüllt. Zwischen diesen Feldern sind Fialen angebracht, welche, oben mit einer massiven Kreuzbinne abgeschlossen, den breiten Rand des Becken tragen, zwischen dessen Bandstreifen folgende Inschrift fortläuft:

† in * nomie * sancte * et * individue * trinitatis * patri * et * fil. * et * spiritussancti * amen * qui * crediderit * et * bapiticatus * fuerit * saluus * erit * ihs * nra * sasivs *

Am Fusse der Fialen befindet sich die Inschrift: o fons salvtis et facie potas bndicione fortitudo fragieivm pie sitientium remittiste isa aqua vite peccator.

Übrigens ist der Kunstwerth dieses aus drei Theilen zusammengesetzten Taufbeckens, an welchem nämlich hie und da der Guss mangelhaft ist und überall die letzte Feile fehlt, im Ganzen nur ein untergeordneter, welcher der späteren Gothik angehört und in der technischen Ausführung eher auf eine handwerksmässige Tüchtigkeit als feine Kunstempfindung schliessen lässt. Vielleicht ist es blos ein Werk der Neusohler Glockengiesserei, die bekanntlich seit undenklichen Zeiten die Kirchen in ganz Oberungarn mit Glocken versah.

Der unkünstlerisch geformte Deckel steht in keiner Harmonie mit dem Taufbecken und wurde 1679 von Kupfer verfertigt.

Franz Drahotuszky.

[1] Seiner Zeit werde ich nicht unterlassen, über diesen Altar zu berichten.

Ein elfenbeinernes Spiegelgehäuse zu Rein in Steiermark[1].

(Mit 1 Holzschnitt.)

Auf der Rückseite eines elfenbeinernen Spiegelgehäuses, das sich in der Kunstsammlung des steirischen Cistercienser-Stiftes Rein befindet, ist die Erstürmung einer Minneburg dargestellt. Es zeigt sich die Breitseite eines viereckigen Baues, in der Mitte das mit einem Fallgatter verwahrte Thor, neben dem zu beiden Seiten halbrunde Vorbauten angebracht sind. Zu oberst auf den Zinnen steht der Liebesgott, gekrönt und mit ausgebreiteten Flügeln. Er hält einen Speer gesenkt in der Rechten, auf der linken Faust sitzt ein Falke. Er nimmt nicht Theil am Kampfe und erscheint gleichsam als der die Vertheidigung leitende Herr und Gebieter. Zur Rechten ist ein liebendes Paar, zur Linken ein verwundeter Krieger, hingesunken in die Arme einer Dame, die ihn pflegt. Aus dem Thore stürmen zwei Ritter her vor, und hier gilt es nicht einen zarten Kampf mit Rosen, sondern mit geschwungenem Schwert holt einer der von aussen anstürmenden Ritter gegen einen der inneren aus, der den Hieb zu pariren scheint. Der zweite hinter demselben hat den Speer eingelegt, und ein anderer, der den Speer auf der Schulter trägt, kommt auch hinter dem äussern Ritter hergeritten. Beide Kämpfende, sowie die mit den Speeren, tragen den geschlossenen Helm auf dem Kopfe. Auf den Decken der Pferde, wie auf den Schilden, haben jedoch beide das gleiche Zeichen, — Rosen. Es scheint dies den Kampf der Ritter unter sich um die Minne, einen Kampf, der nicht mit Rosen, sondern mit Speer und Schwert ausgefochten wird, darzustellen. Ein Kämpfer mit einer Eisenhaube dagegen hat eine Rose als Pfeil auf der gespannten Armbrust liegen, um sie gegen die Burg zu entsenden. Hinter ihm steht eine mit Rosen beladene Schleudermaschine. Die Burg hat zwei halbrunde thurmartige Vorbauten neben dem Thore, die niedriger sind, als der Hauptbau. Auf der Spitze der einen steht ein kosendes Paar und eine einzelne Jungfrau, die einen Stirnreif hält, der etwa dem Armbrustschützen zugedacht sein könnte. In einer grossen Spitzbogenöffnung dieses Vorbaues ist wieder ein kosendes Paar zu sehen. Unmittelbar über der Pforte befindet sich ein viereckiges Fenster, aus dem zwei Damen heraussehen, von denen die vordere aus einem Korbe Rosen über die aus dem Thore hervorbrechenden Ritter wirft, die zweite aber einen Stirnreif einem jungen Manne reicht, der auf der Platte des zweiten Vorbaus steht. Eine Dame auf der Platte dieses Vorbaues hilft einem auf einer Strickleiter emporklimmenden, noch ganz gewappneten Ritter (nur den Helm hat er abgelegt) in die Höhe, während ein zweiter unten die Strickleiter festhält; die Pferde

[1] Entnommen mit theilweise beibehaltenem Wortlaute einem im Anzeiger des germanischen Museums Nr. 6 vom Jahre 1866 gedruckten Aufsatze des jetzigen Vorstandes dieses Institutes, Herrn A. Essenwein: Über einige mittelalterliche Elfenbeinschnitzwerke und besonders über ein Spiegelgehäuse im Cistercienserstifte Rein in Steiermark, und ist der Gefälligkeit dieses Herrn auch die Überlassung des oben abgedruckten Cliches zu danken.

beider stehen ledig unten. Den Abschluss zur Seite bietet ein ganz ungewappneter Bogenschütze auf einem Baume. Da der gespannte Bogen in seinen Händen keinen Pfeil erkennen lässt, so ist anzunehmen, dass er ebenfalls eine Rose versendet habe. Im Ganzen befinden sich demnach auf dem Schnitzwerk 22 Personen und 4 Pferde. Die Composition ist lebendig und selbst was wir heute malerisch nennen; doch ist der Sache und der Deutlichkeit des Ausdrucks so weit Rechnung getragen, dass sich der Massstab der Burg nicht nach dem der Menschenfiguren richtet, sondern die Burg eben nur als Andeutung erscheint; ebenso sind die Bäume mehr ornamentale Andeutungen, als Bäume selbst. Die Bewegung der Figuren entspricht vollkommen dem XIV. Jahrhundert.

In Bezug auf das Costüm scheint keine andere Bemerkung nöthig, als dass hieraus wieder zu ersehen ist, dass Schild und Helm nur unmittelbar beim Kampf selbst benützt wurden; dass die noch immer in Eisen gekleideten Krieger, welche nicht unmittelbar kämpfen, den Helm abgelegt haben und dass sie endlich bei der Geliebten ohne jedes Kampfgewand erscheinen. ...*m*...

Das königliche Jagdschloss Stern.

Das königliche Jagdschloss Stern im Thiergarten bei Prag, das seit dem Jahre 1789 als Pulvermagazin verwendet wurde und aus dem man im Juni v. J. vor der preussischen Invasion das Pulver entfernte, nimmt das Interesse des Publicums in hohem Grade in Anspruch. Insbesonders sind es die Bewohner der Hauptstadt Prag und ihrer Umgegend, die den sehnlichen Wunsch hegen und bereits vielfach kundgegeben haben, dass jenes massive Gebäude nicht ferner mehr als Pulverdepôt dienen möge. Ich hielt es daher als Conservator der Baudenkmale Prags für meine Pflicht, die Bitte an den hochlöblichen Landesausschuss des Königreichs Böhmen zu richten, dass derselbe die geeigneten Wege anbahnen und jene Vorkehrungen treffen möge, welche geeignet wären, die erfreuliche Realisirung des sehnlichen Verlangens nicht blos der Hauptstadt, sondern auch des ganzen Landes herbeizuführen, und erlaubte mir meine Bitte auf folgende Weise zu motiviren.

Zunächst wies ich auf die historische Bedeutung dieses eigenthümlichen, in der Form eines sechsseitigen Sternes aufgeführten Baudenkmales hin, andeutend, dass dasselbe eine Gründung des grossen Königs Georg von Poděbrad sei, dass in den Räumen desselben die nachfolgenden Könige Böhmens häufig verweilten, insbesondere aber dass dieses Schloss in der verhängnissvollen Katastrophe im Jahre 1620 der Schauplatz heroischer Scenen gewesen, die, wenn auch für das Land unheilvoll, doch eine wichtige geschichtliche Bedeutung haben und dem Baue das Gepräge eines historischen Monumentes verleihen[1]. Nicht weniger interessant ist dieses Gebäude in kunsthistorischer Beziehung. Von aussen stellt sich dasselbe zwar als einfacher massiver Bau dar, der blos durch seine ungewöhnliche sternförmige Anlage die Aufmerksamkeit an sich zieht; derselbe birgt aber in seinem Innern Kunstreste, welche zu den schönsten Denkmalen des Renaissancestyles in unserem Kaiserstaate und in Deutschland gehören. Die Plafonds der ebenerdigen Räume sind nämlich mit prachtvollen, wohlerhaltenen Relief-Ornamenten geschmückt, welche den Beschauer eben so durch Geschmack und Reichthum der Composition wie durch die Solidität der Ausführung überraschen. Den Stoff zu diesen Ornamenten schöpfte der Künstler aus der Mythologie, indem er an den verschiedenen Plafondflächen die auf Jupiter, Apollo, Bacchus, Diana, Neptun, Hekate u. s. w. sich beziehenden Mythen und überdies einige Scenen aus der Urgeschichte der Römer in plastischen Bildern darstellte. Diese Bilder sind von Arabesken und Ornamenten eingefasst, die phantasievoll und in reicher Manigfaltigkeit die Flächen belebend, von dem Talente und der sicheren Meisterhand ihres Urhebers ein glänzendes Zeugniss geben. Ja, sie sind so schön gedacht, so scharf und trefflich ausgeführt, dass sie verdienen, abgeformt und als Muster in den Kunstschulen aufgestellt zu werden. Es ist derselbe Styl und häufig sind es auch dieselben Motive, die man an den Loggien Raphael's gewahrt, und es dürfte keinem Zweifel unterliegen, dass der Bildner der Reliefe im Stern-Schlosse die Fresken an den Wänden der Vatican-Loggien gekannt und die Absicht gehabt habe, ein Nachbild dessen, was der grosse italienische Meister in Farbe auf der Mauerfläche dargestellt, im fernen Böhmen im Relief auszuführen. Dieser Plafondschmuck rührt ohne Zweifel aus der Zeit Rudolph's II. her und wurde wahrscheinlich durch italienische Künstler, die bekanntlich der kunstliebende Kaiser häufig beschäftigte, ausgeführt. Dafür spricht insbesondere die an dem Marmorgesimse eines Kamins im Sternschlosse angebrachte Jahrzahl 1589. Überdies ist zu bemerken, dass die Reliefs nicht in Gyps, sondern in der sogenannten pasta Pragae (Altstädter Kalk), die zu Rudolph's II. Zeit häufig ins Ausland, namentlich nach Italien versendet wurde, ausgeführt sind. Eben desshalb haben sie sich bis auf den heutigen Tag so gut conservirt: denn wären sie von Gyps, so würden sie sich kaum so trefflich bis auf unsere Zeit erhalten haben. Endlich muss ich bemerken, dass in einigen Räumen des ersten Stockwerkes unter dem Gesimse Holzleisten angebracht sind, an denen sich metallene Häkchen befinden, die offenbar zum Festhalten der gewirkten Tapeten dienten, mit denen vor Zeiten die Wände geschmückt waren. Einige dieser Tapeten sollen sich der Sage nach in Wien befinden.

Durch die grossen Pulvermassen, welche seit mehr als siebenzig Jahren in den, aus überaus dicken Mauern und mächtigen Gewölben gefügten Räumen dieses Schlosses aufgehäuft waren, wurde fortwährend die Befürchtung genährt, dass durch eine zufällige Explosion des Pulvers ein furchtbares Unglück nicht blos über die nächstgelegenen Ortschaften, sondern auch über Prag, insbesondere über den Hradschin, das königliche Schloss und den ehrwürdigen St. Veitsdom hereinbrechen könnte. Es hatten sich daher die Prager Stadtgemeinde und die Smichower Bezirksvertretung im Vereine mit der königlichen Schlosshauptmannschaft

[1] In der Schlacht am weissen Berge wurde der letzte Widerstand der ständischen Truppen bei dem Sternschlosse gebrochen: „Das Fussvolk, von der Reiterei verlassen, begab sich auf die Flucht, nur die Mährer standen noch bei dem sogenannten Stern, entschlossen, lieber zu sterben als zu fliehen. Thurn der Jüngere und Heinrich Schlick waren ihre Anführer. Die ganze kaiserliche Macht fiel sie nun an. Sie vertheidigten sich wie verzweifelte Leute und wurden grösstentheils ohne zu weichen auf der Stelle niedergehauen." Pelzel's Gesch. der Böhmen II, 721.

an die hohe Regierung mit der Bitte gewendet, dass dieses Gebäude, nachdem aus demselben vor der preussischen Occupation das Pulver entfernt worden, nicht mehr als Dépôt dieses gefahrdrohenden Materials dienen möge. Das Schloss Stern ist ein Eigenthum der böhmischen Krone und wurde um einen sehr unbedeutenden Jahreszins (400 fl.) der k. k. Militärverwaltung überlassen. Allem Anscheine nach dürfte die k. k. Militärverwaltung keine besonderen Einwendungen gegen die künftige Verlegung des Pulvermagazins an einen anderen von Prag entfernteren Ort machen und das um so weniger, da man Friedens-Pulvermagazine nicht in massive Steinbauten zu verlegen pflegt, damit im Falle einer Explosion die Wirkung der Lufterschütterung weniger heftig wäre. Die Anlage einiger einfachen Bauten an einem geeigneten von der Hauptstadt weiter entlegenen Punkte würde hinreichen, um das gefahrdrohende Pulverreservoir im Sterngarten zu ersetzen, und die Stadt Prag und ihre Umgebung von einer über derselben gleich dem Schwerte des Damokles schwebenden Gefahr zu befreien.

Auf diese Gründe gestützt erlaubte ich mir, dem hochlöblichen Landesausschusse die Bitte an das Herz zu legen, dass derselbe in Unterhandlung mit der hohen Regierung treten, und wenn es die sonstigen Verhältnisse erlauben, beantragen wolle, dass aus Landesmitteln in grösserer Ferne von der Stadt Prag einfache Gebäude als Pulvermagazine aufgebaut werden, das Pulver aber aus dem Sternschlosse auf immerwährende Zeiten entfernt und das Baudenkmal Georg's von Poděbrad mit seinen kunstvollen Plafondsculpturen zur Ehre des Landes und der Kunst erhalten und mit der Zeit auch würdig hergestellt werden möge.

Dieser Ansicht des Conservators schloss sich auch der archäologische Verein des Museums des Königreichs Böhmen an und betraute den Gefertigten, die auf den hier entwickelten Motiven beruhende inständige Bitte auch im Namen des Vereins an den hochlöblichen Landesausschuss zu richten, der durch die Erfüllung derselben sich ein unvergängliches Andenken in den Annalen des Königreichs Böhmens gründen würde.

Joh. E. Wocel,
Conservator.

Über die Aufrichtung der Dolmen.

(Mit 2 Holzschnitten.)

In einem der früheren Jahrgänge der Antiquarisk Tidskrift[1] welche zu Kopenhagen erscheint, befindet sich eine Abhandlung über die Bauweise der Urzeit und zwar in Beziehung auf die sogenannten Dolmen (in England Cromlechs) oder Riesenhäuser (Jettestuer's), welche in mancher Beziehung Aufmerksamkeit verdient, da es für den Freund des Alterthums von grossem Interesse ist, nur annäherungsweise zu erfahren, wie man in jenen vorgeschichtlichen Zeiten, bei wahrscheinlicher Weise äusserst geringen mechanischen Hülfsmitteln, im Stande war, so grosse Steinmassen zu bewegen und zu heben, wie sie bei den Dolmen vorkommen. Wir beklagen uns, wenn wir bei Bauwerken des vierzehnten und fünfzehnten Jahrhunderts nicht im Stande sind, die Urheber derselben feststellen zu können: wohin soll man aber denken, wenn man die sogenannten Thore von Stonehenge oder die Reihen von riesigen Felsblöcken von Carnac in der Bretagne betrachtet? Wer hat da, und wie hat man gearbeitet, um diese Massen in Bewegung zu setzen und was mochte der Urgrund gewesen sein, durch welchen man sich bewogen fand, diese ungeheueren Blöcke oft weit vom Meere fortzuschaffen, auf Anhöhen hinaufzubringen und sie dort aufzustellen? Dass hier eine religiöse Bedeutung zu Grunde liege, ist nicht zu bezweifeln, denn nur der Glaube ist im Stande so gewaltige Schwierigkeiten zu besiegen.

Die ersten Anfänge dieses Aufrichtens von Felsblöcken zeigen sich noch heute in Schweden, und zwar bei Asby und bei Ulrika. Bei dem Kirchengarten des erstgenannten Ortes liegt nämlich ein klumpenförmiger oder unregelmässig sphäroidischer Stein von fünf Ellen Höhe und von mindestens zwanzig Ellen im Umfang, auf der obersten Spitze eines schief abhängigen Erdhügels und zwar auf so geringer Basis, dass man glauben sollte, dass ihn ein Sturmwind aus seinem Gleichgewichte bringen und den Hang hinab stürzen könnte und doch liegt er vielleicht seit Jahrtausenden dort. Auch ist er kein erratischer Block, der durch die Eisgänge der Vorwelt hier abgesetzt sein könnte, sondern man gewahrt aus Allem, dass er durch Menschenhände an diese Stelle gebracht wurde. Noch merkwürdiger in seiner Art ist der Felsblock bei Ulrika, denn dieser der beiläufig die Gestalt einer Pyramide hat und sieben schwedische Ellen hoch ist, steht mit der Spitze nach oben, auf fünf kleineren Steinen, so dass es sich unwiderleglich herausstellt, dass ihn Menschen in diese Lage brachten. Beide diese Steine mochten für die Ureinwohner Schwedens ein Symbol dessen sein, was sie sich als höchstes Wesen vorzustellen im Stande waren. Menschen, Thiere und Pflanzen kommen und gehen, aber der Fels war dauernd, war ewig wie die Gottheit und darum schafften sie diese mystischen Blöcke mit unsäglicher Anstrengung hinauf auf die Höhe, damit sie schon aus weiter Ferne gesehen wurden. Noch staunt der schwedische Bauer, wenn er vor der Felspyramide von Ulrika vorübergeht, und sagt in seiner Einfalt, diesen Stein hätten Riesenhände hiehergetragen.

Oft findet man mitten im Wiesenland, ja selbst mitten im Kornfeld eine Gruppe von zehn bis dreissig und mehr Steinen, die unmöglich aus dem Boden selbst hervorgebrochen sein können, da man weit umher keine ähnlichen Felstrümmer gewahrt. Sie wurden ebenfalls in religiöser Absicht zusammen getragen und führen in der Bretagne den Namen Kouriket oder Steine der Zwerge. Ebenso trifft man mitten in bebauten Gegenden ganz vereinzelte, oft einige Klafter hohe Steine, die beinahe an eine Art von Obelisken erinnern und wie diese in einem gewissen Bezug zu der Sonne gestanden sein mögen, indem ihre Schatten den höheren oder niederen Stand derselben und die Sommer- und Wintersonnenwende anzeigten. Solche Steine werden Menhir genannt und manche derselben, wie bei Lochrist und bei Pont de l'Abbé in der Bretagne, erhielten in der christlichen Zeit auf ihrem Gipfel ein Kreuz, so dass man fast auf die Vermuthung kommen könnte, als verdankten die Kreuzsäulen die

[1] Wir finden uns um so mehr in der Lage, etwas aus dieser wissenschaftlichen Zeitschrift anzuführen, als von einem unserer geehrten Mitarbeiter, Herrn J. E. Wocel, in derselben eine Abhandlung zu treffen ist, welche die Aufschrift „Archaeologiske Paralleler" trägt. A. d. R.

man jetzt überall auf dem Lande trifft, ihren Ursprung diesen Menhir's.

Eine weitere Form der Benützung solcher Steine zeigt sich in den sogenannten Druiden-Zirkeln, wo Felsblöcke in der Form eines Kreises aufgestellt waren, wie z. B. zu Lochbury auf der Insel Mull, wo der Kreis aus acht Steinen gebildet wird, deren jeder sechs bis neun Fuss im Umfange misst. Der Kreis selbst hat einen Durchmesser von 42 Fuss. Merkwürdiger Weise befinden sich auch ausser dem Kreise noch zwei Blöcke, von denen der kleinere in der Richtung von Süden, der andere aber, der höchste aller dort befindlichen Steine, genau im Westen aufgestellt ist und 118 Fuss von dem westlichen Rand des Kreises entfernt steht, offenbar um durch die Richtung seines Schattens die Zeit der gottesdienstlichen Feierlichkeiten anzugeben, die sich wie bei allen Urvölkern wohl auf die Frühlings- und Herbstsonnenwende beschränkt haben mögen[2]. Die Stelle, an der sich dieser Steinkreis befindet, heisst im Volke „the field of the Druids“. Solche Kreise trifft man auch in Schweden, wo sie Stensättninger genannt werden, und zwar zu Slaka, wo sieben Felsstücke sind, und zu Nässja, welcher Kreis zu den grössten gehört, indem er aus vierundzwanzig Steinen besteht. Man betrachtet ihn als eine uralte Thingstelle.

Zu denselben höchst primitiven Denkmalen der vorgeschichtlichen Zeit, sind auch die Cairns oder Todtenhügel zu rechnen, welche man in Deutschland Hünengräber zu nennen pflegt. Sie bestehen aus einer ungemeinen Menge von zusammengetragenen Steinen und mancher derselben hat mehr als hundert Fuss im Umfang, denn die Grösse des Cairn richtete sich nach dem Ansehn des Helden, nach dessen Tod sich zuweilen die Bevölkerung eines ganzen Bezirkes versammelte, um Steine von den Ufern des Meeres oder der Flüsse zu sammeln, und so lange das Andenken des Verstorbenen währte, ging niemand vorbei, ohne einen Stein auf den Grabhügel zu legen. In mehreren dieser Cairns fand man rohe Steinsärge mit menschlichen Gerippen und in dem Cairn von Kil Hillak in Schottland, der um das Jahr 1761 eröffnet wurde, traf man in dem sechs Fuss langen Steinsarge neben dem Skelet des Verstorbenen eine Urne, in welcher sich Holzkohlen befanden. In Wales werden diese Grabhügel Carneddau's und in der Bretagne Galgal genannt. Der berühmteste Galgal in Nordfrankreich ist der von der Insel Gavr-Innis.

Wir gelangen nun in der Reihenfolge zu den in Frankreich sogenannten Dolmen, die in England mit dem Namen Cromlech bezeichnet werden und sich dadurch von den übrigen Steindenkmalen der vorgeschichtlichen Zeit auszeichnen, dass bei ihnen nicht nur grosse Felsblöcke senkrecht aufgerichtet wurden, sondern dass auf diese noch andere Blöcke, oft von riesiger Grösse, horizontal gelegt wurden. So liegt in Cornwallis ein grosser, aber flacher Fels auf zwei kleineren schrägen Steinen, und ähnliche Dolmen, bald grösser bald kleiner, bald einfacher bald zusammengesetzter, finden sich in der Bretagne, so z. B. bei Trégune und bei Penmarch u. s. w. und besonders häufig auf den englischen Inseln, wie man denn auf dem Eiland Angelsey allein achtundzwanzig Cromlechs antrifft. Einer der grössten Decksteine (Overligger) befindet sich aber auf dem Cromlech zu Rên-Blas, denn er fasst mehr als 5000 Cubikfuss und gilt wegen seines gewaltigen Umfanges als der „Vater“ der Cromlechs auf ganz Angelsey.

Nichts machte den früheren Antiquaren Englands mehr Schwierigkeiten als die Enträthselung dieser Cromlech's; man hielt sie für Häuser, für Altäre und für Tempel und sah sogar an einer oder der andern Seite derselben die Spuren von Blutströmen, die einst den unglückseligen Opfern entflossen! Erst dann, als einer der weisen Männer auf den columbischen Einfall kam, doch einmal nachzugraben, fand man Gerippe, und zwar unter manchem Cromlech nicht ein, sondern mehrere, und zuweilen sogar sehr viele Skelete, wodurch sich unwiderleglich herausstellte, dass sie Begräbnissorte waren; heut zu Tage dienen sie den Hirten und Schafen bei schlechtem Wetter als Zufluchtsort.

Auch bei Stonehenge — der Name stammt von dem altsächsischen Stân-henge, die hängenden Steine — finden wir solche quere Overligger oder Decksteine, welche mit den zwei sie tragenden aufrechten Felsensäulen beiläufig ein Thor bilden. Die erste Nachricht über dieses höchst merkwürdige Denkmal wurde in einer lateinischen Schrift aus der ersten Hälfte des zwölften Jahrhunderts „de mirabilibus Britanniae“ aufgefunden, welche von dem Historiker Heinrich von Huntingdon herrührt. Er sagt: „Secundum est apud Stanenges, ubi lapides mirae magnitudinis in modum portarum elevati sunt, ita ut portae portis superpositae videantur, nec potest aliquis excogitare, qua arte tanti lapides adeo in altum elevati sunt, vel quare ibi constructi sunt“[3].

Und wenn man sich schon in so frühen Tagen nicht mehr erklären konnte, wie jene gewaltigen Quersteine mit ihrem ungeheueren Gewicht auf jene Höhe hinaufgebracht wurden, so musste es in neuerer Zeit, bei der ungemeinen Steigerung der technischen und mechanischen Mittel noch wunderbarer erscheinen, auf welchem Wege jene Ureinwohner im Stande waren, solche Lasten zu bewegen. Erinnern wir uns nur, welche Maschinerien und welchen Kostenaufwand die Aufstellung des Obeliskes auf dem St. Petersplatze zu Rom in Anspruch nahm! Der Verfasser des Eingangs erwähnten Aufsatzes gibt nun hierüber einigen Aufschluss, der mindestens annäherungsweise richtig sein dürfte und führt als Einleitung eine Stelle aus Saxo Grammaticus an[4], in welcher dieser von Harald Blaatand erzählt, dass dieser einen ungeheuren Fels, der an der Küste von Jütland lag, seiner Mutter zu Ehren, auf ihren Grabhügel setzen liess, wobei er, da die angespannten Stiere nicht Kraft genug hatten die Last fortzubewegen, auch Menschen herbei rief. Hieraus geht also hervor, dass man diese Felsenmassen durch Ziehen weiter schaffte, wobei man runde Baumstämme als Rollen unterlegte. Wie aber wurde der Overligger auf die Höhe gebracht? Einfach auf folgende zweierlei Arten, und zwar nach Massgabe des Terrains oder anderer Umstände. Fand sich ein Hügel vor, so führte man zuerst den Overligger

[2] Auch wir haben in nicht zu grosser Entfernung von Wien zwei Berge, welche ihren Namen von den Sonnenwenden erhielten, nämlich der Sonnenwendstein bei Schottwien und der Sonnleitstein in der Nähe des Nassthales. Gewiss finden sich noch in manchen Gegenden Berge oder Felsen, deren Benennung einen ähnlichen Grund haben und es wäre sehr wünschenswerth, dass sie aufgezeichnet würden.

[3] Henrici Huntingdon hist. Lib. I in dem Werke „Rerum Anglicarum scriptores post Bedam“. Francof. 1601, Fol., pag. 299, Z. [illegible]

[4] Saxonis Grammatici Historia Danicae. Edit. Joan. Stephani. Hafniae 1644, Fol. Lib. X. pag. 185.

auf denselben und legte ihn mit seiner Flachseite an den Boden. Hierauf grub man von der Seite in den Hügel und stellte nach und nach die senkrechten Steine, Vaeggesteine oder Wahnensteine genannt, unter denselben auf. War dieses geschehen, so brauchte man nur die übrige Erde des Hügels wegzuschaffen und der Domlen stand vollendet an seinem Platze. Sollte der Domlen in einer hügellosen Ebene errichtet werden, so setzte man zuerst die Wahnensteine in den Grund, errichtete hieraus eine sanft ansteigende Bahn, die man

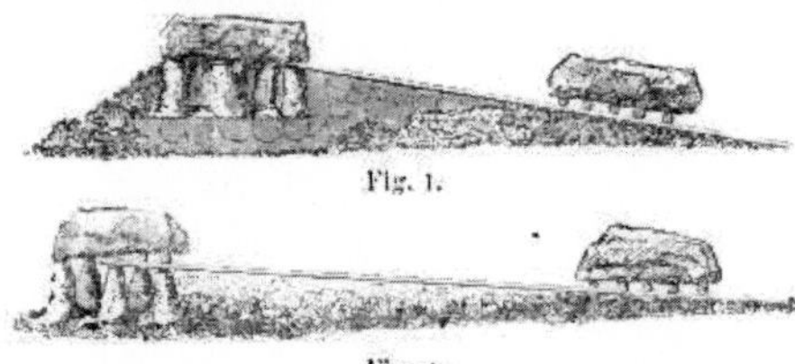

Fig. 1.

Fig. 2.

mit Erde, Pfählen oder Steinblöcken unterstützt haben mochte, und förderte den auf Rollen ruhenden Overligger mittelst Hebestangen auf die Gipfel der Wahnensteine. Die zwei beigegebenen Holzschnitte A und B werden diese Verfahrungsarten erläutern.

Man erinnert sich, dass Shakespeare die Hexen im Macbeth auf der Heide von Fores erscheinen lässt. Noch heute steht dort der Stein des Königs Sueno, der von Norweg herüber gekommen war, um mit seinem Heere ganz Schottland anzugreifen. König Duncan bot ihm den Kampf an, verlor aber die Schlacht und musste flüchten. Da liess nun Sueno diesen Stein als Andenken an den Abzug der Schotten errichten. So hängen Geschichte, Kunst und Sage an diesen beinahe unzerstörbaren Resten einer längst untergegangenen Vorzeit.

Indem ich diesen Aufsatz schliessen will, kommt mir der zehnte Band der „Notices et Mémoires“ der archäologischen Gesellschaft zu Constantine zur Hand und ich finde zu meiner Überraschung auf Pl. IX sieben Dolmen abgebildet, welche sich in Algerien, bei Madauri und Tipasa befinden, der Berichterstatter Jules Chabassière sagt, dass er in mehreren dieser Gräber Waffen von eigenthümlichen Formen gefunden habe und glaubt, dass diese Begräbnissstätten von dem numidischen und karthaginensischen Heere herrühren, welches sich den Römern bei ihrem ersten Einfall in Afrika entgegenstellte, was jedoch noch erst zu beweisen wäre. Merkwürdig ist aber, dass er sagt, die verschiedenen Skelete seien zuweilen so bizarr gelegt, dass man sich darüber verwundern müsse, das eine kniet, das andere hockt, ein drittes sitzt und hält den Arm über den Kopf u. s. w., was ganz gewiss nicht ohne Bedeutung ist. Einer der nächsten Bände jener archäologischen Gesellschaft wird gewiss ausführlicher über diesen neuen Fund sprechen.

P . . .

Notiz.

In der St. Jacobscapelle der Franciscanerkirche zu Grätz befindet sich ein Grabstein, dessen Inschrift der Veröffentlichung würdig erscheint, da durch dieselbe uns ein bisher unbekanntes Todesjahr eines Mitgliedes des sehr alten steiermärkischen Adelsgeschlechtes der Lichtensteine überliefert wird. Die Inschrift lautet:

HIER LIGT BEGRABEN DER EDL VND GESTRENGE RITTER HERR CHRISTOPH VON
WINDISCHGRATZ ZV WALTSTEIN, DER GESTORBEN IST, AM MONTAG NACH ST. MATHEIS
TAG IM 49.[1] IAHR, VND DIE WOHLGEBORNE FRAV, FRAV ANNA VON WINDISCHGRAZ
EINE GEBOHRNE VON LICHTENSTAIN ZV MVRAW, VND EHEGEMELTES
HERR CHRISTOPHS VON WINDISCHGRAZ GEMAHEL, DIE GESTORBEN
IST DEN 10 TAG AVG IM 51.[2] IAHR, DEREN SEELEN GOTT DER ALL
MAECHTIGE GNAEDIG VND BARMHERZIG SEIN WOLLE AMEN.

Anna von Liechtenstein, Christoph's von Windischgrätz Gemahlin, war nach Hübner III, 748 die Tochter Rudolph's von Liechtenstein-Murau. Zur Ergänzung einer Stammtafel der letzten Herrn von Liechtenstein-Murau, welche von dem heutigen Fürstenhause dieses Namens wohl zu unterscheiden sind, dient Jos. Bergmann's Aufsatz in diesen Mittheilungen, Bd. V, 209 und Bd. VII, 157, 204.

Hönisch.

[1] 1549, vergl. Hübner III, 723 und besonders des Grafen Wilhelm von Wurmbrand Collectanea Vienna 1705, pag. 75.

[2] 1551.

Besprechungen.

Über die neueren Erscheinungen in Betreff der Heraldik.

1. Stammbuch des blühenden und abgestorbenen Adels in Deutschland, herausgegeben von einigen deutschen Edelleuten. Regensburg. I. Band, 1860, II. Band, 1863, III. Band 1865, IV. Band 1866.
2. Katechismus der Heraldik, von Dr. Eduard Freiherrn von Sacken. Leipzig, 1862.
3. Beiträge zur Geschichte der Auer, von Dr. Alois Ritter Auer von Welsbach. Wien, 1862.
4. Der sächsische Rautenkranz, von F. K. Fürst zu Hohenlohe-Waldenburg. Stuttgart, 1863.
5. Heraldisches Original-Musterbuch, von Dr. Otto Titan von Hefner. München 1863.
6. Des denkwürdigen und nützlichen bayerischen Antiquarius Erste Abtheilung: Adelicher Antiquarius. I. Band. Der grosse Adel. Von Otto Titan von Hefner. München 1866.

Gegenwärtig, wo die Heraldik einen ganz andern Standpunkt einnimmt, als noch vor einem Dutzend Jahren, wo endlich die Fessel gelöst ist, welche diese Specialwissenschaft den Meisten langweilig und überflüssig, beinahe Allen aber trocken und pedantisch erscheinen liess, wo sie sich von ihrer steifen Geometrie und kränklichen Verstopfung zu neuer Lebensfrische erholt hat, finden sich sehr begreiflicherweise wieder Schriftsteller auf diesem Felde, denen es nicht an Lesern mangelt.

Zugleich mit der Heraldik musste nothwendigerweise auch die Genealogie einen neuen Aufschwung nehmen, denn die Letztere ist eine Zwillingsschwester der Ersteren, eine kann ohne die andere nicht bestehen; wir meinen hiermit freilich nicht die Genealogie der Gothaischen Taschenbücher, so nützlich und verdienstlich diese auch in ihrer Art sein mag; sondern die zur Familiengeschichte veredelte Genealogie. Die trockene Aufzählung von Grossvater, Vater, Sohn und Enkel nebst sämmtlichen Gemalinnen und Gesippten ist ohne allen Zweifel ebenso langweilig, als weiland Professor Gatterer's „Praktische und unpraktische Heraldik". Es lässt sich in dieser Beziehung wohl kaum etwas Schöneres und Richtigeres sagen, als folgendes:

„Für jeden Menschen, dem das Wort Pietät nicht ein leerer Begriff ist, hat es einen eigenthümlichen Reiz, in den Familien-Überlieferungen zu blättern, mit seinen längst verstorbenen Voräｈltern eine Art persönlicher Bekanntschaft anzuknüpfen, ihren Schicksalen nachzugehen, diese gleichsam mitzuerleben, und so gewissermassen sein Dasein aufwärts in fernliegende Zeiten zu verlängern."

Das eben ist es, was der Genealogie Poësie und Anziehungskraft verleiht und je mehr Leben sie in ihre natürliche Genauigkeit aufzunehmen versteht, um so vollkommener hat sie ihre Aufgabe erfüllt.

Wir fassen hier ein paar der in diesem Decennium in Bayern, Württemberg und Österreich erschienenen genealogischen und heraldischen Werke zusammen, um sie in Folgendem etwas näher zu beleuchten.

Im Jahre 1860 erschien der I. Band vom „Stammbuch des blühenden und abgestorbenen Adels in Deutschland, herausgegeben von einigen deutschen Edelleuten. Enthaltend zuverlässige und urkundliche Nachrichten über 9898 Adels-Geschlechten. Regensburg. Verlag von Georg Joseph Manz."

Dieses Werk in hoch 4°, fast klein Folio, ist ein den gesammten deutschen Adel, circa 40.000 Familien in alphabetischer Ordnung umfassendes Adelslexikon in 4 Bänden, von denen der letzte 1866 erschien. Dass ein Buch von solcher Ausdehnung nur durch das Zusammenwirken Mehrerer entstehen kann, versteht sich von selbst; indessen scheint der Hauptredacteur niemand anderer als der bekannte Heraldiker und Adelshistoriker Dr. Otto Titan von Hefner gewesen zu sein, welcher auch den „Wissenschaftlichen Vorbericht" in seinem, und im Namen der übrigen Mitarbeiter unterzeichnet hat. Gleichwohl verwahrt er sich darin gegen die etwaige Schlussfolgerung, als ob er durch diese Unterzeichnung einen grösseren Theil an der Ehre der gemeinschaftlichen Arbeit beanspruche, und erklärt, dass er die Unterschrift blos auf besonderen Wunsch des Verlegers gegeben. Und um die Meinung, als habe die Gesellschaft durch die Edition des Stammbuches Geld zu machen gesucht, fern zu halten, wird erwähnt, dass das Manuscript der Verlagshandlung schenkungsweise überlassen, dagegen schöne Ausstattung und billiger Preis ausbedungen worden sei. Hierauf gibt Herr Dr. von Hefner die wissenschaftlichen Grundsätze, welche bei der Abfassung leitend waren, sowie die benützten Quellen an. Das erste Princip war den Autoren der höchst wichtige Gedanke der Verbindung ihrer genealogischen Nachrichten mit Geschichte, Chronologie, Diplomatik, Heraldik und Sphragistik. Und hier ist es auch, wo jene, bereits in Schriften anderer Verfasser citirte Stelle vorkommt:

> „Ohne Diplomatik besteht kein Heraldiker, ohne Heraldik kein Sphragistiker, ohne Sphragistik kein Genealoge, ohne Genealogie, Sphragistik, Heraldik, Chronologie und Numismatik, kein Historiker. In diesen Wissenschaften, welche besser zusammen nur als eine Wissenschaft genannt und gehandhabt werden sollten, in diesen findet der wahre Historiker seine Bausteine, und ohne die Erkenntniss des Werthes dieser Steine und ohne die richtige Verwerthung derselben, bleibt alle Geschichte nur eine Compilation gefrorner Gedanken."

Der Werth und die eigentliche Bedeutung der historischen Hilfswissenschaften ist gewiss nicht präciser und bündiger zu bezeichnen. — Das zweite Princip war die kritische Auswahl der Quellen, von denen erst 15 ungedruckte, als: Originalurkunden, Grabsteininschriften, Siegel, Auszüge aus Pfarrbüchern, Familienpapiere, Originalbriefe, die Reichstaxamtsrechnung, die Adelsverleihungen der Reichsvicariate, Originalwappenbücher, und specielle Sammlungen über einzelne deutsche Länder u. s. w. aufgeführt werden. Dann eine Reihe bisher wenig oder gar nicht genealogisch benützter gedruckter Quellenwerke, welche namentlich aufzuzählen zu weit führen würde. — Ferner wird der Unterschied zwischen Dynasten- und Ministerialenhäusern hervorgehoben, auf die numerisch weit grössere Reichhaltigkeit des Werkes, gegenüber jenen von Hrn. v. Hellbach und

Dr. Kneschke hingewiesen, und die Grenzen des Materials dahin bestimmt, dass alle deutschen blühenden und erloschenen Familien, mit Ausnahme der jetzt regierenden Häuser, dann alle jene nicht-deutschen Geschlechter, deren Glieder sich in deutschen Diensten vorfinden oder deren Vaterland unter deutscher Botmässigkeit steht, in den Kreis des abgehandelten Adels einbezogen wurden. Endlich wird der Leser zum Zwecke des Aufsuchens einzelner Artikel auf die vielfach so verschiedenen Schreibweisen der älteren Eigennamen aufmerksam gemacht.

Soweit nun reichen die Anhaltspunkte, welche zur Beurtheilung des Werkes in dem „Wissenschaftlichen Vorbericht“ selbst geboten sind. Die einzelnen Artikel sind grösstentheils sehr kurz gehalten, so dass auf die bekannteren Namen durchschnittlich 10—20, auf die minder bekannten oft nur 2—3 Zeilen Text entfallen. Allein dieser Umstand ist ganz gerechtfertigt durch den, aus der ganzen Anlage hervorgehenden Zweck, welchen das Stammbuch erfüllen soll, nemlich ein sicheres Nachschlagebuch zum Behufe weiterer Forschungen zu sein: indem bei jedem Artikel die Quellen, und zwar häufig sehr zahlreich angemerkt sind, aus denen man sich ausführlichere Nachrichten zu entnehmen im Stande ist. Gewöhnlich wird der Name, das Vaterland, erstbekanntes urkundliches Vorkommen und Quellen angegeben; hiezu kommt noch bei Vielen Theilung der Linien, Besitzungen, hervorragende Persönlichkeiten, besondere Vorkommnisse, und bei den gleichnamigen Familien Markirung der Verschiedenheit und kurze Wappenangabe. Jedem Bande sind rückwärts noch einige Blätter Nachtrag beigefügt: die Ausstattung ist gut, das Titelblatt schön, mit schwarz und rothem Druck, in der Mitte die Gestalt des heiligen Georgs zu Pferd mit dem Drachen kämpfend, in heraldischer Auffassung, mit Herrn von Hefner's Monogramm, und dem Vers darunter:

„Sanct Jörgens Bild des Ritters das stehet hie voran:
Der ist gesammtem Adel ein Fürbild und Patron.“

Dass hin und wieder ein chronologischer oder genealogischer Irrthum, eine oder die andere Auslassung oder Verwechslung mitunterläuft, ist wohl nicht zu läugnen, allein bei einem solchen, und zwar so umfangreichen Unternehmen ist haarscharfe Richtigkeit von der ersten bis zur letzten Seite eine absolute Unmöglichkeit, welche kein derartiges Werk je überwunden hat, noch überwinden wird. Auch theilt ein genealogisches Buch, welches sich nicht etwa blos mit schon abgegangenen Geschlechtern befasst, das Schicksal jedes Schematismus, indem es nur bis zum Datum seiner Presselegung vollständig ist. Flüchtig wird allerdings der kleine, neue und nicht besitzende Adel behandelt, allein eben diese Momente, welche wenig oder keine erwähnenswerthen Daten an die Hand geben, müssen dies hinlänglich entschuldigen.

Jedenfalls muss bestätigt werden, dass uns ein ähnliches Quellen-Nachschlagebuch bis nun fehlte, dass es ein höchst schätzbares und unentbehrliches Seitenstück zu Siebmacher's deutschem Wappenbuch bildet, und dass die Herren Herausgeber sich dadurch ein grosses Verdienst um den gesammten deutschen Adel und die Fachgelehrten erworben haben.

Was wir aber noch immer nicht besitzen, und höchst wahrscheinlich auch nie erhalten werden, das ist ein Werk über den gesammten deutschen Adel, welches nicht nur auf die Quellen verweist, sondern zugleich selbst eine möglichst bündige und gesichtete Geschichte jeder einzelnen Familie, sammt ihrem Wappen, und allenfalls einzelne Denkmäler, Stammschlösser und Portraits, etwa in gutem Holzschnitt, brächte. Dazu würde freilich eine Reihe von Jahren, eine grosse Anzahl tüchtiger und thätiger Mitarbeiter in allen deutschen Landen, und vor allem andern eine hinreichende Menge von Subscribenten gehören. Allein schon der Versuch einer solchen Adelsgeschichte, mit Beschränkung auf ein einziges deutsches Land, wäre interessant und dankenswerth.

Wir gehen auf eine kleinere, rein heraldische Arbeit über, welche, was wir mit Vergnügen bemerken, einen Österreicher zum Autor hat, nämlich auf den: „Katechismus der Heraldik, Grundzüge der Wappenkunde, von Dr. Eduard Freiherrn von Saken. Mit 202 in den Text gedrukten Abbildungen. Leipzig, Verlagsbuchhandlung von J. J. Weber, 1862.“ Der Herr Verfasser, dessen Namen in der gelehrten Welt schon längst einen guten Klang hat, ist durch seine Werke über die Ambraser-Sammlung, die Baustyle, Pfahlbauten u. s. w. als Archäologe und Numismatiker bekannt; dieses Buch beweist, dass er auch ein Freund und Kenner der Wappenkunde ist.

In der Zahl der von J. J. Weber herausgegebenen Katechismen ist der vorliegende der einundfünfzigste, und man muss gestehen, dass er, gleich den meisten dieser Katechismen, sein Ziel vollständig erreicht hat, welches darin besteht, dem grösseren Publicum einen guten, nach den neuen richtigen Grundsätzen gearbeiteten Leitfaden des Blason darzubieten. Dr. von Sacken's Heraldik lehnt sich an die beiden Münchner, Dr. Otto Titan von Hefner und Dr. Karl Ritter von Mayer, und ist gewissermassen ein Auszug aus des Letzteren „Heraldischem ABC-Buch“, welchem auch die recht brav ausgeführten Holzschnitte zum Theil nachgeahmt sind. Etliche Xylographien sind Copien aus Dr. v. Hefner's „Grundsätzen der Wappenkunst,“ 1855, 17. Heft von der neuen Ausgabe des Siebmacher'schen Wappenbuches. Die Ordnung der abgehandelten Kapitel ist dieselbe, wie im Heraldischen ABC-Buch, die Form der Darstellung gegliedert nach Fragen und Antworten, wie bei allen Katechismen. Einige Bemerkungen zu gewissen Stellen dieses Werkchens sind folgende:

Zur Frage 3, wo der Begriff eines Wappens von seiner Anerkennung als solches durch die oberste Staatsgewalt abhängig gemacht wird. Dagegen lässt sich einwenden, dass erstlich ein jedes heraldisch richtig entworfene Wappen auch ohne jene Anerkennung ein Wappen bleibt; zweitens, dass gewiss manche Wappen der ältesten Periode, deren Träger frühzeitig wieder abgestorben sind, gar nie zur Bestätigung durch die oberste Staatsgewalt, welche ja bekanntlich dem Ursprung von Wappen und Adel ganz fremd geblieben ist, gelangt sind, ohne deshalb ihre Giltigkeit einzubüssen.

Ad 19 c, wo es heisst, dass „aus der Vereinigung der unten runden Schilde und der Tartschen der deutsche Schild“ hervorgegangen sei, was unrichtig ist, indem überhaupt gar keine Schildform aus einer solchen Vereinigung entstand. Der von Freiherrn von Sacken als „deutscher Schild“ angesprochene und abgebildete ist ein französischer. Deutsche Schilde nannte man fälschlich die Übergangsform zur Renaissance. Bei der Anmerkung zu d, sind die sogenannten „spanischen" Schilde ausgelassen.

Ad 37. Bezüglich des Vehpelzwerkes, jenes unglücklichen Gegenstandes, der schon so viele Streitigkeiten unter den Heraldikern veranlasst hat, tritt Freiherr von Sacken mit einer ganz neuen, aber interessanten Behauptung auf: nach seiner Ansicht stellt diese Figur weder wirkliches Vehpelzwerk (von Hefner, Fürst Hohenlohe) noch wirkliche Eisenhüte (Ritter von Mayer) vor, sondern ist ein durch Stückung der Schilde oder aufgeschnittene Stoffe entstandenes Muster, ähnlich wie Schach, Ranten, Wecken u. s. w., das wegen Ähnlichkeit der Form Eisenhütlein genannt wurde. Diese Ansicht verdient schon wegen ihrer Natürlichkeit und Einfachheit die Beachtung und Untersuchung der Kenner. (Vide auch Frage 85.)

Ad 48. Der Herr Verfasser hält an dem Grundsatz fest, dass ein Heroldsstück am Schildrande verlaufen müsse.

Ad 52 und 53. Hinsichtlich der Schrägtheilung ist Herr von Sacken bei der alten und guten Annahme geblieben, die Theilung \ sei schrägrechts, die Theilung / schräglinks[1].

Ad 57. Da heisst es: „Bei sieben- und mehrmaliger Spaltung sagt man auch gestreift." Um Verwechslungen zu verhüten, wäre es wohl besser zu sagen „senkrecht gestreift"; obschon Dr. von Sacken für die wagrechten Streifen „getheilt" sagt. Bei der Bezeichnung „erniederter Pfahl" hätte das gang und gäbe „oben abgekürzt" beigefügt werden können.

Ad 140. Der Verfasser blasonirt die Bandmesser noch nach älterer Manier als „Wolfseisen".

Ad 163. Der Autor meint, es sei nicht zu empfehlen, diejenigen Helme, welche etwa wegen zu grosser Anzahl keinen Raum mehr auf dem Oberrand des Schildes haben, zu beiden Seiten neben den Schild zu setzen, oder den Schildhaltern aufzustürzen; man solle daher die Helme lieber verhältnissmässig kleiner zeichnen, um sie sämmtlich über dem Schild anbringen zu können. Dieser Ansicht können wir uns nicht anschliessen; sehr kleine Helme in grosser Anzahl über einem Schild stören die heraldische Schönheit, während nach unserer speziellen Auffassung der Gebrauch, die überbleibenden Helme zu beiden Seiten auf den Boden zu setzen oder sie den Schildhaltern aufzustürzen vollkommen gut und heraldisch ist.

Ad 164, heisst es: „Es ist irrig, dass die Adelsclassen sich durch die Zahl der Helme kennzeichnen (wie in der modernen Heraldik öfters angenommen wird), mehrere Helme über einen Schild bezeichnen nur die einzelnen in demselben vereinigten Wappen" u. s. w. Das ist in der Theorie allerdings ganz richtig, leider aber nicht in der Praxis. Bei uns in Österreich z. B. ist schon seit sehr geraumer Zeit der Abusus eingerissen, bei Verleihung der Wappen die Adelsclassen durch die Zahl der Helme anzuzeigen, so widersinnig dies auch ist. Der einfache Edelmann erhält einen Helm, der Ritter zwei, der Freiherr drei; beim Grafen schwankt die Zahl zwischen drei und fünf. Und diese geistreiche Erfindung hat im Laufe der Zeiten solchen Beifall gefunden, dass wir überzeugt sind, ein neuereirter Ritter, dem man etwa nur einen Helm auf seinen Schild malen wollte, würde höchlichst gegen diese „Zurücksetzung" protestiren, wozu übrigens — zur allgemeinen Beruhigung sei es bemerkt — seit Menschengedenken noch kein Anlass gegeben worden ist.

Ad 188, 3. Wird über die fantastischen und abnormen Kleinodrümpfe, z. B. Köpfe mit Hirschstangen, Storchschnabel statt der Nase, Eselsohren u. s. w. gesprochen. Hiebei ist jedoch zu bemerken, dass derlei Compositionen einfach zu den Ungeheuern gerechnet werden müssen, deren Wesen ja eben in der abnormen Zusammensetzung der Theile ganz verschiedener Gestalten besteht.

Ad 214. Die Gepflogenheit, die Rangkrone neben den Helm, oder zwischen zwei Helme auf den Schild zu setzen, können wir nicht anerkennen, sondern finden sie durchaus schlecht heraldisch. Wir haben uns bezüglich dieses Punktes schon in diesen Blättern, anno 1863, Decemberheft, pag. 360 ausgesprochen.

Ad 231. Ebenso ganz unzulässig ist es, einem Schildhalter die Rangkrone zu halten zu geben, welcher Fall uns überhaupt noch gar nie untergekommen ist.

Es wurden hier nur jene Punkte herausgehoben, welche einer Discussion fähig sind. Schliesslich aber müssen wir wiederholen, dass das Büchlein sehr zweckmässig ist, und allen Laien als bis nun bester Leitfaden warm empfohlen werden kann.

Wir kommen nun auf ein Werk zu sprechen, welches als ein wahres Musterbuch genealogischer Specialforschung dasteht, und ebenfalls einen Österreicher zum Autor hat. Dies sind die „Beiträge zur Geschichte der Auer. Aus 60 ungenannten Quellen gesammelt von Alois Ritter v. Auer. Wien 1862, gedruckt in der kaiserlich-königlichen Hof- und Staatsdruckerei. 2. Ausgabe. Den Manen der Auer gewidmet."

Die erste Auflage dieses Buches erschien 1861, gedruckt auf Kosten des Verfassers, und das Vorwort zu derselben ist nicht minder ausgezeichnet als der Inhalt selbst. Wir haben bereits oben Gelegenheit genommen, eine Stelle daraus zu citiren, allein wollte man alles wahrhaft Treffliche, was darin über den Werth genealogischer und Familien-Überlieferungen gesagt ist, anführen, so müsste man pag. V und VI geradezu abschreiben.

Die zweite Edition ist jedenfalls vollkommener als die erste, denn sie enthält im Text noch weitere Familiennotizen, eine dreifaches Register, eine in typographischem Farbendruck ausgeführte Wappen- und Siegeltafel, welche an Reinheit und Farbenfrische nichts zu wünschen übrig lässt, die in einer Beilage übersichtlich geordneten Ahnen- und Stammtafeln, Besitzungen und Grabstätten der verschiedenen Familien, und am Schlusse des Ganzen ein doppeltes Quellenverzeichniss.

Der Text selbst beginnt mit einer ausführlichen, chronologisch geordneten Quellenangabe, mit Hinweisung auf Seiten der Beiträge, wo sie benützt wurden. Sodann folgen die einzelnen Quellen selbst, aus welchen die Stellen, die auf irgend welche Auer Bezug haben, angezogen werden. Dabei sind überall, wo die Quellen Wappenabbildungen bringen, eben diese in genauen,

[1] In Dr. v. Hefner's Handbuch der Heraldik I. hat sich bei dieser Auseinandersetzung ein unliebsamer, nicht verbesserter Druckfehler eingeschlichen, indem in der Note 1, pag. 62 für die beiden Figuren 169 und 172 auf Taf. XII, deren Schrägbalken genau dieselbe Richtung haben, gesagt wird: „169 ein Rechtsbalken und 172 zwei Linksbalken". Ohne Zweifel soll es statt 169 richtig 170 heissen.

nur natürlich mit feinerem Holzschnitte angefertigten Copien in den Text eingedruckt; deren sind 31, wozu noch die Copie eines Originalstempels und einer Wappenmalerei, sowie das aus von Reilly „Skizzirte Biographien der berühmtesten Feldherren Österreichs“ entnommene Portrait des Johann Ferenberger v. Auer hinzukommt. Die Siegeltafel, welche nun folgt, enthält 26 Wappen in Farbendruck und 8 schwarze Wappen. Sodann erscheint ein chronologisch geordnetes Sachregister zur Geschichte der Auer, beginnend mit dem Jahre 1020 und bis 1861, Jahr für Jahr die einzelnen, auf die diversen Träger des Namens Auer bezüglichen Daten mit Angabe der Quellen und Seitenzahl vorführend. Ferner das alphabetisch geordnete Ortsregister aller derjenigen Orte, welche irgend eine Bedeutung für die Geschichte der Auer haben, mit chronologischer Zusammenstellung der Daten über jeden einzelnen Ortsnamen, wieder nebst Angabe der Quellen und Seitenzahl. Drittens folgt das chronologische Familien-Verzeichniss der Auer, ganz in derselben ausführlichen und mühsamen Weise behandelt, wie die beiden vorhergehenden Register und überdies eingetheilt in österreichische und bayerische, in preussische, schwäbische, hessische Geschlechter, und endlich in nicht adelige Auer. Endlich folgt der Anhang von neu hinzugekommenen unadeligen Personen mit Nennung der Quellen, aus denen geschöpft ward, ein kurzes doppeltes, chronologisch und alphabetisch angelegtes Quellenverzeichniss, und die mit zwei Wappen versehene, die Ahnen- und Stammtafeln der Auer sowie ihre Besitzungen und Grabstätten enthaltende Beilage.

Wenn je ein Werk mit echt deutscher Genauigkeit gearbeitet worden ist, so ist es dieses. Von Interesse für den Specialforscher ist die Vergleichung der „Beiträge“ mit dem oben besprochenen „Stammbuch des deutschen Adels“ 1860, I. Band, pag. 48—50, Artikel Auer.

Ferner erschien im März 1863 eine Broschüre über ein oft abgehandeltes Thema, von der wir nicht umhin können, Kenntniss zu nehmen: „Der sächsische Rautenkranz. Heraldische Monographie von F. K. Fürst zu Hohenlohe-Waldenburg. Stuttgart. K. Hofbuchhandlung von Jul. Weise 1863.“ Die Schrift ist mit vier lithographischen Tafeln zum Theil in Farbendruck ausgestattet, dem Erbprinzen von Sachsen-Meiningen gewidmet, und der Reinertrag zu einem wohlthätigen Zweck bestimmt.

Der hohe Autor, welcher schon seit längerer Zeit in der Gelehrtenwelt als ausgezeichneter Sphragistiker bekannt ist, und eine Reihe von Arbeiten in diesem Fach veröffentlicht hat, wie z. B. seine Monographie über das Fürstenbergische Wappen, fünfzig mittelalterliche Frauensiegel, Sphragistisches Album u. s. w. hat endlich die Frage über den sächsischen Rautenkranz nach unserer Meinung zum Abschluss gebracht, wiewohl er selbst mit jener Discretion, welche allen echten Gelehrten eigen ist, erklärt, er glaube keineswegs den Gegenstand erschöpft zu haben. Seit 1854, wo A. L. J. Michelsen seinen Aufsatz „Über die Ehrenstücke und den Rautenkranz“ veröffentlichte, eine Schrift, die umsomehr enttäuschte, als sie nach einer trefflichen Zusammenstellung der bisherigen irrigen Meinungen mit einer neuen, ebenso gehaltlosen Hypothese endigt, hat sich niemand in eingehenderer Weise an dieses heraldische Problem gewagt. Fürst Hohenlohe ist zu der alten, natürlichen, nach unserer Auffassung einzig richtigen Ansicht zurückgekehrt, dass der sogenannte Rautenkranz eben nichts anders als ein heraldischer Blätterkranz sei, und hat diese Behauptung in dieser äusserst gründlichen und gelehrten Abhandlung niedergelegt. Diese besteht eigentlich aus zwei Theilen, aus dem Text und den Noten.

Im Text sind alle bekannten Darstellungsweisen des sächsischen Wappens nach Quellen von der ältesten Zeit angefangen beleuchtet und gegenseitig kritisch verglichen; daneben auch alle jene Wappen, in denen gleiche oder ähnliche Figuren vorkommen, in Betracht gezogen, und die vorzüglichsten Meinungen über den Gegenstand durchgegangen, schliesslich die richtige Folgerung gemacht, dass diese oft besprochene Wappenfigur nichts mehr und nichts weniger vorstelle und bedeute, als einen grünen Laubkranz.

Die Noten, wiewohl manchmal fast zu ausgedehnt, und vom eigentlichen Thema abschweifend, enthalten sehr viel höchst schätzbares, gelehrtes Material. Sie bieten viele Bemerkungen zur Zürcher-Wappenrolle, deren Herausgabe bekanntlich durch Fürst Hohenlohe veranlasst wurde; behandeln viele allgemeine Fragen der Heraldik und Sphragistik, liefern ein höchst verdienstliches Verzeichniss der ältesten existirenden gemalten deutschen Wappen und Wappenbücher, besprechen einzelne Wappenbilder, und ihre verschiedenartige Darstellung und liefern überhaupt eine Fülle interessanten Stoffes. Im Nachtrag zum Text finden wir Beiträge zur Theorie der Beizeichen, insbesondere des Turnierkragens. Die Abhandlung ist mit 15 Holzschnitten und mit 4 heraldisch-sphragistischen Tafeln, wovon zwei in Farbendruck, illustrirt und in eleganter Weise ausgestattet. Das Titelkupfer, ein Siegel des Herzogs Erich von Sachsen-Lauenburg vorstellend, zeichnet sich durch Inhalt und Form ganz besonders aus.

Eine andere sehr interessante Erscheinung auf dem Gebiete der Wappenkunst ist das „Heraldische Original-Musterbuch für Künstler, Bauleute, Siegelstecher, Wappenmaler, Bildhauer, Steinmetzen etc. Auf Stein gezeichnet und herausgegeben von Otto Titan v. Hefner, München, Heraldisches Institut, 1863. Druck: Leipzig, F. A. Steinacker.“ Die Weimarische Zeitung, die Eidgenössische Zeitung und das Morgenblatt der Bayerischen Zeitung haben sich bereits sehr günstig, aber ganz allgemein darüber ausgesprochen. Wir wollen das Werk hier etwas gründlicher besprechen.

Der Zweck desselben ist kein anderer, als all denjenigen Personen, welche sich in irgend einer Weise mit Darstellung von Wappen beschäftigen, gute und nachahmenswerthe Originalien in Farbendruck, von den ältesten heraldischen bis auf die neuesten Formen, also alle Stylarten umfassend, aus verschiedenen Ländern vorzulegen. Das Musterbuch schickt eine „Einleitung als Vorwort“ und ein Verzeichniss der vorkommenden heraldischen Figuren voraus, und zerfällt in den 42 Seiten füllenden erklärenden Text und 48 Blatt Farbendrucktafeln, beginnend mit einem Muster von 1180 und schliessend mit einem im Geschmack von 1863 entworfenen Wappen. Natürlich ist die Auswahl der einzelnen Stücke eine sehr sorgfältige, so dass nur ganz charakteristische oder besondere Eigenthümlichkeiten an sich tragende Wappen vorgeführt werden, von denen auch jedesmal im Text genau nachgewiesen ist, woher sie entnommen sind.

Über die „Einleitung als Vorwort", so viel Interesse dieselbe bietet, uns näher auszusprechen, verbieten uns die in derselben berührten persönlichen Verhältnisse und Vorfälle — Dinge, welche jeder Heraldiker gewiss aufrichtig beklagt. Späteren, unserer Zeit ferner stehenden Historikern muss es vorbehalten bleiben, in einer biographischen Geschichte der Heraldiker das traurige Factum zu constatiren, dass Bayern im XIX. Jahrhundert, freilich in einem ganz andern Genre, ein Seitenstück zu dem Verhältniss der beiden französischen Heraldiker Père C. F. Menestrier und Le Laboureur, dem prevôt de l'île Barbe im XVII. Jahrhundert aufweist[2]. — Über die Erklärung zu den Tafeln hingegen haben wir einiges besonders zu bemerken.

Pag. 3, zur Taf. 3, auf welcher 12 Wappen aus der Züricher Rolle abgebildet sind. Dr. v. Hefner sagt in der Anmerkung (wie er auch schon in dem „Handbuch" I, pag. 26, Anmerk. 4 zur Taf. V gethan), dass die Herausgeber der Züricher Rolle alle Wappen in gleicher Grösse dargestellt haben, während im Original dies nicht der Fall ist; dagegen der Autor in der Copie, die er in der „Musterrolle" bringt, sich in jeder Hinsicht streng an's Original gehalten. — Das erste Wappen dieser Tafel, ist das des römischen Königs. Herr v. Hefner sagt hier: „Der Helmschmuck besteht aus zwei silbernen Hörnern, welche aussen mit rothen Kämmen besteckt sind, vor denen silberne Zweige mit Lindenblättern sich zeigen. Dieser Helmschmuck ist reine Erfindung des Malers, denn zum Schilde des Reiches gehörte in der Wirklichkeit nie ein Helm." Jene eigenthümlich angebrachten Kämme betreffend, hat sich eine erwähnenswerthe Ansicht dahin geltend gemacht, dass sie nichts anderes als Untergrund sein möchten, welche der Künstler wegzunehmen nicht der Mühe werth fand, oder vielleicht aus der Ursache stehen liess, damit die Lindenzweiglein besser abstechen mögen. Bei Bayern findet sich ein ähnlicher Untergrund in der Züricher Rolle in Gestalt einer rothen Scheibe, belegt mit Lindenzweigen. Was aber die zweite Stelle anbelangt, so ist sie wohl nicht richtig, indem zum Reichswappen allerdings Helm und Kleinod gehörte. Nicht nur ist dieses in der Thüringer Chronik des Hermann Rothe beschrieben[3], welches Werk 1400 beendet war und vor mehreren Jahren in Druck erschienen ist, sondern wir finden auch in der Broschüre „Der sächsische Rautenkranz" von Fürst Hohenlohe-Waldenburg pag. 12 und 13, Anmerkung 24 eine Hinweisung auf zwei Quellen, nämlich auf das Donaueschinger Wappenbuch von 1433 und das Grünebergische Wappenbuch von 1483, welche beide das in Rede stehende Kleinod abbilden. Fürst Hohenlohe bringt a. a. O. ein Facsimile aus dem erstgenannten Werk, nebst einer sehr interessanten Bemerkung hinsichtlich der ursprünglichen Gestalt des kaiserlichen Helmschmuckes.

Das dritte Wappen, Spanien. „Jedenfalls sind die Farben irrig angegeben — die Löwen von Leon in 1 und 4 sollten eigentlich roth in Silber sein. —" Dazu ist zu berichtigen, dass der Löwe von Leon im XIII. Jahrhundert immer schwarz erscheint, und erst im XIV. purpurn wird.

Das zehnte Wappen, Hirschberg. „Das Kleinod hat die Gestalt einer Viertelsscheibe, ist mit geschrägten Linien durchzogen, wobei die so gebildeten Rauten noch durch kleine Striche angedeutet sind, welche wohl Federn scheinen könnten." Wir hingegen huldigen einer andern Auffassung, welche, so paradox sie im ersten Augenblick aussieht, sich dennoch als richtig bewährt. Diese Rauten mit den kleinen Federn sind eben nichts anderes als Lindenblätter mit der Andeutung der Mittelrippe. Wenn man die in der Zürcherrolle weiter vorkommenden Wappen, respective ihre Kleinode, wie Beham (Böhmen), Brandenburg, Hennenberg, Landow und Velkirch miteinander vergleicht, so wird man allmälig auf die Wahrheit dieser Behauptung kommen. Bei Böhmen und Brandenburg sind dieselben Figuren sogar notorisch Lindenblätter, wie man sich leicht überzeugen kann. Bei Siebmacher II. 1 und III. 3 erscheint Böheim's Kleinod als Flug, belegt mit 9 Lindenblättern, zu je 2 und 2, zuletzt 1, in deutlicher Zeichnung. Ebendort I. 5, II. 6 Brandenburg, der Flug belegt mit 11 Lindenblättern. Wenn nun dieselben in 4 von den angeführten Wappen der Zürcherrolle derart zusammengeschoben worden sind, dass man ihren Charakter nicht mehr wieder erkennt, so gibt doch die Rolle selbst eine Analyse dieser Behandlungsweise in den Helmzierden von Hennenberg und Landow wo die Lindenblätter zwar in grösster Deutlichkeit, aber schon: wie zum Zusammenschieben in Reihen bereit — stehen[4]. Wer auf diesen Zusammenhang aufmerksam geworden, die betreffenden Wappen in der Rolle genau betrachtet, für den ergibt sich die Richtigkeit unserer Auseinandersetzung mit voller Evidenz.

Seite 7, Taf. 4, Wappen des Grafen Albrecht von Hals. „Die herabhängenden Bänder dürften eine ursprüngliche Andeutung der späteren Helmdecken sein." Diese Bänder, welche aus dem Inneren des Helmes herabhängen, dienten blos zum Aufbinden des Kübelhelmes.

Seite 19, Taf. 17. Wappen des Herzogs Wilhelm von Jülich und Berg. Statt „mit Herzschild: Ravenstein" muss es heissen „Ravensberg".

Seite 23, Taf. 22. Wappen des Jacobus Sauerzapff. Ein gleiches Versehen des Druckers. Statt „einer aus dem hintern Obereck kommenden rothgewaffneten — Vogelkralle" muss es heissen: „rothen silberngewaffneten" etc.

Seite 31, Taf. 31. Wappen des Infanten Philipp von Spanien. „2 und 3 mit einem von Flandern und Tirol gespaltenen Mittelschild belegt" —. Spaniens Herrscher trugen schon im XIII., ja sogar im XII. Jahrhundert diesen Herzschild, nur dass die Farben schwankten; man sieht ihn an einem Thor des Kreuzganges im Dom zu Toledo, in der Capilla major bei den Grabmonumenten der alten Könige, und an Schwertern und in Manuscripten jener Zeit. Der Adler, theils eintheils zweiköpfig dargestellt, erscheint wegen Toledo, der Löwe vielleicht wegen Alt-Leon, der Herrschaft Alonso's des Eroberers, welcher Toledo von den Mauren gewann.

Seite 33, Taf. 34. Enthält acht Wappen der Konstanzerrolle. Siebentes Wappen: Magugg. Sollte hinsicht-

[2] Wer erinnert sich da nicht auch an den Fall zwischen Marc Vulson de la Colombière und dem Jesuiten Sylvester a Petra-Sancta?

[3] Vide meine Besprechung: „Die Wappenrolle von Zürich" im Mai-Juniheft 1866 der „Mittheilungen" pag. LII.

[4] Ein gleiches derartiges Helmkleinod der Herren von Öttingen u. d. a. 3100 bringt D. v. Hefner in seinem Handbuch der Heraldik I, pag. 125, Taf. XXVI, Fig. 1187.

lich des originellen Kleinodes nicht etwa eine Anspielung auf den Riesen Magog (welcher nebst Gog eine so bedeutende Rolle im Mittelalter spielte), um ein Namenwappen zu erzielen möglich sein?

Seite 38, Taf. 42. Wappen des Bischofs Heinrich von Augsburg. „Die Anordnung des Ganzen ist also eine tadellose nach heraldischen Principien." Das auf dem Oberrand des Schildes schwebende Kissen mit der Infel ist streng genommen, gegen die Natur der Sache, und möchte denn doch nicht als tadellos anzuempfehlen sein.

Seite 40, Taf. 44 bringt sechzehn Wappen von Nürnberger-Geschlechtern, entnommen einem im Besitze des Herrn Dr. von Hefner befindlichen Nürnberger-Wappenbuche.

Seite 40, Taf. 45, bringt 3 Muster in der Stammbuch-Manier des XVII. Jahrhunderts.

Seite 43, Taf. 48. Den Schluss macht ein Entwurf zum Wappen Ihrer Majestät, der Kaiserin Elisabeth.

So viel über den Text der Musterrolle; nun ein Wort über die 48 Tafeln.

Der Grund eines grossen Theils der Tafeln, auf welchem dann die Wappen erscheinen, ist färbig, braun, grau, blau, gelb, violett, roth, schwarz, grün; oder auch heraldischer Damast in den verschiedensten Formen, übers Kreuz geschrägt und mit Lilien belegt, gestreift, arabeskenartig damascirt, mit Blättern bestreut; mitunter auch noch bestimmter ausgesprochen; Tapetenform wie Marbanger, oder Teppichform wie Montagu; der Rest einfach weiss. Die Wappen selbst zeigen alle Grössen, vom Welfischen Löwen auf dem 1. Blatt, welcher mit seinem Schild die ganze Tafel ausfüllt, bis zu den Mustern aus der Zürcherwappenrolle, oder zur Tafel 44, wo 16 Wappen von Nürnberger Patriciern auf einem Blatt vorgestellt sind. Wie schon angegeben, sind alle Formen und Stylarten, von der ältesten heraldischen Zeit an bis auf unsere Tage, vertreten. Eine lebendige Nationalcharakteristik gibt das Werk durch Vorführung von Wappen der verschiedenen Völker, unter denen natürlich die Deutschen am meisten berücksichtigt sind; die englische Heraldik ist mit 3 Blättern, die französische mit 2, die portugiesische mit 1, die spanische mit 2, die italienische mit 3 Blättern repräsentirt. Allerdings würde die Musterrolle noch vollständiger geworden sein, wenn die Anzahl der Blätter doppelt so gross wäre, und dabei die fremden Nationen noch mehr bedacht worden wären, allein dann hätte das Buch nothwendigerweise auch noch einmal so kostspielig werden müssen, und hätte somit auch weniger Verbreitung finden können.

Die Anforderungen, welche man an den Farbendruck überhaupt stellt, sind Reinheit, Deutlichkeit, Farbenfrische und richtige Schattirung. Wir bekräftigen nun sehr gern, dass die Ausführung der tadellosen Zeichnungen eine sehr gelungene ist, und dass, wie der Herr Herausgeber im Vorwort selbst sagt: „im heraldischen Farbendruck etwas ähnliches bisher noch nicht erschienen war", weil die im heraldischen Farbendruck bisher veröffentlichten Werke nicht beanspruchen, Muster aller Zeiten und Nationen zu liefern. Wenn aber z. B. die bayerische Zeitung findet „dass der Farbendruck hiemit das schönste geleistet hat, was er zu leisten vermag", so müssen wir dagegen protestiren. Dr. von Hefner bemerkt selbst, dass einige Blätter nicht ganz so ausgefallen sind, wie er es gewünscht hätte. Dies bezieht sich hauptsächlich auf die bei mehreren Blättern mangelnde Farbenfrische; in dem uns vorliegenden Exemplar (denn im Farbendruck fallen häufig die Blätter eines Werkes nicht in allen Exemplaren ganz gleich aus), so sind beispielsweise Taf. 6, 9, 18, 20, 22, 26, 33, 38, 43 von sehr mattem Farbenton. Indessen dürfte die Schuld nicht in der Arbeit, sondern einzig und allein in der Wahl des Materials, nemlich der Farbenstoffe, zu suchen sein. Würden zu diesen Arbeiten brennendere edlere Farben genommen, so würde allerdings kaum mehr etwas zu wünschen übrig bleiben. Wer sich überzeugen will, dass dies nicht etwa gesagt wird, nur um zu tadeln, der vergleiche die betreffende Tafel der „Musterrolle" mit der corespondirenden der Zürcherrolle", oder mit dem Farbendruck in Dr. Rit. v. Mayer's „Heraldischem ABC Buch", und er wird den Unterschied wahrnehmen. Wir müssen hier erklären, dass wir nicht die mindeste Ursache haben, der Partisanenträger des oben genannten Herrn zu sein, aber der Wahrheit gebührt die Ehre. Die besten Tafeln sind folgende: 14, 15, 19, 21, 24, 30, 32, 35, 36, 41, 42, 44, 46, 47, 48. Vorzüglich hingegen ist fast durchgehends die richtige Schattirung.

Schliesslich müssen wir es noch aussprechen, dass, von den gemachten Einwürfen abgesehen, das „Original-Musterbuch" eine sehr anerkennenswerthe und brauchbare Gabe ist, und dass wir mit Vergnügen die Herausgabe des von Dr. von Hefner versprochenen Fuggerischen Wappenbuches der italienischen Geschlechter erwarten, welches, wenn noch feinere frischere Farben dazu verwendet werden, gewiss alle Anforderungen vollkommen befriedigen dürfte; so wie wir es andererseits bedauern, dass Herr von Hefner sich nicht zur Herausgabe des Grüneberg'schen Wappenbuches oder der Konstanzer Wappenrolle in Farbendruck entschliesst, und dadurch den Fachmännern die ältesten heraldischen Quellenwerke zugänglich macht.

Endlich gelangen wir zu dem neuesten erschienenen Werke, welches eigentlich Adelsgeschichte behandelt. Es ist dies „Des denkwürdigen und nützlichen Bayerischen Antiquarius Erste Abtheilung: Adelicher Antiquarius, welcher in unpartheischer und angenehmer Weise erzählt vom hohen und niederigen, grossen und kleinen, alten und neuen Adel im Königreich Bayern und den angrenzenden Ländern. Insbesondere vom wahren Ursprung vieler ehrlicher Geschlechter des Herren-Land-Stadt-Hof-und Beamten-Adels, von Erziehung, Sitten und Gebräuchen, Tournieren, Fehden und Reiterei, Wallfahrten, Ritterschaft und Orden, von Helden und anderen Thaten, von Schlössern, Häusern, Residenzen, von Festlichkeiten und noblen Passionen, endlich auch vom adelichen Frauenzimmer, Liebes-Avantüren und was dazu gehört. Aus unverwerflichen Urkunden gearbeitet und herausgegeben von Otto Titan von Hefner. Erster Band: Der grosse Adel. (Mit einem Tondruck: Hans Hefner in München). München. Heraldisches Institut, 1866".

Ein in jeder Beziehung höchst originelles Buch, werth von allen Freunden der Adelsgeschichte gelesen zu werden, dessen eigenthümlichen altdeutschen Titel so recht eigentlich den Inhalt und die Form desselben angibt. Herr von Hefner fasste den Plan, ein Werk zu veröffentlichen, welches er sehr glücklich: „Bayerischer Antiquarius" nennt, und welches in vier Abtheilungen zerfallen soll, nemlich in einen adelichen, geistlichen, bürgerlichen und reisenden Antiquarius, wovon jede wieder in 3 Bänden erscheinen wird. Der Herr Verfasser hat mit dem erstgenannten den Anfang gemacht, dessen erster vorliegender Band den „grossen Adel“ behandelt; die beiden nächsten Bände werden den „kleinen Adel“ und die „adelichen Passionen“ bringen. Dem nun vollendeten Bande „der grosse Adel“ ist ein Tondruck „Hans Hefner zu München“ beigegeben, und haben wir durch die dem II. Theile des „Handbuches der Heraldik“ vorgebundene Photographie die Bekanntschaft der Persönlichkeit des Autors gemacht, so lernen wir durch jene Illustration nun seine Behausung kennen. Dann finden wir eine Vorbemerkung, datirt vom März 1866, und ein Vorwort (besser „Schlusswort“), welches mit dem letzten, fünften Heft erschien, datirt vom 24. Oktober 1866. Die Art der Paginirung erheischt nun, dass man das später geschriebene Vorwort vor der früher abgefassten Vorbemerkung binden lassen muss, was, da der Inhalt auf die Zeitverhältnisse Bezug nimmt, ein kleiner Übelstand ist.

Der Inhalt selbst scheidet sich in die Einleitung, und in die Besprechung jener Familien, deren Häupter die erbliche Reichsrathswürde in Bayern besitzen.

Die Einleitung ist nun allerdings in hohem Grade interessant, und wir werden uns erlauben, sogleich näheres darüber zu berichten. Aber wir müssen dem Herrn Verfasser vollkommen beipflichten, wenn er sagt, dass sie ihm durchaus Nebensache war und er das Hauptgewicht auf die Bearbeitung der Familien legt. Die Einleitung zu einer Schrift als Hauptsache betrachten, ist ja ganz unlogisch, und im übrigen geben wir Herrn von Hefner sehr Recht, wenn er glaubt, dass die Voraussetzungen, welche verschiedene Recensionen ihm gemacht haben, sich nicht bewähren werden; es stünde wahrhaftig noch trauriger um unser deutsches Vaterland, wenn Meinungen, welche die ganze gebildete Mehrzahl der Nation theilt, in einer immerhin noch genug gemässigten Weise ausgesprochen, Privatverfolgungen und Kirchenbann herbeiführen würden. Wir leben eben nicht mehr im Mittelalter. Und endlich hinsichtlich der, hie und da vielleicht Manchen nicht ganz liebsamen alten Geschichten welche Herr von Hefner im Verlauf des Buches erzählt ist zu berücksichtigen, dass wir ja in einem Zeitalter der Öffentlichkeit stehen.

Diese Einleitung also soll, nach der Absicht des Autors, den späteren Generationen eine Idee von dem Zustande geben, in welchem wir uns gegenwärtig befinden, und von der Zeit, in der wir leben. Man hat in dieser Richtung einwenden wollen, dass das, was hier geboten wird, für eine allgemeine Andeutung fast zu viel, für eine ausführliche Betrachtung aber jedenfalls zu wenig sei. Wir dagegen glauben, dass derjenige, welcher einerseits den Zweck des Verfassers nicht übersieht, der nicht den Plan hatte, eine complette Culturgeschichte unserer Tage zu liefern, andererseits erwägt, welche Schwierigkeiten einer weitläufigen Behandlung solcher Gegenstände in solcher Weise entgegenstehen, sich mit dem Mass völlig einverstanden erklären muss, welches hier eingehalten worden ist.

Zunächst wird von den veralteten Unzukömmlichkeiten in Staatseinrichtungen, und in der bürgerlichen Gesellschaft, welche leider noch heutzutage Geltung haben, gesprochen. Es wird über die Gesetze gegen Schuldner disentirt, ferner über die Todesstrafe, die allgemeine Volksbildung so wie über noch manche anderweitige und interessante Dinge gesprochen; dann wird über die gewerblichen Zustände gehandelt, über Gewerbefreiheit, die Bauernschaft, über den altbayerischen Bauer und über den Pfälzer; über den Bürgerstand, die stehenden Heere: über das baierische Regierungssystem, den Rechtszustand, die Gehalte der Angestellten, hauptsächlich der Volksschullehrer, über die Beamtenwelt und den Büreaukratismus, über Post und Polizei, Censur und Minister.

Dann geht der Antiquarius nach einem kurzen Excurse über die Aufhebung der Adelsvorrechte in Bayern, die Privilegien des Bürgerstandes und die Reichsrathskammer, auf die Darstellung der einzelnen reichsräthlichen Geschlechter über, welche in alphabetischer Ordnung auf einander folgen; es sind ihrer sechsunddreissig; den Reigen eröffnen die Grafen von und zu Arco, genannt Bogen, und beschliessen die Freiherrn von Würtzburg. Wiewohl Dr. von Hefner sich bei der Behandlung der einzelnen Artikel an kein bestimmtes Schema, noch an eine gewisse Menge des Stoffes gebunden hat, so sind doch überall Titel, Besitzungen, Wappen, Religion, Linien, hervorragende Persönlichkeiten und merkwürdige Begebenheiten zu finden. Dass, was die beiden letzten Punkte angeht, nicht nur, wie gewöhnlich, das Schöne und Löbliche gesagt ist, sondern auch so mancher Zug und so manche Historie im satyrischen Ton eingewebt ward, welche des Ehrenspiegels Kehrseite zeigt, bildet eben den wesentlichen Unterschied und das Charakteristische dieses Buches vor andern Adelschroniken, nicht minder als die Zwangslosigkeit, mit der die Auswahl des Stoffes und seine Gestaltung vorgenommen wurde. Übrigens darf man sich nicht vorstellen, als ob dabei Sagen und Märchenhaftes mitunterliefe; es sind eben nach Willkühr gewählte, historische, wenn auch mitunter wenig bekannte Thatsachen. Bei mehreren Familien ist der Ursprung einer besonders sorgfältigen und kritischen Untersuchung unterzogen, und viele höchst schätzenswerthe Berichtigungen und Aufschlüsse beigebracht. Dr. von Hefner unterscheidet zwischen speciell hohem und grossem Adel im allgemeinen, und zwar nennt er hohen Adel nur jene Häuser, welchen vor Auflösung des römisch-deutschen Reiches die Souveränität und Reichsunmittelbarkeit direct zustand; zum grossen Adel im allgemeinen rechnet er auch jene, denen zwar die Eigenschaften des hohen Adels absolut fehlen, welche aber durch grösseren fideicommittirten Grundbesitz sich zur Reichsrathswürde emporgeschwungen haben. Darum hat der Autor die 16 Familien des hohen bayerischen Adels und die 20 blos reichräthlichen unter der gemeinsamen Bezeichnung „grosser Adel“ zusammengefasst. Indem nun in die Geschichte dieser sechsunddreisig Nachrichten über viele andere Geschlechter, sowie über historische und culturhistorische Einzelnheiten verwoben sind, so muss allerdings anerkannt werden, dass ein gutes Stück deutscher Bildungsgeschichte in diesen Schilderungen enthalten ist. Der Styl des Buches ist anziehend und pikant, häufig satyrisch, und nach unserem Geschmack dürfte wohl kaum ein Werk der Neuzeit den Titel „Antiquarius“ mit mehr Recht führen, als dieses. Auf jeder Pagina ist oben der Seiteninhalt angegeben, welcher jedoch noch weit handsamer wäre, wenn man immer auch den Namen des in Rede stehenden Hauses beigefügt hätte. Dem Bande ist ein Register angehängt, worin die Namen der Familien durch stärkeren Druck von den Orten und Sachen unterschieden sind. Wegen der adoptirten „Wortschreibung", welche dem Herrn Verfasser durchaus eigenthümlich angehört und bei ihrer Sonderbarkeit das übrige dazu beiträgt, dem „Adelichen Antiquarius" für den ersten Blick ein altes Ansehen zu verleihen, haben wir nur einzuwenden, dass, wenn schon alle überflüssigen Buchstaben, wie Dr. von Hefner sagt, weggelassen wurden, sich dieses Princip nicht blos auf Weglassung aller Dehnungs - „h" und die Verwandlung aller „äu" in „äü" und „tz" in einfaches „z" hätte beschränken sollen, sondern logisch gleicherweise auch die stummen „e" und „e" ausgeworfen werden mussten. — Es steht wohl zu erwarten, dass der Herr Herausgeber nach dem Erscheinen des 3. Bandes, respective der Beendigung des „Adelichen Antiquarius" auch ein passendes Gesammttitelblatt hinzufügen werde.

Ernst Edler v. Franzenshuld.

Les monuments de Pise au moyen âge.

Par Georges Rohault de Fleury. Paris 1866. 8. Avec Atlas in Fol.

Das Studium alter Denkmale trüge wenig Genugthuung in sich, wenn es nicht dazu diente, Erfahrungen auf die Neuzeit zu übertragen und auf die Kunstproducte unserer Tage Einfluss zu nehmen. Demselben Studium verdanken wir auch die Bestätigung des Satzes, dass das eigentliche Leben und das eigentliche Erblühen der Künste nur dem Streben nach einem gewissen Ideal entquelle, während das blinde Nachahmen des gemein Natürlichen stets ihren Verfall herbeiführt. Auf jene Weise entstanden die Tempel Griechenlands und die göttlichen Gestalten des Phidias, so wie die wundervollen Madonnen des Raphael Sanzio, während der Untergang der Künste im antiken Rom wie im mittelalterlichen Italien durch das bequeme Nachtreten in bereits gewöhnlich gewordene Formen herbeigeführt wurde.

Dieses ist ungefähr das Princip, von welchem der Verfasser ausgeht, um die Denkmale von Pisa zu reihen und zu beurtheilen, und wir denken, es sei ein vollkommen richtiges; denn nur das, was den Geist erhebt, was Gedanken erregt, kann dem Aufschwung der Kunst Nahrung geben. Der Verfasser stellt daher auch den Satz auf, dass drei Bedingnisse für das Aufsteigen der Künste unumgänglich nothwendig seien, nämlich der religiöse Glaube, die getreue künstlerische Überlieferung und die geistige Freiheit.

Der Verfasser geht sodann auf die Baustyle über, welche durch Pisa's Denkmale vertreten werden, nämlich der lombardische, der romanische und der gothische. Es wurde früher mannigfach bezweifelt, ob es in der That einen lombardischen Styl gebe oder geben könne, da die Longobarden, welche im VI. Jahrhundert in Italien einbrachen, keineswegs jene Bildung mit sich brachten, welche zur Errichtung von grossartigen Gebäuden unbedingt nöthig war. Indessen fanden San-Quintino und Sacchi, beide anerkannt tüchtige Archäologen, in dem Archive von Lucca Belege dafür, dass die Kirche San Frediano und die Kirche San Michele in der Epoche der Lombarden entstanden. Es darf aber hierbei nicht vergessen werden, dass dieser sogenannte lombardische Styl nichts anderes war als eine ziemlich einfache Umgestaltung der antiken römischen Bauweise.

Was den romanischen Styl betrifft, erwähnt der Verfasser, dass Constantin der Grosse die Künste des alten Roms gewissermassen zwangsweise in Byzanz einführte und dass sie sich dort durch die Berührung mit Asien nothwendig und in kurzer Zeit umgestalten mussten, was sich vollkommen durch die Kuppeln der Sophienkirche darstellte, die sich mit der Bauweise der Basiliken durchaus nicht vereinbaren lassen. Aber die neue Bauart gefiel und fasste sogleich an der Ostküste von Italien festen Fuss, wie die Kirche zu San Vitale und die St. Marcuskirche in Venedig bezeugen. Nicht minder aber als der romanische, übte auch der arabische oder maurische Baustyl seinen Einfluss auf mehrere Baudenkmale von Pisa. War doch schon gegen Ende des VIII. Jahrhunderts die bewunderungswürdige Moschee zu Cordova erbaut und bis zum Ende des eilften Jahrhunderts finden wir in Sicilien die Moschee von Ziza, das Castell Ziza, die Bäder von Celafa, den königlichen Palast zu Palermo u. s. w. errichtet. Es wird also keine Verwunderung erregen, wenn die handelsthätigen Pisaner auch diesen Styl mit in ihre Heimat brachten. Es kann daher kaum eine Stadt Italiens geben, in welcher das Studium der verschiedenen Baustyle mit grösserem Erfolg getrieben werden könnte als in Pisa.

So findet man aus der Zeit der Cäsaren das Sudarium des Nero und die Reste mehrer Thermen, sowie der porta aurea und der porta marina und einige Überbleibsel des antiken Hafens. Aus der romanischen Epoche stammt der Dom, welcher an der Stelle der ehemaligen Thermen des Hadrian errichtet wurde, wo schon im vierten Jahrhundert eine kleine Kirche, nämlich Santa Reparata in Palude erbaut worden war. Der Grundstein zu dem Dom wurde im Jahre 1063 gelegt und Buschetto von Dulichio war der Baumeister, welchem in den letzten Jahren des eilften Jahrhunderts ein gewisser Rainaldo folgte, der den Bau im Jahre 1100 vollendete. Der Campanile wurde aber um mehr als siebenzig Jahre später erbaut. Die Venezianer hatten den Campanile von San Marco im Jahre 1155 von ihrem heimischen Architekten Buono erbauen lassen und die Pisaner wollten nun einen noch prächtigeren errichten, und übertrugen diese Aufgabe dem Buonanno. Der Grundstein wurde im Jahre 1174 gelegt und der Thurm erhielt eine Höhe von 54 Mètres.

In denselben Zeitraum fallen auch mehrere Theile der Befestigungen von Pisa u. a., die Porta al leone, die torre Guelfa, die Festung della verruca und einzelne Wohnhäuser, z. B. jenes in der via S. Maria, sowie die Brücke della Spina vom Jahre 1128. In die Zeit des Anfanges des gothischen Styles fallen die Kirche di San. Niccolo und die Capelle des Campo Santo.

Nachdem der umsichtige Autor alle die Werke der Architektur besprach, kommt er in seiner zweiten Abtheilung auf die plastischen Werke und in der dritten auf die Malereien zu Pisa. Nach seiner Ansicht entstand die Sculptur durch die Hieroglyphen, in welche man nach und nach menschliche Figuren brachte. Wenn diese Ansicht auch nicht wirklich historisch erwiesen ist so hat sie doch manches für sich und man könnte dann annehmen, das aus dem egyptischen „Relief en creux“ (erhaben-vertiefte Arbeit, so dass die höchsten Punkte der Figur in der gleichen Höhe der Steinfläche liegen) das Basrelief, und aus diesem, besonders bei Pfeilerstatuen, Telamonen u. s. f. das Hautrelief, und dass erst aus diesem letzteren die freie Statue hervorgegangen sein dürfte.

Auf dem Campo Santo zu Pisa befindet sich ein Fries aus dem IX. Jahrhundert, auf welchem in halb erhabener Arbeit die Geschichte des heiligen Sylvester und die Taufe Constantin's dargestellt sind, und mehrere Medaillons aus der byzantinischen Epoche, aus welcher auch ein Basrelief mit dem Erlöser stammt. Dieses Bildwerk trägt die Schrift:

„Bonus Amicus opus quod videtis fecit, pro eo orate“, und bringt uns somit den Namen des Künstlers. Ferner zeigt sich auf dem Campo Santo ein Greif aus Bronze, der einst auf dem Dachfirst des Domes gestanden haben soll und, wie der Verfasser meint, ein besonderes Studium verdiente, indem sich im Museum des Louvre ein Vogel aus Bronce befindet, der eine sicilisch-arabische Arbeit ist und eine grosse Ähnlichkeit in der Behandlung mit jenem Greifen zeigt, — des weiteren sind die Sculpturen am Dom, das Tabernakel auf dem Campo Santo, das Tabernaculo della Spina, von Giovanni da Pisa, u. m. A. angeführt.

Im Eingange zur dritten Abtheilung findet sich folgende Stelle, die wir ihrer Eigenthümlichkeit wegen wörtlich wiedergeben wollen. „Die Architectur ist die Kunst der Göttlichkeit, die Plastik die Kunst der Heroen und der Heiligen; und die Malerei die des Menschen, der sich darin wie im Spiegel wiedergegeben findet. Gott, die Heiligen und der Mensch bilden die Grade der Erhabenheit der Kunst, deren Stirne im Himmel ist, während ihre Füsse sich auf die Natur stützen.“

Aus diesen tönenden Worten geht hervor, dass der Autor mehr Architekt als Maler ist, denn mit gleichem Rechte könnte dieser sagen, die Architectur sei die Kunst der Massen, die Sculptur die Kunst der Form, und die Malerei die Kunst des Geistes, da sie am wenigsten mit „Materie“ zu schaffen habe und sich in einem Madonnabild von Raphael gewiss weit mehr Göttliches zeigt, als in einer Pyramide oder in jener ungeheuren Mauer, welche ein ganzes Reich von der übrigen Welt abscheidet. Richtiger erscheint die Ansicht, dass die Malerei ihren Ursprung in den Missalen finde, allein gab es nicht schon früher als jene kleinen Miniaturen, die grossen, ja riesenhaften Mosaiken in den Tribünen der ältesten christlichen Kirchen?

Die älteste byzantinische Malerei zu Pisa ist eine Madonna, genannt „la Madonna di sotto gli organi“, weil das Bild an einem Pfeiler unter der Orgel aufgehängt war. Der Ursprung desselben ist unbekannt, man weiss nur dass es im Jahre 1220 von einigen Soldaten, die aus dem Gebiete von Lucca flüchten mussten, aus dem Schlosse de' Lombrici nach dem Dom zu Pisa gebracht wurde, wo es, um die Heiligkeit desselben zu erhöhen, stets von einem Schleier überdeckt blieb, der nur momentan in den Jahren 1789 und 1846 gelüftet wurde. Wir bedauern, dass es dem Verfasser nicht gelang, eine Abbildung dieses höchst merkwürdigen Gemäldes zu geben, denn die Beschreibung desselben

(nach Morrona's „Pisa illustrata“) ist durchaus nicht zureichend.

Zu den älteren pisanischen Malereien zählen die decorativen Fresken in den Bogenfeldern der Krypta von S. Michele in Borgo, und als älteste Maler werden genannt:

Giunta, der von griechischen Meistern lernte und im Jahre 1210 zu Pisa, und um 1236 zu Assisi arbeitete. Ferner

Apollino, der in der Mitte des XIII. Jahrhunderts von Venedig nach Toscana kam und dem eine Kreuzigung Christi auf dem Campo Santo zu Pisa zugeschrieben wird; und endlich Cimabue (1240), der im Kloster San Francesco und in der Kirche San Paolo in Pisa arbeitete.

Den Schluss des Buches bildet eine Reihe von Andeutungen über die Meister, welche in dem weltberühmten Campo Santo zu Pisa malten, nämlich: Giotto, Buffalmacco (1263 — 1340), Pietro di Puccio von Orvieto, Simon Memmi (1300—1344), Antonio Veneziano, Andrea Orcagna (1320—1389), Bernardo Orcagna und Benozzo Gozzoli. Haben wir nun das Buch mit Vergnügen durchwandert, so wollen wir auch den beigegebenen Atlas, welcher aus sechsundsechzig Tafeln besteht, noch einige Zeilen widmen. Er wird durch einen Plan von Pisa eröffnet, auf welchem alle wichtigen Baudenkmale durch eine dunklere Färbung hervorgehoben sind. Dann folgen die Bauten aus der lombardischen Epoche, nämlich die Kirchen San Paolo, San Casciano, San Pietro a Grado und San Frediano. Hierauf erscheinen die Bauwerke aus der romanischen Periode, und zwar die Cathedrale Santa Agata, die Kirche Santo Sepolcro, das Baptisterium und der Campanile des Domes.

Aus der gothischen Periode finden wir den Palazzo Gambacorne, die casa del borgo, den geschmackvollen Palazzo di Brique, die Kirche San Michele in Orticaia, San Pietro in Vincoli, San Niccolò, Santa Catarina, Chiesa de la Spina, San Michele in Borgo und das Campo Santo. Die Tafeln sind mit ebenso grosser Sorgfalt als Einfachheit gestochen und einzelne derselben könnten wirklich als Vorbilder zu architectonischen Platten dienen. Endlich sei noch bemerkt, dass Pisa ausser dem altbekannten schief gebauten Campanile des Domes noch zwei schiefe Thürme hat, und zwar den der Kirche San Michele in Orticaia und jenen der Kirche San Nicolò, woraus hervorzugehen scheint, dass man in jener Zeit wirklich etwas darein setzen mochte, schiefstehende Bauten auszuführen, und dass die nicht senkrechte Richtung derselben keineswegs von einer zufälligen Senkung des Bodens oder der Grundfeste herrühre.

— ry —

Zur Waffenkunde des ältern deutschen Mittelalters.

Von A. Schulz (pseudo San Marte). In der Bibliothek der gesammten deutschen National-Literatur, zweite Abtheilung vierter Band, Quedlinburg und Leipzig 1867. 8°.

Wenn Europa auch mannigfache Waffensammlungen besitzt, von denen wir im ersten Anlauf nur jene zu Paris, zu Madrid, zu Dresden und die Ambraser Sammlung, so wie jene des k. k. Arsenals in Wien aufführen wollen, so gehören doch die meisten Gegenstände derselben erst späteren Zeiten an und es gibt selbst in England nur wenige Sammlungen in denen sich Objecte vorfinden, welche bis zur Mitte des XIII. Jahrhunderts hinaufreichen. Es ist daher sehr schwierig, ja vielleicht unmöglich, eine vollständige Reihe der Bewaffnung vom XVI. Jahrhundert aufwärts bis zum XIII., durch noch vorhandene Objecte nachzuweisen. Der Verfasser, ganz besonders vertraut mit der mittelhochdeutschen Literatur, fasste nun den achtungswerthen Entschluss, die dastehenden Lücken mindestens einerseits dadurch auszufüllen, dass er jene Dichter des Mittelalters, welche vorzüglich von Kämpfen und Waffen sangen, durchforschte und alle jene Stellen, welche auf das Kriegerwesen Bezug hatten, sorgfältig zusammen stellte. Er theilte sein Werk in zwei Abtheilungen, von denen die erste die Bewaffnung überhaupt und die zweite das Befestigungs-, Schiffs- und Heereswesen in sich fasst. Die erstere trennt sich wieder von selbst in die Partien über die Schutzwaffen, die Angriffswaffen und die besondere Bewaffnung der Pferde.

Zur Beschützung des Leibes hatten die Krieger entweder die Ringe oder den Stahlrock (Zipo, tunica ahena), dann die Brünne (lorica, zaba), ferner den Halspere, (hauber, lorica hamata) und endlich die Troie (das Kettenwamms). Zur Bekleidung der Füsse dienten Isenhosen (caliga), Beinberge (ocreae), Iserkolzen (calçon), Lederschuhe die über die Eisenschuhe getragen wurden, dann das Schinelier (genouillier) oder Knieschutz, ferner der Lendenier oder Senftenier, die Hosenbefestigung und endlich der Sporn.

Zur Verstärkung der Ringpanzer kamen dann die Platen (lamina), der Panzier (Bauchwehre), die Armizen (der Armschutz), der Cüriz (Kürass), die Crevisse oder Krebse, die Jope (tunica brevis), das Haberjoel (lorica minor), der Spaldenier (Schulterschutz) und der Collier oder die Halsbedeckung.

Den Kopf bedeckte der Helm, der entweder das Nasal, das Fenster (ventaille), oder ein Visier trug und mittelst des Helmbandes auf- oder abgebunden wurde. Die einzelnen Theile des Helmes waren das Barbier (barbula) zum Schutz der Wangen und des Kinns, das Haersenier oder der Schirm unter dem Helme, die Gupfe, ein wattirter Schutz des Oberhauptes der noch unter dem Haersenier getragen wurde. Oben auf dem Helme trug man den Helmschmuck oder das Zimier, von welchem die Helmdecken (lambrequins) herabwallten. — Zur Bedeckung der Hände dienten Handschuhe (Chirothecae) die entweder aus Panzerringen bestanden oder aus kleinen Platten „gefingert" waren u. s. w. Es wäre sehr angenehm und lehrreich sich hier in den übrigen Einzelheiten der kriegerischen Bewaffnung zu ergehen, da wir es aber in diesen Blättern hauptsächlich mit Bauwerken zu thun haben, finden wir uns bewogen die Abhandlung über die Burgen und die Städte besonders in das Auge zu fassen.

Jenes Gebäude, in welchem der Fürst oder der Adelige seinen bleibenden Wohnsitz hatte, wurde in alten Tagen ganz einfach das hûs genannt, wenn man daher gewisse Striche oder selbst Ackerstrecken noch jetzt mit den Namen Haus-berg, Haus-acker oder Hausbreite bezeichnet findet, so darf man ziemlich sicher annehmen, dass hier in der Nähe einst ein Schloss stand, zu welchem dieser Berg oder jene Breite gehörte, und die mittelhochdeutschen Dichter verstehen unter dem Worte hûs sogar einen königlichen Wohnsitz, so stand zu Karidal das „Haus" des Königs Arthus. Dass diese Häuser oder Burgen nur an jenen Stellen angelegt wurden, wo sie eben so gut die Gegend beherrschten, als zugleich möglichst unangreifbar waren, geht aus dem Zwecke derselben hervor, desshalb mussten auch, wenn sie in der Ebene erbaut wurden, grössere Thürme, tiefe Gräben und Brücken angelegt werden. Den eigentlichen Kern jeder Burg bildeten die wohlbefestigten Wohnräume des Besitzers und seiner stets zahlreichen Dienerschaft. Dieser Mittelpunkt war durch einen Graben und eine Zugbrücke von der Vorburg (vorburc, suburbium) getrennt, welche gleichfalls durch Mauern, Wälle und Thürme befestigt und vertheidigungsfähig war, und stets musste diese genommen sein, bevor man in das Herz der Veste dringen konnte. So heisst es im „Iwein" (4368): *„im was diu vorburc verbrant unz an die burcmûre gar"*. In dieser Vorburg waren die Wohnungen der Reisigen und des Gefolges der Gäste, nebst Vorrathshäusern und Stallungen und den Werkstätten der verschiedenen Handwerker, die in einem grösseren Schlosse unentbehrlich waren. Der von Freunden der Romantik stets so eifrig aufgesuchte Turnierplatz befand sich aber, wegen der Benützung des Raumes zu wichtigeren Dingen, selten in der Burg selbst, sondern wurde meist auf einem in der Nähe gelegenen Anger verlegt, und ebenso war der sogenannte Burggarten entweder gar nicht vorhanden, oder nur auf einige Quadratklafter beschränkt. Nur zuweilen, wenn der Bergabhang sanft war, wurde dieser mit Bäumen bepflanzt und dann der ganze Raum wieder mit Mauern oder Wällen, oder mit einem starken Verhau (der hâg) geschützt. Auch wurde dieser Baumgarten selbst der Hag genannt, z. B. im Perzival: *„alumben berc lac ein hac, des man mit edelen baumen pflac."*

Am Fusse des Burgberges siedelten sich die Hintersassen an, da sie dort von dem Schloss geschützt waren, und der ganze Raum, den die Burg einnahm, hiess der Burgstall. Im „Erec" (7833) wird eine ganze Burg auf folgende Weise beschrieben: *„Vil guot was der burcstal, — — so was er zwelf huoben wît. — Ez waz ein sinweller stein — uf von der erde — entwahsen wol den mangen — den berc het in gevangen — ein burcmur hôch und dic. — ein ritterlicher anblic — ziert das hus innen — Ez rageten für die zinen — türne von quadern grôz — der fuoge nit zesamene slôz — Kein sandic phlaster. — sie waren gebunden vaster — mit isen und mit blie. — je drie unde drie — nahen zesamene gesat — dâ enzwischen was diu stat — gezimbers niht laere — da sazen die burgaere"*.

Neben den Thürmen wurden noch kleinere Thürme gebaut, die aber hoch genug waren, um zu Warten zu dienen und mit Signalglocken versehen waren, sie wurden Perefrit genannt (Altfranz. befroi die Sturmglocke und beffrois der Belagerungsthurm). Solche Perchtride wurden auch oft noch während einer Belagerung erbaut und wenn Eile noth that, sogar nur von Holzwerk.

Den vorzüglichsten Schutz erforderte natürlich das Haupteingangsthor und bei demselben war ein schützender Thurm unerlässlich, der gewöhnlich mit dem Ausdruck „diu wer" genannt ward: *„vil steine kint und* *wip ûf din wêr truoc*". Das innere Thor hiess dagegen „die enge" und in dieser war das Fallgitter oder das „slegetor". Das Schlagethor war *„swaere unde sneit, so sêre isen und bein."* An der anderen Seite der Enge befand sich noch ein zweites Fallgitter, und daher kam es, dass Iwein zwischen den beiden Gittern gefangen war, wie ein Vogel im Käfig. Beide Fallthore hiessen im Jahre 1267: beide porten.

Das Kriegshaus, welches sowohl die Waffenvorräthe als die Wurfmaschinen und anderes Vertheidigungsgerüst enthielt, hiess „das wîchhûs". Es musste besonders fest gebaut sein und zur Selbstvertheidigung dienen. Das „warthûs" endlich war der am höchsten und am freiesten gelegene Thurm der die weiteste Umschau gestattete. Zu Chastel-Merveille befand sich auf demselben die Spiegelsäule, in welcher sich alles abspiegelte, was sechs Meilen in der Runde geschah, wie in Percival erzählt wird.

Die Städte waren von hohen, oft mehrere Fuss dicken Mauern umgeben, bei welchen sich Thürme und Gebäude befanden, die zur Aufstellung der Kriegsmaschinen dienten. War Gewässer in der Nähe, so benützte man auch dieses, denn „mûren, graben und turne" umgaben die Stadt. Um die Hauptmauer der Stadt zog sich ein tiefer Raum, der nach aussen hin ausgemauert war, er hiess das Pareham (Pareham dicitur intervallum inter fossum et fossatum. Vocab. Wratislav). Dieser Parch oder Park (das was man in neuerer Zeit den Zwinger zu nennen pflegt) hatte in der Mitte oder an der Seite des Fossatums einen Graben, der, wenn es möglich war, mit Wasser gefüllt wurde. Da aber die Mauern nicht immer genügten, die Städte zu schützen, so legte man Aussenwerke an, welche mit den Namen „zingel, letze und barbigân" bezeichnet wurden. Bei der Vertheidigung von Bearoche (Percival 376, 6) bauten die Belagerten bei Mondschein „zwelf zingel wite" und „drî barbigân". Sie steckten nämlich die äusserste Umwallung (letze) ab, legten Wälle (zingel) an und liessen drei Ausgänge (barbigân) offen, aus denen die Reiterei hervorbrechen konnte. Übrigens hat das Wort barbacan oder barbicana auch die Bedeutung eines Parapetes oder der Brustwehr, die oben an den Mauern angebracht war, damit die Vertheidiger geschützt hinter derselben stehen konnten.

Die Letze war also die äussere Umwallung der Zingeln und wurde zuweilen nicht nur mit Waffen, sondern auch auf andere Weise vertheidigt, so liessen z. B. die Bürger von Pelrapeir, als sie von Herzog Gippones belagert wurden, Bäume mit Stricken auf und niederrollen um die stürmenden Feinde zurück zu werfen. Der „letzegraben" ist der Graben dieser Aussenwerke. Die Zingeln bildeten die zweite Vertheidigungslinie, ihre Benennung kommt ohne Zweifel von dem lateinischen cingo, cingtum. Die Verhaue jedoch, welche vor den Erd- und Mauerwerken, oder in Hohlwegen u. s. w. angelegt wurden, hiessen *„Hâmît"*. *„da si sider die hâmît stakten, kurz oder wît"*. Die heilige Maria ist ein *„hâmît vor dem êwigen tôde"*.

Die Pallisaden waren ein festes Pfahlwerk aus Baumstämmen, am besten aus viereckig behauenen Eichen. Zu den kleineren feststehenden Werken gehörten auch die Bastiae (von bâtir = bauen), nämlich Bauten von geringer Ausdehnung, welche zum zeitweiligen Aufenthalt von Mannschaft oder zur Aufbewahrung von Waffen oder Früchten u. s. f. dienten.

Zu den nicht feststehenden Vertheidigungswerken gehörten die sogenannten spanischen Reiter, welche schon in der Beschreibung der Kriege Manfred's als „lignea instrumenta triangulata sic artificiose composita, quod de loco ad locum leviter ducebantur et quomodocunque modo revolverentur, semper ex uno capite erecta constabant" (Muratori Rer. Ital. II. 483). Auch gehören hierher die schon erwähnten kleineren Thürme, welche schnell aus Balken und Planken gezimmert und an Flüssen, Felsen, Schleussen und Brücken, zuweilen auch sogar auf den Mauern aufgestellt wurden, wenn diese dick genug waren sie aufzunehmen. Sie wurden mit Pfeilschützen besetzt und mit Wurfmaschinen bewaffnet. So koppelte man bei der Belagerung von Tyrus Schiffe zusammen, überzog sie mit Häuten und errichtete Berchfride darauf, die höher als die Stadtmauern waren: *„Cedirboume si namen — unde lange tünnen — Berefride hiez man spunnen — unde rihti si ûf mit listen — und satzte si zo den vesten"*.

Endlich sei hier noch mit einigen Worten der Antwerke oder Kriegsmaschinen erwähnt, von denen mehrere schon bei den Griechen und Römern in Gebrauch waren, wie z. B. die ballistae, catapultae und arietes. So gebrauchte man Mangen oder Schleudern, welche auf Rädern gingen und einen Schwengel (swenkel) hatten, der gespannt (geseilt) wurde und durch seine Schnellkraft Steine fortschleuderte. Die blide war von ähnlichem Bau wie die Mange, und das triboc so wie die petraria hatten dieselbe Bestimmung. Der tarant hingegen diente zum Einstossen der Mauern. Bohrmaschinen waren der Fuchs, die Schwalbe, das Eselein u. s. f. Die sogenannte Sau (sus ad. scropha), so wie der Maulwurf (talpa) dienten als Schutzwehren für die Minirer. Igel, Katzen und Ebenhoch wurden auf Rädern in die Gräben gebracht, um die Mauern zu brechen oder sie zu ersteigen. Endlich kommt der Verfasser auch auf die Feuerpfeile und auf das noch immer räthselhafte griechische Feuer. So drängt sich in diesem werthvollen Buche Gegenstand auf Gegenstand, man liest mit immer grösserem Eifer fort und thut sich nur ungern Abbruch. Trotzdem steigt aber doch noch ein Wunsch auf, und zwar der, dass diesem Werke Abbildungen beigegeben wären, da sich in Handschriften, auf Grabmalen, Brasses und Siegeln u. s. w. eine Menge von gleichzeitigen Objecten finden liessen, die zu dem fleissigen Text die vortrefflichsten Erläuterungen geben würden. *P.*

c*

Correspondenz.

Über die in Siebenbürgen im Unter-Albenser Comitate aufgefundenen Mosaikböden.

(Mit 1 Holzschnitt.)

Zu Anfang des Septembers im Jahre 1864 wurden in dem Unter-Albenser Comitate zwischen Karlsburg und Márosportó, kaum einige Klafter von der Arad-Karlsburger Eisenbahn entfernt, unter einer beiläufig 1½ Schuh tiefen Anschüttung die Überreste von Mosaikböden aufgefunden, welche darauf hindeuten, dass sich hier einst der Aufenthalt einer angesehenen römischen Familie befunden habe. Diese Mosaiken nehmen einen Raum von mehr als vier Quadratklaftern ein und sind aus weissen, rothen und dunkelblauen Würfeln zusammengesetzt, und zwar bilden die ersteren die grösste und die zweiten die kleinste Anzahl. Der bedeutendste dieser Fussböden mochte im Mittelzimmer des Hauses angebracht gewesen sein; er ist, wie der beiliegende Holzschnitt zeigt, der ungefähr den vierten Theil desselben vorstellt, aus Quadraten zusammengesetzt, zwischen denen in die Länge gezogene Sechsecke angebracht sind.

Ein zweiter Mosaikboden in der Form eines Parallelogramms befand sich wahrscheinlich in einem Nebengemache und zeigt in der einen seiner Abtheilungen das Bild einer Vase, aus rothen Würfeln zusammengesetzt, und in dem zweiten Felde ein Viereck aus weissen und dunkelblauen Mosaikstücken, an dessen Ecken sich kleine Rosetten befinden. Zwischen den Mauerresten und den Fundamenten der Wohnungsbestandtheile gewahrte ich noch einige Rudimente von Mosaikböden, welche sämmtlich die Pavimente schmaler, länglicher Zimmer bildeten, aber zu zerstört waren, um eine Zeichnung davon aufnehmen zu können. Ich untersuchte dann auch die Ziegeltrümmer, die rings umher zerstreut lagen, fand aber auf denselben weder den dacisch-römischen Legionsbuchstaben, noch irgend einen anderen Stempel, woraus ich den Schluss zog, dass dieses Gebäude kein öffentliches oder Staatsgebäude, sondern dass es die Villa oder der Sommeraufenthalt eines wohlhabenden Römers gewesen sein möge.

Leider wurden die Mosaiken sehr bald nach ihrer Auffindung fast gänzlich zerstört, indem die dortigen Anwohner Schätze unter denselben zu finden glaubten und sie deshalb aufgruben, und da nun zuletzt sogar die Mosaiksteinchen fortgeschleppt wurden, fand ich mich

bewogen, mindestens eine Notiz über diesen Fund in den „Mittheilungen" niederzulegen, damit er nicht gänzlich der Vergessenheit verfalle. Zugleich sei noch bemerkt, dass ich zwischen dem Gemäuer Bruchstücke von Gyps, welche vielleicht Figuren angehören mochten, und Stücke von Mörtel fand, welche von den bemalten Wänden herrührten. Das eine derselben war dunkelgelb mit schwarzen Streifen und Punkten, das zweite trug Baumblätter und schwarzgrüne Einfassungen, und ein drittes war granatfärbig mit weissen Doppelstrichen.

Die Villa scheint zu der einstigen Colonialstadt Tarnis[1] gehört zu haben, welche von den Römern zur Zeit der Unterwerfung Daciens Apulum genannt wurde, und von deren Untergang die Geschichtsschreiber bisher nichts bestimmtes anzuführen vermögen.

Adam von Várady de Kéménd.

[1] S. Heue Franz Xaver, Beiträge zur dacischen Geschichte S. 81.

Notizen.

Die Anwendung der Dampfkraft im Alterthum.

Man betrachtet die Benützung der Dampfkraft als eine Erfindung der neuesten Zeit und führt an, dass Cavendish im Jahre 1760 die ersten Versuche über die Elasticität der Dämpfe anstellte und dass Watt vom Jahre 1763—1765 daran arbeitete, die Kraft derselben zweckmässig und im Grossen anzuwenden, bei welcher Beschäftigung ihm auch Foulton hülfreiche Hand bot. Mittlerweile hatte aber schon, und zwar im Jahre 1722, Joseph Emanuel Fischer von Erlach (der Sohn des berühmten Architekten Johann Bernhard Fischer von Erlach), die erste Dampfmaschine oder sogenannte „Feuermaschine" in dem fürstlich schwarzenbergischen Garten zu Wien aufgestellt, welche dazu diente, das Wasser aus den unteren Theilen des Gartens in höher gelegene Teiche hinaufzutreiben. Diese durch Wasserdampf getriebene Maschine hob in einer Stunde 11.880 Eimer zu einer Höhe von 75 Wiener Fuss und war so ausgezeichnet construirt, dass sie durch die einfachste Berührung mit einem Finger, zum Stillestehen gebracht werden konnte[1].

[1] S. „Das merkwürdige Wien" etc. Wien 1717, I., wo die Maschine von Salomon Kleiner abgebildet ist. Der (anonyme) Verfasser des Buches ist

Geht nun schon diese historische Andeutung weiter hinauf als Watt seine Beobachtungen anstellte[2], — so wollen wir einen kühnen Sprung in das Alterthum und zwar in das VI. Jahrhundert (nach Christi) zurückgehen. In dieser Zeit lebte nämlich Agathias, der zu Myrina in Äolien geboren wurde, und, wie sein Vater, ein Rechtsgelehrter war und wegen seiner Gelehrsamkeit den ehrenden Beinahmen „Scholasticus" erhielt. Er kam um das Jahr 554 nach Constantinopel und schrieb dort die Geschichte der Jahre 553—559 aus der Zeit des Kaisers Justinianus[3].

In dem fünften Buche dieses Geschichtswerkes findet sich folgende merkwürdige Stelle:

„Zeno besass ein hohes, schönes, weitläufiges und ganz eigenthümlich geschmücktes Haus, in welchem er nicht nur selbst häufig verweilte, sondern wo er auch seine besten Freunde bei Festmahlen empfing. Zufällig gehörten einige Räume des Erdgeschosses zu dem anstossenden Hause des Anthemius, so dass beide Häuser von einem gemeinschaftlichen Giebel gekrönt und von einem gemeinschaftlichen Dache gedeckt waren."

„Dort stellte Zeno also an verschiedenen Stellen grosse, mit Wasser gefüllte Kessel auf und umgab diese mit Schläuchen, welche den Rand des Kessels genau umspannten und im Aufsteigen immer schmäler wurden, wie der Schaft einer Posaune. Die Enden dieser Schläuche setzte er mit Balken und Brettern in Verbindung und heftete sie sorgfältig an einander, dergestalt, dass die in den Schläuchen befindliche Luft, dem natürlichen Antriebe zufolge, nach oben strömte, und sich bis zu der, ebenfalls mit Leder überzogenen Gibeldecke begeben, aber nicht in das Freie gelangen konnte."

„Nachdem er nun diese Kessel heimlich hin gestellt hatte, machte er unter jedem ein starkes Feuer an. Wie nun das Wasser wallte und aufschäumte, erhob sich ein lebhafter Dampf (vapor multus excitatus), der, da er nirgends einen Ausweg fand, in die Röhren stieg und durch deren Verengerung mit verstärkter Gewalt aufwärts strebte, bis er mit so heftigem Anprall an das Dach drang, dass das ganze Haus erschüttert wurde und die Balken bebten und krachten."

„Die Gäste des Zeno erschracken ob dieser unerwarteten Erscheinung, sie stürzten aus Furcht auf die Strasse und riefen zitternd um Hülfe. Zeno aber begab sich gegen das königliche Schloss und fragte die ihm begegnenden Bekannten, ob sie nichts von dem Erdbeben bemerkt und dabei etwa Schaden genommen hätten."

Der reiche Zeno scheint also eine Art von Spassvogel gewesen zu sein, der es sich ein Stück Geld kosten liess, um seinen Gästen und seinen Nachbarn einigen Schreck einzuflössen, auch mochte die Geschichte Aufsehen genug gemacht haben, sonst hätte sie Agathias gewiss nicht in sein Werk aufgenommen. Sei aber dem wie ihm wolle, das ist nun einmal für den Alterthumsforscher dadurch festgestellt, dass man schon im VI. Jahrhundert die Kraft des eingesperrten Dampfes ziemlich genau kennen musste, denn Zeno würde sein Experiment gewiss nicht so weit getrieben haben, dass sein eigenes „prachtvolles" Haus eingestürzt wäre.

Michael Gottlieb Hautzin, in Folge dieser Maschine im Schwarzenberggarten sollte Fischer von Erlach auch eine ähnliche in Schönbrunn anbringen, wo man das Wasser des Wienflusses bis zum Teiche der Gloriette hinauftreiben wollte, weil dieser sehr selten voll war.

[2] Wer über das Alter der Benützung des Wasserdampfes als bewegende Kraft Studien machen will, der nehme Leupold's „Historia machinarum hydraulicarum" etc. zur Hand, wo er finden wird, dass 1634 in den Bergwerken längst schon die Dampfkraft benützte, bevor Watt seine Versuche machte.

[3] S. Agathiae Scholastici, Historia Justiniani Imperatoris, lib. IX. — Interpretatione Bonaventurae Vulcanii, Lugd. Bat. 1594, I., S. 137 „Domum quandam excelsam habebat Zeno" etc. etc.

Die dreiseitige Brücke zu Croyland.

(Mit einem Holzschnitte).

Der Bau mittelalterlicher Brücken gehört mit zu den interessantesten Objecten des Alterthumsfreundes und es lohnte sich wahrlich die Mühe, eine eigene Abhandlung über diesen Gegenstand zu verfassen[1], wobei man natürlicher Weise ganz Frankreich, Spanien, Italien, Deutschland und die britannischen Inseln zusammenfassen müsste, um ein vollständiges Bild zu gewinnen. Ja selbst eine Karte des westlichen Europa, auf welcher die wichtigsten Brücken verzeichnet würden, wäre sehr lehrreich und gäbe die deutlichste Übersicht sowohl von den bedeutenderen Strassenzügen und Strassenverbindungen, als über die Bewegungen der Heere. Burgen und selbst Kirchen entstanden fast immer durch die Bedürfnisse oder durch den Willen und das Wohlwollen einzelner Persönlichkeiten, während die Brücken stets das Allgemeine betrafen und in jeder Rücksicht die grösste Aufmerksamkeit auf sich lenken mussten, und zwar um so mehr als der Wasserbau stets einen grösseren Aufwand von mechanischen Mitteln forderte, als der Bau auf dem Lande.

Zu den merkwürdigsten, wenn auch nicht zu den grössten Brücken des Mittelalters gehört unstreitig jene von Croyland in Lincolnshire (s. den beistehenden Holzschnitt), denn sie geht über zwei Gewässer zugleich und musste daher von drei Seiten her angelegt werden. Croyland (Cronlandia seu terra cruda) liegt auf einem moorigen, niedrigen Boden und die Strassen in demselben konnten nur dadurch erhalten werden, dass man das Wasser durch Canäle oder sogenannte Wassergänge absonderte, welche, wie Reisende aus dem vorigen Jahrhundert berichten, dem Landstrich eine gewisse Ähnlichkeit mit Venedig verliehen. Auch war die Aufführung der Dämme und Deiche so kostspielig, dass die Weggelder bedeutend erhöht wurden, wesshalb man zu sagen pflegte, dass alle Wagen, die nach Croyland fahren, mit Silber beschlagen sein mussten.

Croyland liegt eine kurze Strecke südlich von Spalding, an dem Flusse Weeland, der sich mit dem von Westen kommenden Neen-River vereint, von wo dann ihre beiderseitigen Fluthen in dem Meerbusen „the Wash" genannt, münden. An der Vereinigungstelle der beiden Flüsse steht nun die seit Jahrhunderten berühmte Brücke, welche von den betreffenden Uferstellen in drei steilen Halbbögen aufsteigt, die sich in der Mitte des Dreieckes berühren und in der Weise an einander lehnen, dass sie mit einander eine Art von Spitzbogen bilden[2]. Jeder der Brückenpfeiler stand, wie ihre älteren Beschreiber berichten, in einem anderen County, auch war sie nur für Fussgänger und für Reiter passirbar.

[1] In Romberg und Faber's sonst in vielen Beziehungen sehr guten Conversations-Lexikon für bildende Kunst ist der Artikel über die Brücken äusserst mager. In Viollet le Duc's vortrefflichem Dictionnaire, T. VII, ist der Artikel „Pont" mehr vom baukünstlerischen Standpunkte aufgenommen.

[2] It is formed upon three [illegible] of a circle, meeting in one point." Dr. Stuckely in his Itinerary. V. Carter, Ancient sculpture etc. in England. London 1838, Fol.

und zwar nicht sowohl wegen der Enge der Brückenbahn, als wegen der Steilheit derselben. Die Wagen mussten daher durch die nächsten besten Furthen fahren. Wenn es wirklich der Fall war, dass dieses Bauwerk in früheren Tagen drei Grafschaften mit einander verband, so scheint man die dreiseitige Anlage nicht nur wegen des bequemeren Überganges, sondern auch deshalb angenommen zu haben, weil dadurch sowohl die Überwachung der Passanten als die Einhebung der Mauth erleichtert wurde, indem ein einzelner Mann auf dem Gipfel der Brücke diese Geschäfte bequem verrichten konnte. Endlich mochte sie bei ihrer Höhe auch als eine Warte in dieser flachen Gegend gedient haben.

Was das Alter der Brücke betrifft, so reicht sie in das XI. Jahrhundert hinauf und soll von Ethelred II., König der Angelsachsen (geb. 968, † 1016), gebaut worden sein, der in fortwährenden Kämpfen mit den Dänen lag, die in räuberischen Absichten unaufhörlich an den englischen Küsten landeten. Noch eine andere Merkwürdigkeit befindet sich auf dem Wege des einen Halbbogens der Brücke, nämlich eine uralte (sitzende) sechs Fuss hohe Statue eines Königs in der Chlamys, der einen grossen Stein in den Armen hält und Veranlassung zu dem Glauben gibt, dass diese Brücke ein königliches Eigen gewesen, und die Mauth in seinem Namen erhoben worden sei. Die englischen Alterthumsforscher sind der Meinung, dass diese sehr ernst aussehende Statue das Bild des Königs Athelbold wäre, was freilich nicht mit der grössten Genauigkeit zu beweisen sein dürfte. Jedenfalls ist es aber vom architektonischen und archäologischen Standpuncte aus interessant, dass man schon in so früher Zeit auf den Gedanken kam, eine dreiseitige Brücke zu errichten.

Die Erbauungszeit der älteren mittelalterlichen Brücken ist überhaupt die des XI. Jahrhunderts und hieher gehört auch die Brücke von Martorel in Catalonien, so wie die bedeckte Brücke in Pavia. Der Brückenbau bekam bald eine solche Wichtigkeit, dass sich im Anfang des XII. Jahrhunderts in Frankreich eine eigene Confraternität bildete (les frères pontifes oder fratres pontifices), die sich die Erbauung und Erhaltung der Brücken zu ihrer besonderen Aufgabe stellten. In Deutschland ist die Brücke von Kösen (bei Naumburg) über die Saale eine der ältesten, denn sie stammt noch aus dem XI. Jahrhundert. Die Brücke von Regensburg wurde im Jahre 1135 zu bauen angefangen. Die Mainbrücke zu Würzburg entstand im XIII. Jahrhundert, und zu der weltberühmten Pragerbrücke legte Karl IV. im Jahre 1358 den ersten Stein u. s. w. Die meisten Steinbrücken finden sich in dem früh cultivirten Frankreich.

Berichtigung zu S. III (Jänner-Februar-Heft 1867).

Die am „Neusohler Taufbecken", und zwar zwischen Bandstreifen des oberen Randes der Taufschale, wie auch am Fusse der Fialen fortlaufende, durch mangelhaften Guss und Unkenntniss der Sprache nicht geschickt ausgeführte gothische Umschrift (wo nämlich Buchstaben c f, t f, h l, d o, i e, r e, g s etc. ähnlich fehlerhaft geformt erscheinen) und welche der Originalität halber treu copirt durch den Einsender wiedergegeben wurden, soll gelesen werden, und zwar die obere: † in ⚬ nomine ⚬ (s)ancte ⚬ et individue ⚬ trinitatis ⚬ patri(s) ⚬ et ⚬ fili(i) ⚬ et ⚬ spiritus sancti ⚬ amen ⚬ qui crediderit ⚬ et baptisatus ⚬ fuerit ⚬ salvus ⚬ erit ⚬ ihs ⚬ nra ⚬ salus – die untere: o fons salutis et gracie potas be(n)e)dic(t)ione fort(i)tudo fragilium pie sitien(t)ium re(de misti ista aqua vita(m) peccator.

Die vierzig Miniaturen des Johann Fouquet im Besitz des Herrn Louis Brentano zu Frankfurt am Main.

Die Photographien nach diesen höchst merkwürdigen Miniaturen liegen vor uns und wir haben sie schon mehrmals und stets mit gesteigerter Aufmerksamkeit betrachtet, denn diese Malereien gehören unstreitig zu den vorzüglichsten Arbeiten in diesem Fache. Johann Fouquet oder Foucquet war gewissermassen der Hofmaler Ludwigs XI. von Frankreich und galt als der letzte grosse Miniaturist in diesem Lande, da durch die Erfindung der Buchdruckerkunst die Handschriften und die Malereien in denselben allmälig verdrängt wurden. Fouquet war zu Tours, wahrscheinlich um 1415, geboren und hielt sich in den Jahren von 1436 bis 1447 in Italien und vorzüglich zu Rom auf. Der italienische Reisende Francesco Florio sagt von ihm im Jahre 1477 bei Beschreibung einer Kirche von Tours[1]:

„Hic tum imagines sanctorum prisci temporis comparo cum modernis, et quantum Johannes Fochetus caeterorum multorum saeculorum pictores arte transcendat mente pertracto. Est autem hic de quo loquor Fochetus vir Turonensis qui facile pingendi peritior non solum sui temporis sed omnes antiquos superavit. Laudet vetustas Polygnotum, extollant alii Apellem, mihi autem satis superque tributum esse oppinarer, si digna ejus egregia in pingendo facinora congruis verbis assequi valerem!"

Glaubt nicht, fährt er fort, dass ich erfundenes Lob ausspreche, im Sacrarium der Minerva zu Rom könnt ihr euch selbst von dem Talent dieses Mannes überzeugen, betrachtet dort nur das Bildniss des Papstes Eugen, welches er in seiner Jugend auf Leinwand malte[2]! Leider war dieses Bildniss in neuerer Zeit nicht mehr aufzufinden.

Im Jahre 1450 finden wir Fouquet von einem besonderen Kunstfreund beschäftigt, und dieses war Étienne Chevalier, welcher die Stellen eines „Conseiller et maistre des Comptes, comptroleur de la recepte générale des finances" begleitete, und von der schönen Agnes Sorel zu ihrem Testamentsvollstrecker gewählt wurde. Für diesen malte Fouquet zu Melun eine heilige Maria, vor welcher Chevalier andächtig kniet. Als Modell für die Mutter Gottes soll ihm die eben genannte Sorel gedient haben. Eine weitere Arbeit dieses Meisters für Étienne waren die Miniaturen zu einer französischen Übersetzung des Boccaccio, eine Folio-Handschrift, die sich jetzt in der königlichen Bibliothek zu München befindet, und die dritte bisher bekannte Arbeit ist: „Le Livre d'Heures", welches um das Jahr 1450—1461 entstand und für Étienne's eigenen Gebrauch bestimmt war, wie denn auch seine Namenschiffer fast auf jedem Blatte und er selbst zweimal abgebildet vorkommt. Auch blieb das Buch bis zu dem letzten der Familie der Chevalier, der im Jahre 1630 starb, bei dem Hause derselben. Dann kam es nach Paris wo es im Verlauf des XVIII. Jahrhunderts auf etwas barbarische Weise zerstückt und die Miniaturen herausgenommen wurden. Im Jahre 1805 fand Georg Brentano die vierzig Miniaturen zufällig in einem Raritätenladen zu Basel, erkannte ihren Werth, kaufte sie für eine mässige Summe und brachte sie nach Frankfurt. Nach seinem Tode gingen sie auf seinen Sohn Ludwig über, welcher sie photographiren liess, um seinen Freunden oder andern Begünstigten diese Photogramme zum Geschenke zu machen. Das erste Blatt ist ein Doppelbild und zeigt in der einen Hälfte die Madonna mit dem Kinde unter einer reichverzierten gothischen Thronnische. Im Hintergrunde stehen eilf singende Engel mit übereinander gelegten Armen. In dem Vordergrund der andern Hälfte kniet Maître Étienne und hinter ihm sein Patron, der heilige Stephan. Den Hintergrund füllen musicirende Engel aus. Das ganze Gemälde ist mit ausserordentlicher Feinheit und Naturwahrheit ausgeführt und in jedem Zuge spricht sich eine tiefe Innigkeit, ja man möchte sagen Andacht aus. Auch in den Draperien zeigt sich ein reiner Geschmack, der Faltenwurf ist fliessend, wie bei den älteren Meistern Italiens, die sich Fouquet unzweifelhaft zum Vorbild nahm und zeigt keine Spur von jener Steifheit und jener Verknitterung, welche später in Deutschland so sehr Mode wurde, dass sich selbst Dürer nicht von ihr lostrennen konnte.

Das nächste Bild stellt die Vermählung Mariens mit dem heiligen Joseph dar, aus dessen Stab Lilien erblühten. Hierauf folgt der englische Gruss, der im Innern einer gothischen Capelle dargestellt ist. Dann kommen Maria Heimsuchung, die Geburt des heiligen Johannes, die Geburt Christi, die Anbetung der Weisen, die heilige Magdalena, welche dem Herrn die Füsse wäscht, das letzte Abendmahl, bei welchem merkwürdigerweise an einem runden Tische nur neun Apostel sitzen, ferner, die Gefangennehmung Christi, Christus vor Pilatus, die Kreuztragung, die Kreuzigung, die Abnahme vom Kreuze, die Pietà, die Grablegung Christi, die Himmelfahrt des Heilands, das Pfingstfest oder die Ausgiessung des heiligen Geistes und die Taufe der Katechumenen, mit welcher die erste Serie schliesst, deren Gegenstände sich zumeist auf den Erlöser selbst beziehen.

Die zweite Serie hingegen betrifft mehr das Leben der Heiligen, und zwar finden sich hier: die Bekehrung Saul's, die Steinigung des heiligen Stephan, die heilige Maria, welcher durch einen Engel ihr Tod verkündet wird, das Hinscheiden der heiligen Maria, das Begräbniss Mariens, die Krönung derselben, Mariä Himmelfahrt, Hiob und seine Freunde, die Enthauptung des Apostels Jacobus major, der Evangelist Johannes auf der Insel Patmos, die Kreuzigung des heiligen Petrus, die Kreuzigung des heiligen Andreas, das Martyrium der heiligen Catharina, die Marter der heiligen Apollonia, eine Versammlung von Bischöfen unter dem Vorsitze des

[1] S. Bulletin du Comité historique of 1848, wo Florio's Handschrift, die sich in der kaiserlichen Bibliothek zu Paris befindet, durch den Grafen A. de Bastard mitgetheilt ist, und ferner, „The fine Arts" June 1866, p. 29 Anmerkung.

[2] Auch Vasari spricht I, Ausgabe 1550, p. 350, von diesem Bildniss und nennt ihn Giovanni Fochetta.

heiligen Augustinus, der heilige Nicolaus wird zum Bischof geweiht, der heilige Thomas von Aquin als Lehrer, ein Begräbniss (vermuthlich das Titelblatt zum Officium mortuorum), Christus als Weltenrichter, und die Darstellung des Himmels.

Da es unmöglich ist, jedes dieser vierzig Bilder zu beschreiben, wollen wir nur einige der merkwürdigsten hervorheben, und zwar: die Krönung Mariens, den heil. Augustin unter den Bischöfen, den heil. Thomas unter seinen Schülern und die Darstellung des Himmels.

Die Anordnung des Bildes der Krönung der heil. Maria ist ganz eigenthümlich. Im Mittelgrunde zeigt es einen reich geschmückten Thron mit drei Polstern. Auf dem mittleren sitzt Gott Vater, die Rechte segnend erhoben und in der andern Hand die mit einem Kreuze besetzte Weltkugel haltend. Zu seiner Linken sitzt der h. Geist in einer ganz ähnlichen Stellung. Gott Sohn ist aber von dem Thron herabgestiegen und in den Vordergrund getreten, wo die heilige Mutter kniet, welcher er die Krone der Himmelskönigin aufsetzt. Zu jeder Seite des Thrones zeigen sich drei Chöre von Engeln.

Die drei göttlichen Personen sind sämmtlich in langen schneeweissen Kleidern dargestellt, zeigen sich von gleichem Alter (zwischen dreissig und vierzig), tragen gescheiteltes Haar und einen kurzen, in zwei Zipfel endenden, ganz natürlich gewachsenen Bart. Diese drei göttlichen Gestalten, so edel, so einfach, so erhaben und dabei doch wieder so rein menschlich, bringen in dem Beschauer einen höchst merkwürdigen Eindruck hervor, der nur in der ungemeinen Tiefe seinen Grund findet, mit welcher der Künstler diese Figuren auffasste. So schafft nur der wahre Glaube in der bildenden Kunst, so konnte nur in jener Zeit geschaffen werden, als alles noch in der Blüthe des reinsten Vertrauens stand, als noch keine Zweifel aufgestanden waren — als man noch nicht protestirte. Es liegt auch selbst für den kritischesten Kopf etwas rührendes in diesen innig gefühlten, kindlich reinen und doch wieder so naturwahren Darstellungen, und wer eine gründliche Ästhetik der mittelalterlichen Malerei schreiben wollte, könnte dieser Arbeiten des Jean Fouquet unmöglich entbehren. Sind die Gestalten der drei göttlichen Personen ernst, männlich und mild, so zeigt die kniende Mutter den Ausdruck der grössten Seelenreinheit, aber auch durch ihr schönes Antlitz zieht ein merkwürdiger psychologischer Zug, denn es liegt die Erinnerung an die erlittene Trauer in demselben, das Sinnen auf die Tage, an welchen sie ihren Sohn leiden und sterben sah. Das ist wahre Kunst und man sieht hier wieder deutlich, dass sie nicht nach dem Flächeninhalt, nicht nach Quadratklaftern, sondern einzig nach ihrem inneren Gehalt bemessen werden darf.

Das fünfzehnte Blatt der zweiten Reihe, welches den heil. Augustus mit achtzehn Bischöfen vorstellt, gehört in seiner Art ebenfalls zu den vollendetsten Miniaturen. St. Augustinus sitzt in der Mitte des Saales auf einem Felsen, dem Felsen Petri, und erhebt segnend die Rechte. Zu seiner Linken sitzen zehn Bischöfe in einer Reihe an der Wand und ihnen gegenüber acht andere. In dem ganzen Bilde herrscht Ruhe, denn alle Anwesenden sind in Betrachtung und Beschauung versunken, und doch zeigt sich in der Anordnung eine solche Abwechslung, besonders in der Stellung der Figuren und eine solche Mannigfaltigkeit in den Physiognomien und dem Ausdruck derselben, dass man über diese Gabe psychologischer Auffassung nur erstaunen kann.

Ähnlich in der Anordnung ist das siebzehnte Blatt der zweiten Reihe, welches den heil. Thomas von Aquin darstellt, wie er seine Discipeln unterrichtet. Der Heilige steht in der Mitte vor seinem Pulte und zu jeder seiner beiden Seiten sitzen vier Zuhörer. War aber in dem vorher angezeigten Bilde das Feierliche vorwaltend, so ist es hier mehr das Gemüthliche. Dort sind die Bischöfe in ihrer Pracht versammelt, hier ist der Lehrer unter seinen Schülern, die, obgleich voll gespannter Aufmerksamkeit, gerade so bequem dasitzen, wie es ihnen eben ihre angeregten Gedanken erlauben. Haltung und Physiognomie sind bei jedem anders, und obgleich alle dem allgemeinen Zwecke untergeordnet erscheinen, ist doch jeder Einzelne ein für sich abgeschlossenes Individuum, und so finden wir bei Fouquet wieder, was in Raphael's Schule von Athen und in seiner Disputa del Sacramento von den Kunstkennern so ausserordentlich gepriesen wurde, die individuelle Mannigfaltigkeit in dem Zauber der Einheit.

Ganz merkwürdig, ja fast fremdartig in der Auffassung ist das letzte Blatt, welches den Himmel darstellt. Hier zeigt sich im Hintergrunde wieder der dreifache Thron mit den drei weissgekleideten göttlichen Personen; aber zur Rechten ist ein besonderer Thron errichtet, unter welchem die h. Maria sitzt. Bei diesen Thronen schweben die vier apokalyptischen Sinnbilder der vier Evangelisten. Um diese Hauptgruppe reihen sich in einem Kreise die Chöre der Engel, an die sich noch unten die Heiligen und die jungfräulichen Martyrinnen anreihen. Den Vordergrund füllen jene Seligen, welche gewürdigt werden, jenen Anblick schauen zu dürfen.

Was die sorgfältige Ausführung dieser Miniaturen betrifft, so mag sich wohl ähnliches, aber gewiss nichts vortrefflicheres auffinden lassen. Auch ist Fouquet ein vollkommener Meister in der Perspective und unter allen Miniaturisten dürfte sich wohl keiner finden, der sich besser auf Architektur verstünde als er; man darf in dieser Beziehung nur das Portal und den Thron der heil. Maria auf dem ersten Blatt, das Renaissance-Portal bei der Vermählung der heil. Maria, die gothische Kirche bei Maria's Verkündigung und das prachtvolle Castell bei der Darstellung des Hiob betrachten, um sich von diesem Ausspruche vollkommen zu überzeugen.

Was die Photographien selbst anbelangt, kann man sie im ganzen gut nennen; sie geben wenigstens Anordnung, Umrisse und die Charaktere der Köpfe. Dass die blaue Farbe fast weiss, das Gold stets dunkel und das Grün schwarz erscheint, ist die Folge des photographischen Processes, der in seinem jetzigen Zustand die Harmonie der Farben mehr zerstört als fördert. Indessen ist es für die Kunstwelt höchst dankenswerth, dass Herr v. Brentano diese Art von Vervielfältigung mit jenen Meisterwerken vornehmen liess, die jeden kunstsinnigen Beschauer mit inniger Freude erfüllen und den grössten Gegensatz zu der Kunst „von heute" bilden, wo die Tiefe der Empfindung nur zu oft einem schlagenden und daher leicht verständlichen Effect geopfert wird.

. . . *g* . . .

Ein archäologischer Ausflug in die „Neue Welt" bei Neustadt.

(Mit 2 Holzschnitten.)

— — Wir sassen ruhig und friedlich in Wien beisammen und man sprach eifrig darüber, dass sich in Österreich unter der Enns so wenige mittelalterliche Kirchen befänden, welche aus Quadern gebaut seien. Wir hatten mannigfache Photographien von den mittelalterlichen Kirchen Frankreichs und Spaniens und von den Abteien Englands und Schottlands vor uns und stellten begreiflicherweise Vergleichungen an, die darauf hinführten, dass bei uns wohl schon darum keine solchen Prachtbauten aufgeführt werden konnten wie in den erwähnten Ländern, weil Niederösterreich gewissermassen die ultima Thule germanischer Bildung gegen Osten war, und überdies von den Tagen der ersten Babenberger an bis in die neueste Zeit den Schauplatz zu Kämpfen gab, denen nur zu häufig Zerstörungen und Verarmung folgten.

Man sprach eben von den Verheerungen durch die Türken, als ein Herr eingetreten war, der sich stets als ein grosser Enthusiast für das Mittelalter erwies, der über Freidal's Turnierbuch in Entzücken gerieth, der noch steif und fest an seinen Rüxner glaubte und in jedem altdeutschen Gesellenbilde, in jedem Figürchen eines wandernden Steinmetzes das ausserordentlichste zu sehen meinte. Solche Leute sind glücklich in ihrer Erregbarkeit; sie fliegen, leicht beschwingt, über jede Kritik hinweg und freuen sich darüber, dass sie sich freuen können.

Als man dann wieder auf die Quaderbauten zurückkam und die Domkirche zu Wiener-Neustadt besprach, nahm der enthusiastische Herr das Wort und rief:

„Ganz in der Nähe von Neustadt befindet sich eine ähnliche Quaderkirche mit zwei Thürmen, die ich noch nirgends beschrieben und abgebildet fand!"

„Wo wäre das?" riefen wir erstaunt; „wir kennen doch jene Gegend bis auf jede Kleinigkeit!"

„Ich kam durch einen Zufall dahin," erwiederte der Eifrige, „durch einen glücklichen Zufall. Wir gingen nämlich über Pottenstein nach Gutenstein und von da hinaus nach Starhemberg, und als wir diese Veste besehen hatten, machte einer meiner Begleiter den Vorschlag, den Pfarrer von M*** zu besuchen, der ein Studiengenosse von ihm sei und uns gewiss freundlich aufnehmen würde. Gesagt, gethan. Der Pfarrer war ein sehr liebenswürdiger Mann und zeigte sich hoch erfreut, seinen ehemaligen Commilitonen und ein Paar fröhliche Wiener Herren bei sich zu sehen. Die Tafel war köstlich und der Gebirgswein so vortrefflich, dass wir bald in der heitersten Laune waren."

„Diesen Tag muss ich mir dreimal ankreiden", sagte der geistliche Herr und ging dann an's Fenster, rief den Knecht und befahl, dass die Kalesche eingespannt werde. „Die Herren" — so wandte er sich wieder zu uns — „müssen eine Fahrt durch die „neue Welt" mit mir machen, ich kenne die schönsten Punkte dieses romantischen Thales und die herrlichsten Aussichten auf den Schneeberg."

„Und wir sassen ein und fuhren und kamen im rosigsten Humor nach dem Orte Stolhof und dort — dort sahen wir die alte Quaderkirke mit den beiden Steinthürmen!"

„In Stolhof?" riefen wir erstaunt.

„Ja", eiferte der Begeisterte, „ja, dort in Stolhof, an der Ostseite der Steinwand!"

Wir waren von der Entschiedenheit, mit welcher dieser Ausspruch gethan wurde, überrascht und zwar um so mehr, als wir zwar öfter durch die „neue Welt" gewandert, aber nie durch Stolhof selbst gekommen waren, weil uns kein Bau-Object aus der Ferne hinanwinkte. Was war also zu thun? Der Enthusiast gerieth, als er merkte, dass wir unsicher wurden, immer mehr in Feuer und erbot sich, jede Wette über diesen Gegenstand einzugehen, denn die Kirche liege versteckt und man könne sie nur sehen, wenn man im Orte selbst sei. Feil, Schmidl und Weidmann — sagte der Kühne — seien vermuthlich auch nur von Emmerberg aus an der Teichmühle vorüber gerade nach Maiersdorf und Zweiersdorf gegangen, ohne einen Abstecher nach Stolhof zu machen und so entging ihnen diese Quaderkirche.

Jetzt wurde die Sache zu arg. Eine solche Vergessenheit wäre zu schlagend. Schmidl's „Wiens Umgebungen", zu denen der fleissige und genaue Feil den dritten Theil schrieb, waren eben zur Hand, wir schlugen nach und fanden in diesem Bande (S. 590) nur die Stelle: „In dem ärmlichen Stollhof oder Stallhof genannt, ist man gerade gegenüber von Emmerberg"[1].

Was war also anders zu thun, als sich einer so starren Behauptung gegenüber durch den Augenschein zu überzeugen. Wir beschlossen daher gleich nächsten Sonntag nach der „neuen Welt" zu fahren und luden den Enthusiasten, der sich nun ganz in Flammen geredet hatte, ein, uns zu begleiten, was er aber als ganz unnöthig ablehnte, worauf er wie ein Sieger das Zimmer verliess.

Wir sahen uns etwas verblüfft an und wussten nicht recht, ob wir uns ärgern oder ob wir lachen sollten. Aber am Sonntag waren wir schon bei dem frühesten Morgenzug auf der Südbahn, rollten nach Neustadt, fuhren von da nach Weikersdorf und begannen von hier unsere Wanderung durch die Bergschlucht, welche die „Brosset"[2] genannt wird. Als wir bei dem schönen Punkt ober der Teichmühle anlangten und Stolhof uns gegenüber sahen, musste das Fernrohr herhalten — aber es zeigte sowie das freie Auge weder eine Kirche noch zwei Thürme, ja nicht einmal eine einzige Thurmspitze!

„Diese Kirche muss bedeutend tief versteckt sein" — sagte einer meiner Begleiter, der etwas heftiger Natur war — „sonst baut man die Kirchen doch überall an Stellen, wo sie schon von weitem gesehen werden."

„Wir müssen den Stolhof mit Sturm nehmen" — entgegnete mein zweiter Begleiter, der seinerseits anfing, die Sache humoristisch aufzufassen. Und wir gingen hinauf nach Stolhof und sahen das Gebäude, welches man Stolhof nennt und sahen Bauernhäuser, aber wie wir auch kreuz und quer gingen, eine zweithürmige Quaderkirche fanden wir nicht und wenn wir sie auch hätten aus der Erde stampfen wollen, ja wir sahen überhaupt nicht einmal die Spur von irgend einer Kirche. — — —

[1] Schweikhardt in seiner Darstellung des Erzherzogthums Österreich V. U. W. W. T. VI, p. 137 berichtet von Stolhof wie gewöhnlich die Anzahl der schulfähigen Kinder, sowie die der Pferde und Ochsen, sagt aber am Ende „Fabriken und sonstige Merkwürdigkeiten gibt es keine hier".

[2] Brossen = brechen, ausbrechen, von briezen, Broz, altnd. brietz. Grimm, Deutsches Wörterbuch II, S. 339.

d*

Und wieder sahen wir einander an und wussten nicht, wer närischer sei, der Enthusiast, dem vermuthlich eine Ortsverwechslung ins Gehirn geschossen war, oder wir, die wir uns von seiner kühnen Behauptung einschüchtern gelassen und es uns für eine Sünde angerechnet hatten, ein solches Bauwerk unserer Heimat nicht zu kennen.

Da kamen zum Glück zwei Gebirgsbäuerlein heran und mein heftiger Begleiter eilte sogleich mit der Frage auf sie zu: „Wo ist die Kirche von Stollhof?"

„Stollhof? — Kirche?" — war die Antwort. — „In Stollhof gibt's keine Kirche."

„Vielleicht war einst eine Kirche hier" — rief der Heftige — „vielleicht sieht man noch ihre Ruinen oder doch mindestens einen Trümmerhaufen, der von ihr herrührt?"

„Nix, Nix" — entgegneten die Bäuerlein. — „In Stollhof war sein lebtag nie eine Kirche."

„Aber zum Kuckuk!" — fuhr der Heftige fort — „Ihr müsst ja doch in eine Kirche gehen; wo geht Ihr denn hin, wenn Ihr selbst keine Kirche habt?"

„Das kommt darauf an, wo wir gerade hingehen wollen" — war die gelassene Antwort. — „Ist schlimm Wetter, so gehen wir nach Muthmannsdorf, weil das nicht weit weg ist, und ist's schön, so gehen wir nach Winzendorf oder Weikersdorf, und wenn wir unsere Nachbarn heimsuchen wollen, so gehen wir hinauf nach Meiersdorf — hier gleich links an der 'hohen Wand'." —

„In Meiersdorf ist also ganz gewiss eine Kirche?" — frug der Heftige wieder.

— Seit uralten Zeiten, lang bevor noch der Türk' in die „neue Welt" eingebrochen ist.

„Eine Steinkirche?"

— Ja, ganz von Stein, von unten bis oben.

„Und mit zwei steinernen Thürmen?"

— Zwei Thürme? — Einen Thurm wissen wir, aber zwei haben wir nie gesehen — meinten die Bäuerlein.

„Einer kann auch zusammengestürzt sein" — bemerkte der Heftige — „es genügt, dass es eine Steinkirche ist. Darum hinauf nach Meiersdorf!"

Wir schlugen einen raschen Schritt ein. Die beiden Bäuerlein sahen uns lange nach und mochten sich wohl denken: Das sind wieder so Wiener Herren, die nichts gescheidteres zu thun haben, als alte Steine aufzusuchen.

Der Weg nach Meiersdorf ist durch den Anblick der Felshänge der „hohen Wand" sehr angenehm. Wir stiegen hinauf zur Kirche, die nahezu an der höchsten Stelle des Dörfleins steht, welches sich fest an den Fuss der Steinwand anschmiegt — und sahen wohl eine Kirche aus Stein — aber nicht aus Quadern, sondern aus Bruchsteinen, wie sie eben die Felswand liefert — nicht mit zwei Thürmen, sondern nur mit einem kleinen hölzernen Dachreiter — das ganze ein kleiner Bau, der weit mehr von Dürftigkeit als Wohlhabenheit zeigt, und vielleicht einst ein Schlösslein war, welches man in eine Kirche umgewandelt hatte (Fig. 1). Wenigstens gäbe der Hauptbau (A) und der daran gesetzte thurmähnliche Bau (B) ungefähr die Form einer, freilich sehr ärmlichen Veste, während der Theil C erst später aufgesetzt wurde, als man einer Kirche bedurfte. Auch das Innere dieses Baues ist nicht darnach angethan, auf eine ursprünglich kirchliche Anlage zu deuten, und das hölzerne Dachreiterlein scheint in seiner jetzigen Gestalt vielleicht erst vor wenig Jahren aufgesetzt worden zu sein.

Fig. 1.

Die Wände sind, wie schon angedeutet, aus Bruchsteinen zusammengefügt, und nur an den älteren Theilen (A und B) sind die übrigens sehr ungleich grossen Ecksteine behauen. An dem Thurmtheile (unter B) befindet sich ausnahmsweise eine Reihe von schräg gelegten Bruchsteinen, ähnlich jenen, die sich an mehreren Stellen der Veste Aggstein vorfinden. An der Ostseite dieses Thurmtheiles finden sich auch noch die Reste einer Malerei, welche einst den h. Christophorus vorstellte.

Das also ist die Steinkirche von Meiersdorf! — Und findet sich in der „neuen Welt" sonst keine ältere Steinkirche? — Nein, durchaus nicht! — Ganz gewiss nicht. — Was mag also dem Enthusiasten durch das Gehirn gefahren sein? Woher stammt seine zweithürmige Quaderkirche? Mein heftiger Begleiter wollte den Mann hier haben, um ihn nach Herzenslust zurecht zu richten und die verlorenen Reisekosten von ihm zu fordern. Mein heiterer Gesellschafter aber freute sich auf den Augenblick, in welchem der Enthusiast wieder in die Abendgesellschaft kommen würde, um ihn dann recht auszulachen. Eines wenigstens wurde erreicht, sagte er weiter, die Kirche von Meiersdorf ist zum erstenmal gezeichnet worden, und somit wird es wohl keinem Alterthumsfreund beifallen, dieses Object wieder aufzusuchen.

Wir gingen hierauf, im ganzen eben nicht in der gehobensten Stimmung, zur Teichmühle hinab, um den Leib zu stärken. Als meine Freunde Siesta hielten, benützte ich diese Gelegenheit und begab mich nach M***, um dort Erkundigungen einzuziehen, denn mir war dieser wissenschaftliche „Aufsitzer" nicht im mindesten lieb. Im Pfarrhofe stand eine etwas alterthümliche Kalesche — gewiss jene des Pfarrers. — Da kam höchst erwünscht auch der Knecht, um dieselbe zu waschen. Ich frug ihn, ob dieses derselbe Wagen sei, in welchem der Herr Pfarrer vor einiger Zeit mit drei Wiener Herren nach Stolhof fuhr.

Fig. 2.

„Drei Wiener Herren sind vor kurzem richtig mit dem Herrn Pfarrer gefahren, aber nicht nach Stolhof" — sagte der Knecht — „sondern nach Kirchbühel; sie waren auch" — setzte er schmunzelnd hinzu — „über die Massen gut gelaunt und schliefen deshalb bei dem Nachhausefahren fest wie Ratten."

Das war also des Pudels Kern! Der Wein und der leichtbegeisterte Enthusiast kamen mit einander in etwas lebhafte Berührung und so sah der Illustrirte die weissgetünchte Kirche von Kirchbühel für einen Quaderbau an und erblickte in Folge jener sonderbaren Wirkung, welche alcoholische Getränke auf die Sehnerven ausüben, anstatt des einen Thurmes zwei, und somit wäre auch der Schiller'sche Vers: „Der Wein erfindet nicht, er schwatzt nur aus!" durch unseren archäologischen Ausflug vollkommen widerlegt; denn hier war es das poetische Nass von Gumpoldskirchen, welches die keineswegs sehr malerische Kirche von Kirchbühel zu einem zweithürmigen Quaderbau des XIII. Jahrhunderts verklärte!

Der Enthusiast kam mit dem grössten Glauben an sich in unsere nächste Abendgesellschaft. Wie er von meinen beiden Begleitern empfangen wurde, lässt sich denken. Aber er blieb fest bei seiner Meinung und schwor darauf, dass er noch einmal hinausfahren und einen Architekten mitnehmen wolle. — Ob er das wirklich ins Werk setzte, wissen wir nicht; es dürfte aber doch geschehen sein, denn er war von da ab nie mehr in unseren Gesellschaften zu sehen.

Bei der Rückkehr von der Teichmühle kamen wir nach Weikersdorf, wo wir nach unserer allerdings ermüdenden Tagesfahrt über Nacht bleiben mussten. Die Abendstunden liessen eben noch Zeit genug, das einzige ältere Bauobject dieses Dorfes, nämlich den sogenannten „Münchenhof" abzuzeichnen, der mit seinen Giebelmauern und Erkern, wenn eben auch kein architektonisches, so doch einiges malerische Interesse bietet, und den wir, da auch er seinem Verfall entgegengeht, durch einen einfachen Holzschnitt (Fig. 2) verewigen wollen. Er war ursprünglich „ein Meierhof, der den Geistlichen (vielleicht in Neustadt) gehörte und von einem ihrer Schaffner bewohnt wurde" — das war alles, was wir über dieses Gebäude erfahren konnten, und welches wir um so lieber aufnahmen, als ländliche Bauten aus dem Ende des XVI. oder zu Anfang des XVII. Jahrhunderts bei uns keineswegs mehr allzu häufig angetroffen werden. Somit hatte der abenteuerliche Ausflug in die „neue Welt" doch das Gute, dass zwei bisher unbeachtete bauliche Gegenstände gezeichnet wurden. *P.*

Auffindung einer celtischen Bronceniederlage[1].

Im Jahre 1865 war ein Bauer des Dorfes Larnaud (Departement du Jura) eben damit beschäftigt, sein Kartoffelfeld zu behacken, als seine Hacke plötzlich einen Klang gab, der einen harten Gegenstand anzeigte. Der Mann brachte die Erdschollen bei Seite und fand ein Stück Bronce, das bereits von einer grünen Patina bedeckt war. Als dieser Vorfall bekannt wurde, grub man weiter und fand eine Art Vorraths- oder Aufbewahrungskammer von Broncearbeiten. Infolge dieser Ereignisse begaben sich der Präsident der wissenschaftlichen Gesellschaft im Departement des Jura (Société d'émulation du Jura) mit dem Maire von Lons-le-Saunier an Ort und Stelle, um dort einen procés-verbal aufzunehmen, den wir hier folgen lassen wollen, weil es jedenfalls nicht uninteressant ist, zu wissen, wie man in Frankreich bei archäologischen Funden vorzugehen pflegt. Dieses Protokoll lautet:

Im Jahre 1866, den 7. April, begab ich Joseph Chausset, Grundeigenthümer und Bürgermeister der

[1] S. Découverte d'une fonderie celtique etc. Lons-le-Saunier, 1867.

Gemeinde von Larnaud, mich auf Antrag des Herrn Rebour, Präsidenten der Gesellschaft für wissenschaftlichen Wetteifer, und in Gegenwart des Herrn Charles Ragmey, Ritter der Ehrenlegion und Bürgermeister von Lons-le-Saunier, an den Fundort, wo die Eheleute Brenot nebst ihrem Sohn und dem Arbeiter Millet bei dem Bearbeiten eines Kartoffelackers Broncegegenstände entdeckten. Die Stelle heisst „aux Genettes“ oder auch „Grande Vernée“ und liegt zunächst dem Sumpfe „Grattaloup“; auf dem Katastralplan ist sie in der Section D unter Numero 45 angegeben.

In einer Furche des benannten Feldes jätend, bemerkte der Sohn Aristides Brenot, dass sein Werkzeug auf ein Stück grünen Erzes anschlug, welches an die Oberfläche gekommen war. Dieses Metallstück erregte die Neugier der Arbeiter, sie gruben weiter und fanden in einem Raum von beiläufig einem Quadratmeter eine Menge von Objecten aus demselben Metall, die theils geschichtet waren, theils nur aufgehäuft übereinander lagen. Alle diese Gegenstände waren in der Zeit von einer Stunde gesammelt. Verschiedene Personen, welche während der Ausgrabung herbeikamen, nahmen aus Curiosität eines oder mehrere Stücke mit, und zwar vorzüglich die drei Dardelin, der Vater und seine zwei Söhne.

Des anderen Tages ging das Haupt der Familie, Joseph Brenot, nach Lons-le-Saunier mit einigen Probestücken zu dem ihm bekannten Kupferschmied Herrn Clavez, der ihm sagte, dass das Pfund Bronce 70 Centimes werth sei; dass Brenot aber besser thun würde, wenn er zu Herrn Zéphirin Robert gehen würde, der allerlei Alterthümer kaufe. Als dieser Herr die Metallstücke sah, fuhr er mit Brenot in dem Wagen des Kutschers Guye nach dem Fundorte, wo Mr. Robert alles, was sich vorfand, en bloc an sich brachte. Der ganze Fund wurde auf der Schnellwage des Wirthes Jacob-Marie Brenot, eines entfernten Verwandten der Auffinder, gewogen und es ergab sich ein Gesammtgewicht von 57½ Kilogrammen (beiläufig 116 Zollpfunde). Die sämmtlichen Metallgegenstände wurden sodann auf den Wagen des Mr. Guye geladen und zu Herrn Robert geführt.

Einige Tage später brachte Joseph Brenot noch mehrere andere Gegenstände im Gewichte von 9 Kilogrammen zu Herrn Robert, und einige Zeit darauf begaben sich beide wieder zur Fundstelle, sie untersuchten den Boden und die Umgegend, fanden aber nichts weiter vor.

In der Familie Brenot sowie in den Händen anderer Leute befanden sich noch einige Objecte, die gleich anfangs fortgenommen wurden, deren Echtheit sich aber dadurch feststellen liess, dass sie dasselbe Metall und dieselbe Patina zeigten. Mr. Robert brachte sie alle an sich, damit der ganze Fund einheitlich aufgestellt werden konnte u. s. f.

Unterzeichnet sind: Le Maire Chausset; le Président de la Société d'émulation du Jura, Rebour fils; le Maire de Lons-le-Saunier, chevalier de la legion d'honneur, Ragmey, die Mitglieder der Familie Brenot und alle jene Nachbarn, welche bei dem Funde gegenwärtig waren. Endlich wurde dieses Protokoll zu Lons-le-Saunier einregistrirt und zwar am 9. April 1866. Folio 86, verso, case 11. Bezahlt wurden für die Registrirung 2 Francs 10⅒ Decimes. Gegengezeichnet und bestätigt ist sie von Mr. Longchamps und Mr. Bibot, Notar.

Man ersieht hieraus, mit welcher Genauigkeit und Gewissenhaftigkeit man in Frankreich bei derlei Auffindungen zu Werke geht, während man in — anderen Ländern nicht nur wenig Liebe, sondern beinahe eine Art von Widerwillen gegen alles zeigt, was der Vergangenheit angehört, wodurch schon eine Menge der wichtigsten Gegenstände zerstört und verschleppt wurden.

Die Zahl der zu Larnaud gefundenen Bronceobjecte beläuft sich auf 1784 Stücke, darunter befinden sich 259 Armbänder, 265 Knöpfe verschiedener Art, 47 Äxte, über 60 Wurfspiesse u. s. w. und merkwürdigerweise auch 14 Rasiermesser. Leider fanden sich unter dieser Menge von Gegenständen keine Gussformen, welche gewissermassen zur Ergänzung der bereits in England und Frankreich aufgefundenen Modelle gedient und einen näheren Aufschluss über die damalige Technik des Erzgusses gegeben haben würden.

Römische Wasserleitung.

In einem der Steinbrüche bei Atzgersdorf, von wo seit vielen Jahren Bruchsteine zu den Fundamenten von Neubauten nach Wien geführt werden, stiess man bei dem Abgraben einer Lehmschichte auf einen Theil einer römischen Wasserleitung, welche in jenen uralten Tagen wahrscheinlich dazu diente, einem römischen Wachposten, der auf dem Hetzendorfer Hügel sein Standlager hatte, das nöthige Wasser zuzuführen, da diese Höhe gänzlich quellenlos ist. Diese Wasserleitung zog sich aller Wahrscheinlichkeit nach von Mödling herüber, denn man fand auch in den Sandsteinbrüchen bei Brunn am Gebirge mehrere Überreste derselben. Die Leitung selbst besteht aus einer vierseitigen Röhre oder Canal, der sich je nach der Erhöhung oder der Senkung des Terrains bald 2, bald mehr als 3 — 4 Fuss unter der Oberfläche befindet. Der Canal hat 18 Zoll Breite und dieselbe Höhe und besteht aus Gusskalk, welchem nach römischer Weise kleine Ziegelstücke beigemengt sind, die dem Kalk, sowie in Süd-Italien die Pozzulana, zur Anlagerung dienen. Der Kalk ist noch jetzt blendend weiss, und die Oberflächen der Canalwände sind noch so glatt, als wären sie polirt. Die Arbeit an sich ist zwar höchst einfach, aber mit ausserordentlicher Sorgfalt durchgeführt, woher denn auch ihre lange Dauer rührt. Merkwürdig sind auch die Schichten von dem sogenannten „Wasserstein“, der sich im Verlaufe der Jahrhunderte aus dem durchfliessenden Wasser in dem Canal ablagerte und an einigen Stellen die Dicke von nahezu zwei Zoll erreicht. Sehr interessant wäre es, die ganze Leitung bloszulegen, damit man Ursprung und Ende derselben sähe, da es anderseits auch möglich wäre, dass die bäderliebenden Römer das Wasser von Baden gegen Vindobona hereingeleitet haben könnten.

. . . . *g* . . . .

Die Formen des Aquamanile.

(Mit 5 Holzschnitten.)

Es gehört zu dem in der katholischen Kirche festgestellten Rituale, dass der Priester sich während der Messe wiederholt die Finger reinigt. Dies geschieht gewöhnlich nach dem Offertorium und nach vollzogener Communion in Verbindung mit der Reinigung des Kelches. Beide Acte haben ihre hohe Bedeutung und wichtige Bestimmung. Der erstere soll hinweisen, dass der Priester nur in völliger Reinheit der Seele das heilige Geheimniss der Transsubstantion begehe und daher, gleich wie er nur mit völlig reinen Fingern den Leib des Herrn berührt, ebenso nur mit vollkommen gereinigter Seele denselben in sich aufnehme. Die ursprüngliche Veranlassung dieser Waschung ist aber darin zu suchen, dass, weil der Priester vormals die von den Gläubigen dargebrachten Opfergaben selbst in Empfang nahm, ordnete und das zum heiligen Opfer und zur Communion der Gläubigen Nöthige ausschied, er sich damit die Hände verunreinigte, was nothwendiger Weise eine Säuberung der Hände vor der Begehung des Messopfers zur Folge hatte. Der Zweck der zweiten Abspülung ist, dass alle Theilchen der heiligen Hostie von den Fingern in den Kelch gespült werden, auf dass sie der Priester durch das Trinken des Spülwassers in sich aufnehme.

Wie fast zu allen Ceremonien besitzt die Kirche auch für diesen Act besonders dazu bestimmte Gefässe.[1] Es scheint, dass diese Art kirchlicher Gefässe, deren Gebrauch sich bis ins christliche Alterthum zurückführen lässt, in den ersten Zeiten des neuen Glaubens aus den Lebensgewohnheiten der antiken Völker herübergekommen ist. Obgleich schon in älterer Zeit ein Wassergefäss, nämlich jenes Messpöllchen, das mit dem zur Communion bestimmten Wasser gefüllt war, bei der Feier der heiligen Messe in Gebrauch stand, so verwendete man es doch nicht als Spülgefäss, da es nur die Bestimmung hatte, dass aus ihm das Wasser zu der nach liturgischer Vorschrift bestimmten Vermischung des Weines genommen werde, und dass damit der Priester die Ablution des Kelches und der Finger nach empfangener heiliger Communion vornehme. Jetzt ist man von diesem Usus abgegangen und bedient sich dieses Gefässes auch zur Fingerreinigung am Beginn der Messe.

Man bediente sich derselben in der Weise, dass der Ministrant damit zu den Stufen des Altars trat, aus dem einen Gefässe das Wasser über die Hände des Celebranten goss, und es dann mittelst eines zweiten vertieften Beckens auffing, oder es verliess der Celebrant den Altar, trat zur Piscina und reinigte sich dort die Hände, indem er Wasser aus dem daselbst hängenden Giessgefässe darüber fliessen liess.

Fig. 1.

Die Form dieser Gefässe war eine wesentlich verschiedenartige, eben so verschieden auch deren Benennung. Waren beide Gefässe becken- und schüsselförmig, so hiess man sie pelves scyphi. Sie waren meistens im Stylgepräge des XIII. Jahrhunderts, mit Email verziert, und finden sich in Privat- und öffentlichen Sammlungen in zahlreichen Beispielen. Doch haben sich von dieser Art keine Spülgefässe in den Schatzkammern deutscher oder österreichischer Kirchen erhalten. Derlei Gefässe scheinen fast nur in England und in Frankreich im Gebrauche gestanden zu sein. Bestand der Spül-Apparat (vasa manualia) aus einer Giesskanne und dem Auffangebecken, welche beide Gefässe als zusammengehörig vielfach bei älteren deutschen Chronisten aufgeführt werden, so benannte man das erstere urceolus (oft synonym mit ampulla), das andere aquamanile (aquamanus, manile), was synonym ist mit pelvis (pelvicula). Urceolus wurde auch die in der piscina hängende Kanne genannt, sowie man gerne und sehr häufig das ganze Spülgeräth aquamanile nannte.

Fig. 2.

Das untere Gefäss war ein einfaches Becken aus Metall (Kupfer, Messing, Edelmetall), wie wir es noch häufig treffen. Getriebenes, gravirtes Ornament, auch Schmelzarbeit fehlte selten daran.

Auch die Giesskanne war aus Metall angefertigt, meistens gegossen, oft sehr gross und von mannigfaltiger Form, wie uns viele derlei aus der romanischen Kunstperiode erhaltene Gefässe lehren. Sie haben alle eine mehr oder minder phantastische Form, stellen Menschenköpfe oder Thiere (Löwen, Tauben, Greife, Drachen, Delphine, Pferde etc.) in reicher ornamentaler Auffassung vor. Es ist dies eine natürliche Folge der

Fig. 3

[1] Über diese Gefässe s. Augusti, Denkwürdigkeiten der christlichen Archäologie XII, 32. Beck, Über die Messkännchen. Mitth. der Centr.-Comm. IX, 17.

Fig. 4.

romanischen Kunstperiode, die an ihren architectonischen Ornamenten und an denen aller Werke der Kleinkunst, der Stickerei und Weberei etc. mit grosser Vorliebe Thiergestalten zum Theil in natürlicher Wahrheit zum Theil in phantastischer Entstellung verwendete. Äusserlich sind sie fast gleichartig behandelt, gewöhnlich ziemlich einfach. Doch sind nicht selten derlei Gefässe noch mit Ciselirungen oder Farbenschmelz geziert. Meistens am Kopfe (bei Thieren nach Umständen zwischen den Ohren) ist die Öffnung zum Eingiessen des Wassers, verschliessbar mit einer beweglichen Klappe, das Ausgussrohr hingegen auf der Brust angebracht. Grösstentheils sind diese Gefässe mit Henkeln versehen, wozu theils der Schweif des Thieres, theils die Form eines angefügten schlangenartigen Thieres verwendet wurde.

Die am häufigsten vorkommende Form ist die in Gestalt eines Löwen. Zahlreich sind derlei Aquamanile gegenwärtig noch vorhanden. Dahin gehören jene zwei interessanten Giesskännchen aus spätromanischer Zeit, die sich in der königlichen Kunstkammer des Mittelalters zu München befinden (Fig. 1 und 2). Ferner jener urceolus, der vor etlichen Jahren bei Kruchow in Posen gefunden wurde. Er gehört dem XI. oder XII. Jahrhundert an, und lässt trotz seiner argen Beschädigung seinen Hauptcharakter und die Ciselirung der Mähne noch recht deutlich erkennen (Fig. 3)[2].

Zwei solche ebenfalls messingene Aquamanilia befinden sich in Wien in Privatsammlungen. Das eine (Fig. 4) noch dem XII. Jahrhundert angehörige ist vollkommen gut erhalten. Die Öffnung zum Eingiessen des Wassers befindet sich am ausgebildet modellirten Kopfe des Thieres, das Ausgussrohr an der Brust, woselbst ein kleiner phantastischer Thierkopf angebracht ist, der sich an der Pipenschraube wiederholt. Die Handhabe ist durch den Schweif gebildet, der in doppelter Biegung bis zum Kopfe des Thieres rückgebogen ist, und dort nach Art der heraldischen Lilie mit einem ornamental ausgeführten Haarbüschel endiget. Die Mähne des Thieres und der Schweif sind eingravirt, der Leib ist glatt[3].

Das andere Aquamanile (Fig. 5) gehört dem Ausgange der romanischen Kunst an, ist nicht mehr vollständig, indem das Ausgussrohr fehlt. Den Henkel bildet ein schlangenartiges Thier, das vom Hintertheil des Löwen frei ansteigt und in dessen Kopf zu beissen scheint[4].

Auch in der kleinen Sammlung mittelalterlicher Gegenstände auf der Burgruine zu Greifenstein bei Wien (Eigenthum des Fürsten Johann Liechtenstein) befindet sich ein ähnliches Aquamanile aus Messing in Löwenform. Dasselbe ist aber insofern verstümmelt, als das Ausgussrohr von der Brust des Thieres entfernt und nun im Rachen desselben befestigt ist.

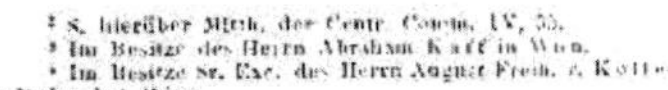

[2] S. hierüber Mitth. der Centr. Comm. IV, 55.
[3] Im Besitze des Herrn Abraham Kaff in Wien.
[4] Im Besitze Sr. Exc. des Herrn August Freih. v. Koller zu Baden bei Wien.

Fig. 5.

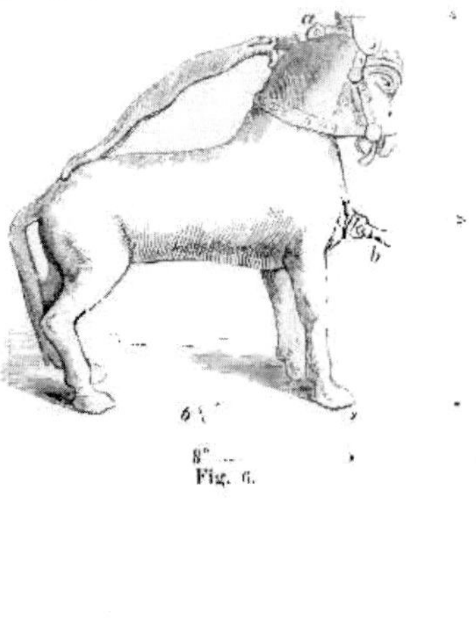

Fig. 6.

Fig. 7.

Alle übrigen Formen der urceoli sind seltener. Dahin gehört die eines Pferdes (Fig. 6), das, ursprünglich in Trient befindlich, nun in die Sammlung des Vorstandes des germanischen Museums, des Herrn A. Essenwein, aufgenommen ist. Dieses interessante Aquamanile dürfte dem XIII. Jahrhundert angehören, und ist auch durch die Art der Aufzäumung des Thieres beachtenswerth[5].

[5] S. Mitth. der Centr. Comm. IV. 19.

Fig. 8.

Auch Gestalten von Vögeln finden wir zum Aquamanile verwendet. Dahin gehört jenes kostbare Spülgefäss, das sich im k. k. Münz- und Antikencabinet befindet. Es hat die Gestalt eines Greifen (Fig. 7), jenes sagenhaften Vogels, der in der christlichen Physiologie des Mittelalters so oft erscheint und daselbst eine hervorragende Rolle spielt[6]. Es ist dies ein sehr werthvolles Gefäss, nicht allein durch seine seltene Form, sondern auch durch den Emailschmuck, mit dem fast der ganze Leib dieses Thieres bedeckt ist.

Auch kennen wir ein Aquamanile in Gestalt einer Taube mit dem Ölzweige im Schnabel. Es befindet sich im erzbischöflichen Museum zu Cöln.

Ein ganz besonderes lavatorium ist jenes aus der Zeit des IX. bis XI. Jahrhunderts stammende, das sich derzeit im Pester Museum befindet und unzweifelhaft von byzantinischen Erzgiessern angefertigt wurde[7]. Dieses Bronzegefäss stellt ein vierfüssiges Thier mit angesetztem Menschenleibe vor. Statt des Henkels steht auf des Thieres Rücken die kleine Gestalt eines Flötenbläsers.

Nicht minder selten und sehr werthvoll sind Aquamanilia in Form von Menschenköpfen. Ein solches merkwürdiges Gefäss (Fig. 8) befindet sich im reichen Domschatze zu Aachen. Es hat die Form eines männlichen Hauptes, dürfte dem Beginne des XIII. Jahrhunderts angehören und mit aller Wahrscheinlichkeit der Sammlung jener Gefässe entstammen, welche bei der Krönung deutscher Könige in Verwendung standen und dabei zu Handwaschungen gebraucht worden sein.

Ein solches interessantes Aquamanile in der Form eines Frauenkopfes (XII. Jahrhundert) besitzt auch das National-Museum zu Pest[8].

. . . m . . .

Grabstein eines Herrn von Liechtenstein-Murau.

In der Pfarrkirche zu Luttenberg befindet sich an der Epistelseite eine mit dem Liechtenstein-Murau'schen Wappen[1] gezierte Inschrifttafel, darauf folgende Worte stehen:

ALLHIE LIGT BEGRABEN
DER WOLGEBORN HERR
REICHARD HERR VON LIE
CHTENSTAIN VON MVRAW
ERBKAMERER IN STEYR VNT
LANMARSCALK IN KARNTEN
WELCHER DEN 11 IVLY
DES 94[2] IAHRS IN FELDLECHER[3]
VOR PETRINIA VERSCHIEDEN DEN
GOTT GNADE. DIS EPITAPHVM
HAT LASSEN MACHEN DIE WOLGEB
ORN FRAV SYSANNA FRAV VON
LICHTENSTAIN, GEBORNE ALBERLN?.
WITTIB IM IAHR MDXCVI.

Reichard von Liechtenstein, Otto's von Liechtenstein zu Murau und Benigna's von Liechtenstein zu Nikolsburg Sohn, Erbkämmerer in Steier und Landmarschall in Kärnthen, welche Aemter er von seinem 1581 verstorbenen Bruder Rudolf aufgenommen hat, verehelichte sich den 28. Februar 1588 zu Radkersburg mit Susanna, des Dr. Alberis aus Wien Tochter, Hannsen Christoph Rindscheit's zu Luttenberg Witwe.

[6] S. Mitth. der Centr. Comm. IX. 21. [7] Dasselbe ist besprochen und abgebildet in den Mitth. der Centr. Comm. XII, 84. [8] Besprochen und abgebildet in den Mitth. der Centr. Comm. XII, 22.

[1] S. Mitth. der Centr. Comm. XII, p. XIII. — [2] 1594. — [3] Feldlager.

XII.

Reichard von Liechtenstein-Murau hinterliess keine Descendenz. Seine Schwester Anna Susanna, mit Karl von Herbersdorf vermählt, starb am St. Michaelstage 1582 zu Radkersburg. *Hönisch.*

Die Mitra zu Admont.

Wir haben in unserem Aufsatze über die Mitren im XII. Bande der Mittheilungen der k. k. Central-Commission, März-April-Heft, S. 77 erwähnt, dass sich bis zum grossen Brande des Stiftes Admont im Jahre 1865 dortselbst eine Prunk-Mitra befand, wir aber gegenwärtig über deren weiteres Schicksal keine Kenntniss haben. Der Conservator J. Scheiger hat nunmehr die Central-Commission mittelst Bericht vom 16. Juni 1867 in Kenntniss gesetzt, dass nach speciell erhaltener Mittheilung des Stiftes nicht nur diese Infal noch im Stifte aufbewahrt wird, sondern überhaupt die Paramente der dortigen Kirche bei dem gedachten Brande keinen Schaden gelitten haben. Wir können diese Nachricht nur mit Freuden begrüssen, da ausser dieser Mitra der Stiftsschatz so manches werthvolle Object enthielt, wie den Reisealtar aus der zweiten Hälfte des XIV. Jahrhunderts (s. Mittheilungen der Central-Commission IV., 21), einen Kelch aus der Mitte des XIV. Jahrhunderts, eine Monstranze aus dem XV. Jahrhundert, ein Casel mit schöner Stickerei aus dem Ende des XV. Jahrhunderts und ein Elfenbeinpedum aus dem XI. Jahrhundert, welche letztere vier Gegenstände in einem in nächster Zeit zur Veröffentlichung gelangenden Aufsatze näher gewürdigt werden sollen. *. . . m . . .*

Besprechung.

Vom Alterthums-Vereine zu Wien.

Soeben ist der Ausschuss dieses Vereines im Begriffe, ein neues Heft der Vereins-Publicationen den Mitgliedern zu übergeben. Es ist das zweite Heft des X. Bandes. Wir müssen gestehen, dass diese Reihenfolge der Publicationen uns einiges Befremden verursacht, denn in den Vereinsschriften geht nun der X. Band bald zu Ende, während der im Jahre 1864 begonnene VIII. Band noch immer seines Schlussheftes harret. Einigermassen kann wohl das auf dem Umschlage dieses neuen Heftes gemachte Versprechen, dass das nächstfolgende Heft den VIII. Band abschliessen wird, befriedigen. Doch wurden in dieser Beziehung schon öfters Versprechungen gemacht und Aussichten auf bedeutende Illustrations-Beigaben gestellt, ohne bisher gehalten worden zu sein. Sicherlich sind es sehr triftige Gründe, die den Ausschuss veranlassen, dass er die Emission dieses so lange versprochenen Heftes immer noch verschiebt. Wir dürften uns jedoch kaum irren, wenn wir erwarten, dass bei der nächsten Generalversammlung dieser Übelstand, wenn ihm bis dahin nicht abgeholfen ist, in unliebsamer Weise zur Sprache gebracht werden wird.

Was nun das neu ausgegebene Heft betrifft, so enthält es ausser den gewöhnlichen Vereinsberichten über das vergangene Vereinsjahr und über die letzte Generalversammlung fünf grössere Aufsätze. Der erste bringt aus bisher unbenützten Quellen zusammengestellte Materialien zur Topographie der Stadt Wien in den Jahren 1563 bis 1587 aus der Feder des bewährten Freundes des Vereines, des Dr. Ernst Birk. Der Verein, der in seinen Schriften der Topographie und Localgeschichte Wiens eine besondere Aufmerksamkeit zugewendet hatte, hat mit dieser werthvollen Veröffentlichung einen ausgiebigen Schritt vorwärts gethan, hinsichtlich der topographischen Sicherstellung der Gebäude und ihrer Besitzer im alten Wien. Mit dieser mühsamen und verdienstvollen Arbeit jenes Häuserverzeichniss in Verbindung gebracht, das Camesina im VIII. Bande der Vereinsschriften veröffentlichte, dürften wenige Fragen über Wiens ältere Häuseranlagen unbeantwortet bleiben. Die Quellen, aus denen Dr. Birk schöpfte, sind die Bücher und Protokolle der kaiserlichen Hofquartiermeister, die vom Jahre 1563 bis gegen das Ende des vorigen Jahrhunderts reichen und derzeit im Archive des k. k. Finanzministeriums aufbewahrt werden.

Der nächste und mit vielen vorzüglichen Holzschnitten ausgestattete Aufsatz, verfasst von Julius Koch und Johann Klein, hat die kirchlichen Baudenkmale des Mittelalters im Markte Mödling zum Gegenstand. Mit der Aufnahme dieses Aufsatzes in den Vereinsschriften wurde aber noch ein weiterer Zweck verbunden. Die beiden Herren Autoren hatten schon längst den Plan gefasst, behufs der Restaurirung der alten Othmarskirche in Mödling einen Verein zu bilden. Um nun die Kunde der Bedeutung dieser Kirche möglichst zu verbreiten und zugleich auch diesem Vereine recht viele Mitglieder zu verschaffen, haben diese Herren beschlossen eine Monographie über die kirchlichen Denkmale Mödlings zu veröffentlichen. Sie wandten sich zu diesem Zwecke an den Alterthumsverein, der mit grösster Bereitwilligkeit dem Unternehmen beitrat, die Veröffentlichung der Schrift und die illustrative Ausstattung mit wahrhafter Munificenz übernahm, und mit der unentgeldlichen Überlassung einer höchst namhaften Anzahl von Separatabdrücken an diese beiden Herren, das Inslebentreten eines Restaurationsvereines nach besten Kräften von seiner Seite förderte.

Der folgende Aufsatz ist eine Abhandlung über das Heidenthor bei Petronell, verfasst von dem um die Geschichte Niederösterreichs während der Römerzeit tüchtig bewährten Dr. Friedrich Kenner. Eine schön ausgeführte Ansicht des Römerbogens ist diesem Aufsatze beigegeben.

Nicht mindere Beachtung verdient die Schrift Prof. Aschbach's über das römische Heerwesen in Pannonien.

Der fünfte Artikel enthält schätzenswerthe Beiträge zur Geschichte von Schwallenbach, geliefert vom Prof. J. Keiblinger. Überblicken wir den Inhalt dieses Heftes, so können wir denselben nur als in jeder Beziehung befriedigend bezeichnen und den Wunsch aussprechen, dass der Verein in Zukunft gleich wie bisher dieselbe Aufmerksamkeit seinen Publicationen zuwende. Eine weitere Beigabe dieses Heftes bildet ein ferneres Blatt der Abbildungen der Temperagemälde an der Rückseite des Verdüner Altars zu Klosterneuburg. *. . . m . . .*

Die Rudolphinische Kunst- und Raritätenkammer in Prag.

Es ist auffallend, dass über die berühmte, von Kaiser Rudolf II. auf dem Prager Schlosse angelegte Kunst- und Raritätenkammer bis jetzt so wenig in die Öffentlichkeit drang, und doch hatte dieselbe, wir würden heute sagen, einen beinahe europäischen Ruf. Meines Wissens ist das Verzeichniss, welches Joseph Chmel in seinem Werke: „Die Handschriften der k. k. Hofbibliothek in Wien", 2 Bände, 1840 und 1841, über die kaiserliche Schatz- und Kunstkammer auf dem Prager Schlosse nach einer Wiener Handschrift im Band II, S. 1—12 abdrucken liess[1], das einzige hierüber bis jetzt in die Öffentlichkeit gedrungene.

Im Sommer des Jahres 1851 kamen mir auf einer Durchforschung schwedischer Archive drei Inventare der oberwähnten Sammlung in die Hände, von denen ich hier dem freundlichen Leser zwei vorlege.

Das eine Inventar *A* auf dem Wrangl'schen Schlosse zu Skokloster am Mälar führt den Titel: „Verzeichniss, was sich in Ihrer kaiserl. Majestät Kunstkammer zu Prag befindet."

Dieses Verzeichniss führt uns in vier grosse Gewölbe, in den neuen und den spanischen Saal, in die Rüstkammer und sogar in das kaiserliche Schreibstübl im Prager Schlosse auf dem Hradschin ein, um uns die seit dem kunstliebenden Kaiser Rudolf II. bis auf Ferdinand III., also etwa seit 1576—1648, gesammelten Seltenheiten vorzuführen, welche der Scharfsinn und die Geschicklichkeit der Menschen und die unerforschte Schöpferkraft der Natur hervorbrachten. Da standen im ersten Gewölbe in 20 Schränken und auf 9 Tischen in den Fensternischen astronomische und geometrische Instrumente, Silbergeschirre, Gegenstände von Gold, Edelgestein, Elfenbein und Perlmutter, Jagd-, Sperber- und Reitzeug (ein silberner vergoldeter Sattel mit Türkisen, dazu die Steigbügel, das Kopfgestell und Vorbiss mit Rubinen, das andere Riemzeug mit „Issadenstein" reich verziert, hiezu eine rothsammtene Schabrake und Satteldecke mit Gold gestickt), persische und indianische Geräthschaften und Dolche waren hier aufgestellt. Auf den Schränken standen 93 antike und andere Statuen von Metall, Gyps, Alabaster und Marmor, und an den leeren Räumen der Wände prangten 11 Stück Gemälde. In und auf den Tischen waren „Perlengewächs" und Muscheln, allerhand von Gold- und Silbererz, gar reich in die zwei Centner, türkische Briefe, eiserne Instrumente, Feuerspiegel etc., ober ihnen 20 Metallbilder und 13 Gemälde; ferner ein agsteinerner Spiegel, eine kupferne Platte, worauf Ferdinand III. gestochen, unterschiedliche Spiegel und eine kupferne vergoldete Laute. In der Mitte des Zimmers standen 7 künstlich gearbeitete Uhren, ein runder Tisch von böhmischen Jaspisen, mit Granaten und Gold versetzt und darauf ein liegendes Einhorn und ein „mit durchbrochener Arbeit künstlich von Eisen ausgehauter Sessel", zwei Statuen von Marmor und unterschiedliche Kunstwerke.

Das zweite Zimmer hatte 6 Schränke (Nr. 21 — 26) und diente zur Aufstellung des Porcellans und „allerhand schön Erdengeschirr mit gemalter Arbeit". An der Mauer: Kaiser Rudolf's Brustbild und ein Pferd, beides von Metall; gegen die Fenster hin eine Grotte von Korallen, ein Brustbild von Wachs, eine „Galleere" und „etliche Stück Stein Iszaden (Nephrit)."

Das dritte Zimmer, ebenfalls mit 6 Schränken (Nr. 27 — 32), worin Kunstbilder, gemalt, gezeichnet, gestickt, geschnitzt (von Holz geschnitzte künstliche Knöpfe, wie auch eine Kette von Holz, so ein Blinder gemacht), in Miniatur, auf Pergament, in Gold etc., dann Köcher, Pfeil und Schellengeläute, etliche türkische Schleier, eine Standarte mit Gold und Perlen geziert, Rosszeug, und in dem Schranke mit Nr. 32 bezeichnet, „unterschiedliche Kunstbücher von Kupferstichen und dergleichen". Mitten in diesem Zimmer stand das Capellensilber, bestehend aus einem grossen silbernen, mit Ebenholz verfassten Altare, einem grossen massiv silbernen Kreuze und zwei andern ähnlichen mittlerer Grösse, sechs grossen silbernen stark vergoldeten Leuchtern und sechs andern kleineren, die blos von Silber und nicht vergoldet waren, dann drei silbernen vergoldeten Kelchen, Opferkannen, Weihbrunnkesseln, Glöckchen, zwei kleinen Bildern in Holzrahmen mit subtilem Silber überzogen u. s. w., dann eine Mumie und unterschiedliche Gypsfiguren. Bei den Fenstern „eine Truhe von „Ambrahaut", gestickt, mit goldenen Beschlägen, darüber ein Futteral von blauem Sammt, darin ein Paar spanische Handschuhe und unterschiedliche Hosensäcke von wohlriechenden spanischen Häuten, dann zwei Hirschfänger von Elfenbein sie, schön durchbrochen, ein Compas" etc. An der Mauer: Kaiser Rudolf's Brustbild von Metall auf einem Piedestal von schwarzem Marmor, zwei Metalltafeln, worauf die Eroberung Raabs, ein grosser Globus u. s. w. Ferner 5 kleine und 2 grosse Metallbilder und 6 Gemälde auf den Schränken.

Das vierte Zimmer diente zum Naturaliencabinete. Da waren Skelete von fremden Thieren, Hörner und Geweihe, Häute von Seepferden, Seehunden, weissen Hirschen, gestreiften Pferden nebst Muscheln u. s. w., aber auch „ein grosses Buch, so der vermauerte Mönch zu Braunau geschrieben", dann Spiegel und Spieltische.

In der Rüstkammer waren an 170—180 unterschiedliche kostbare Schiesswaffen, mehrere Seitenwaffen mit goldenen und silbernen Gefässen, Jagdgeräthe, acht Henkersschwerte, ein grosses Schwert, welches Papst Gregor XIII. dem Kaiser Rudolf verehrte, ein Schwert aus Mähren, Paridolche, alte Standarten und Fahnen, Picken, Schilde, Helme, Harnische, Modelle[2] etc.

In der Schreibstube des Kaisers waren 50 Stück kleine und grosse sehr schön gemalte Bilder, dann 20 Broncestatuetten und eine Themis von Metall.

Im spanischen Saal standen verschiedene „Geigen- und Orgelwerke", ein grosser Spiegel von Stahl, 3 Bettgestelle mit Perlmutter und Gold geziert, ein Tischblatt von Messing, worauf das Porträt des Herzogs von Sachsen gestochen war etc.

Im neuen Saal standen 5 Statuen von Metall, „darunter des Königs von Schweden Brustbild", indianische Sesseln mit Gold geziert, „ein Instrument, darunter Vulkanus die Waffen schmiedet", eine grosse hölzerne Statue u. s. w.

Die Bilder waren folgendermassen vertheilt: 1. Im Eingang Nr. 1—109; 2. im andern Gang Nr. 110—264; 3. im Gange zwischen den Gallerien: *a)* auf den Wänden Nr. 265 — 310; *b)* auf der Erde Nr. 311 — 365 und *c)* an der Mauer bei den Fenstern Nr. 366—423; 4. auf der Stiege zum spanischen Saal Nr. 424 — 437; 5. im spanischen Saal: *a)* auf dem Gesimse Nr. 438—475; *b)* unter dem Gesimse auf der Bank Nr. 476—499; *c)* auf der Erde an die Bank gelehnt Nr. 500—548; *d.* an der Mauer bei und zwischen den Fenstern Nr. 549—642; 6. im neuen Saal Nr. 643—718 und an der Seite lehnend Nr. 719—764 und hier meist Porträte.

Dies die Übersicht der Räumlichkeiten.

Diesen grossartigen Schatz, den wir nach dem eben erwähnten Verzeichnisse, wie er unmittelbar vor der schwedischen Eroberung beschaffen war, überblicken können, fanden die Schweden in Prag, als am 26. Juli 1648 durch Ottovalsky's Verrath das königliche Schloss und die Kleinseite zu Prag in Königsmark's Hände fiel. Schwedische gleichzeitige Berichte berechnen die Prager Beute weit über 7 Millionen; sie sagen, dass allein die hier gewonnene Barschaft höher erachtet wurde, „als des ganzen Reichs Contentirung der schwedischen Militia". Von der eroberten Kunstkammer, die nach einem Briefe des Generals Königsmark an den schwedischen Legaten Johann Axel Oxenstierna vom 20. Juli (alten Styls) 1648 „straks anfänglich aufgebrochen worden ist, so dass viele Sachen herausgenommen wurden", liess sich Königsmark von dem damaligen kaiserlichen Schatzmeister Miseron unter Androhung der Tortur das Original-Inventar und die Schlüssel übergeben und

[1] S. Verzeichniss derjenigen Sachen, so auf dem Königl. Prager Schloss in der römisch-kaiserl. Majestät Schatz- und Kunstkammer gefunden worden. Manuscript der k. k. Hofbibliothek Cod. Nr. 8196, Sec. XVI, im Benützt von A. Ritt. v. Perger in seinen „Studien zur Geschichte der Gemäldegallerie im Belvedere zu Wien".

[2] Der grössere Theil dieser Waffen findet sich im Skokloster-Schlosse vor, darunter Karl V. Schild von Benvenuto Cellini. General C. G. Wrangel hatte sie hier deponirt. Das sogenannte „Schwert aus Mähren" datirt sich vom Könige Wladislaw Jagelović (1471 — 1516). Zum Andenken der ihm von der Hradischer Bürgerschaft bewiesenen Treue ertheilte er ihr für ewige Zeiten ddo. Prag 29. Mai 1472 das Privilegium, statt der landesfürstlichen Steuer alljährlich ein Schwert „quia gladio victores fuere" im Werthe von 30 Ducaten abzuführen. Wie viele solche Schwerter abgeführt wurden, weiss man zwar nicht; dass aber noch 1652 die Stadt Hradisch 30 Ducaten für die erwähnte Waffe dem Franziskaner-Nonnenkloster bei St. Joseph in Brünn nach einer Schenkungsurkunde des Königs Matthias ddo. Prag 1. Juli 1616, abgeliefert hatte, bezeugt Wolny's Topog. IV, pag. 53. In der Sacristei der Hradischer Pfarrkirche zeigt man ein geflammtes zweihändiges Schwert, das auch eines von jenen Tributschwertern sein soll.

eine Specification für Oxenstierna und eine andere für die Königin Christine anfertigen. Diese Specification für die Königin Christine und jene für den Legaten Axel Oxenstierna fand ich nicht vor, wohl aber unter den reichen Papieren des Feldherrn Karl Gustav Wrangel ebenfalls zu Skokloster ein Verzeichniss *B*, welches in Prag bei der am 10., 11. und 12. September (neueren Styls) 1648 vorgenommenen Inventur der Kunstkammer verfasst wurde. Es führt die Aufschrift: „Den 31 August (10. Septembris) Anno 1648 etc. befunden worden". Welcher Contrast! Von dem reichen an 200—300 Mark schweren Silbergeschirre, von den fast unschätzbaren Edelsteinen, Diamanten, Topasen, Smaragden, über 3000 Dutzend (!) grossen und kleinen geschnittenen Granaten, von den 71 goldenen, mit kostbaren Diamanten gezierten Knöpfen, von andern 276 goldenen und künstlich gearbeiteten Knöpfen u. s. w. keine Spur mehr. Die Kunstsachen, besonders die Bilder, werden nur noch summarisch angeführt, und von Tischen und Schränken heisst es, dass sie leer gefunden wurden. Da mag wohl das Theatr. Europ. ganz recht haben, wenn es: Band VI, pag. 328 sagt, „wie Erfurter Brieffe unterm dato den zwölfften Augusti melden, dass wenige Tage vorher von offtermeldetem von Königsmarck 5 mit Gold und Silber beladene Wagen allda durch und nach der Weser geführt worden", und wie überhaupt an 60 Wägen mit Beute nach Leipzig abfuhren. Und trotz dieses fast fabelhaften verloren gegangenen Reichthums konnte die Königin Christine noch einen Schatz bekommen, dessen Übersicht uns mit Staunen und Bewunderung erfüllt.

Die ganze in Prag gemachte Beute, wozu auch die Rosenberg'sche Bibliothek gehört, ward wahrscheinlich in der zweiten Hälfte Septembers 1648 verpackt und nach Dömitz, einer kleinen Festung im Mecklenburgischen, geschickt. Von Dömitz kam alles nach Wismar und somit an die Ostsee. So mächtig reizte diese Beute die Neugierde der gelehrten Königin Christine, dass sie wegen Beschleunigung der Überführ ein eigenhändiges Schreiben an den Obersten und Kommandanten von Wismar, Erich Hansson Ulfsparre, ddo. Stockholm 7./17. April 1649 in folgenden Worten schickte: „Unsere Gnade etc. Wir wollen Euch, Herrn Obersten und Kommandant, Erich Hansson Ulfssparre, hiermit gnädigst nicht verhehlen, wie es — sintemalen bei diesem schönen und herrlichen Wetter die See zwischen Wismar und hier vermuthlich bald rein und offen sein wird, und Wir gerne sehen, dass die Bibliothek, Kunstkammer und mehreres andere, was in Prag erobert wurde und zu Wismar in Verwahrung steht, mit der nächsten Gelegenheit hieher geschickt werden möchte — Unser gnädiger Wille und Befehl ist, dass Ihr diese Sachen auf ein starkes Schiff laden lasset, und selbe sobald Ihr Erkundigungen einziehet, dass das Eis der Abfahrt nicht hinderlich sei, unter Aufsicht von verlässlichen Personen hierher sendet etc"[3]. Diese Weisung wurde genau befolgt und zu Ende des Monates Mai 1649 konnte schon Christine in Stockholm den unversehrt gebrachten Kunst- und literarischen Reichthum überblicken, und ihren Aufsehern, dem Bibliothekar Freinshemius, und dem Museumscustos Marquis du Fresne die nöthigen Befehle zur Aufstellung desselben ertheilen[4].

Dieser Raphael Trichet Marquis du Fresne, königlicher Museumscustos fertigte 1652 über die gesammten Kunstschätze der Königin Christine ein eigenes Inventarium in französischer Sprache unter dem Titel: „Inventaire des raretez, qui sont dans le cabinet des antiquitéz de la serenissime reine de Suède. Fait l'an 1652". Es liegt dieses Inventarium gegenwärtig im Originale in der kön. Bibliothek zu Stockholm, es umfasst 137 Folioseiten, ist deutlich geschrieben, und von Du Fresne mit Bemerkungen versehen, der auch zur Steuer der Wahrheit am Schlusse dieses Inventariums pag. 128 eigenhändig ansetzte:

„Je soubsigne et certifie que les choses mentionnées en cet inuentaire se sont trouvées dans les Cabinets de la Reyne, et que celles qui ne s'y trouvent plus auiourdhuy, ont este mises par moy entre les mains da sa maiesté par ordre exprés qu'elle m'en a donné. Fait à Stockholm le 24. Septembre 1653. Du Fresne etc."

Da bei jedem einzelnen Gegenstande der Aquisitionstitel angesetzt ist, so unterliegt es keinem weitern Zweifel, dass wir hier ein vollständiges Verzeichniss jener Kunstschätze haben, welche Königsmark nach der Überrumpelung des Hradschin's und der Kleinseite am 26. Juli 1648, aus diesen eroberten Theilen, namentlich aus der königlichen Burg, der Königin überschickt hatte. Diese Kunstschätze sind zwar unter gewissen Abtheilungen, aber leider nur oberflächlich nach ihrem Gegenstande, ohne Angabe der Meister verzeichnet; indess ein erfahrener Kenner kann um so leichter aus diesen einfachen Angaben (besonders bei den Gemälden) den Meister herausfinden, als bei vielen Nummern von Du Fresne's Hand bemerkt ist, wohin dieselben verschenkt wurden. Und wirklich nur auf diese Weise hat man einen Raphael erkannt, der jetzt in der Stafford'schen Bildergallerie sich vorfindet, welcher ehedem der Königin Christine angehörte[5]. Da übrigens die Verzeichnisse so ziemlich gleichlautend sind, lassen sich die von uns im Verzeichnisse A angeführten Gemälde leicht aus dem von Ritter von Perger veröffentlichten oberwähnten Gemäldeverzeichnisse herausfinden und durch Vergleich mit dem Christinischen Verzeichnisse konstatiren, was in Christinens Besitz überging.

Ich habe die aus dem Originale genommene Copie der Christinischen Kunstschätze dem Professor der Geschichte zu Bordeaux M. A. Geffroy, gleich im Jahre 1854 mitgetheilt, welcher es in den „Notices et extraits des Manuscripts concernant l'histoire ou la littérature de la France qui sont conservés dans les bibliothèques ou archives de Suède, Danemark et Norvége. Par M. A. Geffroy, Professeur d'histoire à la faculte des lettres de Bordeaux, Paris 1855," 4°, S. 260, vollständig abdrucken liess.

Ich gebe hier nur eine Übersicht der Gruppen, nach denen die Kunstgegenstände getheilt erscheinen, zugleich mit Angabe der Anzahl der aus Prag stammenden Nummern. Die Gruppen sind.

I. Les statues de bronze, grandes et petites. Unter dieser Rubrik sind 86 Gegenstände verzeichnet, darunter 71 aus Prag.

II. Les statues de marbre. Hier werden, doch nur summarisch, 166 Marmor- und 13 Thonfiguren, darunter 11 Marmorfiguren aus Prag angeführt.

III. Les medailles de toutes sortes de metaux. Im Ganzen werden, nebst vier grossen Schränken voll Medaillen, die jedoch noch nicht gezählt sind, 112 Goldmedaillen, 1 halb goldene und halb silberne, 6339 silberne, und 8658 Bronze-, Kupfer-, Blei- und Eisenmedaillen, demnach 15110 Stück aufgezählt. Der grössere Theil derselben wurde durch König Gustav Adolf in München, und durch Königsmark in Prag genommen.

IV. Les raretez d'ivoire. Unter den 162 Nummern gehören 116 Nummern Prag an.

V. Les raretez d'ambre. Die hier verzeichneten 16 Nummern stammen alle aus Prag.

VI. Les raretez de coral. Unter den angesetzten 5 Nummern gehören 4 Prag an.

VII. Les raretez de rocailles. 11 Nummern werden aufgezählt, darunter eine vom russischen Grossfürsten stammend, die übrigen sind Prager Gegenstände.

VIII. Les vases de porcelaine. Mit Ausnahme von Nr. 1 ein Geschenk des portugiesischen Gesandten, die übrigen 20 Nummern aus Prag.

IX. Les raretez des Indes. Nur Nr. 48 ist ein Geschenk eines Kapitäns, die übrigen 51 stammen aus Prag.

X. Les Cabinets. Nr. 1. Un cabinet de bois d'ebene, tres bien fait. Nr. 3. Un petit cabinet noir d'ebene garny d'or avec des tiroirs ou il y a 15 petits animaux de menuiserie d'argent. Nur diese zwei Stücke sind von Prag.

XI. Les horloges. 15 künstliche und kostbare Uhren findet man hier verzeichnet, die als Siegsbeute nach Schweden aus Prag gewandert.

XII. Des Globes. 8 Stück aus Prag.

XIII. Les Miroirs. 9 Stahlspiegel werden als von Prag gebracht angeführt.

XIV. Les raretez de Cristal. Nr. 7. Une tasse un peu longue, taillée de cristal de roche. Nr. 8. Un miroir ardent de cristal de roche avec un manche brun. Nebst diesen noch zwei andere Gegenstände, als, ein Trinkgeschirr und ein kleinerer Brennspiegel von Prag.

XV. Les Rochers. Nr. 2. Un rocher porté sur un piedestal couuert de velours rouge et garny d'argent avec quattre arbres rouges de corail, et un arbre vert plus grand portant des figures d'argent. Nr. 8. Un grand rocher avec des figures sur un piedestal doré. Nebst diesen noch 6 andere ähnliche Gegenstände aus Prag.

[3] Das hier in einer freieren Übersetzung mitgetheilte Schreiben ist zu finden in Stockh. Magazin von Magnus Swederus I, pag. 231 für's Jahr 1780.

[4] Stockh. Magazin l. c.

[5] Lagerbring's „Bemerkungen über die Schicksale der Bildersammlung der Königin Christine in Schweden". Über andere Christinische Gemälde: s. Notices et extraits des Manuscripts etc. par M. A. Geffroy. Paris 1855. pag. 315 u. ff.

XVI. Les pierres precieuses, et les ouvrages de pierrerie. Unter den verzeichneten 42 Nummern finden sich 31 aus Prag, und zeigen von dem grossen Reichthume, den Prag vor der Plünderung an geschnitzten Steinen hatte.

XVII. Les Instrumens mathematiques. Alle hier verzeichneten 63 Nummern stammen aus Prag.

XVIII. Diverses sortes de Cornes. Unter den 16 hier aufgezählten befanden sich ehedem 12 in Prag.

XIX. Les Tables. Sogar von diesen Geräthen mussten 4 Prag verlassen.

XX. Les Rondaches. Alle 12 angeführten Nummern aus Prag.

XXI. Diverses pièces de bois. 19 Prager Stücke werden unter 24 angeführt, der grössere Theil derselben sind Becher.

XXII. Une meslange de diverses pieces. Auch in dieser Rubrik werden 55 Gegenstände angeführt, die aus Prag stammen.

XXIII. Les tableaux en Sculpture, en taille, en relief. 48 Stücke befanden sich in Christinens Sammlung, 28 gehören davon Prag an.

XXIV. Les Tableaux. Einen wahren Schatz von Ölgemälden weist diese aus 517 Nummern bestehende Abtheilung nach; die grosse Zahl von mehr als 427, mit weniger Ausnahme auf Holz gemalt, gehörte ehedem Prag an; unter dieser letztern Summe waren die meisten von mehr als mittlerer Grösse (auch einige Federzeichnungen). Eines von den Grossen Nr. 105 „Adam und Eva“ auf Holz wurde dem Könige von Spanien geschenkt.

XXV. Les Pourtraits. 52 Portraite der gleichzeitigen berühmten, oder am Hofe der Königin lebenden Männer und Frauen werden hier angeführt, die meisten von ihrem Maler Beck verfertigt. Als aus Prag stammend werden nur zwei bezeichnet: Nr. 1. Le pourtrait d'un peinture qui a fait quelques uns de tableaux cy devant nommez und Nr. 2. Le pourtrait d'un vieillard enchassé d'un bord doré.

Es mogen nun die oberwähnten Verzeichnisse nachfolgen:

A. Verzeichnüss. Wass sich In Ihrer Kays. Majst. Kunstkamer zu Prag befundten:

In der ersten Allmar: Nr. 1.

Nr. 1. Ein grosser Weisser Carallen Zank mit anderen Underschiedlichen Rotten und dergleichen gewex. In allen 39. stück. Darbey ein Schüssel mit figurn von Carallen geschniten, darbey drey grosse Venedische Spiegel.

Nr. 2. Ein Instrument von ganzen glass, darinnen die 12. Monath in einem schwarzen Sameten Futterall.

Ein Spiegl auch von ganzen glass, darin dass Alt und Neu Testament.

Fünff andere dergleichen glässerne bilder.

Nr. 3. Allerhandt geschirr von zusamben gesetzten Möhrmuschlen, In allen 41. stück.

Im Vndterfach 87 Muschlen von Perllmutter.

Nr. 4. Allerhandt Kupferne Platt, darauff Underschiedliche Historien und figurn gestochen. 37 stück.

Im Vndterfach dergleichen mit haydnischen Kaysern 92 stück.

Item Vnderschiedliche gepreg in Eisen geschniten.

Nr. 5. Allerhandt giometrische Und andere Vergülte Instrumenter Zum Abmessen Klein und gross 65 stück.

Im Vndernfach andere dergleichen schlechtere 17 stück.

In der Allmar Nr. 6.

Nr. 6. Zwey schene Glabus, darbey fünff Underschiedliche schene Uhrn, auch Instrumendten von Mesing vergüldt Wie auch Zürkel Und andere dergleichen Instrumenten 42 stück:

Im Undtern fach etliche alte Uhren und Instrumendte.

Nr. 7. Allerhandt geschirr von Agstein 9 stück: giesspeken 2 stück, schallen 1 stück: Prethspiel 3: schachtspiel 2. Messer Löffl Und dergleichen Sachen, grosse Kredenzen im Bestek, drey Kruzefix, etliche Rossarien, alles Von Agstein; Ein SchreibZeng in form eines Trühels.

Im Undtern fach:

Ein silberner vergülter Pecher mit erhobner arbeit mit 16 March 9 Loth.

Zwey Pecher mit	10	„ —	„
Ein Pecherl		„ 13	„
Ein Pecherl		„ 15	„
Ein Pecherl		„ 8	„
Ein Pecherl	—	March 20	Loth.
Eine schässl ver Gült	—	„ 13	„
Ein anderes . . .	1	„ 5	„
Ein ganz Verguldter Adler mit . . .	12	„ 8	„
Ein giesspeken mit der Kandl Vergult	20	„ 8	„
Ein giesspeken wie ein Blumen Kreuz (Kranz?) mit . .	13	„ —	„
Ein giesspeken sambt der Kandl: darauf ein Adler . . .	16	„ 9	„
Ein giesspeken sambt der Kandl mit .	44	„ —	„
Ein Stössel	1	„ 2	„
Ein Kaiserlich Wapen mit	3	„ —	„
Ein Appedeken (Apotheke) . . .	6	„ 6	„

Ein Appedeken in Form eines Altörl von Obenholz gar Reich von Silber,

Zwey grössere und Kleinere Credenzschallen, Wie Muschlen zusamben gemacht Weiss von silber.

Zwei Plumen Kriegel von Silber von durchgeprochner Arbeit.

Zwei Klein schöllelle von silber.

Nr. 8. Underschiedliche geschirr von Böhmischen Jaspies, Agaten und anderen dergleichen Edlgestein Klein und gross 40 stück, darbey etliche Kleine Sachen und Rosenkränz.

Im Vndern fach allerhand geschirr von gefärbten glessern, tere sigillate, und andere dergleichen Materien.

Nr. 9. Etliche Zusamben gesezte Handtstein, theils auf silbernen, andere auf Kupferen und Vergüldeten Füssen 14 stück:

Im Undern fach andere dergleichen schlechtere Sachen.

Nr. 10. Aussgemachte und Unausgemachte Landschaften von Böhmischen Jaspiess, Wie auch von gewaxnen Florendinischen Steinen, darbey etliche auf Allabaster gemahlt, 16 stück.

Darbey auch eine Truhel von dergleichen Arbeit.

Im Undtern fach etliche stück von Musseygen und Allabaster gemahlt, Wie auch geschmelzten glässern In die 21 stük:

Nr. 11. Allerhandt grosse geschirr, gestalten, Pixten, Pfeiffen und andere dergleichen Sachen von Helffenbein gedröhet.

Kleine und gross Über 200 stük darunder stück, welche 24 stük in einander.

Im Undtern fach dergleichen schlechtere Sach Und grosse Pfeiffen in die 50 Stük.

Ein schen geschnitene Kandl von Helffenbein, Inwendig mit vergülten silber gefasst.

Nr. 12. Füguren wie auch Undterschiedliche Konterfeiht alles von Wax, gepassiert in 73 stük.

Im Vndternfach Undterschiedliche Kastel von Antikische Münzen.

Nr. 13. Ein Kredenz von Kupfer, als schüssel, Täller, giess-Peken, Löffel und andere geschirr mit gemahlter Arbeit In die 100 stük.

Im Undtern fach Undterschiedliche Indianische geschirr, alss schüssl, Täller Peken Und dergleichen 50 stük.

Nr. 14. In der Allmar ein schreib Tüsch stehendt mit 7 schubladen, darin allerhandt Edl- und andere gestein, bey Jedem sein Namen Verzeichnet.

Item ein schreib Tisch stehendt mit 9 schubladen, darinnen allerhandt schen geschnitene Diamanten, Böhmisch Topassien, Wie auch andere dergleichen, Ungeheuss Klein und gross, 5 Par Topass, 3 Von Böhmischen Diamanten.

Im disen schreib-Tisch seindt Über 2000 Duzent gross Und Klein geschnittener granathen und eine grosse Anzahl der Ungeschnitenen granathen.

Ein Pröt-spiel von Obenholz schen eingeleget:

Ein schreib-Tüsch mit 14 schubladen, darin allerhand Pixel von silber, Bein, Und holz zum färben.

Nr. 15. Im Anderen fach Ein Jägerhorn mit einer ganz gewürkten silbern schnur doran ein schenes Pfeiffel.

Ein Jägerhorn mit gold und Smaragen gefasst.

Ein Par mit silber gestikte Handtschuh doran 10 durchgeprochene Knepfl mit Diamandter.

Ein Ander dergleichen mit goldt gestikt doran auch 10 Knepfl mit Diamandter.

Ein Par Handtschuh mit 54 roth Und Weiss geschmelzten gülden Knepfl, In ein Jeden ein Diamant.

Ein Pulfferflasche von schmeketen Leder mit goldt beschlogen.

Ein schmekete Brieff-Doschen sambt dem gürtel mit golt beschlogen.

In einem schächteln Underschidliche Kleine Kastel mit Diamanten und etlichen Robinl ungefasst.

Ein Spanisch Waidtmesser mit der schaidt von schmeketen Leder mit goldt beschlogen.

Ein Helfenbeines doppeltes Pfeiffel mit golt gefasst.

Etliche Sperber-henbl Und schnür, reich mit Perll gestükt.

Zehen Kantten (?) mit Spänischen Heftten von Ambra und Pastillin.

Zwei Duzent guldene Knepl mit Ambra gefilt.

96 Kleine güldene Knepf schwarz geschmelzt.

28 Kleine güldene Knepf Rundt blo (blau) geschmelzt.

50 durchbrechne güldne Knepf Weiss geschmelzt.

30 durchbrochne güldne Knepf von Trottarbeit mit kleinen Rubinen.

42 Klein durchbrochne Knepf schwarz geschmelzt.

6 rundte schwarz güldene Knepf.

In einem Leibforben Atlissekel des Königs In Schweden Konterfeht als ein gnoden-Pfennig von golt.

Etliche schene Raigerfeder Busch 9 stük.

Im Vndternfach geometrische Instrumente 22 stük.

Ein Schilt, helm Und Schwerdt, künstlich mit Figuren von Eussen getriben. (S. Dudik's Forschungen in Schweden S. 311 u. 312.)

Nr. 16. Ein silberner Vergülter Sattel, mit Türkessen hinten und vorn versezt: Dorbey ein Par Steigbügl, Hauptgestell und Vorbiss mit Robindel, dass Vordertheil wie auch Bruststück mit Issaden-stein versetzt, darbey auch ein Roth Sametner Seepraken Und Deke Über den Sattel gor Reich mit golt gestükt.

Dorbey dergleichen Und forben (gleich von Farbe) von Samet 7 stück.

7 stük Seepraken mit golt und silber gestükt.

Ein anderer Roth Sameter Sattel, dorbey Haubt- Und Vorder-Zeug mit durchgeprochener Vergüldter arbeith von silber, dorbey ein Por steig-Pigl.

Ein ganzer Ross-Zeug mit silber beschlogen und Böhmischen Dobleten versezt auff Rotten Samet.

Im Undern fach Ein Petstadt von Perlmutter, 2 Pretspiel, 1 schacht Spiel mit Perlmutter.

Nr. 17. Allerhandt Kastel von Indianischer arbeit gefürniseht und mit golt gezihrt In 150 stük.

Dorbey Ein gross Und 2 Kleiner Kastl sambt denen Teklen ganz mit Perll gestükt.

Im Vndtern fach etwass schlechtern dergleichen In 100 stük.

Nr. 18. Indianische Trühel und schachtel von Stro darunder.

Im Vnder fach etwass schlechtere, In beden 100 stük.

Nr. 19. Türkische, Perssianische geschirr von Leder Und dergleichen wie auch Muschgabiterisch, von Leder, Holz und anderer Matorie 50 stük.

Im Vndternfach Urna, und andere Indianisch geschirr von Erdten 30 stük.

Nr. 20. Eine Ligende fügur von gipss.

Im Vndtern fach 26 Indianische Dollich und schlechte Sach.

Oberhalb allen Allmarn 93 stük Allerhandt Füguren, oder Staduen stehendt von Medall, gipss, Allaboster, Märml und andere Materien theils Antikisch Andere Modernisch.

Elff stük gemahlte Bilder.

Zwischen denen Fenstern bestehen Nachfolgendte schreib-Tüsch, alss:

Nr. 1. Im schreibtüsch befinden sich 18 schubladen, darinnen Underschidliche Agaten und andere schene Platten. Oben darauf etliche schlechte Sachen.

Nr. 2. Im schreib-Tüsch befinden sich 15 schubladen, darin allerhandt geringe Sachen.

Oben auf dissen schreibtüsch ein schreibtüsch von schwarzen Samet Iber-Zug, darin Undterschidliche gegossne Thierl und andere Sachen von silber, dorbey etliche stük von Wax geposirt.

Oben auf vorgemelten schreibtüschen, ein Klein schreib-Tüschl von Zapen, darinen allerhandt Perl-gewex 212 stük.

Dorneben ein Indianisch schreib-Tüschl mit Sgatull-Muschlen.

Ein anders darneben von Übenholz nichts darin.

Nr. 3 Im schreib-Tüsch, darin allerhandt von golt- und silber-Erzt, gor reich, welches in die Zwei Zentner.

Oben darauf ein Trühel Perspektifisch eingeleget.

Nr. 4. Im Schreibtüsch Undterschiedliche Türkische brieff.

Oben auf dissen schreibtüsch ein schreib-Tüsch mit schwarz Samet Iberzogen, darin abguss von Pley und dergleichen.

Nr. 5. Im schreib-tüsch befindet sich nichts.

Oben darauf ein ander schreibtüsch mit Bein eingleget, darin Indianische geschirr.

Oben darauf ein Kleinerer, dorin nichts.

Nr. 6. Im schreib-Tüsch befindet sich nichts.

Oben darauf ein ander, dorin etliche geringe Sachen.

Nr. 7. Im Schreib-Tüsch nichts, oben darauf ein andrer, dorin etliche Eusserne Instrumenter.

Nr. 8. In schreib-Tüsch etliche schlechte Sach und Rosariums, oben darauff ein Feyer-spiegel.

Nr. 9. Im Schreib-Tüsch befindet sich nichts.

Zwischen denen Fenstern bestehen 20 Medallene Bilder,

Dreyzehn gemahlt stück bilder,

Ein Agsteiner Spigl,

Ein Kupferner Plott, darauf Ferdinandus der Dritte gestochen,

Ein grosser Feuer Spiegel,

Item etliche andere Spiegel,

Eine Kupferene Vergülte Lautten.

Mitten In der Kunst Kammer bestehet: Alss

1. Eine schene Uhr, Welche alle Himelslauff zeiget.
2. Auff einem schwarzen Fuess die geburt Christy auf Allabaster gemahlt.
3. Ein Werk in schwarz Ebenholz, dorin ein Jagtwerk und Pollnischer Tanz.
4. Ein Uhrwerk in Form eines Thurms.
5. Ein Uhr in einem Sameten Futtrall Läufft eine Kugl auff 2 seitten.
6. Ein schener mit durchgebrochner Arbeit Künstlich von Eussen ausgehauter Sessl.
7. Ein Rundter schener Tüsch von Böhmischen Jaspiessen, dorauf ein gross Einhorn Ligendt; der Tüsch mit granaten und golt gor schen Versezt.
8. Ein Sessl von Ebenholz mit seide gestükt.
9. Ein Vier-Eketes Kastel, dorin ein Waxesbildt, so auf der Zitter schlogt.
10. Ein hohes Werk in Form eines schreibtüsch, dorin allerhandt Perspektifen, oben darauf ein Danz.
11. Ein Uhr in Form eines Babillonischen Thurm, dorauf ein Hörrpanken.
12. Ein geringe Uhr auff schwarz gebeisten Holz, dorin ein Kugl Läufft.
13. Ein 6Ekete Uhr In einem Öben Kasten. dorauff ein durchgebrochner globus Celestis.
14. Zwey Staduen von Mermelstein.
15. Ein schene Uhr mit der geburt Christi. dorin eine Kugel auff und absteiget, in schwarz Öbenen Kosten Inwendig ganz Vergült.

Nr. 21. Im Andren gewelb Und Allmar Nr. 21. und;

Nr. 22. Ingleichen Allerhandt, ein grosse Menge gross und Klein Porzellängeschirr underschidlicher Sorten Iber die 700 stük, dorunder 5 stick mit silber gefasst.

Nr. 23. Allerhandt schen Erden-geschirr mit gemahlter Arbeit, volle Allmar.

Im Undern fach 2 grosse Porzellonn geschirr.

Nr. 24. Allerhandt dergleichen Erdengeschirr Voll Allmar. Im Underen fach 2 Weiss, 1 Plab gross Meoliks Krig (Majolika Krug), vier schisslen von Porzellon.

Nr. 25. Allerhandt obiger geschirr volle Allmar.

Im undern fach 2 grosse Porzellan-Geschirr.

Nr. 26. Allmar voller gross und Klein Porzellon-geschirr: Kaysser Rudolphs Brustbild an der Mauer von Medall.

Ein Pferd von Medall.

Gegen denen Fenstern Eine Krotte (Grotte) von Corallen.

Ein Prustbilt von Wax,

Ein gallern oder schiff,

Etliche stük stein Issaden.

Nr. 27. Im dritten gewelb und Allmar Nr. 27 dess Hauss von Österreich und andere Fürsten und Herrn Konterfeiht. Dorbey Undterschidliche andere gemöhl.

Im Undtern fech etliche Türkische schlayr, Und eine Deken mit einen goltstüken Spiegl, eine Standort mit gold und Perl gestikt Und ander Türkische Sachen.

Nr. 28. Underschidliche Geistliche Biltergemöhl und mit silber gezihrt.

Im Undern fach: Allerhandt Kecher, Pfeill Und schellen-geleit.

Nr. 29. Allerhandt Underschidliche gemehl von Miniatur, Wie auch etliche auf Porgament, und geschribens in proporcion Verfast.

Item andere von Holz geschnitzete Künstliche Knepf, Wie auch eine Kette von Holz, so ein blinder gemacht.

Im Vndtern fach Vnderschidliche stein Jaspies, Topess, lossy (lapis lazzuli) vnd dergleichen.

Nr. 30. Allerhandt gemohlte Vnd genätte Kunststükbilder.

Wie auch auff goltstük gemohlt,
Dan etliche von feder gemacht.
Im Undern fach etliche schlechtere Sachen.

Nr. 31. Etliche stük bilder, so mit der feder gerissen.

Im Vndern fach Vnderschiedliche Ross-Zeug vnd gezaumb.

Nr. 32. Vndterschidliche Kunst-bücher von Kupferstichen vnd dergleichen.

Mitten vnd auff der Erden disses gewelbs bestehet

Ein grosser silberner Altar mit Öbenholz verfasst.
Ein gross silbernes Kreiz von gedigen silber,
Zwey Kleine silbernen Leichter,
Ein Vergülter Kelch mit der patten etwass mit silber gezihrt Weiss,
Ein ander dergleichen Kelch,
Ein ganz vergulter Kelch ohne Ziehr,
Zwey opfer-Kendlen sambt den Peken ganz vergült,
Ein silberner Weich-Kessel sambt den Spreng-Wodel,
Ein silbernes glokel ganz Weiss,
Vier silber vergülte Mayen-Krieg,
Zwey dergleichen Weyss silber-Krieg,
Sechs gross silbern Altor Leichter mit Zihr Vergolt.
Vier Altor Leichter, etwass Kleiner, silber Vnd Weiss,
Zwey silberne Kreiz mitler grösse,
Zwey kleine bilder in holzen-Romben mit subtillen silber iberzogen.

An der Mauer bey den Fenstern bestehet:

Eine Truhe von Ambra-haut, gestikt mit gulden beschlagen, doriber ein blob Samet-futterall, dorin ein Por Sponische Handtschuch,
Vndterschidliche Hossen-seke von Spanischen Heütten Wolriehendt,
Zwey Hürschfenger von Helffenbein, schen durchgeprochen Ziratten vnd Kampast- Vnd gollanderien.

An der Mauer disses gewelbs bestehet:

Kaysser Rudolpho brustbilt von Medall auff schwarz Marmel,
Eine Vhr In schwarzen Klabus,
Ein Vier-Ekete Dafell von Metall, Wie Raab erobert Wirdt,
Ein andere dergleichen von Medoll, Kaysser Rudolpho von Feüersbrunst redocirt.

In der Mitten dess gewelbs:

Eine Muna,
Ein Weybes-biltnüss von gipss,
Eine grosse Pauern-Magdt von gipss,
Ein Wild schwein von gipss, Weiss,
Ein grosser glabus,
Fünff Kleine vnd 2 grössere Medallen bilder,
Sechs gemahlte Bilder auf dem Allmar.

In Vierten gewelb besteht: Von allerhandt frembten Thiern, auch gebein vnd dergleichen.

Item eine grosse an Zahl gross vnd Kleiner möhr-Muschlen.
Allerhandt Vnderschidliche gross vnd Klein gehüren, dorvnder etliche von Renozoran.
Item eine grosse anzohl kleiner Muschel.

In Mitle dess gewelbs:

Ein grosses Wiltschwein von gipss schwarz,
Eine grosse Pauern-Magt von gipss,
Zwey andere Stadnen oder Fügurn von gipss,
Ein grosser Kessel oder geschirr von Serpentinstein,
Vnderschidliche gewey von Thiern,
Eine grosse Haut von einem See-Pfert,
Eine andere Haut von einem See-Hundt,
Eine Haut von einem Weyssen Hürschen,
Ein ander Haut von einem geströfften Pfert,
Ein Tüsch mit stein Eingelögt,
Ein ganzer Fuess von Ellendt, ein becher darauss man Trinken Kan,
Ein grosses Buech, so der Vermauerte Münich Zu Pranna geschriben. (Siehe darüber **Dudik's** Forschungen in Schweden S. 207—235.)
Von einem Hürschen gewey ein Pecher, dorauss man Trinken Kann,
Ein gross silber Vergulter Fuess,
Ein gross 8 Eketer Spiegl in einer schwarzen romb,
Ein Vier Eketer Spiegl mit Pranner Verfosung,
Ein Schwarz-Ebener Tüsch mit Praun Holz einglegt, dorin allerhandt spiel, als Kortten, Prett-spiel vnd dergleichen.

Volget Wass im Spanischen Vnd Neyen Sahl bestehet ausser der Gemahlten bilder:

Ein Rundt eingelegte Daffel von Holz,
Ein geigen-Werk,
Ein orgl-Werk,
Ein anders orgl-Werk,
Ein Instrumendt oder geigen-Werk,
Ein Steinerner Tüsch von Florenczischen Steinen,
Ein Ebener schreib-Tüsch, gross,
Ein grosser Spiegl von Stahel,
Drey Petstatten mit Perlmutter vnd golt Zihrt,
Fünff Indianische Tüsch- sambt andere 3 tüsch-blettern,
Ein Tüsch-blatt von Mesing dess Herzog von Soxssen Konterfeiht dorein gestochen,
Des Khur-fürsten auss Bayrn Konterfeiht von Marmel.

Im Neyen Sohl.

5 Underschidliche Stadüen von Medall, dorunder dess Königs auss Schweden Brustbilt,
Ein grosse hilzener Stadüe,
Ein Stadua von gipss,
Indianische Sessl mit golt gezihrt 6 stük,
Ein Instrumendt dorunter Vulgano die Waffen schmit.

In der Rüst kammer bestehet: Nachfolgendt:

57 stük allerhandt die schensten Zühl-Pürst-Pix- vnd Röhr, etliche ganz von Helffenbeinen-schafften theils eingeleget Vnd gezicht, auch andere Mit erhobner arbeit, theils mit Füssen gor sauber gezihrt Vnd gescheiten, theils mit Vergulten Leiffen, schlesser, Wie auch Tamaschgasirt (damascirt).
15 allerhandt ring-Rohr dorunder etliche flinkn (?),
26. Allerhandt Linkische Wagen-Röhr,
14. Allerley Korbin Carabiner?.
28. Alt Vettertsche Rohr,
12. Muschketten mit Perl Mutter gezihrt,
11. Kurz vnd Long Pistoll.
1. Püx ohne Pulffer(horn),
2. stuz,
1. Pistol mit 3 Leif 3 schloss.
2 do. mit 2 Leif 2 schloss,
6 Puffer, 6 Armbs- oder Pollester.
Eine schene eingelegte Pix,
Ein Pixen mit Pein eingelegt.
Item Allerhandt die schensten Degen vnd seidten Wehr, sambt denen Dallichen, deren 28 stük, Welche theils gülten, Vergulten, silbern, vnd dergleichen gefesen, Wie auch die schensten Besten Spanischen vnd andere Klingen verfast.
Ein gross Schwert, Welches pabst Gregoriuss XIII. Ihr Kays. Mays. Rudolpho Verehret,
Ein gross Schwerdt mit Vergulten Kreiz,
Dass Schwerdt Auss Mähren. (Siehe **Dudik's** Forschungen in Schweden S. 81, Nr. 1.)
Ein ander Schwerdt mit Vergulten Kreüz.
Vier andere Lange Schwerdt,
Acht Henkers Schwerdt,
Fünffzehen Allerhandt Sabel Vnd andere Wehren,
Ein grosser parier-Dolliche,
Zwey silbern Zorgön,
Ein Vergulter Zorgön, darin ein Pistoll,
Drey andere Zorgön,
Ein gor grosser,
Ein anderer mit silbern stern beschlagen. Vergult,
Etliche Modelle von Spiessen,
Etliche alte Standöre vnd Fahnen,
Vndterschidliche Degen Klingen vngefast vnd Modell von stuken.
Ingleichen viel andere geringe Sachen.

In Ihr Kayss: Mays: schreibstübl bestehet:

40 stukh vnderschidliche Klein vnd gross von schenst gemahlten biltern.
Eine Thunüss (sic) von Medall.
20 stük Kleine Stadüen von Medall.

Volget Weitter wass sich In denen Pildergengen, Sählen vnd Gallarien von gemehlen sich befunden vnd bestanden[6]:

1. Im eingang, Venus vnd Cupido.
2. Ein faiste Köchin.
3. Ein Nachtstük mit ein Licht, dorbey ein Kaz.
4. Ein blumen Kriegl mit 2 Kindl.
5. Ein Padt mit Nakenden Weibern.
6. Raptus Saminenm (Sabinarum).
7. Ein Hürschen-Jagt in Wasser.
8. Ein Marien bilt mit Joseph.
9. Ein Marien bilt mit dem Kindl.
10. Die Brunst Droi (incendium Troiae).
11. Ein Hausshaltung, dorbey Christus mit 2 Jüngern.
12. Eine Daffel mit Füschen.
13. St Martin Im Schiff mit den Petlern.
14. Eine Kuchl.
15. Ein Härdt.
16. Eine Doffel mit gefligl.
17. Die siben Tottsündt.
18. Ein Blumen Buschen.
19. Die schlacht Alexandri.
20. Ein Altärl, darauff die heillig drey konig.

[6] Wegen der Namen der Künstler vergleiche man Ritter v. **Perger**, „Studien zur Geschichte der k. k. Gemäldegallerie im Belvedere zu Wien", S. 6 bis 15.

21. Ein füschmark.
22. St. Hieronimus in der Wüsten.
23. Alexandr Magnus vnd Amasinus (Amasis).
24. Die geburt Christy.
25. Die schlocht Allexandri.
26. Zwei Lachete Conterfeiht.
27. Ein Selzamer auff-zug.
28. Tentatio St: Anthoni.
29. Ein Alter Buler.
30. Ein Weib die In Spiegl schaut.
31. Ein schüffbruch.
32. Ein Selzamer Möschgerade auff-zug.
33. Ein anders dergleichen.
34. Ein Windt-Wogen hollendisch.
35. Raptus Hellene.
36. Eine Dorff-blündrung.
37. St: Eustachiusz.
38. Die Hochzeit Capitinis (Cupidinis?).
39. Eine Hürschen-Jagt.
40. Die schlacht von paria (Pavia?).
41. Ein Selzame Aussführung.
42. Zwey Köchin, dorbey ein Pauer.
43. Wie Kaysser Maximillian in Türol sich verstigen hat.
44. Wie der Alte Thobiass sein gesicht erlangt.
45. Wie der Mercuriuss die Gesiche (Herse?) auf Hoch-Zeit gen Himmel führt.
46. Kaysser Rudolpho Brust bilt.
47. Zwey Köchin, dorbey ein Eüll.
48. Tentatio St: Anthoni.
49. Ein obstmark Mit einem Weib.
50. Maria mit dem Kindl vnd 4 Englen.
51. Ein Nachtstük, Wie Perspektif.
52. Judith, wie sie Holloferno den Kopf abhaut.
53. Ein Doffel mit Füschen und Frichten.
54. Ein Doffel, dorauff ein Kriegshörr.
55. Venus, Juno und pallas sambt andern göttern.
56. Ein Plumen-Kriegl.
57. St: Matheuss.
58. St: Marcus.
59. Vnser Frau bilt mit den Kindl.
60. St: Johanes.
61. St: Lukass.
62. Ein schüff-bruch.
63. St: Michael.
64. Diana mit Ihren Junkfrauen in Bath.
65. Venus, wie sie in Lufft getragen Wirdt.
66. Eine Landtschafft mit einem Falckner.
67. Die gebuhrt Christy, Klein.
68. Venus ligent dorbey Hergeless, Wie er spint.
69. Ein Landtschafft mit St: Christophoro.
70. Ein Pauern Kürmüst.
71. Lucrecia.
72. Die Fardunn (fortuna) auff dem Möhr.
73. Ein Landtschafft mit Helisseo. (Elisäus?)
74. Wie ein Mahler ein Nackendt Weib Conterfeht.
75. Ein Judicium der Götter.
76. Ein Kopf oder Brust-bilt.
77. Maria mit dem Kindl, dorbey viel Engl.
78. Antromada vnd Persseus.
79. Venuss mit dem Schwan, dorbey 4 Kindl.
80. St. Hieronimi Brust-Bilt.
81. Ein Landtschafft mit schlaffenden Pauern.
82. Ein Maria Brust-bilt.
83. Venus und Cupido.
84. Die geburt Christi.
85. St. Christophorus.
86. Judicium Paris.
87. Adam vnd Eua.
88. Maria mit dem Kindl.
89. Loth mit sein Zwo Döchter.
90. Ein Ligende Venus vnd Cupido.
91. Ein Dafel mit Colfiol (Blumenkohl?).
92. Eine Ligendte Venuss darbey ein Satir vnd Cupido.
93. Venuss, Mars vnd Cupido, Nachtstük.
94. Ein Alts Konterfeht.
95. Wie ein Möhr-wunder Venuss hinweg führt.
96. Ein Fügur mit der schlongen.
97. Herguless mit dem Lewen.
98. Ein Möschgeräde. Nachtstük.
99. Venuss. Mars vnd Cupido.
100. Ein Nachtstük mit ein Monschein.
101. Ein Hoch-Zeit, wie sie zu Kürchen gehen.
102. Maria mit dem Kindl.
103. Ein Englischer gruess.
104. Ein vnaussgemachtes stük.
105. Ein schüff-bruch auff dem Möhr.
106. Ein altes Konterfeiht.
107. St: Hieronimuss.
108. St. Johanes Baptist Kopf.
109. St: Elisabet mit Vnser Frauen vnd dem Kindl.

Im Andern gang befunden:

110. Ein Weib, die Ihr Harr helt, mit einen Mohr.
111. Ein Lange Daffel, ein Danz, Augspurgerisch geschlecht.
112. Ein Weibes brust-bilt.
113. St. Sussana mit den Juden Alten.
114. Leda mit den schwon vnd 4 Kindlein.
115. Abrahambs Sohn mit seiner Mutter hinwek gefüert Wirdt.
116. Ein Nakendt Weib Ligendt.
117. Venus vnd Mars.
118. St. Johanes mit einem Lamb.
119. Ein Vornembes stük.
120. Des Deofrasti Konterfeht.
121. Maria mit dem Kindl sambt 2 andern Figuren.
122. Judith mit dess Holloferno Kopf.
123. Venus ligendt mit Cupido.
124. Lucretio vnd Compinelo (sic!!).
125. Ein Weib die Ihre Harr helt.
126. ZweyKauff-leith mit Ihren Raittungen.
127. Eine Ligende Venuss mit Cupido.
128. Lucretia (sic).
129. Sillingo (sic, Silen) vnd Paun.
130. Satir vnd Phomona.
131. Pluto mit Proserpina.
132. Dedalus vnd Igarus.
133. Ein geharnischter Fendrich.
134. Orfeus mit einer Haut bekleit sambt 2 Satir.
135. Ein geharnischter Man mit ein schwerdt.
136. Ein Verbultes Weib, Welche einen Alten in Port greifft.
137. Perg Quirinäll.
138. Eine Köchin.
139. Ein obst-Markt mit einem Ecce Homo.
140. Ein Mussica.
141. Die gebuhrt Khristy.
142. Ein Ligende Venuss.
143. Venus vnd Cupido.
144. Judith.
145. Maria Magdalena.
146. Venuss vnd Cupido.
147. Eine andere Maria Magdalena.
148. Adam vnd Eua.
149. Danaes mit dem gülden regen.
150. Sillinge vnd Paun.
151. Danaes mit dem gülden regen ein Anders stük.
152. Ein Vornembes stük mit Troyanischen Historien.
153. Ein Marien-bilt mit dem Kindl.
154. Leda mit dem schwon vnd andern Fügurn.
155. Sussana in Badt mit den Zwei Alten.
156. Raptus Hellenä.
157. Troyische Historien.
158. St: Pettri vnd Jacobi Füsch-Zug.
159. Ein Landtschafft mit nakenden Weibern.
160. Adam vnd Eua darbey Abel vnd Cain.
161. Eine Dorff-blündrung.
162. Eine Landtschafft mit Soldaten. mit Ecce Homo, dorbey ein Füschmark.
163. Ein Kichel.
164. Die Arche Noe.
165. Ein Nakendt Weib hatt eine Pfeiffe. dorbey ein Lautenschlager.
166. Ein stük darauff der Sundt-fludt.
167. Ein ander Füschmark mit ein Ecce Homo.
168. Eine Kopey nach Coregio.
169. Ein Ligendte Venuss mit 2 Dauben. dorbey Cupido.
170. Judicium Paris.
171. Ein Pfeiffer.
172. Ein schlaffender Hürsch.
173. Ein Füschmarkt, wie Khristus St: Petter erscheint.
174. Ein Landtschafft mit einer Heyfexung.
175. Ein Weibes Konterfeht.
176. Wie die Junkfrauen den Dauit (David) nach Jerusallem Einhollen.
177. Die Aussführung Christy.
178. Mercurius.
179. Ein Vornembes stük. Wie Isak seinem Sohn den Seegen gibt.
180. Judith mit des Holloferna Kopf.
181. Vier Konterfeht von lauter frichten vnd gefligl.
182. Ein Konterfeht von lauter blumen.
183. Ein anders dergleichen.
184. Ein anders dergleichen.
185. Ein anders dergleichen. der Kopf von Thürn östen (dürren Ästen).
186. Ein Landtschafft Callisto mit nakenden Weibern.
187. Die Hochzeit Persei, Wie sie einander tott schlagen.
188. Ein Konterfeht einer Flora.
189. Venus ligent, dorbey ein Satir vnd Cupido in Wald.
190. Ein Maütner.
191. Ein Konterfeht, so ein Buch in der Handt.
192. Ein anders Konterfeht.
193. Dess Ariost Konterfeht.
194. Wilhelmuss a Porta Konterfeht.
195. Thomas dela porta Konterfeht.
196. Johanes Babtist dela porta Konterfeht.
197. Andrea della porta Konterfeht.
198. Allesandra's Victorinss Konterfeht.
199. Johanes Contarenuss Konterfeht.
200. Martinuss Congeluco Konterfeht.
201. Lienhardt da Vinci.
202. Franziscuss Salviati pollitinuss fecit.
203. Lucas Congiassiuss (?).
204. Leonardro de pundi (da Ponte).
205. Jacob de pundi (da Ponte).
206. Albrecht Türer Konterfeht.
207. Paull Dellores (della Rosa).
208. Des Coreggio Konterfeht.
209. Marguss Anthouiuss portenon (Pordenone).
210. Michael Angelus Buonaroti.
211. Raphael Urbino pictor.
212. Titianus Konterfeht.
213. Ein Path Veneriss in einer Landtschafft.
214. Ein Konterfeht mit einer Fiollen.

215. Ein ander Konterfeht, in einer Handt ein Viol, in andern ein Tiegel.
216. Ein Weibes Konterfeht.
217. Ein Weib mit einem Mohr, so ein spiegl in der Handt.
218. Maria Magdalena.
219. Ein Weib mit Zweyen Kindern.
220. Ein Sizender Hass.
221. Ein Weibes Konterfeht.
222. Ein anders brust-bilt mit einem spiegl in der Handt.
223. Ein Pauern Kürmüss.
224. Wie die Tochter Ihren Vatter in gefenknüss Säuget.
225. Ein Landtschafft mit dem Samaritern.
226. Drey schlaffende Pauern.
227. Ein Paur mit der Peyrin beim Drunk.
228. Ein Sackpfeiffer mit ein Weib.
229. Isak gibt Jacob den Seegen.
230. Eine schene Landtschafft, Wie Christus St. Petter auf den Möhr erscheint.
231. Ein Pulschafft (Buhlschaft).
232. Ein Weibes Konterfeht.
233. Eine Landtschafft mit Göttern.
234. Rudolphus quartus Erzherzog von Österreich.
235. Ein Konterfeht auf Papir.
236. Eine Landtschafft oder Perkwerch.
237. Des Rudolpho Erzherzog von Österreich Konterfeht.
238. Ein schenes stük.
239. Kaysser Rudolpho Konterfeht.
240. Der Königin Konigundo Konterfeht.
241. Tiomasanes (? sic).
242. Ein Landtschafft.
243. Ein Nachtstük mit allerhand spiel.
244. Ein Kuchl mit 2 Figurn.
245. Adam vnd Eua.
246. Ein Landtschafft, dorin Loth mit seinen 2 töchtern.
247. Adam vnd Eua, ein ander stük.
248. Venus vnd Mars mit einem Ross, welches Cupido hält.
249. Ein Nachtstük dorbey ein Licht vnd Konfekt.
250. Dess Sallomons Sohn Roboam.
251. Die Geisslung Khristy.
252. Mercuriuss, Venus vnd Cupido.
253. Narcisus, wie er in Brunen schauet.
254. Eine Flora mit einem Spiegl in der Handt.
255. Eine Landtschafft mit dem Fedando (? sic).
256. Eine Landtschafft, dorin ein Pilgramb mit ein Engl.
257. Die historia Susana, wie sie der Daniel von Tott erret.
258. Die fisin Ecechiälis Propheta.
259. Ein Landtschafft Dedalo vnd Icaro.
260. Ein ander Landtschafft mit Neptuno auf dem Möhr.
261. Susana mit deren zween Alten.
262. Ein Obstmarkt.
263. Eine Kuchl.
264. Eine Landtschafft.

Im gängl Zwischen denen gallörien:

265. Kaysser Ferdinando Konterfeht.
266. Sigismundi Wattor (Gábor, sic) Konterfeht.
König Midas mit der Vndugent.
267. Ein Pauer mit einem bescheid Essen.
268. Dess Peren Knigerdumb Konterfeht.
269. Ein Marienbilt mit dem Kindl Jesu.
270. Ein anders Marienbilt mit dem Kindl, St: Anne, Joseph vnd Musief.
271. Ein anders bilt mit dem Kindl vnd Joseph.

XII.

272. Loth mit seinen Zwo Töchtern.
273. Lucretia.
274. Kaysser Rudolph Stadua mit Villen Poetischer Beteitung.
275. Ein Panket der Götter.
276. Donaes mit den gülden Regen.
277. Jupiter vnd Semelle in Bley.
278. Venus, Cupido, Ceres vnd Bachus.
279. Ein Landtschafft, Wie Johanes Christum dauffet.
280. Ein Landtschafft, wie Christus St: Peter erscheinet.
281. Eine Landtschafft, Wie die Soldatten die Pauern Iberfallen.
282. Danaes abermall mit dem gülden Regen.
283. Neptunus, Amphitrite auff dem Möhr.
284. Wie Jacob auss dem Landt Zeuht.
285. Jacob vnd Essau.
286. Ein Mehr-Drinmph von allerley Mehr Wunder.
287. Abermall wie Isac dem Jacob den Segen gibt.
288. Raptus Saminarius (sic, Sabinarum).
289. Ein Jüngst gericht.
290. Ein Konterfeht, so ein giesspek mit frichten in der Hand.
291. Eine Mussica von Jung-frawen.
292. Venuss, die in Spiegl schauet, so der Cupido helt.
293 — 310, 18 stük. Item auf der Pank Nacheinander stehen 18 stük von allerley schensten gemell.

Wider auff der Erdten.

311. Ein Kriegl mit blumen.
312. Acteon, Wie er Von schwein erschlagen.
313. Ein Rothes Kriegl mit blumen.
314. Ein herdt mit Viech.
315. Dess Reichen Man Sohns in gartten.
316. Ein Niderlenderischer Danz.
317. Eine Lange Daffel mit Möhr-füschen.
318. Ein Andromada mit Persius dorbey viel Fügurn.
319. Die Brunst Troë.
320. Ein Weibes Konterfeht.
321. Ein Landschafft mit 2 Person, die mit einander Kurz weilen.
322. Eine Kopf-Wexlung (sic).
323. Eine Landtschafft, Wie die Zwey Jünger nach Ehmauss gehen.
324. Dass Ehepreeherisch Weib.
325. Der grosse Füsch-Zug.
326. Die Zerstehrung Troë.
327. Eine Landtschafft.
328. Ein Tüsch mit Obst, dorbey ein Popegey.
329. Ein andere Landtschafft mit den zwey Jüngern.
330. Ein angesicht von Kuchen.
331. Ein anderes Angesicht von allerley gepratenen.
332. Ein Landschafft mit einer Soldaten blinderung.
333. Wie Noe opfert.
334. Ein Angesicht von Kreittern.
335. Der Sündt-Fludt.
336. Pluto vnd proserpina auf dem Wagen.
337. Wie die Pauern die Soldaten schlagen.
338. St. Khristophoruss auf dem Möhr.
339. Eine Pauern Kürmiss.
340. Die Ruina von gotho (? sic).
341. Titius mit den Ketten mit dem Adler (sic).
342. Ein Prenendt Nachtstük.
343. Ein Taffel mit 4 lachenden Personen.
344. Ein Perspektif mit einer Mäschgerada.
345. Ein Pullschafft mit einem Mohren.
346. Ein Soldatten blinderung.
347. Ein Prandt bey dem Mehr.
348. Ein Perspektif lantten (?).
349. Ein Perspektif Pallast, Wie sie Porlon Ballon spillen.
350. Ein angesicht von gefligel.
351. Ein anderes von Frichten.
352. Der Präger Sohl (Prager Saal).
353. Ein Mattematica.
354. Dess Bachi Konterfeht.
355. Maria, Elisabeth vnd dass Kindl.
356. Ein Perspektilischer Dempel.
357. Ein Feuers-Prunst.
358. Eine Hauss-Haltung.
359. Loth mit seinen 2 Töchtern.
360. Ein Landtschafft, Wie 4 blinde einander führen.
361. Venus vnd Cupido.
362. Mercurius mit der Feder gerissen.
363. Ein schene grosse Daffel, dorauff Venuss, Ceres Vnd Bachus mit der Feder gerissen.
364. Juno mit der Feder gerissen.
365. Mars mit einem schwerdt Nakendt.

An der Mauer bey dem Fenster.

366. Judith mit des Hollaferna Kopf.
367. Wie die Königin von Saba den Salomo zur Abgötterey verfuhret.
368. Ein Nar mit einer Semel.
369. Ein Unaussgemachtes stük.
370. Eine Landtschafft mit St. Fransisko.
371. Lucretia.
372. Mercurio in gestalt eines Hürtten.
373. Diana mit deren Hundten.
374. Eine Mäschgärada.
375. Ein Weisser Rab.
376. Ein Indianisch Thier.
377. Ein Hürdt.
378. Die Stadt Roma.
379. Juno mit den Pfaben (Pfauen).
380. Ein harigen Weibes Konterfeht.
381. Ein tüsch mit frichten.
382. Ein anders dergleichen von frichten.
383. Ein Konterfeht.
384. Venuss vnd Cupido.
385. Ein Mark von allerley frichten.
386. Ein Feyers-brunst.
387. St. Petters Konterfeht.
388. Ein ander Kopff von allerley gefligl.
389. Ein Vndterschidliche fügur.
390. Diana mit den hundten.
391. Eine Landtschafft mit einen Romanyschen gebey.
392. Don Julha Coussague (Gonzaga) Konterfeht.
393. Ein Indianisch Thier.
394. Ein Möhr-Kaz.
395. Zwey Konterfeht beysamben.
396. St. Egidius in der Wüsten.
397. Juno mit den Pfaben.
398. Maria Magdalena brust-Bilt.
399. Adam Vnd Eua.
400. Wie Hergeles vber die Vndugendt driumphirt.
401. Ein Weib, die Ihr Hemet auss-Zieht.
402. Pallas ganz Nakendt.
403. Eine Strassenräuberey.
404. Tentatio St. Anthoni.
405. Cleopatra.
406. Ein Indianisch Thier.
407. Dess Reichen Man Sohn, Wie er mit den Schwein isset in einer Rundten Landschaft von 3 Meistern zusamben gebracht.
408. Ein anders stuk.
409. Zefirusz Vnd Aurora.
410. Eine Flora.

1

411. Die Jagt Veneris, dorbey Jupiter.
412. Venuss vnd Adoniss.
413. Die Arche Noe.
414. Ein Konterfeht.
415. Venus vnd Cupido.
416. Ein Landschaft mit dem Monschein.
417. Die geburth Khristy.
418. Maria vnd Joseph mit dem Kindl.
419. Ein anderes die geburt Khristy.
420. Mercurius.
421. Ein Engel mit 3 kindl, Welche Kugl Welzen.
422. Loth mit seinen zwo Töchtern.
423. Eine Pauern Kürmuss.

Wo Man die Stiegen In Spänischen Sohl gehet:

424. Diana in Path mit Acteone.
425. Ein Panket in einem gartten.
426. Ein Jäger mit ein hundt, dorbey ein Kopf.
427. Venus vnd Adonuss.
428. Lucretia, gering stük.
429. Ein Prust-bilt mit einem Lemoni in der Handt.
430. Wie Christus Maria Magdalena erscheint.
431. Fructus Beili.
432. Venus vnd Adonus.
433. Ein gaukel-Spiell.
434. Ein Narr vnd ein Narrin.
435. Venus mit der Lauten.
436. Eine Türkische Soldanin.
437. Eine andere dergleichen.

Im Spanischen Sohl am gesmbs:

438. Ein Konterfeht von gebratenen gefligl.
439. Ein Ein Pauern Mall-Zeit.
440. Drey Göttin.
441. Ixion.
442. Ein Mark.
443. Titius (sic) in der Höll.
444. Venuss vnd Cupido.
445. Eine Gloria.
446. Eine Vorduna auf dem Möhr in einer Muschel stehen, dorbey Cupido.
447. Diana mit Ihre zweyn Göttin.
448. Wie die Thugendt wider die Vndugendt streidt.
449. Ein stük, wie eine der andern Kranz auffsezt.
450. Mars, Venus vnd Zwey Cupido dorbey ein Pfert.
451. Ein Man ligendt auff Welchen Cupido Stehet, dorbey 2. fügurn.
452. Der Babillonische Thurm.
453. Ein Weib, Welches zwey Männer bey denen Hendten helt, dorbey 2 Cupido.
454. Mercurius mit zweyen Weybern.
455. Mars, Venus vnd Cupido.
456. Ein Panket oder Mahl-Zeit.
457. Medusa Enthaubtung mit Pallas und pegasus.
458. Ein Panket, Wo die Centaur die hochzeit vigis (?sic) Zerstehren Und die Weiber hinweknemen.
459. Venus Vnd Adonus.
460. Wie die Nattur in den Wolken getragen wirdt, vndter Ihr dass fruchtbare Erdtreich, ein schen stük.
461. Venus vnd Cupido, darbey Mars hinder einen Tebich.
462. Antromada vnd Persäus.
463. Venus vnd Cupido, dorbey ein Satir.
464. Zeres auff einem Weissen Ross.
465. Ein Pauer mit der Peyrin so Tanzen.
466. Ein glanzede Thugendt mit dem gewolt (der Gewalt?).
467. Danteli (Tantali?) Visio mit Zwey Nakenden Weibern.
468. Caridas mit 3 Kindern vnd einen Engl.
469. Judith mit Abhaunng des Holloferna Kopf.
470. Wie Sich die Vnthugendt zur Thugendt bekerdt.
471. Ixion, wie er nach ein Apfel greifft.
472. Vuolcanus vnd Venuss mit Ihren Kindern.
473. Dantalus auffn Rath.
474. St: Sebastian.
475. Ein Konterfeht von lautter Bücher.

Vndter dem gesimbs auf der Pank.

476. St. Johannes Wie er Prediget.
477 biss (83) seindt 7 stük auss dem Alten Testament.
484. Eine Kürchweihung, dorbey man allerley Völker speisset:
485. Ein Landtschafft, dorbei ein Pauren hoch-Zeit von Wasserfarben.
486. Eine Landschafft, dorin der Engl dem Verkündigt, dass er sterben wirdt.
487. Ein Daffel mit Feuers-brunst, dorbey die furia mit Vnderschidlichen Monstern.
488. Judicium Sallomonis.
489. Drey Weyber zu Ross.
490. Ein Markt.
491. Ein altes Weib, die Öpfel Pradt.
492. Ein Kuchl oder obst-Markt.
493. Ein Flora in Lust-Obst-Garten:
494. Eine Kuchl.
495. Venus vnd Cupido.
496. Mars, parnasus oder eine Musica.
497. Cupido, Wie er ein Vogl schiest.
498. Ein Markt Leondro (Leandro da Ponte).
499. Kaysser Rudolpho Conterfeht, als er Tott wahr.

Auff der Enden an der Pank Leinende:

500. Ein Konterfeht eines schenen schreib-Tüschs.
501. Ein Palealon mit einer Thämäst. (Baleon mit einer Dame).
502. Eine Landschafft, dorin dess Reichen Mans Sohn, Wasserforbs.
503. Ein Mall-Zeit, gering stük.
504. Ein anderss aleolon mit einer Thömäss mit der Lautten.
505. Adam vnd Eua mit dem Bollnischen Wagen. (??).
506. Der Babillonische Thurm.
507. Ein Konterfeht mit Einen gulden Vellus', ist dess Canzler auss Engellandt Konterfeht.
508. Dass Ehepreeherisch Weib, wie sie vor Christo verklagt wirdt.
509. Ein fügur mit 3 streittenden Mennern, dorbey Weiber mit Kinder.
510. Zwey Rotte Pappogey.
511. Raptus Sabinarum.
512. Zwey Konterfeht.
513. Dass Jüngst-gericht.
514. Ein Kuchel.
515. Ein Weinende Braut.
516. Herodias mit St: Johanes.
517. Ein Gemehl mit Underschidlichen Fügurn, darunder ein Kruzefix.
518. Eine Landtschafft mit St. Hieronimo.
519. Einer Königin von Hispanien Konterfeht.
520. Ein Cleopattra.
521. Wie St. Johanes in der Wüsten Brediget.
522. St. Hieronimus.
523. Ein andere Weinendte Brauth.
524. Die Vestung Raab.
525. Ein Nakent Weib in einen Badt, dariber ein Adler, Welcher ein Pandofel in schnabel.
526. Wie Abraham aus dem Landt Zeuht.
527. Ceres, Venus vnd Bachus.
528. Christy Nachtmall.
529. Juditium Salamonis.
530. Ein Paaket in einem gartten.
531. Dass Jüngst-gericht.
532. Eine Landtschafft, dorin die Versuchung Christy.
533. Ein Juditium in Perspektif.
534. Adam Vnd Eua.
535. Eine Kuhel von Plumen.
536. Ein Perspektif mit einem Lauttenschloger.
537. Wie Loth auss Sottoma vnd Comora gefiret Wirdt.
538. Ein Schüff auff dem Möhr.
539. St. Mauritius.
540. Ein Weibes Konterfeht.
541. Danae mit dem gülden Regen.
542. Diana.
543. Ein heydnisch Juramendt.
544. Ein Soldaten Mal Zeit.
545. Ein Vnausgemachtes Konterfeht.
546. Die Eroberung Raab.
547. Ein Alte Pullschafft.
548. Eine Jagt.

An der Mauer bey denen Fenstern vnd Zwischen.

549. St. Johanes in der Wüsten.
550. Venus vnd Satur. (Satyr?)
551. Ein Perspektif, dorin ein Mahl-Zeit.
552. Ein Cleopattra
553. Venus vnd Cupido auff Goldtstük.
554. Matematica.
555. Jagel. Wie sie einem Nagl im Kopf schlegt.
556. Lucretia.
557. Venus Spieglet sich mit Cupido.
558. Ein Perspektif mit einem Kruzefix, dorbey ein Totten Kopf
559. Deutatio St. Anthoni.
560. Die schnell Mercurj.
561. Ein doppeltes stük mit Pallas, doruber ein Spiegl, dopelt.
562. Ein Romanisch gebey, Viel schaff.
563. Vitus vnd Dempus (sic Virtus und Tempus).
564. Ein Konterfeht per Dom. Modie de Austria (sic) gemahlt.
565. Ein Pfeiffer mit einer geigen.
566. Adam vnd Eua.
567. Die Zerstehrung des Babillonischen Thurms.
568. Ein Panket der Götter.
569. Apollo vnd Cupido.
570. Diana, woriber ein spiegl, dopelt stük.
571. Wie Loth auss Sotoma vnd Comora gefirt wirt.
572. St. Magaretha, ein schen stük.
573. Ein scharmizel.
574. Ein ander dergleichen.
575. Der Erz Engel Michael.
576. Kayser Maximilian Konterfeht.
577. Wie der Engl dass Holz schlegt, in Holz geschnitten
578. Judicium paris.
579. Lucretia.
580. Die Erschaffung der Welt auf 2 figl.
581. Ein stük mit 2 figl, Mit Judicium paris auf einen figl, Wie Davit dess Vries Weib besieht auf dem andern, Joseph mit dess Puttiners Weib.
582. Adam vnd Eua.

583. Judicium paris.
584. Vnsser Frauen bilt, Wie sie stürbt dorbey die Appostellen.
585. Mehr andre stük 7, Welche Zusamben gehörig Vnd Zerschlagen Wordten Zu Friderici Zeiten In der Kürche.
586. Item biss 610. Die Zwelff haidnischen Kayser, mit deren Kayserin, Jedes absonderlich Konterfeht.
610. stük.
611. Von 611. bis 641 Vndterschidliche Jagten von Wasserfarben.
642. Eine Daffel mit Fuschen.

Im Neyen Sohl haben sich nachfolgendte stük gemehl gefundten.

643. Ein Stük mit Vnderschidlichen Fügurn sambt einem Weissen Pfert, dorbey der Herzog von Praun-Schweig Schlaffendt.
644. Ein Anders stük mit einem Weissen Pferdt, dorbey ein Adler.
645. Ein stük, Wie Danit die Arche Noe, als ein Opfer Dragen Last.
646. Ein anders stük mit etlichen fügurn, dorbey ein Weyses Pferdt vnd dess herzog von Praunschweig Konterfeht.
647. Harlando (sic) furioso, Wie er die gallern Zerprich.
648. Ein stük oder Landschaft, dorbey viel Fügurn.
649. Venus mit 3 Kindlen, dorbey ein Schwan.
650. Susana mit denen Zwen Alten.
651. Drey Göttin.
652. Ein Möschgerade oder auff-Zug.
653. Hercelles vnd Diana mit Ihren zwey hundten.
654. Venus vnd Adonna dorbey Cupido.
655. Einer Freylen Konterfeht.
656. Ein ander Freylen Konterfeht.
657. Europa auff einem Weissen oxen.
658. Danaes mit dem gülden Regen.
659. Medusa Endthaubtung.
660. Bachus vnd Ceres.
661. Die Musica mit den Sirenen.
662. Ein Landtschaft, darbey allerhandt Auff-Zug.
663. Der Babilonisch Thurm, gross.
664. Danae abermall mit den gulden Regen.
665. Die Braust Troe, gros stük.
666. Kayser Rudolpho's Zwerg Konterfeht.
667. Ein gross Stük St. Michael.
668. Ein anders Konterfeht.
669. Friederici des dritten Römischen Kaysers Sohnes Konterfeht.
670. Eine Magere Kuehl.
671. Ein Möhr-Krebs vnd Möhr-Muschel.
672. Des Jacob König auss Engellandt Sohnes Konterfeht.
673. Der Herzogin von Bockne (sic) Konfeht.
674. Ein schlacht zu Wasser.
675. Dess König Jacobi auss Engellandt Konterfeht.
676. Zwey grosse Hundt.
677. Dess Pettetaschgo (?sic) Konterfeht.
678. Zwei Fügurn, der Windter.
679. Der Herzogin aus Sauoni Konterfeht.
680. St. gauterbe (?sic) Konterfeht.
681. Ein stük mit schlachten auf dem Möhr.
682. Der Cornellia Königin aus Zipria schwester Konterfeht.
683. Ein fügur Ligent, dorbey ein ander.
684. Der Herzogin aus Lottring Konterfeht.
685. Moriz Graff von Nassau Konterfeht.
686. Ein ander stük mit schlachten auf dem Mehr.
687. Konigin von Hispanien Isabela des König Francisci aus Frankreich Tochter Konterfeht.
688. Kaysserin Anna ganz Konterfeht, alss sie noch Herzogin gewest.
689. Herzogin von Sofvoi Konterfeht, ganz.
690. Einer Freylein auss Lottring Prustbilt.
691. Königin Maria von Engellandt Brustbilt.
692. Isabella gebohren von Pappogey (Portugal Kayssers Carlo quinti gemahlin Konterfeht brust-bilt.
693. Einer Venedischen Thamass (Dame) brust-bilt.
694. Einer Herzogin von Mandua, dess Herzog auss Lottring gemahlin, brustbilt.
695. Einer Freylin Konterfeht, ganz.
696. Einer andern Prinzesin Konterfeht, ganz.
697. Der Königin aus Engellandt brustbilt.
698. Freyle Hetwig dess Herzog auss Praunschweig Tochter Konterfeht, ganz.
699. Kaysserin Anna alss Erzherzogin Konterfeht, ganz.
700. Einer Freylein auss Lottring brustbilt.
701. Prinzesin von Orannien dess von Bayern Tochter brust-bilt.
702. Herzog auss Bayern gemahlin Konterfeht, ganz.
703. Einer Freylein von Broy (Brne?) Konterfeht.
704. Ein anderer Freylein von Broy Konterfeht, ganz.
705. Des Herzog von Praunschweig Zwergen Konterfeht.
706. Einer Erzherzogin Konterfeht ganz.
707. Einer Niederlendischen Tämass (Dame) Brustbilt.
708. Der Königin Maria auss Frankreich Konterfeht.
709. Widia (? sic) Comedie Konterfeht.
710. Margaretha von Consstago Konterfeht.
711. Friederici Töchterl Konterfeht.
712. Einer Englischen Thämass Konterfeht.
713. Dess Hädelbergers (sic) Mutter Konterfeht.
714. Leonora dess grossherzog Ferdinandi von Florenz Tochter brust-bilt.
715. Der Princesin von Russmundt in Engelland Konterfeht, ganz.
716. Einer anderen Englischen Tamass Konterfeht.
717. Des Palz-Graffen Tochter Konterfeht, ganz.
718. Dess Bischoff von Kanideberg (Canterbury) in Engellandt Konterfeht.
719. Dess König auss Frankreich Henrici Konterfeht.
720. Der Pfalz-Greffien Konterfeht, ganz.
721. Einer Englüschen Thämass Konterfeht, Klein.
722. Prinz Heinrich aus Engellandt Konterfeht, ganz.
723. Dess Pfalz-Graffen Sohn Konterfeht ganz.
724. Einer Prinzesin auss Engellandt Konterfeht ganz.
725. Dess König aus Engellandt Konterfeht, ganz.
726. Dess König auss Frankreich Sohn brust-bilt.
727. Dess Pfalz-Graffen Schwester Konterfeht.
728. Einer Englischen Thamass Konterfeht.
729. Annae, Dei gratia Magne britanie, francie et infernie hyberaine Reginae Konterfeht, ganz.
730. Zwey Fügurn, der Herbst.
731. Kaysser Maximilian Konterfeht, ganz.
732. Der Frilling mit 2 Fügurn.
733. Kaysser Maximilian's gemahlin Konterfeht.
734. Carlo quarto Conterfeht.
735. Kaysser Rudolpho schwester Signora Margareta Konterfeht in geistlichen Habit ganz.
736. Erzherzog Leopoldi in geistlichen Habit Konterfeht ganz.
737. Ein anders Kleiners dergleichen geistliches Konterfeht.
738. Ein gescheket Indianisch Pferts Konterfeht.
739. Ein Plass-balg Fliker.
740. 741. 742. 743. 744. Fünff Vndterschidlicher Pfert Konterfeht.
745. Eines grossen Wiltschweins Konterfeht.
746. Eines Weissen Hürschen Konterfeht.
747. Michael Vallachie et Transiltanie Woiwoda Konterfeht.
748. Ein Vnaussgemachtes Konterfeht.

An denen Saillen Laitende:

749. Kaysser Carlo quinti Tochter Konterfeht.
750. Herzog von Florenz Tochter Konterfeht ganz.
751. Ein Prinzesin Konterfeht ganz.
752. Einer Englischen Tämass Konterfeht ganz.
753. Carolla von Pourbon Herzogin von Montpanssier.
754. Kaysserin Anna Als Erzherzogin Konterfeht ganz.
755. Ein Prust-bilt dorbey ein Lemoni.
756. Anna Catharina Herzogin Consogni (Gonzaga, sic) Konterf. ganz.
757. Ereniae Turce (sic) Konterfeht.
758. Venus vnd Cupido, dorbey Mars mit 3 Kindl.
759. Einer Herzogin von Florenz Konterfeht
760. Einer Freylin auss Bayrn Konterfeht.
761. Einer Freylein auss Sohoie Konterfeht.
762. Der Infantin auss Hispanien Konterfeht ganz.
763. Ein Prinzesin auss Engellandt Konterfeht ganz.
764. Ein blatt von Callisto.

B. Den $\frac{\text{31. Augusti}}{\text{10. Septembris}}$ Anno 1648 ist die Kunstkammer aufm königl. Schloss Prage inventiret, und folgender massen befunden worden.

No. 1.

Ein gläsern Schranck, darinnen allerhandt Korallen 32 stuk gros vnd klein, wornuter ein Schif mit figuren.

2.

Noch ein solcher Schranck, darinnen ein Instrument von lauter glass, nebenst einem Spiegel, darinnen die figuren des Alten und Neuen Testaments von Glas, auch fünf dergleichen Bilder.

3.

Vierzig unterschietliche Geschir, gros vnd Klein, von Muscheln, darunter Sieben mit Malachiten vnd Granatensteinen, in dem untern fach 87 von Perlemutter.

4.

Drey vnd Sechszig in kupfer gestochene Blat, in dem Vnterfach 2 grosse vnd 64 Kleine mit heidnieschen Köpfen, dorbey vnterschietliche eisserne gepräge.

5.

Allerhant Alte Geometriesche Instrumente von Messing. Im Vnterufach noch dergleichen Instrumenta, dorbey ein Model einer sturmleiter.

6.

2. Globi, ein terrestris vnd coelestis mit Vhrwerken.
1. Grosse Vhr mit einem Silbern Hercule.
1. ganz Messingne Vhr.
1. Vhr darauf ein Crucifix.
1. Wandt Vhr in schwarzen Holze.
1. Tisch-Vhr, worauf ein Hirsch.
1. Zeige-Vhr.
1. Vhr in form eines rauch-vasses.
2. Astrolabia dorbey vnterschietliche Geometriesche Instrumenta von Messing.

Im vnternfach.

9. geschriebene Bücher, darinnen Vnterschietliche Beschreibungen.

Nr. 7.

3. Brätspiel von Agtstein.
1. Damen Spiel.
2. Giessbeken vnd Kannen.
2. Besteck mit Messern.
13. Becher Klein vnd gros.
2. schacht-Spiel.
2. Crucifix.
1. grosser Tottenkopf.
Unterschietliche Messer, Gabeln und Löfeln.

} alles von Agtstein.

1. Schale.
1. Paternoster.
2. Herczen von Horn.

8.

1. Strauss Ey in Silber gefast.
1. Geschir von Schwarzen Böhmischen granaten vngefast.
1. Geschir von Sternstein in verguldet Silber gefasset.
1. Weihekessel von Böhmischen Diamant.
3. Venetiesche geschnittene Gläser.
1. Butter-Büchse von Stein.
1. Indianische Nuss in verguldet Silber gefasset.
1. Geschir von gesprengtem Böhmieschen Jaspis.
2. Butter-Büchsen von Stein.
2. halbe Straussen Eyer in Silber gefasst.
1. Indianiesche Nuss uneingefast Noch.
1. in Silbergefess.
1. Muschel von Kaledon.
1. Geschir von Gelben Jaspis.
1. Muschel von Bernstein.
1. Becher von Rinocero.
1. Geschirr von Ischada (Nephrit).
1. Schale von Cristal.
1. Geschir von Schechtenstein.
1. Zerbrochene Schale von Holz zu stein geworden.
15. Vnterschietliche kleine Schälichen.
8. Steine auf Pappier Zu legen von Jaspis.
3. Zerbrochene Geschir.
1. kleine Salz-Vässlein in Silber gefasset.
1. Kristallen Brenglass.
2. Paternoster von Jaspis.

Im vntern fach.

Vnterschietliche Schalen vnd Trinkgeschirren glass.

Ingleichen etliche kleine geschirr von terra sigillata.

9.

12. Grosse vnd kleine Handtsteine auf verguldeten Füssen.
4. dergleichen im Vntern fach.

10.

1 Landtschaft von Böhmieschen Jaspis zusamen gefüget.
Das Prager Schloss vnd dergleichen Arbeit.
4. Sechsteckichte vnd
1. Runte Landtschafft.
1. Andere Landtschafft schwarz eingefasset.
1. Alabaster Tafel, darauf die Fortun auf dem Meer gemahlet.
1. Blumen krug von Zusammen gesezten Agaten.
1. Stigliz vnd
1. wiedehopf von Jaspis.
4 Stück von gewachsenen florentieniesehen steinen wie Landschaften.
5. Andere Stück von Jaspis.

Im vnternfach.

3. Gemählet vf Alabaster.
1. Adler auffen Steinfelssen.
1. Conterfeit.
1. Liegender.
1. Stigliz.
1. Fisch.
7. runte Stück auf glass.

} von Meistecke (? sic.)

11.

15. Grosse vnd kleine becher von Helfenbein.
allerhandt kleine pfeiffen und Büchsen noch von selben.
3. Kugeln von Helfenbein, darinnen Kunststücke.
1. Schirm.

Im vntern fach.

10. grosse Indianiesche Jägerhörner.
4. Paternoster.
1. Indianisch Armbandt vnd andere kleine zerbrochene Sachen.

12.

29. Vnterschietliche Geschirr und
2. Duzend Viereckte Teller von Helffenbein.
1. Runte Schale von Braunen Holz.
1. Scepter vnd
1. Stab von Helffenbein.
2. Kästlein.

Vnterschietliche Peiffen.

Im vnterafach.

Allerley Alte stück von Wachs.

13.

Vier Giessbecken vnd kannen.
6. Leuchter.
1. Salz Vösser.
12. Schüsseln darauf die 12. Mahler.
6. Kleinere Schüsseln.
11. Teller.
6. kleiner Teller.
2. Grosse vnd
2. Kleine Schalen.
18. Löffel.
1. Becher.

} von Kupfer darauf geschmelzete Arbeit.

Im vnternfach.

6. grosse Schüsseln.
17. Teller.
2. beken.
5. Kleine Schalen.
1. Vierecket krug.
1. länglicht Kästlein.
1 Eckete büchsen.
3. Flaschen.

} von Messing vnd Indianiescher arbeit mit farben.

14.

Allerley Bilder in wachss.

Im vnternfach.

12. Kästlein, in welchen etliche Heydniesche Münz.

15.

1. Schilt
1. Zerbrochene Betstete
1. Brät-Spiel

} von Perlen Mutter

1. Schilt
1. Sturm Haube
1. Degen

} von Eysen getrieben

3. Reyerfedern.

Im Vnternfach.

Allerhandt alte Instrumente.

17.

37. Indianiesche kästlein.
2. mit Perlen vnd Korallen gestickt.
4. Credentz Schalen.
3. Paar Indianiesche Pantofeln.
1. Fecher von Helfenbein.

Im vnternfach.

3. Kästlein von Stro.
14. andere Schachteln vnd Kästlein.
Ezliche Ducent gahr kleine Schällchen.
6. Schüsseln.
3. Schüsseln von Schiltkröten.

18.

32. Kästlein vnd Schachteln von Indianischen stro.
3. Körbe von dergleichen.
15. Schüsseln.
34. Kleine geschirr.
2. Paar Schue.
1. Schale.
1. Indianiescher Teppich von stro.

Im vnternfach.

1. Indianiescher Abgott.
1. Kästlein darinnen ein Schreib-Zeug von Schilt Kröten.
1. Ledig Schreibtieschlein.
4. Indianiesche Parosolen.
4. Bücher mit Indianieschen schriften.
2. Bundt Indianiesch pappier.
1. Schreibzeug in formb eines Buchss.
7. Indianiesche Bleyerne Schachteln.
Etliche Indianiesche Gemählete auf Pappier.

19.

Vnterschietliche Persinaniesche vnd Musscavieteriesche (Moskauische) Trinkgeschir, Schraibezeng vnd anders.
1. Alraung (Alraun).
1. Türkiesche Heerpaucken.
3. Eyserne durchbrochene Werfkugeln.
1. Indianiesch Schachtspiel.

Im vnternfach.

Vnterschietliche Vrnen, Ingleichen Indieaniesche geschir.

20.

1. Biltnüss eines Weibes in Gipss.

Im vnternfach.

21. Indianiesche Messer.

In dem Spanieschen Saahl, so annoch in die erste Kunst kammer gehöret.

1. Grosse Viereckete Vhr von Messing, vnd vergüldet, welche den Himmelss Lauf Zeiget, worauf ein Globus Caelestis von Silber.
1. Hohe Vhr von Messing, in form eines Thurms, an Welcher eine Kugel herumb lauft.
1. Ander hohes Kunststück in schwarz Holz gefasset, oben wie ein berg, darinnen eine Jagt so umblauft vnd vnten ein Polnieschcr Danz.
1. Werck in form eines Schreibtiesches, darinnen vnterschietliche perspectiv des alten vnd neuen Testaments von Wachss gemachet, wie auch allerley Karten Spiel, oben wen mans auss einander ziehet, ist ein ballet von Kleinen figuren.
1. ganz eisener Sessel, so in der ersten Kunst Kammer stehet.
1. Schöner runter Tisch von allerhandt Bömischen Jasspissen, Agaten vnd andern steinen zusammen gesezet, auf einen Messingen Fuss.
1. Sessel von Ebenholz, an Welchem der Siz vndt die Lehnen von Seiden gesticket.
1. Uhr in Form eines Viereckcten Thurms, oben eine Heerpauke, umb den Thurm Lauft eine Kugel.
1. Viereckctes werck mit einem wächsernem Bildt, welches eine Zitter schläget, aber zerbrochen, mit Sammet überzogen.
1. Ander werck mit einer Kugel, so auf seiten herumb lauft.
1. Sechsseckete Messingne Vhr, schwarz eingefast Caisse, darauf eine durchbrochene Spfere (Sphäre) verguldet.
1. hohes Werck, in Welchem eine Schüssel in formb einer Schnecken, darinnen eine Kugel lauft.
36. Allerhandt Bilder von Metal, welche Zwieschen die Fenster vnd auf die Schranck in der Kunst Kammer gehören.
31. andere figuren von Alabaster vnd Marmorstein.
8. Grosse köpffe von Marmor.
4. Grosse Köpf von Gypss.
1. Adler von Marmor.
3. Vnterschietliche figuren von Wachss
8. Figuren von Marmor.
3. Aussgedrehete Säulen von Helffenbein.
18. Unterschietliche Bilder zwischen die Fenster gehörig.
1. Feuer Spiegel von Metal.
1. Kopf von Marmor.
5. liegende Cupidines von Marmor.
1. Von Gipss.
1. Schwarzer Altar ein wenig mit Silber gezieret.
1. Anderer Altar mit Silber bezieret, darinnen eine Albasterplatten, worauf die Geburt Christi und verkündigung der Hirtten.
1. Eingelegtes Lädelein, darinnen eine figur von Holz, so alle Glieder rühret.
1. Schreib Kästlein.
1. Spiegel in Agtstein gefasset.
Zwieschen dem Spanieschen Saahl vnd der Kunst Kammer befinden sich 4. schreibe-Tische, darinnen nichts.

In der Kunst kammer.

1. kasten, darinnen Zwirn vnd Lerhennez.
1. bildt von Marmor, so zerbrochen.
1. grosser feuer-Spiegel.
1. Indianiescher Thron, darinnen ein fürhang sambt einer Decken.
1. Schreibetiesch mit Vnterschietlichen fächern, darinnen allerhandt alte Münzen von Bley vnd Klockenspeisse.
1. Einhorn.
16. stück gemählde über den Schräncken.
1. Schreibe Tisch voller Silber- vnd Goldtertz, nebst 2. schachteln mit Malachiten.
1. Marmorne figur ohne Kopf.
1. Löw vnd Ochss von Marmor.
1. Schreibtiesch mit 15. fächern, darinnen Indianiesche Geschirlein von stro vnd dergleichen.
1. Schwarz mit Sammet überzogenes Kästlein, darinnen Bleyerne vnd andere Abdrücke.
1. Schreibe Lädichen mit 18. fächern, darinnen allerhandt geschnidtene vnd vngeschnittene Steine.
1. Schreibe Tisch mit 12. fächern, darinnen etliche Spiegel vnd Vngeschnittene steine.
1. Lange lade mit 15. fächern, darinnen allerhandt Türckiesche Galanterie.
1. Lade, darinnen allerhandt Tischler vnd Drechseler Werckzeng.
1. Schreib-lädichen mit vergüldetem Messing beschlagen, darinnen in etlichen fächern Perlemutter.
1. Lade mit 18. fächern, darinnen allerhandt Silberne vnd geschnitzete bilder vnd abgüss von Wachss.
1. braune Lade, darinnen nichts.
1. Länglichte Lade mit 15. fächern, darinnen allerley steine vnd sonsten schlechte Sachen.

Den $\frac{1}{11}$ Septembris ão 1648 in der Andern Kammer.

Nr. 21.

1. Schrank darinnen allerley grosse vnd Kleine krüge, Schüsseln, Schalen vnd andern Geschir von Weiss vnd blaun Porcellan.

Nr. 22.

2. Giessbecken vnd kannen von Porcellen.
3. Schalen mit Silber beschlagen auch Krug, Schüsseln vnd anders von Porcellen.

23.

2. Grosse Blumen krüge.
50. stük Schüsseln vnd Schalen von Erden gemachet.
2. Krüge von Porcellen.

24.

63. Erdene Teller, gemahlet.
2. grosse weiss glasirte Blumentöpf noch
1. Blauer von glass.
4. Porcellaner Schüsseln.

25.

60. Erdene glasirte geschir, darunter Blumenkrüge, Giesskannen, Salzvässlein vnd Leuchter.
2. Grosse Porcellaner Krüge.

26.

1. Schrank voller Schüsseln, Schalen, Krüge, vnd andern Geschir von Porcellan.
Keyser Rudolphi Brustbildt von Metal.
1. Pferdt von Metal.
7. Stücke gros vnd Klein Ischada Stein.
1. Model eines Orlogs Schifes von Holz.
1. Wachsern zerbrochenes Brustbildt.
1. kleine Grotte von allerhandt Muscheln vnd Korallen Zancken.
10. Gemahlte Kleine Bilder.
1. Jacobs Stab auf 3. Löwen stehende zum abmessen.
1. Alt grün kästlein, darinnen vnterschietliche vergühlete Schlüssel.
1. Ledieger Schreibe Tisch mit 14. fachen.
1. Schwarz kästlein, darinnen Tischen-Zeug (sic).
1. Weisse Schachtel, darinnen 2. kugeln.

XII.

f**

In der dritten Kammer.

27.

52. stük gemähle, vnter welchen das Haus Oesterreich.

Im vnternfach.

Etliche alte Fahnen vnd Türkiesche Bücher.

28.

1. Kleiner Altar von Wohlriechendem Leder, noch
1. Altar mit Böhmischen steinen vnd Perlen besetzet.
2. Silberne Bilder.
7. Bilder etwas mit Silber gezieret.
2. Crucifix von Messing.
10. Vnterschietliche kleine Bilder.

Im vnternfach.

Allerley Bogen vnd Köcher,
1. Versilbert vnd vergüldetes geleut.

29.

Allerhandt Gemähle.

Im vnternfach.

Allerhandt vngeschnittene Jaspis.

30.

21. Bilder genehet, auch theils auf Gülden- vnd Silberstück vnd federn.

Im vntern Fach.

Etliche Kugeln von Marmor, vnd andere alte gebeine von Elephanten Zähnen.

31. *

17. Gerissene vnd Gemahlete kleine Bilder.

Im vntern Fach.

1. Türkischer Alter Sattel, darbey Alt Pferde Zeug, vnd
1. Paar grosse eiserne Steigbügel.

32.

100. An allerhandt Kunstbüchern.
Keyser Rudolphi Bildtnüss in Metal.
1. Vhr in Schwarz Holz gefasst.
1. Emblema von Metal, darauf die Vestung Raab.
1. Metallenes stück, da Keyser Rudolph die freyn künste in Böhmen introduciret.
20. Bilder.
2. paar Ochsenhörner.
2. paar Elentshörner.
7. Kleine Metallene bilder.
1. Mumia in einem Schranck.
2. Globi terrestres von Holz.
1. Weibs Bildt von Gips auf einem Marmornen Fuss. *
1. Grosse Baur Magt von Gips, mit Indieanieschen federn bekleidet.
1. Wildt schwein von Weissen Gips.
1. Lediger schreibe Tisch Zu beyderniescher Münz.
1. Zerbrochener Metallener Spiegel.
1. Ledig schreib Tisch mit 11. fachen.
2. Marmorne Tafeln.
1. Kästlein, darinnen Löwen Knochen.

Im Vierten Gewölbe.

1. Schrank mit Nr. 6 bezeichnet, darinnen allerhandt Meergewächs.
1. Kasten, darinnen ein Löw.
1. Kasten, darinen eine Löfel Ganss.
1. Kasten, darinen eines Seepferdes kopf.
1. Henne mit 3. füssen.
1. Vogel Eme (?sic)
1. Schranck mit Nr. 5 bezeichnet, darinnen Straussen Eyer, Indianische Vegel Köpfe, ein Pasilisk, 1 Drache vnd andere Indianische früchte, Vf demselben Schranke ein Alter Indianiescher Lederner Kahn.
1. Lang Gestel mit 6. fachen, darinnen Meerschlangen, Schwert- vnd andere Meerfisch, wie auch allerhandt Gebeine von wilden Thieren.
Darbey 1. paar stein Bockshörner.

Vff demselben Gestel.

3. paar ochsenhörner
3. Hirschgeweih.
1. Schrank mit Nr. 3 bezeichnet, oben vnd vnten von Allerhandt Meermuscheln, oben darauf 2 Schweinsköpf.
1. Lang gestel mit 6. fachen, darinnen allerley seltzahme geweihe von Rehböcken vnd Hasen.
13. kleine vnd grosse Hörner von Rinocero.
Allerhandt Hörner von Vnterschietlichen wilden Thieren.
8. Von Meer Eseln, Indieaniesche Geiss, von Püffeln, allerley Geweihe von Hirschen.
16. Schildt, davon 4. mit Türckissen versezet.

Vff dem Gestel.

4. Hirschgeweih.
1. Schranck mit Nr. 1 bezeichnet, ganz voll grosser vnd kleiner Muscheln.

Veber diesem Schranck.

5 Erdene gemahlte Töpfe.

Neben dem Schrancke.

2. Indieaniesche Rüstungen.
2. Indieaniesche Bogen.
2. Andere Indieaniesche Gewehr.
1. Indieaniesch Schilt.

Mitten im Gewölbe.

1. Indieanischer Tiesch.
1. Kühlkessel von Sarpentinstein, darauf
 1. Europa von Gipss.
1. Weibesfigur von Gips.
1. Metallener Hercules.
1. figur
1. baur Magdt } von Gips.
1. Wildtschwein

An der andern seite der Fenster.

5. Knöpfe von Türckischen Zelten.
1. Ledig schreibládelein.
1. gros steinerner Wasser Krugk.
1. paar Türkische Bügel.
1. Model einer Senfte.
2. Meer pfauen.
1. Zerbrochene Schreiblade.

2. Straussen gerip.
1. Schwarz zerbrochen Schreiblädichen, darinnen etliche pater noster.
1. Weiss helfen Beiner Schreiblädichen
6. Läden mit Allerhandt kleine Muscheln.
1. grosses Buch, welches der Teufel einem Vermaureten Möneche gebracht.
1. Zerbrochener Tisch von Serpentin, darauf vnterschiedliche Handtsteine.
Vnterschietliche Kupferblech.
Genealogia Christi auf Pergament, Noch
1. Genealogia.
1. Hebreische Tafel in einem futteral.
1. Landt Tafel vff Pergament.
1. Haut vnd Kopf von einem Seepferde.
1. Haut von einem Seehunde.
1. Haut von einem Scheckichten Pferde.
1. Haut vom weissen Hirsche.
2. Indianiesche Schirm.
2. Vergüldete grosse Ochsen Köpfe mit Hörnern.
2. Köpfe von Steinböcken.
3. Paar von Renthieren.
5. Paar geweih von Hirschen.

Dec 2/12 Septembr. ao 48. Vor dem Bilder Saahl.

4. Matten.
10. Andere Bilder. } im ersten
110. Bilder gros und Klein. } eingange.
1. Klein Bild von Silber. }
1. ganzer Saal voll Bilder gross vnd Klein.

Zwischen beyden Sahlen.

4. bilder.

Im andern Saahl.

152. gross vnd kleine bilder.
1. Tisch, darinnen ein Positiv.

Vfen Spanischen Saahl.

Voller bilder gros vnd klein.
1. Tisch von Allerhandt Alabastersteinen.
1. gros ledig Tresur von Schwarzen Holz.
1 Instrument mit Vnterschietlichen mutationen.
1. Indianiesche Tische.
1. Indianiesch Bette von Holze.
1. Messinges Tischblat.
1. Indianisches Bettgestel mit bein eingeleget.
1. Tisch, darinnen vnterschietliche Orgel werke.
1. Flügel mit einem geigen-Werck.
1. Runter Hölzerner eingelegeter Tisch.

Im grossen Neuen Sahl.

40. Stücke Conterfeit vnd andere gemähle.
10. Statuen von Leim (Lehm) mit Gipss überzogen.
4. Metallene Bilder.
1. bildt von Holz.
1. Anderss von Gips.
Des Königs in Schweden Bildtnüss von Metal.
1. ganzes Spelidon (Skeleton) von Rinoceros.
2. Kleine Globi.

Dr. B. Dudík.

Redaction ... K. v. Perger. — Druck der k. k. Hof- und Staatsdruckerei in Wien.

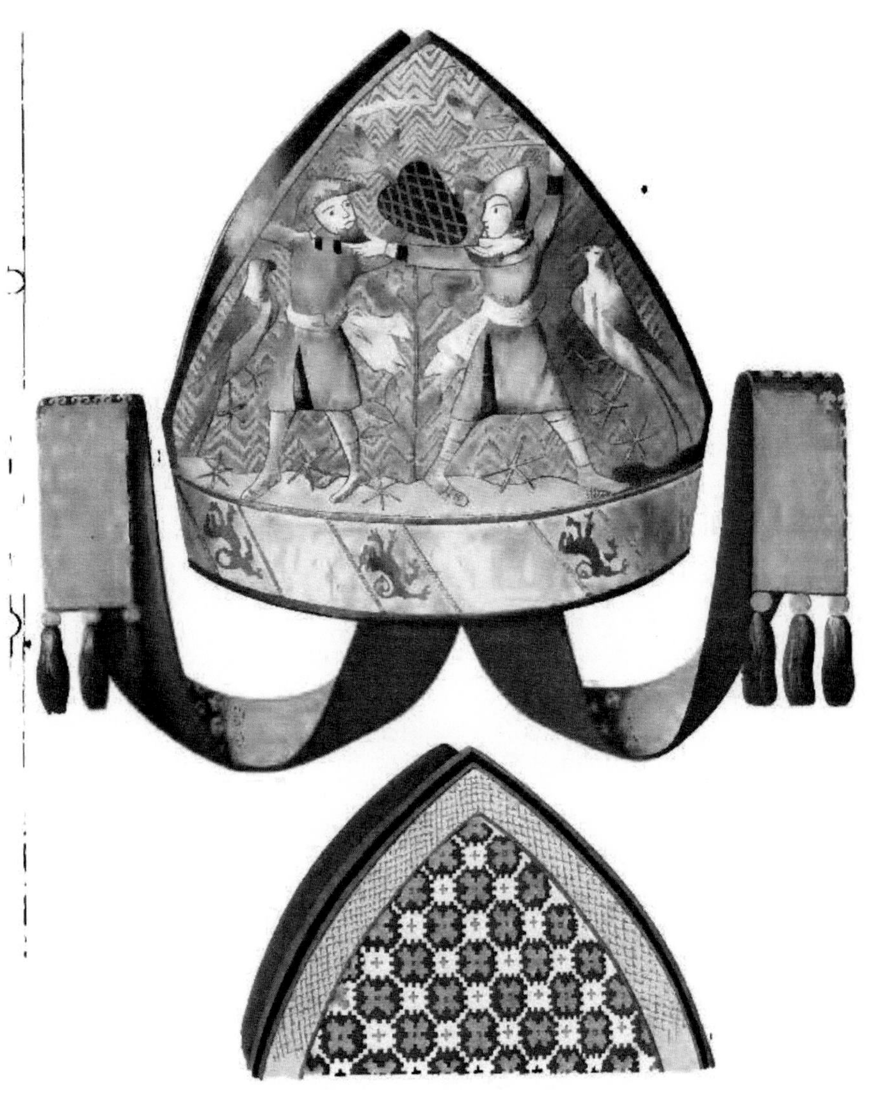

Drei bischöfliche Mitren des XII. und XIII. Jahrhunderts.

(Mit 3 Holzschnitten und 1 Tafel.)

Bereits an anderer Stelle[1] haben wir über das Alter der bischöflichen Kopfbedeckung, im Hinblick auf ältere Monumente und an der Hand einschlägiger Citate von mittelalterlichen Liturgikern unsere Ansicht dahin ausgesprochen, dass in der vorkarolingischen Zeit eine einfache Stirnbinde (corona aurea vitta) die Stelle der heutigen bischöflichen Mitra in Verbindung mit einem einfachen Kopftuch, dem „head-linen" angelsächsischer Autoren, einnahm, und dass erst seit dem IX. und X. Jahrhundert sich die bischöfliche Mitra allmählich mit den zwei getrennten cornua nach jenen mitrae episcopales gebildet habe, die more romano durch päpstliche Indulte verschiedenen Bischöfen des Abendlandes als auszeichnende Insignie verliehen wurden. Die heutige Form derselben, wenn man absieht von der colossalen Überhöhung der beiden cornua seit den drei letzten Jahrhunderten, hat sich feststehend erst am Schlusse des X., mehr noch im Beginn des XI. Jahrhunderts so gestaltet, dass dieselbe in zwei giebelförmige Theile sich zerlegt, welche in der Mitte durch eine stoffliche Verbindung der foederatura zusammengehalten wurden. Gleichwie nun die künstlerische Behandlung des Kelches in den verschiedenen Jahrhunderten des Mittelalters die allmähliche Entwickelung und Ausbildung der Goldschmiedekunst nach ihren verschiedenen Seiten hin zeigt, so kann auch mit gleichem Rechte behauptet werden, dass die mehr oder weniger reich ornamentale Ausstattung der bischöflichen Mitra als Massstab betrachtet werden kann, wie die mittelalterliche Stickkunst vom XI. bis zum XVI. Jahrhundert sich allmählich entwickelt, ihren Höhepunkt erreicht hat und allmählich in Verfall gerathen ist. Von gleichem Interesse ist es wahrzunehmen, wie sich die beiden giebelförmigen Theile der Mitra in demselben Massstabe nach oben ausdehnen und ungebührlich zu vergrössern beginnen, in welchem das Messgewand nach und nach seine altkirchlichen ererbten Dimensionen einbüsste und sich gegen den Willen der Kirche modernisiren liess. So ist es denn gekommen, dass seit dem XVI. Jahrhundert aus der niedrigen und einfachen Kopfbedeckung der Bischöfe eine hohe thurmförmige Erhebung sich entwickelte, welche mit den Körperformen des Trägers und seiner Grösse in einem umgekehrten Verhältnisse steht.

In Folge der eingehenden Studien über mittelalterlich-kirchliche Kunst, welche in unseren Tagen zu einer erfreulichen Höhe gelangt sind, und bereits in der kirchlichen Architectur, Glasmalerei und Goldschmiedekunst reichliche Früchte getragen haben, hat man auch auf den ehemaligen Schnitt und die geschichtlich ererbten Formen der liturgischen Gewänder ein aufmerksames Auge zu richten begonnen. Gleichwie man heute, um nur Eines anzuführen, die priesterliche Casel wieder so zu erweitern sucht, dass sie, in würdevollem Faltenwurf, den Körper des Celebrans umgebend, sich dem Begriffe der casula (i. e. parva casa) wieder nähert, in derselben Weise sucht man auch die bischöfliche Mitra von ihrer ausgearteten übergrossen Ausdehnung und ungebührlichen Überladung wieder auf die würdevolle und ernste Form des Mittelalters zurückzuführen.

Die Höhe ihrer Entwickelung in Bezug auf Schnitt und ornamentale Ausstattung hatte die bischöfliche Infula ohne Zweifel in der spätromanischen Zeit der letzten Jahrzehnte des XII. Jahrhunderts erreicht. Um diese Zeit wurde auch kirchlich festgesetzt, wie sich die Mitren in ihrer verschiedenen Ausstattung unterscheiden und bei welcher Gelegenheit dieselben zu tragen sind. Das Ceremoniale Episcoporum, angefertigt unter Papst Gregor X., unterscheidet bereits zwei Arten der bischöflichen Kopfbedeckung, nämlich die mitra simplex und die mitra aurifrigiata. Die einfache Mitra, welche in den kirchlichen Trauerzeiten des Advents und der Fasten und bei Leichenfeierlichkeiten getragen wurde, ist auf den beiden Aussenseiten der cornua glatt und einfach ohne jegliche verzierende Stickerei gehalten. Die verbrämte Mitra hingegen zeigte stets eine mehr oder minder reiche Verzierung, nach deren Verschiedenheit man drei Arten von bischöflichen Infulen unterschied, nämlich 1. mitra de aurifrigio in circulo, welche auf beiden Seiten am untern Rande eine gestickte bandförmige Verbrämung zeigte, die also rund um den Kopf des Trägers lief; 2. mitra de aurifrigio in titulo, bei welcher die beiden cornua durch einen senkrechten Streifen verziert waren; und 3. mitra de aurifrigio in circulo et in titulo, die reichste Art, welche die Verzierungsweise der beiden vorigen vereinigte.

Nach diesen allgemeineren Andeutungen über Dimensionen und künstlerische Ausstattung der bischöflichen Kopfbedeckung im XII. und im Beginne des XIII. Jahrhunderts mögen als erläuternde Beispiele hierzu drei Mitren hier eine nähere Besprechung finden, die, der letzten Hälfte des XII. Jahrhunderts angehörend, zeigen, dass um jene Zeit in England, Deutschland und Italien dieselben Grundsätze über Schnitt und Verzierungsweise der bischöflichen Inful in Geltung waren. Unter Fig. 1 ist jene Mitra bildlich wiedergegeben, die bis vor wenigen Jahren im Schatze der erzbischöflichen Kathedrale von Sens in hohen Ehren aufbewahrt wurde, als eine Erinnerung an den grossen englischen Bischof und Märtyrer Thomas Becket von Canterbury, welcher in Sens längere Zeit im freiwilligen Exil lebte, wo er die Gastfreundschaft des dortigen Erzbischofes genoss. Vor wenigen Jahren gelangte dieselbe in den Besitz des bekannten, kürzlich verstorbenen Cardinals Wiseman; wer der jetzige Inhaber derselben ist, ist uns unbekannt. Diese interessante Mitra ist wegen ihren reichen Verzierungen zu den mitrae de aurifrigio in circulo et in titulo oder mitrae praeciosae zu rechnen. Dieselbe zeigt nämlich am untern Rande sowie auf den beiden cornua einen horizontal laufenden, goldgewirkten Streifen, welcher von

[1] Vgl. meine Geschichte der liturg. Gewänder II, 143, ferner Mittheil. der k. k. Central-Comm. V, 231 s. auch XII, 71.

XII. 6

Fig. 1.

Rechtecken gebildet wird, in welche Hexagone und Rhomben eingeschrieben sind. Diese aurifrisiae zeigen jene mäandrische Ornamentationsformen, wie sie in der Stickerei der romanischen Kunstperiode, anknüpfend an antike römische und griechische Vorbilder, sich stets wiederholen. Auf den Seitenflächen der beiden cornua, welche durch das aurifrigium in titulo in der Mitte getheilt werden, ersieht man ein romanisches Pflanzenornament in Goldstickerei, welches, von einem Wurzelstocke ausgehend, in seinen gefälligen Verschlingungen bereits den Charakter der spätromanischen Kunstepoche erkennen lässt. Ähnliche schwungvolle Laubornamente sind auch an den beiden fasciolae ersichtlich, die in Form von kleinen Stolen an dem hinteren Theile der Mitra befestigt sind.

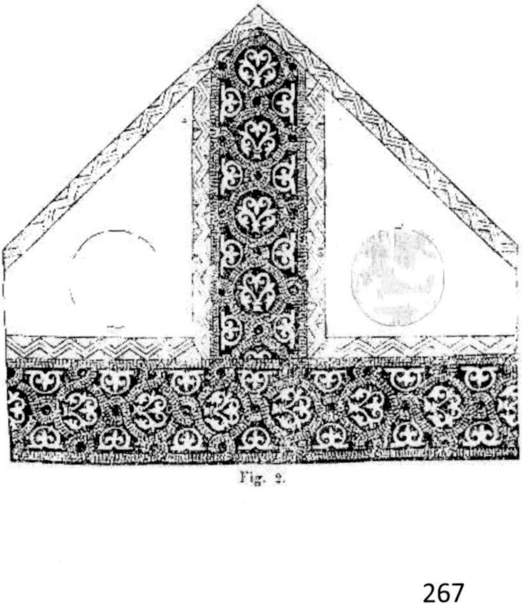

Unter Fig. 2 veranschaulichen wir eine romanische Mitra aus dem Schatze der St. Emmeramkirche zu Regensburg, die mit der vorhergehenden gleiche Ausdehnung hat und welche von der örtlichen Überlieferung mit dem heil. Wolfgang in Verbindung gebracht wird. Die reichgestickten Stäbe dieser mitra praeciosa zeigen, von Perlenkreisen eingeschlossen, zierliche Pflanzenornamente in Goldstickerei: die beiden monilia in campo hingegen fehlen heute, wie dies die offenen runden Stellen auf unserer Abbildung anzeigen, und sind wahrscheinlich wegen ihrer verzierenden kostbaren Metalle oder Edelsteine in trauriger Zeit abhanden gekommen. Die Ornamentationsweise dieser Infula cum scutellis et orbiculis ist für die sicilianische Stickerei aus der letzten Hälfte des XII. Jahrhunderts charakteristisch. Ähnliche reichgestickte Motive, von Perlschnüren eingefasst, finden sich auch an dem kaiserlichen Ceremonienschwert, an der alten kaiserlichen Albe und an den aurifrisiae des deutschen Kaisermantels vor, die unter den übrigen Kleinodien des ehemaligen „heil. römischen Reiches deutscher Nation" in der Hofburg zu Wien aufbewahrt werden.

Unter Figur 3 veranschaulichen wir die ziemlich genaue Darstellung einer interessanten Mitra aus der letzten Hälfte des XII. Jahrhunderts, die heute im Schatze von St. Zeno zu Verona aufbewahrt wird. Während jedoch die beiden ligulae an den beiden vorhergehenden Mitren mit geometrischen und Pflanzenornamenten gemustert sind, zeigen sich an der vorliegenden Inful figurale bildliche Darstellungen in Stickerei, und zwar ersieht man in der aurifrisia in circulo die zwölf Halbbilder der Apostel, deren Namen nach griechischer Weise in verticaler Richtung mit untereinanderstehenden Buchstaben daneben gestickt sind. In dem aufsteigenden titulus ersieht man die majestas Domini, den Herrn als Weltenrichter, der, mit der Rechten in lateinischer Weise segnend, in der verhüllten Linken das volumen hält; zu beiden Seiten desselben erblickt man das bekannte Monogramm IC XC. Auf dem hintern cornu unserer Mitra, die in der Abbildung nicht ersichtlich ist, befindet sich in dem senkrechten verzierenden Streifen das Bild der Himmelskönigin mit der Inschrift MP — ΘΕΥ. Die dreieckigen Nebenflächen zu beiden Seiten des Erlösers und der allerseligsten Jungfrau sind mit den gestickten Typen der vier Evangelisten verziert.

Fig. 2.

Eine nicht minder interessante Mitra, die, freilich wohl aus dem ablaufenden XIII. Jahrhundert stammen dürfte, ist in der beigegebenen Tafel in ihrer natürlichen Grösse abgebildet. Sie befindet sich in der Gewandhalle des Domes zu Halberstadt, und gewährt einen Beleg, dass damals bereits eine, wenn auch nicht auffallende Überhöhung beider Schilder Platz gegriffen hatte. Wie unsere Abbildung

Fig. 3.

zeigt, ist diese Mitra blos mit einer aurifrisia in circuitu verziert. Die Borte des ansteigenden titulus fehlt. Die Borte selbst ist aus Goldstoff angefertigt und stellenweise durch in schräggestellten Feldern gewobene, verschiedenfärbige Löwen verziert. In campo anteriori zeigt sich die Darstellung eines eigenthümlichen Zweikampfes. Man kann dieses Bild dahin auslegen, dass entweder damit der Kampf der abendländischen Kreuzritter mit den Gläubigen des Islam oder jener des Christenthums mit dem Judenthume zur Anschauung gebracht wird. Würde man der letzteren Annahme beipflichten, so dürfte in dem Bilde des einen Kämpfenden, jenes mit dem Barte und dem Judenhute, der Anhänger des alten Testaments, in der anderen Figur der Verfechter des Christenthums, der für die Lehre Christi zu Kampf und Tod bereite Ritter vorgestellt sein. Die Darstellung ist auf roth und weiss wellenförmig dessinirtem Grunde gestickt. Zwischen den kämpfenden Figuren zeigt sich eine Pflanze, an den Seiten der Kämpfer je ein Vogel. Figuren, Pflanze und Vögel sind theils mit Goldfäden, theils mit weissen oder blauen Seidenfäden gestickt. Der Erdboden ist durch grünfärbige Stickerei bezeichnet. Die fanones waren von grünlicher Farbe, mit goldenen Lilien besäet und an den Enden mit je drei grösseren, rothen Seidenquasten besetzt.

Die zweite auf derselben Tafel befindliche Zeichnung zeigt das rückseitige cornu. *Franz Bock.*

Alba Trimammis.

(Mit 1 Holzschnitt.)

Ungefähr zehn Meilen von Quimper, seitwärts von der Hauptstrasse nach Chateaulin, befindet sich inmitten einer dichten Gruppe von hohen Bäumen eine kleine Capelle, welche dem heil. Vénnec geweiht ist[1]. Nahebei steht eines jener merkwürdigen Steinkreuze, welche, weil alle Personen darauf angebracht sind, die bei der Kreuzigung Christi zugegen waren, vom Volke „mont calvaire“ genannt werden. Dieses Kreuz ruht auf einer dreiseitigen Basis, welche die Jahreszahl 1556 trägt. Gegenüber der Capelle steht, um das Ganze noch romantischer zu machen, ein Springbrunnen, der „heilige Quell“ genannt, welcher mehr ornamentale Details zeigt, als dieses bei andern bretonischen Brunnen der Fall ist, die in der Nähe von heiligen Gebäuden stehen. Die Bretagner sind überhaupt dadurch ausgezeichnet, dass sie ihre religiösen Gebräuche mit einer Art von Poesie oder poetischer Eigenthümlichkeit auszuschmücken wissen.

Das Äussere der Capelle des heil. Vénnec bietet übrigens nichts besonderes; betritt man aber das Innere, so wird man auf zweierlei Weise überrascht, nämlich durch den Hauch der Alterthümlichkeit, der das Ganze durchweht und durch den düsteren Anblick des heranschreitenden Verfalles. Oben am Schiff zeigt sich noch eine Gallerie mit Feldern von ziemlich roher Arbeit, aber man wagt sie kaum mehr zu betreten. Von der Mitte des Schiffes hängt noch eine eiserne Lampe von höchst einfachen Charakter herab, aber sie ist verrostet und man fürchtet, dass sie im nächsten Augenblick stürzen könne. An dem oberen Ende der Capelle befinden sich vier grosse steinerne Consolen, von denen drei Figuren von Heiligen tragen, während sich auf der vierten eine höchst merkwürdige Gruppe vorfindet.

Diese Gruppe besteht aus einer Frau und drei Kindern. Die Frau sitzt und trägt eine Krone mit einer Lilie auf dem Haupt. Ihr Kleid ist oben offen und zeigt drei Brüste[2], von denen die mittlere die grösste ist. Auf dem Schosse der Frau sitzt ein Knabe, der ein Band (Cartoccia) hält, auf welchem mit Buchstaben des XVI. Jahrhunderts der Name „S. Guennoc“ eingemeisselt ist. An jeder Seite der Frau steht ein Knabe, der sich mit der einen Hand auf das eine Knie der Mutter stützt, während die andere eine Schriftrolle hält. Die Schriftrolle rechts zeigt den Namen „S. Guenole“ und die linke den Namen „S. Jacut“. Es ist hier also eine heilige Frau mit ihren drei heiligen Söhnen dargestellt, und es drängt sich natürlicherweise die Frage auf, wer diese Frau mit drei Knaben und drei Brüsten sein könne, und diese Frage wird um so interessanter, als die dreibrüstige Frau in der Bretagne noch verschiedene Male vorkommt, wie denn auch ein Geistlicher in der Nachbarschaft von Quimper in einer Capelle eine ähnliche weibliche Figur fand, die er aber in der Meinung, dass sie eine heidnische Göttin darstelle, leider in einem Winkel des Coemeteriums verscharren liess.

Den bretonischen Annalen zufolge ist nun jene Frau mit drei Brüsten die „Alba Trimammis“, die im bretonischen: Gwen-teir-bron und im englischen: Queen with three breasts genannt, und deren Lebensgeschichte schon im IX. Jahrhundert aufgezeichnet wurde. Glücklicherweise befindet sich eine Abschrift dieser Legende in dem Archive der Abtei von Llandewenner, wo sehr

[1] Vgl. Archaeolog. Cambr. III. Ser., Tom. X, pag. 40 ff.

[2] Durch diese drei Brüste wird man an die Isis Multimammia erinnert. Jene im Museum Romanum (De la Chausse I. Sect., Nr. 31) hat sieben Brüste, die Diana Ephesina hingegen (Ibid. Sect. II, Tab. 11), von der auch der heil. Hieronymus in seinem Briefe an die Epheser spricht, hat drei Reihen Brüste, und zwar rings um die Hüftengegend. Sie ist bekanntlich auf vielen alten Münzen abgebildet.

g[2]

alte schriftliche Denkmale aufbewahrt werden. Aus dieser Abschrift ergibt sich nun folgendes:

Fracan, ein berühmter Krieger und der Vetter des britanischen Königs Cathow oder Cathoun, sah sich genöthigt, vor einer pestartigen Krankheit zu fliehen, welche der Himmel gesandt hatte, um die Gottlosigkeit der Anwohner zu strafen. Fracan nahm daher seine Frau Gwen (Alba oder Queen) und seine beiden Knaben Guethenoc und Jacut mit sich auf ein Schiff, landete an der nördlichen Küste von Armorica und siedelte sich dort an einer besonderen Stelle an, welche nach ihm „Plou-Fracan" (plebs Fracani) genannt wurde. Der Landungsplatz selbst hiess aber Brahec. Hier wurde ihm bald nach seiner Ankunft von seiner Frau Alba ein dritter Knabe geboren, und da dieser Knabe zu einem besonderen Geschick ausersehen war, wuchs der Mutter, um ihn säugen zu können, durch ein göttliches Wunder auch eine besondere Brust, und zwar über den beiden andern, mit welchen sie die zwei früheren Knaben ernährt hatte. Der Knabe hiess Gwenolé (Wingwaloeus) und erhielt wegen der seiner Mutter erzeugten göttlichen Gnade den Beinamen „Trimammis", den auch die Mutter selbst führte. Er wurde der erste Abt von dem Kloster von Llandewennec[1]. Sein Bruder Jacut (Jakob?)

versah dieselbe Ehrenstelle in einem andern Kloster, welches sich fünf Meilen von St. Malo befand. Von S. Gwennoc erzählt die bretonische Überlieferung nichts. Man kennt nur sein Standbild in der erwähnten Capelle, wo er, fast in Lebensgrösse, als Krieger gekleidet, in der einen Hand ein Schwert, in der andern ein Buch haltend, dargestellt ist. Die Statuen seiner beiden Brüder stehen in etwas kleinerem Massstabe neben ihm. Beide sind in priesterlicher Kleidung, und auf dem Stein, welcher die Gestalt des heil. Gwenolé trägt, steht die Jahreszahl 1178. Die Feste desselben werden am Sonntag vor Fasten und am weissen Montag abgehalten. Die Alba Trimammis wird vorzüglich von Frauen verehrt, und säugende Mütter widmen ihr Flachs und Spinnrocken, um sich der gewünschten Menge Milch zu versichern.

Die Überlieferungen in Wales sprechen ebenfalls von einer heil. Gwen-teir-bron, welche aber die Tochter des Emyr Llydaw, Fürsten des armorischen Britanniens, war. Sie vermählte sich mit Aeneas Lydeweg und dieser Ehe entstammte die Mutter des heil. Cadvan, welcher in der ersten Hälfte des VI. Jahrhunderts mit einer grossen Anzahl frommer Personen von Armorica nach Wales übersiedelte[1].

Auch in Finisterre befinden sich zwei ähnliche weibliche Statuen. Die eine ist zu Sencc und wird unter dem Namen „Notre-Dame de Tregruen" angerufen. Es ist ein grosses Steinbild ohne allen Anspruch auf Kunst. Um die Blösse der Brust zu decken, liess man später einen gestreiften Brustlatz darüber malen, so dass die Figur bis zum Kinn hinauf bedeckt erscheint. Die zweite ist aus Holz und gut ausgeführt. Sie befindet sich in der Capelle von Quillidoaré und wurde in Lebensgrösse als eine vornehme Frau in der Tracht des XVI. Jahrhunderts dargestellt. In einer Falte ihres Kleides steht geschrieben: „Notre-Dame de Bonnes-nouvelles".

Es ist jedenfalls sehr anregend, Kunstdenkmale oder Erinnerungsbilder aus der früheren Zeit des Christenthums zu studiren, die man freilich nur im Nordwest von Europa findet, da zuerst christliche Priester von dem Orient nach Ireland zogen, von wo aus sich die neue Lehre nach England und an die Nordküste des heutigen Frankreichs verbreitete.

Übrigens bleibt noch zu bemerken, dass jener, welcher die Inschriften auf den Cartuschen der Gruppe schrieb, einen Fehler beging, indem er auf jenen Streifen, welchen der jüngste Knabe hält, den Namen S. Guennoc, und auf jenen, den der rechts stehende Knabe hält, den Namen S. Guenole setzte. *P.*

Emaillirtes Weihrauchschiffchen des XIII. Jahrhunderts.

(Mit 1 Holzschnitt.)

Das nebenstehend dargestellte interessante Gefäss fanden wir vor zwei Jahren im Besitze der Kirche des Dorfes Neuenbeken bei Paderborn. Dasselbe möchte, abgesehen vom Werthe als Kunstwerk, schon deshalb der Mittheilung werth sein, weil bekanntlich gerade Rauchschiffchen aus einigermassen früher Zeit nur selten sich erhalten haben: ist doch dies Gefäss auch mehr als ein anderes der dem Cult dienenden Objecte der Gefahr der Beschädigung ausgesetzt. Ausserdem

[1] Vgl. Archaeologia Cambr. Ser. III, Vol. III, pag. 129.

[1] S. R. William's Dict. of eminent Welshmen; p. p. 88. 114 and 192.

aber zeichnet sich unser Exemplar wohl vor der Mehrzahl der bisher publicirten Beispiele höhern Alters durch besonders geschmackvolle Behandlung aus, wie es den kleinsten auch in Hinsicht auf gute Erhaltung, soviel hiervon bei den veröffentlichten Beschreibungen jener zu ersehen, überlegen zu sein scheint.

Die Form ist die der Frühzeit eigene schiffförmige, mit niedrigem Fuss, übereinstimmend mit den auf Bildern und Grabsteinen des XIII. und XIV. Jahrhunderts nicht selten in der Hand incensirender Engel dargestellten „naviculis". Ein in der Profillinie, der Gestalt des Fusses und den Umrollungen der Deckel vollständig übereinstimmendes Schiffchen zeichneten wir nach der Darstellung auf einem gravirten Grabstein in Chalons-sur-Marne. Das Profil erinnert in seiner straffen Linie noch lebhaft an die Antike und hat noch nichts von der später oft in geringerem oder höherem Masse eintretenden Ausbiegung des oberen Randes. Der Fuss ist niedrig konisch, die Deckel sind nach mit dem Cirkel gezogenen, an den Enden verrundeten Spitzbögen construirt und schwanenhalsartig umgerollt mit je einem Hundskopf als Abschluss dieses Griffes. Das Material ist geschlagenes Kupfer, das auf der äussern Fläche vergoldet wurde. Die Deckel und der Fuss sind in Email ausgeführt.

Bekanntlich unterscheiden sich diese Schmelzarbeiten darnach, ob die die Zeichnung herstellenden Metallcontouren aus, dem metallenen Grunde hochkantig aufgelötheten Streifchen bestehen oder aus der Masse genommen sind, das Metall auf den von ihnen eingeschlossenen, später mit Email gefüllten Zwischenräumen ausgegraben ist. Unser Schiffchen zeigt die letztere, im Gegensatz zu der erstern aus Byzanz gekommenen Technik die abendländischen und unter ihnen wieder die spätern Werke kennzeichnende Art der Arbeit, und stimmt darin mit der überwiegenden Zahl der auf uns gekommenen Monumente überein, indem schon das vorzüglich productive XIII. Jahrhundert fast allgemein die schwierigere und nicht die gleiche Solidität gewährende ältere Weise verliess. Ferner haben wir die Gattung von Schmelzarbeit vor uns, in der theilweise und zwar gerade in den Figuren das Metall auch als Fläche auftritt, gegenüber dem freilich kunstreicheren Verfahren, dass auch diese Figuren aus verschiedenen Farben von Glasfluss herstellt. Jeder Deckel enthält innerhalb eines schmalen goldenen Frieses ein spitzbogiges Feld in Lapislazuli Blau als Grundfarbe. Demselben fügt sich ein kreisförmiges Medaillon ein, jeder der drei Zwickel ist mit einer kleinern Rosette und zwei goldenen Pünktchen geschmückt. Im Medaillon ist der Grund dunkelblau, umzogen wird es von dem doppelten Goldstreifen, den Theophilus in seiner „schedula" für die Einfassung solcher Medaillons vorschreibt; das zwischen den Goldstreifen eingeschlossene blaue Emailbändchen ist etwas dunkler noch als der innere Grund. Jedes Medaillon enthält die von den Knien an sichtbare stehende Gestalt eines Engels mit einem geschlossenen Buche in den Händen und aus einer Wolke sich erhebend. Die Zeichnung ist in aussergewöhnlich starken Strichen eingravirt, die Linien sind fliessend und von gutem Schwung, der Stil streng und geschmackvoll, die Ausführung sicher und elegant. Die Figur wird in ihrem äussern Umrisse von einer tiefern und breitern, ursprünglich wohl mit Niello gefüllten Furche umzogen,

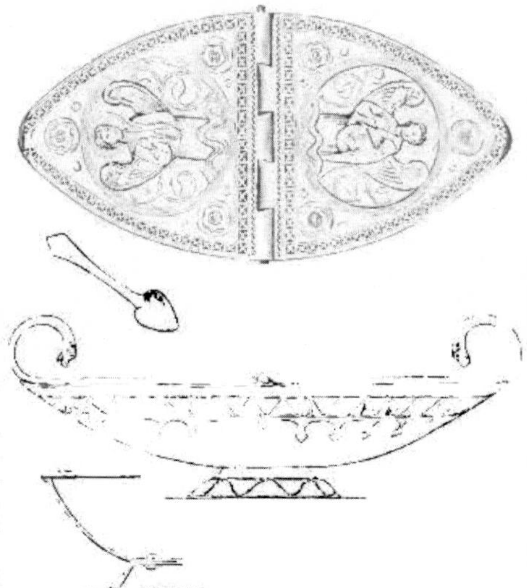

von welcher Ausfüllung aber Spuren nicht mehr zu entdecken. Ein gleiches Niello-Bändchen scheint die äussere Abgrenzung der Wolke abgegeben zu haben. Übrigens besteht diese von Oben nach Unten aus einem doppelten Goldstreifen, einem Streifen weisser, dann blauer Email und einem lebhaft ziegelrothen Kern. Der Nimbus des einen Engels ist von innen nach aussen streifenweise roth, grau, weiss und in Gold ausgeführt, beim andern tritt hier an die Stelle der grauen Farbe das dunkle Blau. — Beiderseits von den Figuren dient je eine goldene Ranke zur weitern Ausfüllung. — Die kleineren Rosetten bilden sich aus einem rothen, zunächst dunkelblau umzogenen Auge, einem lebhaft grünen, einem gelben und einem goldenen Streifen, erstere nach einem unregelmässigen Vielpasse gelegt, letzteres nach Aussen den kreisförmigen Umriss einhaltend.

Im Fries ist auf den gerundeten Seiten nur eine Reihe von im Quadrate einbeschriebenen Vierblättchen angeordnet, an der Charniere entlang kömmt eine Reihe abwechselnd gestellter, je durch einen Punzenschlag hervorgebrachter dreieckiger Tüpfel hinzu.

Die die Griffe abschliessenden Köpfchen sind wundervoll charakteristisch in der Form und von grosser Feinheit in der Ausführung.

Die Schale ist ohne Emailschmuck nur mit einem gravirten Muster versehen, bestehend aus einem einfachen Bogenfries und darüber einem Fries von Sägezähnen, diese sind blattrippenartig gestrichelt.

Der Fuss war nach unten mit einem concentrisch umlaufenden Emailband verziert, dessen Farben aber nicht festzustellen sind, weil hier der Schmelz bis auf den letzten Rest ausbröckelte, nur die Wellenlinie ist noch erhaben sichtbar, die die weitere Detaillirung dieses Bandes ausgemacht hat.

Abgesehen von diesem Schaden und der grösstentheils abgescheuerten Vergoldung ist die Erhaltung dieses Gefässes eine vollkommene. — Die Masse sind 7 Zoll Länge und 3[illegible] Zoll Breite, die Höhe beträgt 1[illegible] Zoll. Das Kupfer ist im Deckel [illegible] Zoll stark, in der Schale etwas schwächer, für die Emailausfüllung ist das Material bis auf die Hälfte der Dicke ausgetieft.

Der in unserer Zeichnung in der Hälfte der Grösse abgebildete Löffel möchte wohl noch der ursprüngliche sein und ist ebenfalls von Kupfer und vergoldet.

Von den Abbildungen, ähnlich alten Rauchschiffchen, die uns zu Gesicht gekommen, stimmt am nächsten mit unserem Exemplar Eines der von Darcel in den „Annales archéologiques“ mitgetheilten überein (Didron, Ann. arch. S. 14). Der Schmuck der Schale ist fast genau derselbe, auf den Deckeln aber ist die Gesammtanordnung, die auch der umgebenden Friese entbehrt, weniger geschmackvoll und scheint die Zeichnung des auch hier angebrachten Engels, verglichen mit dem ausgezeichneten Style des Neuenbekner Schiffchens, roh und ungeschickt zu sein. Auch zeigen diese französischen Muster in Etwas schon die Ausbiegung des obern Randes der Schale, welche, noch stärker ausgeprägt, in dem von Herrn von Hefner-Alteneck (Kunstwerke etc. Bd. II) in Abbildung publicirten Schiffchen aus der Sammlung des Fürsten von Hohenzollern-Sigmaringen das Profil in eine entschiedene, ziemlich unschöne Contrecurve hinüberführt.

In Ansehung des Ursprungs des beschriebenen Gefässes neigen wir der Meinung zu, dass dasselbe ein Erzeugniss der Kunstindustrie von Limoges sei. In der den Formen und der Technik nach wohl als Entstehungszeit anzunehmenden Zeit von 1250 etwa, versahen die Limousiner Werkstätten schon einen grossen Theil von Deutschland mit Email-Arbeiten. Schon die Ausführungsweise nur des Medaillongrundes in Email, der Figuren in Metall, wie sie für die spätere Zeit von Limoges charakteristisch ist, in den Cölner Werken aber die Ausnahme bildet, spricht für den französischen Ursprung, wenn auch nicht die grosse Ähnlichkeit mit dem erwähnten Schiffchen aus Roder und die Übereinstimmung wenigstens einzelner Details mit denen anderer in Frankreich aufbewahrten Limousiner Erzeugnisse, die wir zu beobachten Gelegenheit hatten, uns die ausgesprochene Meinung nahelegte. — Etwa von der etwas holprigen Linienführung der vier Ranken des Deckels und der weniger exacten Ausführung der sechs kleinen Rosetten abgesehen, kann dies Kunstwerk gewiss auf Geschmack und Eleganz einen gegründeten Anspruch erheben und können wir uns aus vollem Herzen dem a. a. O. ausgesprochenen Wunsche des Herrn Darcel anschliessen, dass unsere Goldschmiede ihre gewöhnlich hässlichen Muster gerade für Weihrauchschiffchen durch das Studium dieser Werke des XIII. Jahrhunderts bessern möchten.

Carl Schäfer,
Architekt

I.

Über die Herkunft des jetzt in der k. k. Gallerie des Belvedere befindlichen Gemäldes von Lucas Cranach dem Ältern, darstellend Herodias mit dem Haupte Johannes des Täufers.

Da die durch historische Belege beglaubigten Werke eines Meisters für die Beurtheilung desselben und für die Erkennung nicht bezeichneter Arbeiten die Grundlage abgeben müssen, so ist man seit längerer Zeit bemüht, die Zeugnisse, welche die Echtheit hervorragender Werke constatiren, auszusuchen und zu sammeln. Es würde meines Erachtens sogar wünschenswerth sein, einmal alle sicher beglaubigten Gemälde in einem Kataloge zusammenzustellen, alles irgend zweifelhafte aber sorgfältig auszuscheiden. Gute, hervorragend bedeutende Kunstwerke pflegen nun eine Art von Genealogie zu besitzen: es ist bekannt, für wen der Meister ursprünglich seine Arbeit gefertigt hat, und wie dieselbe dann nach mehr oder minder merkwürdigen Schicksalen — habent sua fata tabellae — in die Hände des augenblicklichen Besitzers gelangt ist. Je weiter sich eine solche Genealogie zurückverfolgen lässt, je weniger Lücken in der Tradition vorhanden sind, desto sicherer wird das Kunstwerk zu bestimmen sein. Herr v. Perger hat in dieser Zeitschrift (X. Bd., S. 205) die Herkunft verschiedener jetzt in der k. k. Gemäldegallerie des Belvedere befindlicher Gemälde besprochen. Eine Ergänzung zu dieser Abhandlung zu liefern ist der Zweck dieser Notiz.

Herr v. Perger erwähnt (a. a. O. p. 213) ein Gemälde von Lucas Cranach dem Älteren, welches die Herodias darstellt (Mechel, Nr. 63) und das schon in einem Prager Inventar aus dem XVI. Jahrhundert erwähnt wird. Aus den weiteren Angaben ersehen wir, dass dieses Gemälde 1737 nach Wien gebracht wurde. Eine Urkunde, welche ich im Breslauer Stadtarchive gefunden habe und die ich hier mittheile, gibt über dies Bild fernere Auskunft. Die betreffende Urkunde ist das Concept eines 15. October 1601 an den Kaiser Rudolph II. von der Stadt Breslau gerichteten Briefes. Man pflegte nämlich jeden wichtigen Brief, welcher von dem Rathe geschrieben wurde, abschriftlich oder im Concept in besonders dazu bestimmte Urkundenbücher einzutragen, die nach dem Stande der Personen, an welche die Briefe gerichtet waren, geordnet sind. So finden sich in der Notula communis Briefe an die Städte, die Gesandten der Stadt, die adeligen Gutsbesitzer etc., in dem liber ad Comites et Barones die an Standespersonen gerichteten, in dem liber ad reges et principes die Schreiben an fürstliche Personen etc. Die hier zu besprechende Urkunde findet sich jedoch in dem Conceptbuche „Cammersachen“, da, wie wir sogleich sehen werden, es sich um eine Angelegenheit handelte, welche in den Geschäftskreis der städtischen Kämmerer fiel.

Kaiser Rudolph II. hatte in einem Schreiben ddo. Prag den 18. September 1601 den Breslauer Rath ersucht, für ihn von dem Breslauer Bürger Daniel Kuhn ein von Lucas Cranach gemaltes Bild, die Judith mit dem Haupte des Holofernes, zu kaufen. Der Rath erwiedert nun am 15. October 1601, es sei nicht möglich gewesen, dieses Bild aufzufinden, dagegen habe er von

Daniel Kuhn ein anderes cranachisches Gemälde, Herodias mit dem Haupte des Johannes, gekauft und bitte nun den Kaiser dieses Bild als Geschenk von ihm anzunehmen. Der Brief lautet:

„Allergnedigster keiser, konig, vnnd herr, Vns ist E. koen. kayen Mt gnedigstes schreiben, so auf E. kayn Mt koniglichen Schloss Prage den 28 September negsthin datiret, Zukommen, doraus wir vornemen, was E kaye Mt wegen eines gemeles so eine Juditt mit holofernus kopf so weiland mit Lucas Cranachers des berümbten Malers hand vorfertigett sein solle, bein daniel kuhn vnserm burger Czuerhandlen begeren, Ob wir nuhn wol E kayen Mt Czu gnedigstem gefallen, solchem gemelde alles fleisses, nachgefragtt so wird doch solches dergestaldt wie gemeld, nitt gefunden Sonder ist ein anderes, Als der herodiadis mit Sanct Joannis des Teufers hauptt vorhanden, darnon dan vns auch genugsamen nachrichtung Czukommen, das es ermeltes künstelers vnnd Mahlers Luene kranachers wergk, weil es aus seiner vorlassenschafft bekommen vnd uerbracht worden, sein soll, welches wir E kayen Mt, so gutt es vorhanden, hiemitt Czufertigen, Vnd Ist vnnd gelangett, an E kaye Mt vnnter vnderthenigstes bieten, E kaye Mt solches von vns gnedigstes annemen,[1] Vnd vnser gnedigster keiser konig vnnd herr Czusein vnd Czubleiben geruchen, Thuen vns hiemit E kayen Mt Czu keiserlichen vnnd koniglichen gnaden In demutt entpfelen. dat. 15. Oct. Ao 1601.

An die Roe kaye Mt"

Wie ist aber das Gemälde aus der Hinterlassenschaft des Lucas Cranach grade nach Breslau gekommen? Auch über diesen Punkt habe ich in dem Stadtarchive Auskunft gefunden. Eine Tochter Lucas Cranach des Jüngeren, Barbara, hatte sich nämlich mit dem Breslauer Arzte Johann Hermann verheirathet und wahrscheinlich nach dem 1586 erfolgten Tode ihres Vaters dieses von der Hand ihres Grossvaters gemalte Bild bei der Erbschaftstheilung erhalten. Wie dann aus dem Besitz der Hermann'schen Familie dasselbe in die Hände des Daniel Kuhn gekommen ist, das kann ich augenblicklich nicht nachweisen. Vielleicht geben die Testamentbücher darüber weitere Nachricht. Es wäre möglich, dass Kuhn eine Tochter des Johann Hermann geheirathet hat, oder dass er durch eine testamentarische Verfügung in den Besitz des Bildes gelangt ist. Dies würde sich, wie gesagt, aus den noch vorhandenen Testamentbüchern ermitteln lassen. Ist es jedoch blos durch Kauf oder Schenkung in die Hände des Daniel Kuhn gekommen, dann werden sich schwerlich urkundliche Belege auffinden lassen, da solche an sich geringfügige Dinge nicht in die Stadtbücher eingetragen wurden. Für die Verhältnisse der kranachischen Familie ist übrigens auch folgendes Document interessant:

„Wir Rathmanne der Stadt Bresslau Bekennen vndt thuen kundt offentlich, mit diesem brieff vor Ider menniglich, Dass vor vnss In siezenden Rath kommen ist, die Erbahr vndt Ehrntugendtsame Frau Barbara, dess Ernnesten vndt hochgelehrten Herrn Johann Hermanns der Artznei Doctorn[2] Eliche haussfraw mit demselben Ihrem lieben Herrn vndt Ehlichen vormunden Vndt hatt bekandte, Weil sie, Vndt Ir mittgeschwisterigt, Als Weylandt Herrn Lucass Cranachs Zu Wittenberg sehligen nachgelassene Erben, vnb Einen vormeinten aussenstandt, so ihr lieber Vater gemelter Lucass Cranach, hinterstellig verblieben sein sollen, Zu Wittenberg, Zu Recht oder sonst besprochen Vndt belangett werden wollen: Ermeltess Herrn Doctor Hermanss Ehliche Hausfraw aber, In Einem noch dem Andern Weg, dieses Vorhabenden Vormeynten Zuspruchss, In eigener Perschon nicht beywohnen koute: Dass sie demnach, so viel Ihre Perschon belanget, Zu ihrem krigischen Vohrmundt, geordnett vndt geseczt, den Erbahrn Vndt Achbahren Augustin Cranach Burgern, Vndt ihren geliebten Bruedern, Zu Wittenberg, auch demselben zur Sühne, oder Recht, Alle Ihre vollkommene macht Vndt gewalt Vbergeben, Vndt Volgender Gestalt vndt massen aussgetragen haben wolte, nemblichen dass er Augustin Cranach, bemelte Fraw Barbahra Hermannin, Zu Wittenberg, bey Recht, vndt sonsten allenthalben vortreten — — — — — — — — Zu Vhrkundt haben wier vnser Stadt Insiegel hierauff drucken lassen; Geben den 19 des Monattss Appriliss, Nach Christi Vnserss Sehlignnacherss geburth Funffzehenhundert vndt Im Neun vnd Achzigisten Jahre." (Procuratorium).

Die Herkunft des Bildes ist also ziemlich sicher festgestellt; es ergiebt sich aber aus dem Mitgetheilten auch ferner, dass das von Herrn v. Perger benutzte Inventar des kaiserlichen Schlosses zu Prag (k. k. Hofbibliothek, Nr. 8196) nicht aus dem XVI. Jahrhundert herrührt, sondern dass dasselbe zu Anfang des XVII. Jahrhunderts abgefasst sein muss.

Dr. Alwin Schultz,
Privatdocent.

Feldmarschall Maximilian Lorenz Graf und Herr von Starhemberg und seine Ruhestätte zu Maria Bildstein.

Graf Maximilian Lorenz von Starhemberg widmete sich gleich seinem ältern Bruder Ernst Rüdiger, dem unsterblichen Vertheidiger Wiens im Jahre 1683 (der 1701 starb und bei den Schotten in Wien ruht), dem Waffendienste. Schon im Jahre 1677 ward er in Folge seiner Tapferkeit Inhaber des Regiments Hoff Nr. 3, dermals Freiherr v. Gerstner.

Nach der Überlieferung war der Graf im Jahre 1676 Commandant zu Bregenz, von wo er mit dem kaiserlichen Obersten Johann Kreiss von Themar zum ersten Male nach dem reizend gelegenen und neuentstandenen Wallfahrtsorte Maria Bildstein gekommen sein soll. Später besuchte er öfters diesen Ort und machte beträchtliche Geschenke, zusammen im Betrage von 2180 Gulden.

Im Jahre 1688 ersuchte er um das Begräbniss im innern Chore der Kirche, zu dessen Herstellung er als Geschenk für die Kirche 1500 Gulden schickte.

In seinem Testamente vom 9. October 1688 vermachte der fromme Held ein Legat von 10,000 Gulden an die Kirche zu Bildstein und 900 Gulden zum Vertheilen an die Armen des Ortes und der Umgegend.

[1] Das Bild wurde also auf Kosten der Stadt gekauft. Da nun die Kämmereikasse die Zahlung zu leisten hatte, [illegible] in dem [illegible] dem Titel [illegible] getragen.

[2] [illegible] der philosophiae Vnd artznei doctor [illegible] — 1595, Mai 12.

Der Graf war kaiserlicher Kämmerer, geheimer wie auch Hofkriegsrath, Feldmarschall, Gouverneur von Philippsburg, das er im Jahre 1688 aufs hartnäckigste gegen die Franzosen vertheidigte, endlich aber am 21. October an den Dauphin übergeben musste (s. Theatr. Europ. Theil. XIII. 317 u. 733). Am 6. September 1689 ward er beim Sturme auf Mainz, das Herzog Carl von Lothringen am 11. eroberte, tödtlich verwundet und starb nach eilf Tagen, am 17. desselben Monats.

Sein Leichnam wurde kraft seines letzten Willens in einem kupfernen Sarge nach Bildstein gebracht und am 11. October im Chore der Wallfahrtskirche bestattet.

Für sein beträchtliches Vermächtniss werden ihm vom dortigen Pfarrer alljährlich 24 und von jedem der beiden Beneficianten 12 gestiftete heil. Messen gelesen, ferner wird am 17. September jedes Jahres als an dessen Sterbetage ein eigener Jahrtag und Seelengottesdienst gehalten.[1]

Dessen zwei Porträte sind nach Schwerdling S. 290 im Schlosse der fürstlichen Herrschaft Zeilern verwahrt.

Die Ehe mit Frau Dorothea Herrin von Schärffenberg (nun im Mannsstamme erloschen), die am 26. Juli 1713 zu Znaim starb, war kinderlos.

Es sei hier noch eine kleine Notiz über Erasmus von Starhemberg angefügt, der ein Mitglied des deutschen Ordens war und dessen Angedenken durch eine Inschrift erhalten wird, welche sich an der Galerie der deutschen Ordenskirche am Lech zu Graz befindet. Sie lautet:

„Den 19. Jänner 1716 ist durch Ihre Excellenz den hochwürdig hoch und wollgebohren herrn heinrich Theobald Graffen von Goltstein, landt comenthurn der Balley Oesterreich Teutsch Ordens Rittern, der hoch und wolgebohrne herr herr Erasmus Graf und herr von Stahrenberg und Obrist leitnant des Stahrenberg Regiments zu Fuss in den hochlöbl. Ritt. Teutschen Orden Eingekleidt worden."

Erasmus Starhemberg war 1685 zu Linz geboren, wurde kaiserlicher Kämmerer, dann Oberstlieutenant des Stahrenbergischen Infanterieregiments, und später Comthur zu Gross-Sontag, k. k. General-Wachtmeister und Inhaber eines Infanterieregiments. Er focht in Spanien, Sicilien und Ungarn mit ausgezeichnetem Heldenmuth und nahm dabei den Nachruf von seltener Sanftmuth, Klugheit und unermüdetem Bestreben, in allen wissenschaftlichen Zweigen mehr und mehr fortzuschreiten, mit sich in das Grab, in welches er im Jahre 1729 zu Anfang des November hinabsank.

Jos. v. Bergmann.

Der Antheil Österreichs an der archäologischen Ausstellung zu Paris.

Als man in Paris an die Feststellung des Detailprogrammes für die im Jahre 1867 abzuhaltende internationale Ausstellung schritt, beschloss man mit dieser Ausstellung der Kunst- und Gewerbe-Producte der Gegenwart auch eine Ausstellung von Gegenständen der älteren Kunst und Industrie, und zwar von den ältesten Zeiten der noch jetzt existirenden Völker an, bis zum Ende des XVIII. Jahrhunderts in Verbindung zu bringen, um durch die Vereinigung dieser beiden Ausstellungen die Geschichte der Kunst und Arbeit in den einzelnen Ländern, bei den verschiedenen Völkern und während gewisser Epochen gleichsam in vorgewiesenen bedeutenderen Beispielen charakterisiren und sichtbar darstellen zu können. Diese Art der Ausstellung, histoire du travail genannt, sollte aber nicht eine gemeinsame, alle Staaten in vereinigter Gruppirung gleichsam als die Gesammtheit der Geschichte der Arbeit umfassende, sein, nämlich dass die Gegenstände nach ihrer Art, ihrem Styl oder ihrer Entstehungszeit, ohne Rücksicht auf die Länder, denen sie angehören, gruppirt werden, sondern jedes ausstellende Land sollte für sich eine, die eigene Geschichte der Arbeit repräsentirende Ausstellung veranstalten. Es war somit die Aufgabe jedes einzelnen ausstellenden Staates, nicht nur die einzelnen Zeitalter durch seine besten Erzeugnisse, sondern auch wieder wo möglich jede Abtheilung der früheren Kunst und Industrie durch derlei Objecte auf das kräftigste zu vertreten.

Die für die Regelung der Theilnahme der Ausstellung durch die österreichischen Industriellen und Künstler von Seite der Regierung aufgestellte Central-Commission acceptirte, das Hochwichtige dieser Aufgabe erkennend, mit grosser Bereitwilligkeit den Plan und hatte sich schon im Beginne des Jahres 1866 eifrigst angelegen sein lassen, für die besagte archäologische Ausstellung eine rege Theilnahme unter den eventuellen Ausstellern zu erwecken. Zu diesem Behufe wurde ein besonderes Programm vertheilt, in dem man hervorhob, dass bei Beschickung derselben eine vorzügliche Rücksicht zu nehmen wäre auf die den einzelnen Ländern eigenthümlichen Kunstweisen. Aus Ungarn wurden z. B. Objecte älterer Goldschmiedekunst, Schmucksachen, Waffen; aus Böhmen und Mähren: Handschriften, Glas- und Thonwaaren; aus Tirol: Holzschnitzwerke; aus Ober-Österreich: ältere Möbel; aus den meisten der genannten Länder Kleidungsstücke, Nationalcostüme, Paramente, Stickereien und Siegelgravirungen gewünscht. Für die Betheiligung an der histoire du travail wären in erster Reihe die Landesmuseen, öffentlichen Sammlungen und Kirchenschätze berufen, an die man sich auch zunächst wandte.

Doch das Bestreben des Ausstellungs-Comités wurde nicht gelohnt, die Betheiligung der Privaten war fast gleich Null. Um nun doch wenigstens etwas auszustellen, blieben nur die kaiserlichen Sammlungen übrig, aus denen man eine einigermassen dem Ausstellungszwecke entsprechende Zusammenstellung von Objecten vornahm. Demnach ist der Antheil, den der österreichische Kaiserstaat genommen hat, um ein möglichst vollständiges Bild der Geschichte der Arbeit von vornehmlich ganz Europa zu geben, ein äusserst bescheidener. Aber dass selbst dies erreicht wurde, dankt man nur den eifrigsten Bemühungen einzelner Persönlichkeiten, darunter wir vor allen den Director des kaiserlichen Museums für Kunst und Industrie Professor v. Eitelberger nennen. Vier Schränke enthal-

[1] S. meine „Mittheilung über die Pfarre Bildstein bei Bregenz etc." in Kaltenbaeck's österr. Zeitschrift für Geschichts- und Staatskunde. Wien 1837, Nr. 36 und 37; und das Epitaphium von 25 Zeilen, S. 348, vgl. S. 406.

ten die Hauptanzahl jener Gegenstände, die das Ausstellungs-Comité ausgewählt hatte, um nach Thunlichkeit die Arbeit unserer Vorzeit zu repräsentiren. Obwohl die Bemühungen der mit dieser Aufgabe betrauten Personen nicht genug hoch anzuschlagen sind, und die österreichische Abtheilung für Archäologie unzweifelhaft hinreichend glänzend und werthvoll war, um die Aufmerksamkeit der gebildeten Welt auf sich zu lenken und als Probe kräftige Beweise zu geben für die Bedeutung unserer älteren Kunst und Kunstindustrie, so waren doch die ausgestellten Gegenstände zu viel einer und derselben Gruppe angehörig und in Folge dessen blieb die Repräsentation eine ungenügende und gar zu lückenhafte.

Wenn auch für das Ausstellungs-Comité sehr triftige Entschuldigungsgründe sprechen, wie z. B. jener, dass der viel zu kärglich zugewiesene Raum gar nicht ermöglichte, ein durch zahlreiche Objecte gebotenes vollständiges Bild der Entwickelung der Kunst und der Kunsttechnik der österreichischen Monarchie, ja nicht einmal ein solches für ein einzelnes der verschiedenartigen Länder unseres Staates hinsichtlich ihrer culturhistorischen Entwickelung zu geben, so kann es doch Niemanden, der mit den mittelalterlichen und jüngeren Kunstschätzen unseres Vaterlandes einigermassen vertraut ist, entgehen, dass alle Hauptgruppen wenigstens durch einzelne Prachtstücke zu vertreten, keine Unmöglichkeit gewesen wäre. Wir stellen diese unsere Ansicht in den Vordergrund, geben aber gerne zu und wollen auch nicht vergessen, dass überhaupt und besonders bei Privaten und kirchlichen Corporationen eine gewisse Scheu besteht, die in ihrem Besitze befindlichen Kunstgegenstände für eine Ausstellung, zumal auf so lange Zeit und in so weite Entfernung leihweise herzugeben, was auch wirklich diesmal der Fall war. Auch wollen wir nicht übersehen, dass es, wie das Ausstellungs-Specialcomité selbst sagt, an und für sich sehr schwierig ist, ein Gesammtbild der culturhistorischen Vervollkommnung unseres Staates zu geben, da die österreichische Monarchie, wie sie jetzt besteht, also aus Ländergebieten zusammengesetzt ist, die in der Geschichte der modernen europäischen Civilisation sehr verschiedene Phasen durchgemacht, und gerade auf dem Gebiete der Kunst und ihrer Technik in früheren Jahrhunderten ganz eigenthümliche und verschiedene Verhältnisse aufzuweisen haben, so zwar, dass während einzelne Gebiete der Monarchie schon frühzeitig ein entwickeltes Kunstleben hatten, gleichzeitig in anderen kaum derlei erste Anfänge wahrnehmbar werden.

Allein auch bei gänzlicher Nichtbetheiligung der Privaten wäre es möglich gewesen, z. B. eine Collection von bedeutenden kirchlichen Gefässen zusammen zu bringen, da sich in den Sammlungen des kaiserlichen Hauses und im Eigenthum des Ärars genug derlei Gegenstände befinden.

An der archäologischen Ausstellung betheiligten sich: der kaiserliche Hof mit Krystallgefässen aus der kaiserlichen Schatzkammer, mit Gobelins aus dem kaiserlichen Tapeten- und Teppich-Dépôt, mit Waffen und Rüstungen aus der k. k. Gewehrkammer und Ambraser-sammlung, ferner mit dergleichen die grosse Waffensammlung des kaiserlichen Arsenals, mit Fundobjecten, Schmucksachen und Prunkgefässen das National-Museum zu Pesth und mit Alt-Wiener Porcellan Ihre Durchlaucht die Frau Fürstin Dietrichstein.

Wenden wir uns nun zuerst zu jenen Gegenständen, die den Kasten an der linken Seite füllen. Es sind jene werthvollen Objecte, beinahe 200 an der Zahl, die das ungarische National-Museum zu Pesth nach der Seinestadt sendete. Man kann diese Ausstellungsgegenstände in zwei Gruppen theilen, nämlich in Fundobjecte, meistens aus Bronze oder Gold, aufgefunden in verschiedenen Gegenden des Königreiches und den früheren Bewohnern Ungarns angehörig, und in mittelalterliche Kunstwerke aller Art, meist aus dem XV., XVI. und XVII. Jahrhundert. Diese letzteren sind grösstentheils Producte jener glänzenden Schule von Goldschmieden und Goldarbeitern, welche sich in Ungarn und seinen Nebenländern unter dem Einflusse des herrschenden reichen Nationalcostumes herangebildet und ihre Arbeitsstätten in der Zips, in den Bergstädten und in einigen Orten Siebenbürgens errichtet hatte.

Wir sehen in diesem Kasten jenes interessante aus dem X. Jahrhundert stammende Emailblatt mit der Figur des Kaisers Constantin Naumachos, wahrscheinlich einer byzantinischen Kaiserkrone angehörig, ferner einen anderen Theil derselben Krone mit einem Engelsbilde darauf. Die Aufmerksamkeit der Archäologen ziehen auch jene beiden im XII. Jahrhundert entstandenen Spülgefässe auf sich, wovon eines einen Centaur vorstellt, der einen Flötenbläser auf dem Rücken trägt, das andere hat die Form eines weiblichen Kopfes. Etliche Pluvialschnallen, Buchdeckel, Messpöllchen und drei Kelche repräsentiren die kirchlichen Producte der Goldschmiedekunst des XV. und XVI. Jahrhunderts, nicht nur für Ungarn, sondern für den ganzen Kaiserstaat. Im selben Kasten finden wir eine bedeutende Anzahl von Krügen mit und ohne Deckel, Kelchpokalen, Bechern, Salzfässern, Essbestecken, alles dem XVI. bis XVIII. Jahrhundert angehörig. Nicht minder bedeutend und sehr werthvoll mit Rücksicht auf das Materiale sind jene Schmucksachen, die, man kann fast sagen, einen Bestandtheil der ungarisch-nationalen Prachtkleidung bilden; viele derselben haben ausser ihrem inneren Werthe auch noch eine besondere nationale Bedeutung, wie die Halskette der Gattin Sigmund's Báthory, Katharinens v. Brandenburg und Isabellens von Zapolya, die Broches der Familien Teleky, Báthory, Bethlen, die Ringe der Familien Banffy, Boglár etc.

Zu dem Bedeutendsten der ganzen archäologischen Ausstellung gehört unzweifelhaft die aus 24 Stücken gebildete Collection von Krystallgefässen, Eigenthum des kaiserlichen Hauses und entlehnt aus der kaiserlichen Schatzkammer, aufgestellt in einem besonderen, dem zweiten Kasten. Die meisten dieser Prachtgefässe, zu denen das Materiale aus Böhmen und Sachsen beigebracht wurde, sind in Gold montirt und häufig mit Emails geziert. Sie sind fast alle im Auftrage österreichischer Fürsten, insbesondere des Kaisers Rudolph II., angefertigt worden, und dürften in Prag aus den Händen von Künstlern hervorgegangen sein, welche theils der deutschen, theils der italienischen Nation angehört haben mögen. Von diesen Objecten heben wir hervor jenes mit einem Deckel versehene Giessgefäss, in vergoldetem Silber gefasst und mit dem Monogramme Kaiser Ferdinand's III. versehen, ferner eine im XVII. Jahrhun-

XII. h

dert angefertigte kleine Krystallschale mit zwei Henkeln, geziert mit eingeschliffenen Scenen aus dem Troyer-kriege, und endlich ein Becher aus dem XVI. Jahrhundert von Krystall mit Deckel, auf dem ein mit Email gezierter St. Georg steht, um Fuss, Ränder und Deckel breite Goldbänder mit Ornamenten, ebenfalls in Email, ferner mit Besatz von Diamanten und Perlen. Zwei Schalen dieser Sammlung waren aus Rauchtopas angefertigt und gehören beide dem XVII. Jahrhundert an.

Von den ausgestellten Waffen und Rüstungen heben wir hervor jenen halben schwarz polirten Harnisch mit Strichen von aufgeschlagenem Golde, die Rüstung des Königs Stephan Bathory, sammt Zischägge und geschobenen Beintaschen; den Harnisch des Wilhelm Freiherrn von Roggendorf, eine blanke Rüstung mit Puffen und geätzten Schlitzen, gleichsam eine Nachahmung der Kleidertracht, dazu Helm, Brust und Rücken bis an die Knie reichend, Diechlinge und Kniebuckel; ferner die Rüstung des Kaspar von Freundsberg, ein lichter Harnisch mit theilweise vergoldetem Ätzwerk, Sturmhaube, Achseln, Armzeug, ungleichen Handschuhen und Schoosse und einen vollständigen blanken Harnisch aus der Zeit des Erzherzogs Ferdinand. Alle diese Gegenstände gehören in die Ambraser-Sammlung.

Wir sehen den bekannten eisernen Prachthelm Kaiser Karl V. mit dem reichen figürlichen Schmuck in getriebener Arbeit; zwei getriebene Eisenschilde aus dem XVI. Jahrhundert mit mythologischen Darstellungen; eine Anzahl gegitterter Tartschen des XVI. Jahrhunderts, mit verschiedenartigen Vorstellungen darauf, grösstentheils Ätzarbeit und vergoldet; ferner zwei aus derselben Zeit stammende eiserne Rossstirnen, mit getriebener Arbeit, reich in Gold tauschirt; sämmtliche Gegenstände sind dem kaiserlichen Arsenal entnommen. Ein Theil dieser Gegenstände füllt den dritten Kasten.

Sehr bemerkenswerth erscheinen drei Schwerter aus dem XV. und XVI. Jahrhundert, der kaiserlichen Gewehrkammer gehörig, und ein sogenanntes Kalenderschwert aus dem Jahre 1533 aus den Sammlungen des kaiserlichen Arsenals. Ferner ein spanischer Degen (XVI. Jahrhundert), eine Anzahl Säbel und drei Armbrüste, mehrere Pistolen und Jagdflinten, die letzteren am Schaft theils mit Elfenbein, theils mit Silberplatten, theils mit Perlmutter eingelegt. Von den drei ausgestellten Pulverflaschen heben wir jene hervor, die aus mit Email geschmückten Silberplatten gebildet, von David Altenstätter in Augsburg herrührt. Schliesslich müssen wir aus dieser Gruppe noch des reich mit vergoldeten Silberplättchen und Steinen besetzten Reitzeugs des Mehmed Sokolowitz Erwähnung thun. Dasselbe besteht aus Sattel, Tscheleng, Fürbugriemen, Halsriemen, Wuntschuk, dessen Kopf mit Silber überzogen und mit Edelsteinen besetzt ist, aus der Kopfzäumung, dem Zaum, Bügel, Säbel und Streithammer, der theilweise mit Silberdraht überzogen und mit vergoldeten Silberblättchen beschlagen ist.

In der Mitte des Locales für die archäologische Ausstellung aus Österreich steht endlich jener (4.) Kasten mit der höchst beachtenswerthen Sammlung von altem Wiener Porcellan. Diese Gegenstände (189 Stücke eines Service) gehören der Fürstin Dietrichstein und sind meist in der Blüthezeit dieser Fabrik (1785—1815) angefertigt worden. Man wird von einem wehmüthigen Gefühle ergriffen, wenn man sich bei Betrachtung dieser herrlichen Arbeiten erinnert, dass diese Fabrik seit dem Jahre 1866 nicht mehr existirt. Sie wurde 1718 unter Kaiser Karl VI. als Privatfabrik gegründet, ging 1744 in die Staatsverwaltung über, und wurde nach fast 150jähriger Thätigkeit in Folge Antrages des österreichischen Reichsrathes aufgelassen. Man kann beim Überblicken der Producte derselben bis in die neueste Zeit mit Recht sagen, seither ist Österreich um eine Kunstanstalt ärmer geworden.

Die Wände des Ausstellungslocales sind geziert mit vier Gobelins, darauf österreichische Landeswappen, und mit zwei grossen Tapeten aus der Folge jener zehn, welche den Zug Karl V. nach Tunis vorstellen, von Jan Cornelius Vermeyen (1500 — 1559) im Auftrage dieses Kaisers gezeichnet und 1713 im Auftrage des Kaiser Karl VI. in Brüssel gewoben wurden.

. . . *m* . . .

Besprechungen.

Zur archäologischen und kunstgeschichtlichen Literatur.

Martigny M., Dictionnaire des antiquités Chrétiennes. Paris 1865. Lex. 8°. Librairie de L. Hachette et Comp.

In diesem Lexicon sucht der genannte Verfasser die gesammte bislang erreichte Kenntniss des christlichen Alterthums bis zum Eintritt des Mittelalters in alphabetischer Ordnung mit vielen begleitenden Illustrationen zu vereinigen und zwar kurz, aber thunlichst erschöpfend darzustellen. Wenn nun der deutschen Wissenschaft die lexicalische Form für derartige Materien-Behandlung gerade nicht zusagt und ohne Zweifel der Sache selbst wenig entspricht, so haben französische Gelehrte gleichwohl in dieser Form — ich erinnere nur an die Arbeiten Viollet Le Duc's — so Vorzügliches für die Wissenschaft geleistet, dass es ungerecht wäre, dieser Form halber von solchen Werken weniger zu erwarten, als von denen, die nach deutscher Weise unter dem Titel „Geschichte" auftreten. Auch die letztere Form der Verarbeitung wissenschaftlichen Materials hat Beispiele geliefert, welche den Namen durchaus nicht rechtfertigen. Wir besitzen Bücher, welche unter dem Namen „Geschichte" lediglich das Material exponiren, den für die „Geschichte" aber unvermissbaren Causalzusammenhang der gegebenen Einzelmomente entweder gar nicht berücksichtigen oder durch leere Phrasen und Schlagwörter zu ersetzen trachten. Dass also mit der blossen richtigen Form der Wissenschaft nicht gedient ist, leuchtet ein. Selbstverständlich ist hier nur von kunstgeschichtlichen Werken die Rede, für welche offengestanden die lexicalische Darstellungsweise jedesmal und in so lange vorzuziehen sein dürfte, bis die wirklich genetische, geschichtliche Behandlung dem betreffenden Verfasser möglich geworden. Letzteres ist aber oft mit unüberwindlichen Schwierigkeiten verbunden, wofür der Verfasser nicht verantwortlich sein kann. So erscheint das frühchristliche Alterthum noch keineswegs in derartiger Klarheit, dass eine vollkommen geschichtliche Darstellung schon ermöglicht wäre. Es muss dabei auch die Alterthumskunde überhaupt von der Kunde des Alten in der Kunst unterschieden werden; denn während erstere unter den vielversprechenden, leider aber factisch oft wenig bietenden Begriff der Culturgeschichte sich unterordnet und eigentlich von unermesslichem Umfange erscheint, fasst die letztere nur die Kunst ins Auge und vermag gewiss mit der Zeit auch das christliche Alterthum als „Archäologie der christlichen Kunst“ so wissenschaftlich zu durchdringen, wie es der Archäologie der classischen oder antiken Kunst gerade in Deutschland besonders gelungen ist. Ein glücklicher Beitrag zum Aufbau dieser schönen Wissenschaft ist in dem genannten Werke von Martigny geboten, der seine Aufgabe ernst erfasst und das umfangreiche Material mit Scharfsinn und andauerndem Fleisse unter die betreffenden Rubriken geordnet hat. Um über eine Materie vollständig unterrichtet zu sein, ist es bei also angelegten Arbeiten nothwendig, alle darauf bezüglichen Artikel verglichen zu haben. So vertheilt sich das Thema „Sepultura“ auf coemeterium, arcosolium, catacombae, inscriptiones, in pace u. s. w. Das Realregister am Schlusse des Werkes erleichtert diese Arbeit ungemein. Mit ganz besonderer Aufmerksamkeit ist ausser diesem Thema die altchristliche Ikonographie bearbeitet, wodurch der Verfasser der Wissenschaft einen bleibenden Gewinn errungen hat. Hiebei genügt nämlich das blos Monumentale und Gegenständliche keineswegs; das Literärische ist unumgänglich ebenfalls beizubringen, weil es sich nicht darum handelt, wie unser Zeitalter mit grösserem oder geringerem Glück und Scharfsinn diese Darstellungen deutet, sondern was die Zeitgenossen dabei gedacht haben. Für die Wissenschaft ist nur Letzteres von Belang und Ersteres, wenn noch so geistreich und plausibel vorgetragen, eigentlich ganz werthlos. Die Riesenarbeiten des berühmten C. Pitra im Spicilegium Salesmense hat der Verfasser gewissenhaft verwerthet und überhaupt nur mit grosser Bescheidenheit das eigene Urtheil zur Geltung gebracht, welches durchaus auf die Sache gerichtet und ohne jede Voreingenommenheit ist. Dass der Verfasser über die Grenzen der Kunstarchäologie hinausgegangen und alles auf das kirchliche und Privatleben der Christen Bezügliche berücksichtigt hat, erschwerte zwar seine Arbeit, brachte den Partien über altchristliche Kunst aber keinen Eintrag. Ein Muster unermüdeter und trefflich geordneter Materialsammlung ist der Artikel über die Namen der ersten Christen von Seite 440 bis 453, wobei die Angabe der bezüglichen Quelle niemals fehlt. Welcher Forscher ist für eine solche Gabe nicht dankbar! Die vielen Citate, welche ich verglich, waren durchaus genau angegeben. Nur in Einem Punkte bedaure ich, den Verfasser nicht auf der Höhe gegenwärtiger Forschung angetroffen zu haben, nämlich über den Ursprung der christlichen Basilika. Dass der Verfasser Zestermann's und meine Arbeiten über diesen Gegenstand nicht kennt, könnte für die Sache gleichgiltig sein; aber Mons. de Caumont's Reproduction und eingehende Würdigung (in dessen Bulletin monumental 1860, 26. Band) meiner, dies Thema tractirenden Abhandlung sollte dem Verfasser nicht unbekannt geblieben sein. Vielleicht würde dieselbe auch seine Beistimmung, wie die de Caumont's erfahren, jedenfalls aber dazu beigetragen haben, die unhaltbare Ansicht von der Herkunft der Basilika aus den unterirdischen Coemeterien noch einmal zu prüfen und das umgekehrte Verhältniss als das richtige wahrzunehmen. Ich erlaube mir ausser obiger Abhandlung in von Quast's und Otte's Zeitschrift für christliche Archäologie II., Seite 5 kurz auf meinen Aufsatz in den Mittheilungen 1864, September Oktober-Heft „Studien über die Crypta und den Altar“ hinzuweisen, wo ich dies Sachverhältniss thunlichst klar zu machen bemüht war. Die ordentliche Cultusstätte innerhalb der Stadt war das Prius für die kirchlichen Räumlichkeiten und nicht die Grabesstätten ausserhalb der Stadt, wo nur ausnahmsweise der Cultus stattfand. Marchi's Hypothese ist sachlich ohne Beweis und confundirt häufig die späteren Anlagen mit den früheren, sowohl in den Denkmälern als Urkunden. Die von Rossi am Eingange des Cömeteriums der Domitilla und des Calixtinischen als eine Art von Scholae der christlichen Sodales erkannten Gebäulichkeiten mit nischenförmigem Ausbau stimmen ganz zu der von mir behaupteten Sachlage, ebenso die geologischen Untersuchungen in Rossi's Werk über die Katakomben. Hier fanden also wie in der casa martyrum zu Cirte u. s. w. die christlichen Agapen, Kirchenfeierlichkeiten und Erinnerungstage an Verstorbene statt, nicht in der Gruft selbst, wenigstens war dies das normale Verhältniss.

Die erklärenden Abbildungen sind nur in Fällen, wo die genaueste Wiedergabe des Originals erforderlich, z. B. der Brustbilde von St. Peter und Paul, nicht genügend, ausserdem aber ganz dem Zwecke entsprechend. In dieser Beziehung fehlt es aber in vielen sonst trefflichen Büchern deutscher Autoren ebenfalls bedeutend, ohne dass diese immer ein schwerer Vorwurf treffen kann. Diese Bemerkung jedoch kann nicht unterdrückt werden, dass die stete Wiederholung derselben Beispiele, noch dazu nach ungenügenden Aufnahmen, die Sache nicht fördert und dass die Zuhilfenahme kundiger Architekten und sonstig einschlägiger Künstler sehr angezeigt ist. Wie in Deutschland sind auch in Frankreich wahre Muster in diesem Gebiete genügend vorhanden, ich verweise nur auf die Leistungen der k. k. Central-Commission, so dass die Orientirung in dieser Sache gewiss nicht schwer ist. Auf das besprochene Werk zurückzukommen, so kann man es eine kurzgefasste, gewissenhafte Encyklopädie der frühchristlichen Alterthumskunde nach dem jetzigen Stande der Forschung nennen und muss sich über den Gewinn freuen, den in dieser Disciplin die Kenntniss und deren Verbreitung durch dies mit unsäglichem Fleisse und hervorragender Gelehrsamkeit gearbeitete Werk erfahren hat.

— —

Im zweiten Hefte 1865 der Mittheilungen habe ich auf eine Abhandlung in de Rossi's Bullettino d'Archeologia cristiana aufmerksam gemacht, welche seitdem auch in andern Ländern die verdiente An-

h*

erkennung gefunden. Die genannte Zeitschrift enthält aber in den folgenden Nummern so viel für die Wissenschaft Erhebliches, dass es erlaubt sein wird, in diesem weit verbreiteten Organ christlicher Archäologie und Kunstwissenschaft einen kurzen Bericht zu geben.

In Nr. 6 desselben Jahrganges (1864) wird von der Basiliken-Anlage St. Lorenzo auf dem alten ager Veranus zu Rom folgende wichtige Unterscheidung festgestellt. Im VI. Jahrhundert waren daselbst zwei Basiliken von ungleichem Alter. Die eine hiess basilica major, war die ältere und die erste Ruhestätte des Martyrs Laurentius. Die andere heisst basilica nova oder speciosa, war um 580 von Papst Pelagius II. erbaut und die zweite Ruhestätte des genannten Martyrs. Da die ältere Basilica major schadhaft wurde, stellte sie Papst Hadrian I. wieder her, ohne jedoch die Depositionsstätte des Martirers zu verändern, welche somit in der von Pelagius erbauten basilica nova verblieb. Diese von Hadrian I. wiederhergestellte basilica major hiess im VIII. Jahrhundert auch basilica St. Deigenitricis. Dies das Ergebniss von Urkunden des VI., VII., VIII. und IX. Jahrhunderts.

Nr. 8 enthält einen Aufsatz über die „schola sodalium serrensium“, der sich an den in den Mittheilungen bereits erörterten sachlich anschliesst. Unter anderen sogenannten Collegien, die Mommsen eingehend abgehandelt hat, entstanden gegen Beginn des III. Jahrhunderts mehrere, welche die Bestattung der Ärmeren zum Zwecke hatten und gesetzlich erlaubt waren. Die Ärmeren erlegten zu diesem Behufe monatlich eine kleine Summe und kamen desshalb an einem festgesetzten Tage in einem hiezu bestimmten und schola genannten Gebäude zusammen. Vor Septimius Severus galt diese Erlaubniss nur für Rom; unter ihm ward sie aber auch auf die Provinzen ausgedehnt. Letzteres gewiss nicht ohne Einfluss der Christen, die in dem Punkte liebevoller Sorge für die Verstorbenen ja selbst Kaiser Julian nachahmenswerth hinstellte. Bei den Kirchenbegängnissen, respective jährlichen Erinnerungstagen, pflegten schon die heidnischen Römer Mahlzeiten (convivia) zu veranstalten, wie aus dem angeregten Aufsatze vielleicht noch erinnerlich sein wird. Wenn daher an der Via Nomentana ausser einer Inschrift in Stein noch zwei Broncegefässe mit der sie als Mensuralia der Sodales Serrenses bezeichnenden Umschrift gefunden wurden, so ist dies aus obigem Sachverhalte völlig klar. Die Inschrift des Steines sagt: C. Hedulejus Jannarius habe seinen Sodales Serrenses den Altar zum Geschenk gegeben und diesen Platz für die schola selbst acquirirt (et locum scholae ipse acquisivit). Die für die Vertheilung einer Quantität Weines dienenden Massgeräthe (mensuralia) dieser schola stimmen im Wesentlichen zu einem auf der Strassburger Bibliothek befindlichen kannenförmigen Gefässe, das schon Le Blant für ein Mensurale erklärt hat. Wie dies heidnische Collegium der Sodales Serrenses, bildeten im III. Jahrhundert auch die Christen solche Collegien behufs der Todtenbestattung, die entweder gar keinen Beinamen oder einen umschreibenden haben. Ersteres findet sich z. B. beim heiligen Cyprianus, letzteres in einer Inschrift „Collegium convictorum qui uni epulo vesci solent“. Es leuchtet ein, dass unter diesem Titel einer Gesellschaft für die Todtenbestattung auch die Christen gesetzlichen Schutz genossen und ihre Agapen, Almosenspendungen, das Begehen der Martyr- und anderer Jahrestage (Natalitia) vor den Magistratspersonen nichts Auffallendes hatten, ja dass die corporative Erwerbung von Grundstücken seitens der christlichen Gemeinde (ecclesia) unter der angegebenen Zweckbestimmung unbeanstandet bleiben musste. Dadurch erklärt sich, dass mit dem III. Jahrhundert die Ecclesia selbst, respective ihr Bischof, Eigenthümer solcher Begräbnissplätze sind, und einerseits die einzelnen Christen verfolgt und getödtet wurden, andererseits die Ecclesia selbst inmitten des römischen Imperiums als eigener Körper zu einer solchen moralischen Macht erstarken konnte, die sich bald als unzerstörbar erwies. Da aber das Gesetz die Clausel enthält, solche Versammlungen seien nur gestattet, insoferne nicht unter diesem Vorwand eine unerlaubte Gesellschaft zusammenkomme — die Christen aber als solche seit Trajans Entscheidung in die letztere Classe fielen — so konnten die Versammlungen verboten und sogar das Besitzthum confiscirt werden — was in den Verfolgungen des III. und IV. Jahrhunderts auch immer geschah. Die Verfolgung blieb immer möglich, aber sie war nicht nothwendig. Tolerante Kaiser konnten unter dem genannten gesetzlichen Titel die Versammlungen der Christen zulassen und zwar Einzelne als Bekenner des Christenthums bestrafen, aber diese Collegia der Gemeinde, also die Ecclesia als moralischen Körper, gewähren lassen. Dass die Grabstätten als Besitzthum der Ecclesia von der römischen Gewalt erkannt worden, beweisen die Toleranz-Edicte, welche die confiscirten Cömeterien den Bischöfen zurückgaben. In Nr. 11 gibt Cavedoni über die Heimath der Sod. Serrenses eingehende Erläuterungen, wornach sie wahrscheinlich aus Griechenland stammen.

In Nr. 9 und 12 wird von dem Bestand einer Christengemeinde zu Pompeji gehandelt und zwar einer auf der Synagoge der Libertiner daselbst constituirten. Die Inschrift an der Wand eines grossen Saales daselbst, welche Kiessling 1862 veröffentlichte, enthält unter andern die Worte: „Audi Christianos“. Die übrigen Inschriften bezieht Rossi als Äusserungen des Hohnes und Spottes seitens der Heiden ebenfalls auf die christliche Gemeinde und deren Cultus. Da nun eine schon 1764 dort aufgefundene Inschrift von dem princeps libertinorum redet, diese Bezeichnung aber für die sonstigen liberti des römischen Staates nirgends gebräuchlich, weil sie keinen coetus, keine Corporation z. B. als milites bildeten, also keinen princeps als liberti haben konnten — so ist damit die Existenz einer Synagoge zu Pompeji bezeugt. Wie zu Rom, Alexandria, Cyrene und Jerusalem hatten die Judaei libertini ihre Niederlassung also auch zu Pompeji und wie sie an den genannten Orten der christlichen Lehre den Boden bereiteten, bald aber die gehässigsten Verfolger des Evangeliums wurden und die Heiden auf die Christen als solche aufmerksam machten, so auch hier in Pompeji, dessen Spottinschriften auf die Christen sicher diesem jüdischen Eifer zugeschrieben werden dürften.

Neu entdeckte christliche Denkmäler zu Como werden in Nr. 10 besprochen, darunter eine wenigstens dem V. Jahrhunderte angehörige Basilika und viele interessante Inschriften.

Nr. 11 handelt von den Bildnissen der Apostel Petrus und Paulus, ein Thema, welches in neuester Zeit Grimoard de St. Laurent in Didron's Annalen ausführlich bearbeitet hat. Als das älteste Denkmal dieser Art tritt eine vergoldete kreisrunde Broncеplatte auf, welche Boldetti im Cömeterium der Domitilla gefunden hat. Hier sieht man die Büsten beider Apostel gegeneinander gerichtet in so meisterhafter Arbeit und von so antikem Gepräge, dass der Kenner die Entstehungszeit nicht später als das Zeitalter des Alexander Severus ansetzen kann und darin keine Spur von Conventionellem, von Idealem oder Unbestimmtem, wohl aber den Ausdruck ganz individueller Charaktere erkennt. Hält man andere Bildnissdenkmäler dagegen, so schwindet jeder Zweifel. Diese Brustbilder sind möglicherweise nach getreuen, mit den Aposteln gleichzeitigen Porträtbildwerken gearbeitet. Eusebius H. E. 7, 18 redet auch von solchen. Petrus hat auf dieser meisterhaften Rundplatte ein im Wesentlichen gerundetes Gesicht mit starken Knochen und etwas schweren Zügen. Das Haupthaar ist dicht und kraus, der Bart kurz und kraus, der Mund etwas aufgeworfen, das Auge feurig. Paulus hat ein längliches Gesicht mit langem fliessendem Bart, beredtem Mund, ein kahles Haupt und feine Züge. (Hier sei bemerkt, dass Martigny's Abbildung im „Dictionnaire" etc. nicht die richtige Vorstellung von dieser Bronceplatte gewährt.) Die Stellen, welche Petrus als kahl schildern, werden kritisirt und als späten Datums erkannt; darauf ähnliche Brustbilder auf Cömeterial-Kelchen von Glas abgehandelt und obige Resultate allseitig gesichert. Die beigegebenen Abbildungen setzen den Leser in Stand, der Darstellung controllirend zu folgen.

Die in Nr. 12 gegebene Besprechung einer zu Köln gefundenen und in den Jahrbüchern des Vereines von Alterthumsfreunden im Rheinlande 36, p. 119 publicirten Glaspatena mit biblischen Bildern in blauen Medaillons schliesst sich sachlich an obige Abhandlung auch insoferne an, als der Fundort ein ehemaliges Cömeterium ist. Derartige Medaillons hat man bisher, weil ohne Zusammenhang mit dem Glas, für Geschmeide u. dgl. gehalten. Sie waren nach Art der Pasten gefertigt und in das Glas eingefügt. Die Figuration auf dem blauen Grunde ist von Gold. Dabei muss hervorgehoben werden, dass diese Figurationen nicht immer die betreffende Scene in Einem Medaillon darstellen, sondern oft auf mehreren. Hier sieht man z. B. die Sünde im Paradies auf einem Medaillon, während der Baum, Adam und Eva auf eigenen Medaillons vorgeführt sind; ebenso die drei Jünglinge im Feuerofen, Daniel zwischen zwei Löwen u. s. f. Die all' diese Piecen vereinigende Mittelfigur war Christus, fehlt aber hier, desgleichen viele ergänzende Figuren und Gruppen, sowie ein grosses Stück des einschliessenden Glases. Die Darstellungen gleichen ganz den Cömeterial-Wandbildern und enthalten auch dieselben Scenen: Jonas vom Fische verschlungen, aus Land gespieen, unter der Laube ruhend; Isaak's Opfer, Daniel zwischen den Löwen, Adam und Eva vor dem Baume, die Jünglinge im Feuerofen, Moses vor dem Felsen und eine bekleidete Figur zwischen zwei Bäumchen, die Arme ausbreitend — vielleicht Susanna oder eine Betende. Dies interessante Glasfragment gehört dem Schluss des III. oder Beginn des IV. Jahrhunderts an und kann für die Eucharistie gedient haben. Die in Museen gesammelten Medaillons dieser Art sind hiemit erklärt.

Den Jahrgang 1865 eröffnet ein Artikel über die unterirdischen Cömeterien an der alten salarischen Strasse, wobei die Versuche eines Fossor, auf die frische Tünche mit dem Pinselende die üblichen typischen Bilder zu malen und darunter auch den Sturz eines Idols, nicht uninteressant sind.

Den genannten Gegenstand behandelt der zweite Artikel, indem über das Verhalten der Christen gegenüber den heidnischen Statuen in Rom eine ausführliche Untersuchung angestellt wird, deren Resultat Folgendes ist. Die Kaiser unterschieden zwischen Cultusstatuen und solchen, die zum Schmucke der Stadt dienen konnten. Letztere blieben durchaus verschont, jene hingegen wurden aus den Tempeln, dem Senate u. s. w. entfernt, aber als Kunstwerke anderswo aufgestellt; ja nicht einmal dies ward strenge durchgeführt. Der berühmte Kampf zwischen Symmachus und St. Ambrosius drehte sich wesentlich darum, ob der nicht nur aus Heiden, sondern auch aus Christen bestehende Senat gehalten sein soll, vor der im Senat aufgestellten Victoria zu opfern oder nicht; wobei Ambrosius kein Wort dagegen äussert, dass in den heidnischen Tempeln noch die Götterbilder geduldet werden oder solche Statuen an öffentlichen Plätzen aufgestellt seien. Nicht wegen der Statue der Victoria war der Kampf, sondern wegen des Altares derselben und ihres Cultus. Dies wird aus den Schriften über diesen Gegenstand, aus Prudentius, den Denkmälern und besonders den kaiserlichen Verordnungen erwiesen. Die Präfecten der Stadt liessen es sich angelegen sein, in solcher Weise die Stadt zu schmücken und die Kunstwerke zu erhalten. Dass im ersten Eifer auch in Rom Zerstörungen von Bildwerken stattfanden, ist gewiss; aber ebenso gewiss ist, dass die Mehrzahl erhalten und obiges Princip massgebend blieb.

Nr. 2 gibt eine Übersicht der Leistungen der für die Ausgrabungen niedergesetzten Commission in Rom und einen Bericht über E. Le Blant's II. Band der christlichen Inschriften in Frankreich.

In Nr. 3 wird über das christliche Bekenntniss der Familie der Flavii Augusti und die Funde im Cömeterium der Domitilla gehandelt. Nr. 5 schliesst sich als Fortsetzung davon an.

Nr. 4 enthält eine Abhandlung über Bilder des heil. Joseph auf Denkmälern der ersten V Jahrhunderte, welche für die christliche Iconographie von grosser Bedeutung ist. In Nr. 9 wird dies Thema den Einwürfen Garrucci's gegenüber abermals behandelt.

Das in Nr. 3 und 5 erörtete Coemeterium der Domitilla bildet in Bezug auf seine Wandmalereien den Hauptgegenstand von Nr. 6. Sie bewegen sich besonders um die eucharistische Feier der Christen.

Von den „Notizen" sind die wichtigsten, dass bei dem Calixtinischen Cömeterium eine ältere Steintreppe unter der bisher gesehenen aufgefunden wurde. Letztere ist aus dem IV. Jahrhundert und von Damasus angelegt, jene, viel breitere und schöner angelegte datirt noch aus der Gründungszeit dieses Cömeteriums im II. Jahrhundert. Diese alte Treppe hatte den Zugang vor aller Augen, nicht versteckt und schwer auffindbar, wie, die spätere. Jene entstand eben zu einer Zeit, wo die Cömeterien eine gewisse Legalität für sich hatten, worüber die Schlussabhandlung eingehend sich verbreiten wird.

Ferner wurde auf dem Grundstücke der St. Agnes-Basilica ausser dem einen Zugang zu dem Sepulchrum der Martyrin noch ein zweiter aufgedeckt auf gleicher Ebene mit der Basilika, die also auf dem Planum des Martyrgrabes errichtet war.

Über die, nahe an der Via Nomentana in der Villa Patrizi seit 1864 entdeckten Hypogeen handelt Nr. 7, wobei die Unterscheidung der in der Stadt gelegenen Kirche St. Nicomedis (titulus Nicomedis) von der ausserhalb der Mauern (in horte Justi juxta muros, Via Nomentana) über dieses Martyrs Ruhestätte erbauten Kirche St. Nicomedis von besonderer Wichtigkeit ist. Die Acta S. S. ad 15. Septb. kennen diese Unterscheidung noch nicht.

Eine daselbst aufgefundene Inschrift beginnt: Monumentum Valerii Mercurii und schliesst „libertis libertabusque posterisque eorum at religionem pertinentes meam“ und ist für die erwähnte Schlussabhandlung von Belang.

Nr. 8 und 10 bringen Mittheilungen über ein altchristliches unterirdisches Cömeterium zu Alexandrien. An den Bericht des französischen Entdeckers Carl Wescher knüpft Rossi eine Untersuchung über die Anlage und Architectur und eine über die Wandmalereien dieses Begräbnissplatzes an. Letztere beziehen sich auf den eucharistischen Cultus. Die Geschichte der berühmten Alexandrinischen Kirche ist noch viel zu wenig einer eingehenden Bearbeitung unterzogen worden, obwohl Tillemont und Angelo Mai in Bezug auf den letzten Martyr dieser Kirche, der Petrus hiess und unter Diocletian fiel, das Material kritisch gesichtet und in neuester Zeit Morini über die Primordien dieser Gemeinde Namhaftes geleistet haben, so dass ein Irrthum, wie Dressel's, der den Petrus von Alexandrien mit dem Apostel identisch glaubt, immerhin schwer zu begreifen bleibt (Prudentii Carmina p. 453). Die beigegebene Tafel illustrirt die Abhandlung. — Daran reiht sich in Nr. 10 ein Aufsatz über die Wandmalereien und das Alter der Cryptae Lucinae nahe dem Calixtinischen Cömeterium, indem jene ebenfalls die Eucharistie zum Gegenstand haben. Über das Cömeterium der Lucina selbst gibt eine Sarkophaginschrift daselbst überraschenden Aufschluss, indem die hier genannte Jallia, Tochter des Jallius Bassus und der Catia Clementina mit dem auf einer Basis vom Jahre 161 genannten Jallius curator oper. public. und dem auf einer unlängst von Engelhardt zu Iglitza in Moesien entdeckten Inschrift ebenfalls vom Jahre 161 bezeichneten Legaten Jallius Bassus verwandt gewesen, was wegen des beispiellosen Namens (Jallius) auch Renier zugesteht. Da das Cömeterium der Lucina wie alle hervorragenden der frühesten Zeit eine Familien-Grabstätte war, so ist der Schluss auf Familien-Verwandtschaft der Lucina mit dem Geschlechte der Bassus gerechtfertigt, anderer Indicien hier zu geschweigen. Die Gründung dieses Cömeteriums reicht somit wenigstens bis in das II. Jahrhundert zurück.

Nr. 11 veröffentlicht und analysirt ein unedirtes Document über die heil. Stätten in Jerusalem und Palästina aus dem IX. Jahrhundert. Hiebei erwähnt de Rossi auch meinen Aufsatz „Über ein Elfenbein-Relief etc.“ in den Mittheilungen der k. k. Central-Commission (April 1862), hält aber die Darstellung keineswegs für ein authentisches Nachbild der ältesten Capelle des h. Grabes, weil letztere rund gewesen, während sie hier quadratisch erscheint. Die Rotunde fehlt übrigens auch hier nicht, sondern erhebt sich über dem quadratischen Unterbau. Bei dem Stillschweigen der massgebenden Autoren über den Constantinischen Bau lässt sich mit Gewissheit über diesen Punkt nichts feststellen und erscheint mir noch die obige bildliche Darstellung der Aufgabe, eine am Abhang befindliche Felskammer zu einem isolirten Monument umzuwandeln, eher entsprechend, als die vollkommene, von unten schon beginnende Rundform, zumal in Palästina. Dabei mag die Bemerkung erlaubt sein, dass ich nicht begreife, warum bei den Leistungen über die Kirche des h. Grabes die Arbeit von Robert Willis „The history of the holy sepulchre 1849“ fast nie eine Erwähnung findet, obwohl sie, was die älteste Gestalt dieser Kirchen-Anlage betrifft, mit der nach Verdienst allenthalben gepriesenen vorzüglichen Publication Melchior de Vogüé's immerhin in die Schranken treten kann. Vogüé's Entwurf der mittelalterlichen Kirche des h. Grabes stimmt ganz genau mit Willis überein, ebenso die dabei befindliche Terrain-Zeichnung.

Den Schluss bildet die umfassende Abhandlung über die verschiedenen Bedingungen der Legalität der christlichen Cömeterien und der christlichen Religion selbst etc. Diese Abhandlung ist eigentlich das Resultat der neuesten Entdeckungen Rossi's in dem Cömeterium der Domitilla und vereinigt alle Momente, welche für die Erklärung des Wesentlichen in der Geschichte der Cömeterien ins Gewicht fallen. Ich fasse auch diesmal die umfangreiche, glänzend wie gründlich durchgeführte Abhandlung in einzelne Sätze zusammen.

Die durch die Gesetze Roms für unverletzlich erklärten Grabstätten waren religiöse Stätten (loca religiosa) ohne Unterschied des Cultus und der Personen. Die Christen mochten wollen oder nicht, ihre Gräber waren loca religiosa vor dem römischen Gesetze. Das ist der Unterschied zwischen loca sacra und religiosa, dass letztere durch die Bestattung von Todten factisch gegeben waren, während jene einer Consecration durch die (heidnischen) Priester bedurften. Digest. I, 8, b, §. 4 heisst es: religiosum locum unusquisque sua voluntate facit, dum mortuum infert in locum suum. Dies Gesetz hatte zum Hauptzweck, den betreffenden Platz mit dem Grabe vom Verkehre zu eximiren und die Erfüllung der vom Stifter des Grabmales vorgeschriebenen Bedingungen zu ermöglichen — beides für die Christen sehr vortheilhaft, ja die Grundlage für die Existenz ihrer Grabstätten.

Anfangs waren die Grabstätten der Christen zweifellos private, im Besitz einer Familie oder Person, die das Verfügungsrecht über die Aufnahme von Leichen hatte. Darum tragen die Grabstätten der frühesten Zeit den Charakter absoluter Sicherheit und verrathen durchaus kein Misstrauen. Die Eingänge an offener Strasse gleich den Grabmälern der nicht christlichen Römer sind auf eine den letzteren ganz gleichförmige Weise weit und architektonisch bedeutend angelegt. Das prächtige Cömeterium der Domitilla lässt keinen Zweifel darüber.

In dem Apostolischen Zeitalter verband sich mit dieser auf dem Grabe als solchem beruhenden Legalität noch eine andere, die nämlich, dass die Christen vor dem römischen Gesetze als *Juden* erschienen und mit diesen gesetzliche Anerkennung genossen. Diese seit Julius Cäsar gewährte Anerkennung der Juden ward hie und da durch Specialedicte, die aber sich nicht über Rom hinaus in die Provinzen erstreckten und immer nur von kurzer Dauer waren, gestört. Die unter Claudius aus Rom vertriebenen Juden müssen bald wieder in die Stadt zurückgekehrt sein, da sie der Apostel Paulus daselbst in Ruhe lebend und zahlreich angetroffen. Vor den Augen der Römer waren die Christen lediglich eine Secte der Juden und wurden deshalb letztere von den Prätoren mit ihren Klagen gegen die Christen abgewiesen, weil eine lediglich innere, dogmatische Streitsache im Schooss der Juden — die Lehre von Christi Auferstehung — nicht vor das Tribunal gebracht werden konnte; ja die römischen Behörden schützten die Christen vor den Wuthausbrüchen der Juden, wie aus der Apostelgeschichte hinlänglich bekannt ist.

Diese immerwährenden Streitigkeiten, Wuthausbrüche, Denunciationen und Hetzereien der Juden gegen die Christen setzten aber zuletzt doch das Eine durch, dass es zum Bewusstsein der römischen Behörden gebracht wurde, Juden und Christen seien *nicht* identisch, bilden nicht Eine Religions-Gemeinschaft, sondern seien zwei von einander verschiedene Gemeinden.

Da nun die Christen weder der römischen Staatsreligion, noch der jüdischen zugehörig dargethan waren, so waren sie nach römischer Bezeichnung „homines impii“ d. h. Gottlose, Atheisten und als solche mit dem Tode oder Exil bestrafbar.

Sobald dieser Unterschied den Römern zum Bewusstsein gekommen, war eine Verfolgung der Christen auf Leben und Tod gesetzlich zulässig und immer möglich.

Das Erstemal wurde von Nero dieses Bewusstsein des Unterschiedes gegen die Christen benützt, um die Erbitterung des Volkes wegen des Brandes der Stadt von sich weg auf andere zu lenken, die zwar nach Tacitus' Äusserung dieser That keineswegs schuldig, aber immerhin als mit dem Hass des Menschengeschlechtes beladen des Todes würdig waren. Hier sind die Christen schon vollkommen als eigene Gemeinschaft bezeichnet und mit ihrem Namen genannt.

Obwohl dies sowie andere Edicte Nero's wegen der Verhasstheit seines Namens in der Folge ohne Belang waren — das Eine, für die Christen Verhängnissvolle blieb dauernd, das Bewusstsein, dass sie *keine* Juden, also Atheisten seien.

Die fürchterliche Alternative war: entweder musste Rom die Christen als Juden anerkennen, oder als Atheisten proscribiren. Da Ersteres die Juden selbst mit aller Kraft unmöglich gemacht, so konnte nur mehr das Letztere Platz greifen.

Als Domitianus den Fiscus der Juden belastete, stand das obige Resultat des Unterschiedes völlig fest. Er unterscheidet Juden und ihre Proselyten als Juden von denen, die wie Juden lebend den *Atheismus* bekennen, d. h. die Christen. Jene verfolgte er blos quoad fiscum d. h. er reclamirte den Tribut, diese aber bedrohte Exil und Tod. Das christliche Bekenntniss war criminale, das jüdische blos fiscale.

Obgleich Nerva sowohl den jüdischen Fiscus von genannter Schmach befreite und die Christen dadurch schützte, dass er Klagen wegen „Impietas“ verbot und die Christen in Freude aufathmeten — so blieb immer die erwähnte Unterscheidung mit ihrer entsetzlichen Alternative im Bewusstsein bestehen. So waren die Christen lediglich von der Benevolenz der Imperatoren abhängig, die in der Verfolgung Pausen möglich machte. Unter Trajan wurde eine bestimmte Form für die Bestrafung fixirt — aber nur im Sinne obiger Alternative. Für die von der legal vorgebrachten Klage Betroffenen und im christlichen Bekenntniss Beharrenden lautete der Richterspruch durchaus auf Tod. Wohlwollenden Richtern blieb nur mehr in Bezug auf die Form der Klage ein Ausweg, den Christen Rücksicht zu gewähren. Bei diesem Stand der Sache blieb den armen Christen nur Ein gesetzlicher Behelf für die Existenz und deren Äusserung — das universale, ohne Rücksicht auf Bekenntniss giltige Privilegium für die Grabesstätten und deren Benützung. Die im III. Jahrhundert besonders zahlreich auftretenden Corporationen (Vereine) behufs der Bestattung von Ärmeren genossen gesetzliche Duldung. Die Sodales Serrenses waren z. B. ein solcher Verein. Die Christen benützten diese Erlaubniss auch für sich und konnten ihre Agapen, Anniversarien, ja ihre Vereinigung zu Einem moralischen Körper (ecclesia) durch diese gesetzliche Form decken.

Die seitlichen Anbauten neben der Facade des Domitilla-Cömeteriums vergegenwärtigen solche Locale, die im III. Jahrhundert gleich der erwähnten schola der Sodales Serrenses vor älteren Cömeterien angelegt wurden und, wie hier, ein Vestibulum und Grabkammern des I. und II. Jahrhunderts einschlossen. Als solche Versammlungs-Locale erscheinen auch die kleinen, mit drei Nischen versehenen Gebäude am Eingang des Calixtinischen und anderer Cömeterien in Rom.

So gestalteten sich die Einzel-Grabstätten zu Collectiv-Grabstätten, wurden nicht nur in die Breite und Länge, sondern auch in die Tiefe erweitert und bei der Zunahme der Christengemeinde an allen diesem Zwecke dienlichen Plätzen angelegt. Die unterirdischen Grabkammern werden aus diesem Grunde und wegen der wachsenden Unsicherheit der Gemeinde jetzt gewöhnlich. Denn wenn auch die Grabstätten *als solche* gesetzlich kein Gegenstand der Gewalt wurden, so doch die daselbst üblichen *Versammlungen* einer im genannten Privilegium für die Vereine behufs Todtenbestattung Ausgeschlossenen, und dies waren die Christen formell und legaliter seit Trajan's Decret. Darum verbieten die Verfolgungs-Edicte die Cömeterien und confisciren dieselben d. h. die dabei angelegten Localitäten oder scholae, wo die Agapen und die Versammlungen der Christen eigentlich stattfanden. Daher jetzt die Vorsicht in der Anlage der Eingänge, in der malerischen Ausschmückung, Inschriften u. dgl., welche wie die Grabkammern des Domitilla-Cömeteriums beweisen, in ältester Zeit durchaus den Charakter der Sicherheit an sich tragen. Bis all' dies zum Bewusstsein der kaiserlichen Machthaber gelangte und diese sich zur Verfolgung entschlossen, erstarkte die Kirche in dieser Form. Die Verfolgungen richteten sich allmählig nicht mehr wie früher gegen Einzelne, sondern gegen die Gemeinde als solche, weil sie unter der Form eines Vereines in letzter Zeit herangewachsen war. Die Bischöfe wurden stets die ersten Opfer ihrer Ecclesia.

Die Denkmäler lehren, dass die Christen sowohl zur Zeit ihrer anfänglichen Freiheit als zur Zeit ihrer bedrohten Existenz und Sicherheit im Schmucke der Versammlungsorte und Ruhestätten eine weise Auswahl zu handhaben wussten, so dass die christliche Lehre und Symbolik nie verrathen, nie profanirt wurde. Dies Bewusstsein in der Auswahl ermöglichte die künftige Entwicklung der christlichen Kunst. Es ist nämlich bekannt, dass selbst aus der heidnischen Mythe und selbstverständlich aus dem alten Testamente Darstellungen beliebt waren.

Dies in gedrängter Übersicht der Hauptinhalt der in genanntem Bullettino niedergelegten Forschungen de Rossi's. Vom Jahre 1866 ist mir noch keine Nummer zu Gesicht gekommen.

Dr. J. A. Messmer.

Correspondenzen.

Aus Salzburg.

(Mit 1 Holzschnitt.)

Gemäss des erhaltenen Auftrages, bei dem Ausgraben der Funde im Chiemseehofe die Leitung zu übernehmen, begab ich mich sogleich an Ort und Stelle, wo der Ingenieur-Assistent schon gegenwärtig war und sich damit beschäftigte, die Mosaikfragente abzupausen, insofern dieses die Feuchtigkeit und die Risse der Mosaiken erlaubten. Als er seine Arbeit vollendet hatte, ergänzte ich einige Theile der Zeichnung mit freier Hand und hatte dabei Gelegenheit, mich von dem schlechten Zustand der Mosaik zu überzeugen, welcher in Kürze durch das drohende Regenwetter noch schlimmer werden konnte, weshalb das Mitglied des Landesausschusses, Herr Schgör, beantragte, dass man eine Breterbude darüber aufschlagen solle. Da ich aber befürchtete, dass durch das Eintreiben von Pfählen das nebenliegende Terrain und die vielleicht in demselben befindlichen antiquarischen Reste beschädigt werden könnten, sprach ich gegen jenen Antrag, besonders da schon bei meiner Ankunft der Kopf der Hauptfigur verloren gegangen war. Ich liess daher vor der Hand einen Mehlkleister bereiten und strich denselben sachte über die Mosaik, in der Erwartung, dass er im Auftrocknen eine schützende Haut bilden werde, worauf man das Fragment mit einer Holzeinfassung umgeben und mit Gyps ausgiessen könne. Indessen floss der Regen immer heftiger und Herr Schlierholz musste noch bei Fackelschein Bedacht darauf nehmen, das Regenwasser gehörig abzuleiten. Unter diesen Umständen war es daher auch nicht möglich, dass der Kleister trocknete; ich ging daher gleich am nächsten Morgen wieder hin und suchte den Kleister mit einer weichen Spatel in die Fugen zu streichen, damit die Steine der Mosaik doch etwas Halt bekämen. Dann liess ich Leim herbeischaffen, erwärmte die Mosaik mit heissem Sand, strich den gelösten Leim darüber, liess sie mit feiner Leinwand bedecken und diese fest andrücken. Aber die Witterung blieb fortwährend ungünstig, und es trat sogar Frost ein, der dem Trocknen der Leinwand äusserst hinderlich wurde. Endlich als ich durch Erwärmen mit erhitztem Sande nachhalf, konnte ich zu dem Aufgiessen des Gypses schreiten. Gern wäre ich dabei stückweise verfahren; allein da ich nicht neue Trennungen des Fragmentes herbeiführen wollte, liess ich von der Hand eines geübten Steinmetzen das Ganze übergiessen. Als dann der Gyps getrocknet war, wurde die Erde rings um die Holzeinfassung entfernt, so dass das Fragment um zwölf Zoll höher zu stehen kam, wonach man es von unten mit Eisenstangen und sogenannten Schwertlingen von Holz unterfangen und endlich mittelst Winden emporheben konnte. Die so gehobene Kiste, welche eine Schwere von beiläufig zwanzig Centnern haben mochte, wurde nun auf Walzen in die nahe Vorhalle des Landschaftsgebäudes gebracht, wo Herr Schgör einen verschliessbaren Verschlag darüber anfertigen liess.

Am siebenten Tage wurden die Sandsteinblöcke unter der Mosaikfläche abgelöst, worauf die Schwertlinge entfernt und der Aufguss mit Portland-Cement ausgeführt wurde.

Am neunten Tage war dieser Guss vollkommen trocken und der Steinwurf konnte herabgenommen werden.

Indessen fuhr ich in den Nachgrabungen fort und fand wirklich die Fortsetzung des geometrischen Ornamentes; doch wagte ich nicht es vollends blos zu legen, weil ich die Nachtfröste fürchtete. Auch entdeckte ich nächst dem Hofthore, gegen die Kumpfmühlgasse zu, Spuren von Mosaiklagen und den Rest einer antiken Mauer, die mit festem Cement bedeckt war. Was nun das Ornament wie auch die figuralische Darstellung betrifft, so scheinen sie aus der nämlichen Zeit hervorgegangen zu sein, aus welcher jene Ornamente stammen, die bei der Grabung der Fundamente des Mozart-Monumentes angetroffen wurden, und zum Theile im Museum Carolino-Augusteum aufgestellt sind. Gegen den Eingang der ehemaligen Wohnung der Dienerschaft grenzt eine Bordure das Teppichmuster ab. Leider ist eine beiläufig 200 Jahre alte Grundmauer rücksichtslos über den Mosaikboden gezogen, bei deren Aufführung so viel Erde ausgegraben wurde, dass die Unterbrechung des Mosaiks nunmehr an fünf Schuhe beträgt. Durch die Auflockerung der Erdschichte sank auch der Boden, so dass die Mosaikfläche eine bedeutende Neigung bekam.

Der Charakter der Ornamentik mit ihren Quadraten, Kreisen und Achtecken deutet auf die Hadrianische Epoche; doch finden sich hier auch Sechsecke, durch welche sich, im Verein mit den Achtecken, Quadrate bilden. Die Färbung ergibt sich aus den in der Salzburger Gegend vorkommenden Marmorarten. Das besonders beliebte, auf den Isisdienst hinweisende herzförmige Lotosblatt erscheint in einem Quadrate, schwarz und ohne Stengel. Die ornamentalen Theile sind aus grösseren Steinchen, die figuralische Darstellung aber aus kleineren zusammengesetzt, welchen auch eine feinere Cementunterlage gegeben ist, so dass es den Anschein hat, dieselbe sei tafelweise in das geometrische Ornament eingesetzt worden. Die Unterlage dieses Bruchstückes war so entkräftigt, dass sie selbst ein Gypsaufguss nicht zusammenhalten konnte. Nirgends zeigt sich aber eine Entfärbung der Mosaiksteinchen als gerade hier, wo gefaultes Holz und eine rostige Büchse von einer Brunnenröhre gefunden wurde.

Zunächst der Mauer des erwähnten Dienergebäudes zeigte sich auch eine 2 Schuh lange und $1^1/_2$ Schuh breite Mosaiklage, welche aus kreisförmigen Abtheilungen besteht, in deren Zwischenräumen sich kleine Kreuzfiguren befinden. Dieses Fragment war ebenfalls sehr mürbe gelagert und entbehrte aller Cementverbindung.

Antike Ziegelstücke wurden vielfach vorgefunden. Doch trugen sie keine Marken. Auch traf man Bruchstücke in der Form der Tegolae, keilförmig und mit schmalen Rändern, wie man sie noch zu Rom aus der Zeit Theoderich's findet. Auch fand man einige Knochen, welche Professor Spatzenegger als Schweinsknochen erkannte. Von Kohlen oder Anzeichen eines Brandes ist bisher keine Spur vorgekommen. Von nachbarlichen Funden sind jene zu erwähnen, die zu Anfang der zwanziger Jahre im Garten des jetzigen Militärspitales vorkamen, die aber wenig beachtet wurden. Mehr Aufmerksamkeit widmete man den Terracotten, welche man während einer Canalisirung in der Quaigasse vorfand. Bei der Abtragung der St. Nicolauskirche fand man Fragmente von antiken Marmorgesimsen.

Um einen Begriff von der technischen Anlage und der Substruction des Mosaikbodens zu geben, ist hier

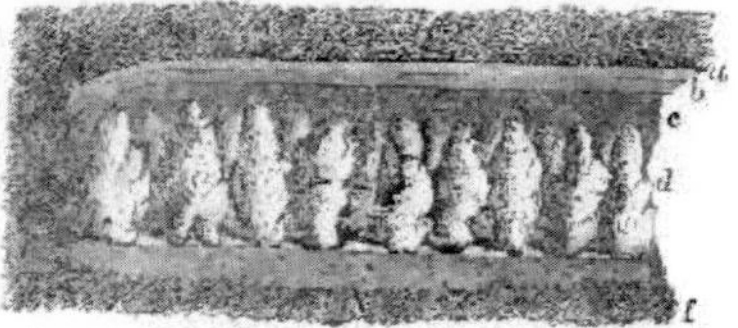

ein Holzschnitt beigegeben, welcher in *a* die Mosaik, in *b* die Cementlage, in *c* den Steinguss mit Nagelfluhe, in *d* die senkrecht gestellten Steine der Grundlage und in *f* den Erdboden zeigt.

Georg Pezolt.

Aus dem Banat.

(Mit 1 Holzschnitt.)

Seine Hochwürden Herr Lucas Ilié veröffentlichte in den Mittheilungen der k. k. Central-Commission, Jahrgang 1865, S. XXXI, unter der Aufschrift: „Archäologische Funde im Banat“ einen Aufsatz, in welchem im IV. Abschnitt unter andern eine Ansicht über den Standort der oberen Schiffbrücke gegeben wird, worauf der römische Kaiser Trajan mit der Hauptarmee zu Anfang des dacischen Krieges die Donau überschritt, und die muthmassliche Richtung, welche die römischen Militärstrassen im Banat einnahmen, auf denen das Römerheer gegen die Dacier zog, welche zwei Gegenstände zu ergründen ich ebenfalls schon seit Jahren bestrebt bin. Angeregt durch die fleissigen Arbeiten der Herren Dr. Jos. Aschbach

XI.

(Über Trajan's steinerne Donaubrücke, Wien 1858) und Franz Kanitz (Die römischen Funde in Serbien, Wien 1861) und unterstützt durch meine Localkenntniss, unternahm ich es, vorzüglich diese zwei schwebenden Punkte zu lösen, welche mühsame Arbeit mir zum Theile auch gelang. Ich wollte das Resultat in der zweiten Auflage meiner „Geschichte vom Banat“ veröffentlichen, wovon der erste Band, im Manuscripte vollendet, bereits seit einem Jahre in meinem Pulte ruht. Doch veranlassen mich so manche Irrthümer und Unrichtigkeiten des erwähnten Berichtes noch vor der Herausgabe meiner Schrift zu den nachstehenden Bemerkungen. Ohne mich vorläufig auf eine nähere Erklärung einzulassen, will ich hier einen kleineren Irrthum berichtigen, welchen Herr Ilié — jedenfalls unabsichtlich — dadurch begangen hat, dass er im zweiten Abschnitt desselben Aufsatzes den Fundort einer Menge griechischer Münzen nach dem im Krassóer Comitate zwischen Oravicza und Szászka gelegenen kleinen rumänischen Bergdorfe Potok verlegt. Ich sammle schon seit Jahren Münzen, auch sind mir als eifrigem Numismatiker beinahe alle hiesigen Fundorte von antiken Münzen bekannt; aber so viel ich weiss, sind zu Potok eigentliche griechische Münzen bis jetzt nicht gefunden worden: wohl aber ist dieser Ort im Banat hauptsächlicher und so zu sagen alleiniger Fundort von barbarischen Münzen aus der sogenannten Bronceperiode.

Zu Anfang der vierziger Jahre verkaufte ein rumänischer Bauer in Weisskirchen an mehrere dortige Handelsleute bei 100 Stück silberner Münzen, welche, wie ich mich später überzeugte, beinahe alle denselben Stempel trugen. Es waren äusserst rohe Nachbildungen der griechischen Münzen Philipp's II. von Makedonien. Sie haben auf der Vorderseite einen nach rechts hingewandten bärtigen Mannskopf, dessen Haar von zwei Perlenschnüren umwunden ist; auf der Rückseite einen behelmten Reiter nach rechts. Jede dieser Münzen wiegt genau $^{31}/_{64}$ Loth in Silber.

Die besagten Handelsleute konnten von dem Verkäufer dieser Münzen den Fundort nicht erfahren, da er seinen Wohnort absichtlich verheimlichte. Im Sommer des Jahres 1857 besuchte ich auf einem meiner Ausflüge den Ort Potok, um die in der Nähe desselben befindliche Burgruine zu besuchen, und da im ganzen Dorfe kein Wirthshaus ist, liess ich den Wagen bis zu meiner Zurückkunft bei dem dortigen israelitischen Krämer stehen, welcher mir zu nicht geringer Überraschung 4 Stück der oben beschriebenen Münzen zum Verkaufe anbot. Auf mein Befragen, von wo er diese Stücke erhalten habe, erzählte er mir, es wäre ein Mann im Dorfe, der vor vielen Jahren einen ganzen Topf voll dieser Münzen gefunden, selbe aber nicht verkaufen wolle; die Stücke, welche er mir zum Verkaufe anbiete, hätte dem Landmann sein Weib entwendet und an ihn für mehrere Kleinigkeiten eingetauscht. Ich erkundigte mich selbstverständlich nach dem Manne, der Krämer wollte mir ihn aber nicht nennen, wahrscheinlich weil er fürchtete, ich würde mich direct an ihn wenden. Nach einiger Zeit kam zu mir ein gemeiner Rumäne mit 3 Stück silbernen Münzen, welche ganz denselben Stempel trugen, und sagte, er hätte von diesen Münzen einige Oka ($2^1/_2$ Pfund) zu verkaufen. Mir fiel alsogleich die Aussage des israelitischen Krämers von dem Münzfunde ein, ich kaufte ihm die 3 Stücke zu je 1 fl. C. M. ab und animirte ihn, er möge mir sämmtliche in seinem Besitze befindlichen Stücke bringen, ich wäre Käufer. War es Misstrauen oder auch Furcht — da diesem Manne wie überhaupt auch manchem der Leser die Fundgesetze vom 31. März 1846, wonach der Fund dem Grundeigenthümer und Finder zu gleichen Theilen gehört, sicher nicht bekannt sind, — kurz ich sah den Menschen niemals wieder, erhielt aber von dem Potoker Krämer von Zeit zu Zeit endlich bei 40 Stück barbarischer Silbermünzen, wovon ich einige Stücke auch Herrn Ilić verehrte.

Die in Potok gefundenen barbarischen Münzen zeigen auf der Vorderseite einen bartlosen männlichen Kopf nach rechtshin, mit einem Lorbeerdiadem, auf der Rückseite einen Reiter nach links, im Felde III und ein Incusum. Sämmtliche Münzen sind vom feinsten Silber und wägt jedes einzelne Stück präcise $^{19}/_{64}$ Loth. Bezeichnend für die Potoker Münzen ist, dass allen dort gefundenen Stücken auf der Rückseite unter dem Bauche des Pferdes ein ziemlich vertieftes, länglich-viereckiges Loch eingeschlagen ist, welches von einem spitzigen Werkzeuge herrührt und als Contremarke betrachtet werden kann.

Was die von Herrn Ilić im Abschnitt I beschriebenen Urnen und deren Fundorte betrifft, so will ich mir hier einige Bemerkungen erlauben.

Man trifft im Banate, besonders bei Palánka, Dubovac, Deliblat, Mibunar, Werschetz, Kubin, Pancsova, Perlas, Gross-Becskerek, Török-Becse, Beodra, Nagy-Kikinda, Haczfeld, Száad etc. häufig Erdhügel, die manchmal in Gruppen beisammenstehen und augenscheinlich von Menschenhand aufgeworfen erscheinen. Es sind dies nichts anders als sogenannte Heiden- oder Hünengräber, welche in ihrem Innern nicht selten Urnen bergen, die aus einem Thon gefertigt sind, dem man der Haltbarkeit wegen eine bedeutende Quantität von Quarzsand beigemengt hat. Jedenfalls verstand man es damals noch nicht, die Gefässe auf der Scheibe zu drehen, sondern sie sind aus freier Hand gearbeitet, daher ziemlich dick, aber doch von recht regelmässiger Gestalt. Vorherrschend sind ausgebauchte Formen mit schmaler oder auch unten abgerundeter Basis, so dass die Töpfe oder Urnen nicht stehen konnten, sondern an den kleinen Henkeln oder nahe an der Mündung angebrachten Löchern aufgehängt wurden. Auch birnen- und kannenartige Gefässe kommen vor, sowie kleine Becher mit fast senkrechten Wänden. So einfach und derb ihre Gestalt ist, sind sie doch selten ohne Verzierungen; diese bestehen in Eindrücken, die durch die Finger hervorgebracht wurden, oder in Strichen und Punkten, die man mit den Nägeln oder einem spitzen Holz einritzte. Alle diese Gefässe scheinen nicht in geschlossenen Öfen, sondern im offenen Feuer, in einer Art von Meiler gebrannt zu sein, denn ihr Bruch ist meist grau oder auch schwärzlich.

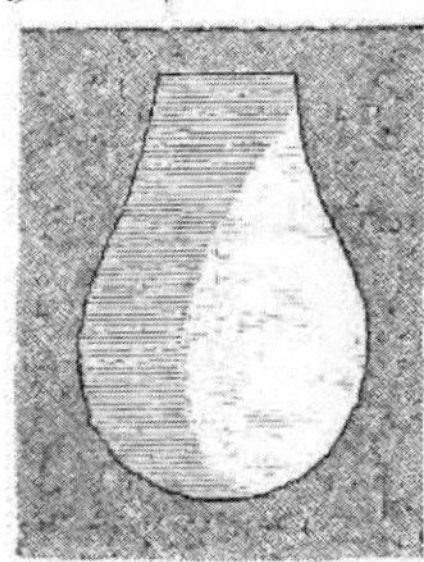

In dem im Jahre 1861 durch den Herrn Salpetersieder H. Gradl bei Alibunar im serbisch-banater Grenzregimente abgetragenen Heidengrabe war die grosse Urne, welche die verbrannten Überreste (mit Erde vermengte Asche, halbverbrannte Menschenknochen und sogar ein Knäuel rother Menschenhaare) enthielt, noch von vier kleineren umstellt, welche aber leider zerstört worden sind.

Ich habe dieses Gefäss selbst gesehen; es wurde, da es nur schlecht gebraunt ist, durch die Feuchtigkeit der Erde bereits mürbe und war aus grauem Thone gefertigt, bei 2 Fuss hoch, hatte in der Ausbauchung einen Durchmesser von $1\frac{1}{2}$ Fuss, an der nach auswärts geschweiften Mündung und am Boden aber knapp 6 Zoll. An der Ausbauchung befanden sich vier in entgegengesetzter Richtung angebrachte kleine Ösen oder Henkel, welche höchst wahrscheinlich zum Aufhängen des Gefässes dienten. Als einzige Verzierung waren an der Urne zwischen den genannten Ösen in symmetrischer Reihe, etwa 3 Zoll höher, vier erhabene Tupfen oder Knöpfe in der Grösse einer Haselnuss von derselben Masse angebracht. Auch die im Jahre 1862 durch einen Grenzer bei Palánka gefundene Aschenurne hatte dieselbe Gestalt, nur dass sie viel kleiner (sie hatte 8 Zoll Höhe und an der Ausbauchung $6\frac{1}{4}$ Zoll) und mit einem flachen runden, aus demselben Thone gefertigten Deckel versehen war, der beiläufig $\frac{1}{2}$ Zoll dick ist. Auch in diesem Gefässe fanden sich halbverbrannte Kinderknochen, gemengt mit Asche und Kalk, welche Gegenstände zusammen eine compacte Masse bilden. Ich für meine Person halte die beschriebenen Urnen, besonders die grössere, durchaus nicht für dako-slavische Alterthümer, sondern verlege die Zeit ihres Ursprungs in eine viel frühere Culturepoche, die sogenannte Steinperiode.

Zum Schlusse will ich hier noch eines merkwürdigen Vorkommnisses Erwähnung thun, welches meines Wissens bei uns noch nicht beobachtet wurde.

Als man im Jahre 1857 bei Lagerdorf in der Militärgrenze für die Eisenbahntrace einen Einschnitt in eine Berglehne machen musste, fand man nebst mehreren Aschenurnen in einer Tiefe von 8—12 Fuss mehrere birnenförmige, wie der Augenschein bewies, durch Feuer ausgebrannte Erdlöcher (s. nebenstehende Figur) von beiläufig 8 Fuss Höhe, welche zwar bei deren Auffindung mit angeschwemmter Erde gefüllt waren, in welchen man aber noch Reste von verkohlten Getreidekörnern fand. Es ist höchst wahrscheinlich, dass diese Höhlungen als Aufbewahrungsorte von Getreide dienten, wie man denn noch heute in Griechenland sowohl, als auch in der Krimm derartige Aufbewahrungsorte in der Erde zu demselben Zwecke findet. — Tausende von Jahren mussten verflossen sein, bis es der alles zerstörenden Zeit gelang, eine Lehmschichte von 8—12 Fuss Mächtigkeit von den nahen Hügeln abzuwaschen und auf jenen Boden aufzuführen, in welchem der Mensch vielleicht in der Steinzeit (?) seine Kornmagazine hatte.

Leonhard Böhm.

Redacteur: A. R. v. Perger. — Druck der k. k. Hof- und Staatsdruckerei in Wien.

Über die kirchlichen Denkmale Armeniens.

(Mit 4 Holzschnitten.)

Die beigegebenen Abbildungen und die Grundrisse der beiden georgischen Kirchen von Manglis und Samthawis, nebst den sie begleitenden historischen Daten, entnahmen wir Professor Dr. Grimm's verdienstvollem Werke, „Monuments d'architecture en Géorgie et en Arménie“ (St. Pétersbourg 1864, Fol.).

Über die höchst interessanten kirchlichen Denkmale Armeniens waren bisher nur zerstreute, archäologische und historische Daten, vereinzelte Abbildungen und architektonische Aufnahmen in den Werken von: Brosset, Gilles, Dubois de Montperreux, Tenier, Sargis, Dschalal, Alichan, Chahkhathamof, und in den Schriften der Petersburger Akademie bekannt geworden. Das Grimm'sche Sammelwerk vereiniget aber zum ersten Male in übersichtlicher Weise die vorzüglichsten Monumente der altarmenischen Kirchenbaukunst und muss als höchst dankenswerther Beitrag zur Geschichte des Byzantinismus in den Ländern am Kaukasus anerkannt werden.

Herr Professor Grimm behandelt in seinem Werke die Kirchen von: Manglis, Samthawis, Gelath, Caben, Akhtala, Tsughrugaschen, Saphara, Mtzkheta, Alawerd, Sanahin, Haghbat, Usunlar, Ani, Vagarschabad-Edschmiadzim. Jedes einzelne Monument wird durch eine kurz gefasste historische Notiz, zahlreiche, sehr präcis gezeichnete und schön gestochene Ansichten, Grundrisse, Durchschnitte und architektonische Details erläutert.

Die Mehrzahl der südkaukasischen Kirchen in ihrer ursprünglichen nur durch geringe spätere Zubauten veränderten Gestalt gehört dem X.—XIII. Jahrhunderte an. Ihre Gründung fällt also grossentheils in jene kurze Epoche von Glanz und Selbstständigkeit unter eingeborenen Regenten, von welchen die armenischen Chronisten gerne erzählten. Schon ein allgemeiner Blick auf die von Grimm veröffentlichten Denkmale genügt, um den gleich grossen Einfluss Byzanz' und des muhamedanischen Orients in den Kirchenbauten des altarmenischen Reiches zu erkennen. Dem ersteren gehört die seinen festgehaltenen Bauprincipien vollkommen entsprechende Anlage des inneren Grundrisses, dem benachbarten Oriente beinahe ausschliesslich die äussere und in vielem auch innere Decorationsweise an.

Neben dem Centralbau — dem griechischen Kreuze mit der erhöhten Kuppel über der Vierung — welcher oft mit dem Basilikenbau in Verbindung tritt — erscheint es als höchst charakteristisch im äusseren Grundrisse der armenisch-georgischen Kirchen, dass die Tribünen der Querschiffe und die Apsidenabschlüsse des Altarraumes nur selten über die quadratische oder oblonge Hauptform des Gebäudes vorspringen. Im Gegentheile werden die Apsiden mit seltenen Ausnahmen, wie bei Gelath und Edschmiadzim, von aussen nur durch vom Sockel aufsteigende, in die Hauptmauer eingeschnittene Dreiecknischen, oder auch gar nicht, wie bei den Kirchen von Sanaghia, Haghbat u. a. ersichtlich gemacht. Diese fremdartige, den altarmenischen Kirchen eigenthümliche Anordnung im Grundrisse drückt ihrer äusseren Erscheinung einen etwas einförmigen geradlinigen Typus auf, verleiht ihnen aber gleichzeitig einen gewissen Ausdruck von abgeschlossener Festigkeit, welcher durch die einzige kühn aufstrebende Kuppel erhöht wird und oft die wenig bedeutenden Dimensionen der Bauten vergessen lässt.

Die in den armenisch-georgischen Kirchen befolgte Anordnung des Grundrisses zeigt gewöhnlich vier durch Pendentifs zu einem runden Unterbau verbundene einfach gegliederte Pfeiler mit einem polygonischen Tambour, auf dem die Kuppel ruht. An diese schliessen sich Tonnengewölbe an, welche durch flachschräge Dächer von festgefügten Steinplatten gedeckt sind. Den Längenräumen ohne Gynäceen (Frauengallerien) entsprechen gewöhnlich drei halbrunde östlich von abschliessende Nischen, welche oft tief in das Mauerwerk einschneiden (s. Grundriss von Samthawis).

In einer zweiten, von diesen Bauten abweichenden, aber selteneren Construction ruht der Kuppelbau auf aus den Umfassungsmauern vorspringenden Widerlagern mit nach innen unmittelbar anschliessenden Seitenräumen (s. Grundriss von Manglis).

Wohl der Hälfte der altarmenischen Kirchen fehlt eines der wesentlichsten Momente des byzantinischen Kirchenbaues, der Narthex. So den Kirchen von Samthawis (s. den Grundriss), Caben, Akhtala, Saphara, Usunlar, Ani; Vagarschabad-Edschmiadzim u. A. Den Raum für die Ausgeschlossenen ersetzt gewöhnlich ein kleiner Portalvorbau (s. Grundriss von Manglis) oder eine gedeckte Bogenhalle in der ganzen Breite der Hauptfaçade, welche letztere sich manchmal auch an der Nord- und Südfaçade fortsetzt, wie z. B. bei der ihrer Gesammtanlage nach interessanten Kirche von Usunlar.

Die Zahl der Kuppeln beschränkt sich bei den meisten armenischen Bauten gewöhnlich auf eine, von grossentheils sehr glücklich getroffenen Verhältnissen. Bei der Fürstengruft von Achpat (erbaut zu Ende des X. Jahrhunderts) tritt eine zweite auf dem westlichen Vorbau hinzu. Dieser selbst scheint aber einer späteren Periode anzugehören. Auch der Narthex der benachbarten grossen Klosterkirche von Sanahin — beide im Gouvernement Tiflis — wird von einer auf vier Säulen ruhenden niedern Kuppel gekrönt. Höchst interessant ist die Anordnung kleiner kuppelartiger glatter Geschosse über den beiden im Oktogon abgeschlossenen Apsiden der Querarme und über dem reich decorirten grossen Portalvorbau der Kathedrale von Vagarschabad (Edschmiadzim). Diese Bauten gehören jedoch dem XVII. Jahrhunderte an, während der älteste Theil der Kirche nach einer Legende aus dem IV. Jahrhunderte herrühren soll.

Das Kloster Sanahin, welches einen Complex verschiedener durch Bogenhallen miteinander verbundener Kirchen und Capellen bildet, zeigt einen im europäischen Osten, noch mehr aber in Asien höchst seltenen Bestandtheil abendländischer Kirchen, einen quadratischen, selbst die Kuppel der Hauptkirche überragenden Glokkenthurm. Er lehnt sich an die Nordseite der grossen gedeckten Vorhalle (erbaut 1230), welche den ältesten Bau des Klosters, die von der Königin Khosrovanusch im Jahre 961 erbaute Marienkirche, mit der kleineren Erlöserkirche (erbaut im XII. Jahrhundert) verbindet. Im Gegensatze zu den übrigen rundbogigen Bauten Sanahins erscheint das Portal gleich mehreren Fenstern des Thurmes mit Spitzbogen und sein oberstes geöffnetes oktogonales Säulengeschoss mit spitzen Kleeblattbogen abgeschlossen.

Weit mehr als in der architectonischen Grundform — denn dies verhinderten schon strenge Vorschriften des Ritus — gelangte die geographische Lage Armeniens in der decorativen Ausstattung seiner kirchlichen Denkmale zum charakteristischen Ausdrucke. Die an dem Glockenthurme von Haghbat auftretenden kleinen Stalaktitenwölbungen mahnen am directesten an den arabischen Baustyl, an seine Einschliessung durch muhamedanische Reiche. Ein reizvolles, den orientalischen Völkern eigenthümliches, spielendes Element macht sich in der innern und äussern Ausstattung der armenisch-georgischen Kirchen überall geltend. Eine Ausnahme machen blos die an den Façaden und am Kuppeltambour laufenden Krönungsgesimse. Sie sind oft von kräftiger Profilirung. Eine mehr ornamentale als constructive Bedeutung haben aber jene oft bis an das Kranzgesimse der Giebel hinanreichenden flachen säulenartigen Lisenen, welche am häufigsten durch Rundbogen, seltener durch Spitz- oder Hufeisenbogen verbunden, zur Belebung der Flächen angewendet wurden (s. Ostfaçade von Samthawis).

Irrig ist es, den arabischen Hufeisenbogen zu den charakteristischen Merkmalen der armenischen Kirchenbauten zu zählen, wie dies Kugler, Rosenkranz und und andere nach diesen gethan. Derselbe erscheint nur äusserst spärlich wie in der Apsis zu Ani.

Ganz besonders sind es die Hauptfaçaden, ihre Portalvorbauten und die Altarseiten, welche die armenische Kunst reich zu decoriren suchte. Zu den wechselnden Lagen farbiger Steine der Mauerflächen — wie an der Apostelkirche zu Mtzkheta — zu den band- und fächerartigen Umsäumungen der äusserst schmalen, selten gekuppelten Fenster, treten — wie an der Apsis von Samthawis — reichumrahmte Kreuze, Fensterrosen, quadratische Steintafeln, Reliefs in den Tympanons über Fenstern und Thüren, und andere oft wenig organisch eingefügte Verzierungen hinzu. Die Ornamente bestehen aus schematisch stylisirten Pflanzenmotiven, geripptem Netzwerk — letzteres besonders schön an der Zwölf-Apostelkirche zu Mtzkheta — aus sinnreich combinirten Linienverschlingungen, welche oft an die schönsten Details der Moscheen Cairo's, andererseits an decorative Elemente indischer Bauten erinnern.

Manglis.

Fig. 1.

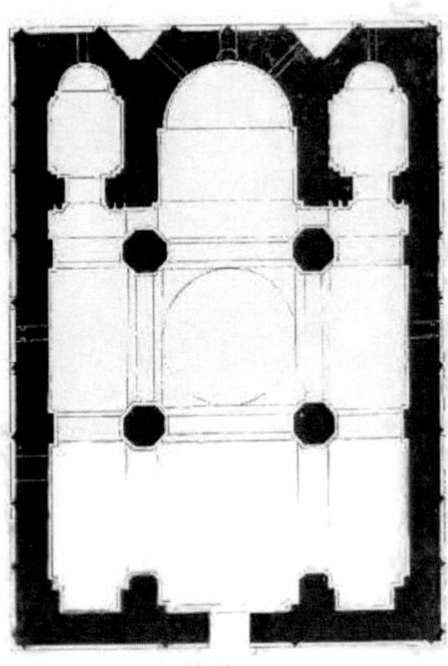

Fig. 2

Die bischöfliche Kirche zu Manglis, gelegen an den Quellen des Algeth, welcher etwas höher als die Khram in den Kur fällt, wurde, wie man annimmt, erbaut in der Zeit Constantin des Grossen und des Königs Mirian gegen das Jahr 325. Sie erhielt einen Theil des heiligen Kreuzes zur Aufbewahrung, das Brett, auf dem die Füsse des gekreuzigten Heilands ruhten, und stand unter der Anrufung des belebenden Holzes. Die Erbauung der achtseitigen Partie des Grundrisses, welche die halbkreisförmigen Apsiden einschliesst und den Kuppelbau trägt, reicht wahrscheinlich in eine weit ältere Zeit zurück als die im Innern reich decorirte Kuppel selbst und die übrigen Räume der Kirche. Der ganze Bau wurde restaurirt und dem Gottesdienste zurückgegeben durch die Freigebigkeit des Commandanten der Garde-Grenadiere von Erivan im Jahre 1857.

Fig. 3.

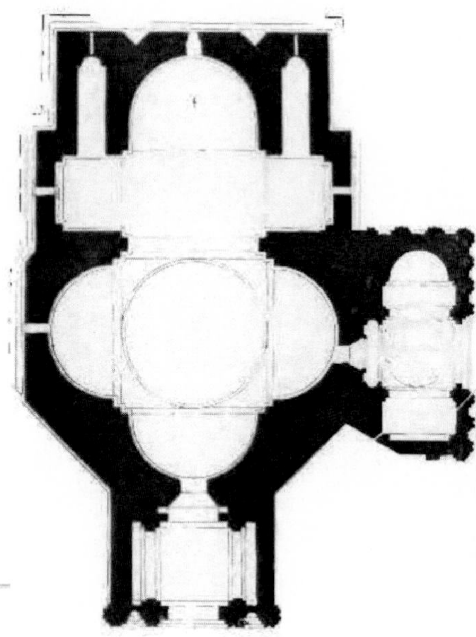

Fig. 4.

Die Kirche von Samthawis, gelegen am rechten Ufer der Rekula, eines nördlichen Zuflusses des Kur, wurde gegründet durch den heil. Isidor, einen der dreizehn heiligen syrischen Väter, welche in der Mitte des VI. Jahrhunderts nach Georgien kamen. Sie stand unter der Anrufung des Bildnisses des heiligen Erlösers. Ihre heutige Gestalt empfing sie etwas vor dem Jahre 1050 durch den Bischof Ilarion, die Vorhalle entstand im Jahre 1079. Im XVII. Jahrhunderte wurde sie beinahe vollständig restaurirt durch die Princessin Gaiane Amilakhor, auf deren Familiengütern die, zum Familienbegräbnisse bestimmte, Kirche liegt.

Die Kirche von Samthawis gehört zu den am reichsten geschmückten Denkmalen Georgiens. Unsere geometrische Darstellung ihrer Altarseite kann vermöge des kleinen Massstabes kaum eine Idee von der leichtbeweglichen, manchmal bizarren, bei alledem aber eine gewisse Grenze nie überschreitenden Phantasie geben, welche sich in ihrer decorativen Ausstattung, in den im Grimm'schen Werke im Detail dargestellten Gesimsbändern, Rosen, Kreuzen u. s. w. äussert. Wir charakteriren sie am besten, wenn wir an die originelle Decorirung der walachischen Kurteá d'Argisch (Jahrb. der k. k. Centr. Comm. IV. Band, 1860) erinnern, welche auch in anderen Beziehungen manche Analogien mit den armenisch-georgischen Denkmalen aufweiset.

Ganz eigenthümlich und gleich den Säulchen und deren Capitälen an die Holzbauten Persiens mahnend, sind die bizarr ornamentirten Träger, welche an den Ausgängen der Façaden und Giebel der Kirche zu Samthawis die Kranzgesimse mehr spielend als constructiv zu stützen scheinen. Überhaupt erscheinen sowohl Säulen als Pfeiler in den armenischen Denkmalen nur wenig entwickelt. Sie bestehen grossentheils aus zwei, drei und mehr dünnen, an der Basis und oben durch leichtverzierte Rundwulste verbundenen Stäben. Capitäl und Basis hingegen oft nur aus einem schweren, mit einer grossen Rose von Netzwerk decorirten Würfel. Auch bei den freistehenden, eine constructive Bestimmung erfüllenden Säulen im Innern der Kirchen sind die Einzeltheile nur selten — wie bei der kleinen Kirche von Ani — strenger architectonisch entwickelt. Linienornamente bedecken die willkürlich über einander geschichteten Rundstäbe, Platten und Stämme. Stalaktitengewölbchen mahnen selbst in den Säulencapitälen an die nahe Wiege des Muhamedanismus. Die Wirkung

k*

einzelner Säulenanlagen sind jedoch trotz aller Bizarrerie manchmal nicht ohne einen eigenthümlich wirkenden Reiz. So die Säulenhallen der Erlöserkirche von Sanahin und die Pfeilercapitäle in der Bibliothek desselben Klosters.

Wie in allen Kirchen des orientalisch-christlichen Cultus tritt auch in jenen Armeniens das Bild lebender Wesen nur ausnahmsweise in den Kreis der decorativen Sculptur. Nur selten erscheinen die von der Kirche adoptirten Symbole der Evangelisten an der kleinen Kirche zu Ani oder die Taube neben den reich decorirten Dreiecksnischen an der Hauptfaçade und Altarseite der Kathedrale von Ani, und im Tympanon des Portales der heiligen Sabbaskirche zu Saphara, das Lamm an der Apsis der Apostelkirche zu Mtzkheta u. a. Ein figurenreiches Relief mit einem thronenden Christus in byzantinischer Haltung finden wir in dem Tympanon über dem Haupteingange des Klosters Hovanna-Vank zu Carbi (nördlich von Edschmiadzin). Eine heilige Jungfrau mit dem Kinde — nach der Abbildung ist es schwer zu unterscheiden, ob en relief oder al fresco — jedoch abweichend von der byzantinischen Auffassung, das Kind auf dem Arme tragend, erscheint in dem Tympanon über dem Eingange der heiligen Mutter-Gotteskirche zu Akhtala. Noch haben wir eines Reliefs an dem östlichen Façadengiebel der Marienkirche Sanahin's zu gedenken, welches, wahrscheinlich das einzige der altarmenischen Denkmale, zwei Regenten — nach der Tradition den König Cwirikeh und dessen Bruder Sanbal — verewigt. Die beiden im Profil einander zugewendeten Figuren halten eine Kirche in den Händen, was auf ihre Betheiligung an dem Ausbau des Klosters schliessen lässt.

Über die Malerei Alt-Armeniens und über die innere Ausstattung seiner kirchlichen Denkmale überhaupt gibt das Grimm'sche, ausschliesslich mit deren Architectur sich beschäftigende Werk nur in den kleinen Durchschnitts-Aufnahmen einiger Kirchen geringe Anhaltspunkte. Nach diesen und den Schilderungen mehrerer Reisenden schliessen wir, dass die innere Decorirung, dem Äussern der Denkmale entsprechend, eine reiche war. Figurenreiche Darstellungen bedeckten die Wände von den Sockeln bis zu den Wölbungen. Die Ikonostasis war oft fest gebaut und, wie bei der heiligen Sabbaskirche in Saphara, mit Reliefs geschmückt. Ein die zehn lampentragenden Jungfrauen darstellendes Basrelief dieser Kirche erhielt sich bis heute. Die Kuppel, oft auch die Säulen und Pfeiler, wurden mit den Bildnissen der Apostel, der königlichen Stifter u. A. geschmückt. Die Bilder des Pantokrators und der heiligen Jungfrau erscheinen in colossalen Dimensionen, so die letztere begleitet von zwei riesigen anbetenden Engeln in der Apsis der Erlöserkirche zu Samthawis.

Das Ornament scheint in den armenisch-georgischen Kirchen bei der inneren Decoration eine noch grössere Rolle als in den byzantinischen Monumenten Europa's zu spielen, und auch die Technik des Mosaiks war den armenischen Künstlern nicht fremd geblieben. Das Grimm'sche Werk enthält einige sehr schöne Proben aus dem Schlosse von Ani, welche sich durch ein sinnreich combinirtes Figuren- und Linienspiel auszeichnen.

Wir wiederholen zum Schlusse, das Werk des Professors Grimm, auf dessen Grundlage wir einige der wesentlichsten Momente der altarmenischen Kirchenbaukunst zu entwickeln versuchten, bildet einen höchst wichtigen, ebenso reichhaltigen als Belehrung bietenden Beitrag für die eigenthümliche Entwicklung des Byzantinismus in Asien, und deshalb glauben wir es allen, welche sich für byzantinische Kunst interessiren, auf das wärmste empfehlen zu sollen.

Dr. F. Kanitz.

Die Todtenleuchte in Hof bei Straden in Steiermark.

(Mit 1 Holzschnitt.)

Ungeachtet die Zahl der nahe an den Kirchen und an den Wegen aufgestellten Betsäulen, Wegkreuze und kleinen Capellen in Steiermark eine sehr bedeutende ist, so findet man unter denselben doch nur wenige aus früheren Jahrhunderten und noch weniger von irgend wie charakteristischer oder bedeutender Architectur und Ausschmückung. Der Zahn der Zeit hat eben diese kleinen Monumente eher als die grossen Gebäude zerstört, manche von ihnen dürften auch bei Strassenumlegungen, Aufführung neuer Gebände und ähnlichen Anlässen geradezu beseitigt worden sein.

Ausnahmsweise haben sich ältere sogenannte Todtenleuchten verhältnissmässig gut erhalten, da ihre, das rein menschliche Gefühl so ansprechende Bestimmung und die Nähe der Kirche einigermassen grösseren Schutz gewährte.

Diese Monumente haben ungeachtet ihrer in der Regel geringen Ausdehnung und obwohl ein grosser Theil derselben ziemlich schmucklos ist, für die Geschichte des Kunsthandwerkes einen bedeutenden Werth, da ihre, bei aller Einfachheit oft sehr hübsche Anlage, die treffliche Steinfügung und überhaupt die Ausführung der Steinmetzarbeit einen Beweis für die Tüchtigkeit jener Handwerker liefert, die überdies nicht nur in grösseren Städten und bei grossartigen Bauten versammelt, sondern auch im flachen Lande zerstreut, die Wünsche ihrer Besteller mit einer in Erfindung und Ausführung gleichen Gediegenheit zu befriedigen wussten, wozu in der Neuzeit bei der noch immer ziemlich scharfen Trennung der Kunst vom Handwerke oft das Zusammenwirken eines Architekten, eines Steinmetzen und eines eigentlichen Bildhauers erforderlich wäre.

Ein solches kleines Baudenkmal, dessen Zeichnung und Beschreibung ich der gefälligen Mittheilung des der Kunde des Alterthumes und der Kunstgeschichte mit wärmstem Eifer zugewendeten P. Ulrich Greiner, Capitular des Stiftes Reun[1] verdanke, steht auf einer mässigen Erhöhung an der von Radkersburg nach Straden führenden Strasse in der Mitte des Dorfes Hof ungefähr eine halbe Stunde vor Straden und zehn Minuten von Johannesbrunn.

Da dieser Steinsäule die innere, zum Aufziehen der Todtenlampe bestimmte Höhlung fehlt, so gelangt man nicht durch ihre Beschauung, sondern nur an der Hand der Tradition zur Kenntniss ihres speciellen Zweckes als Todtenleuchte. Man erfährt nämlich aus dem Munde der Bewohner von Hof, dass sie einst als solche den Fried-

[1] Richtige, dem alten Namen des Stiftes „Runa" entsprechende Schreibart statt der ohne Grund in neuerer Zeit gewählten „Rein".

hof zu Straden, als er sich noch um die Kirche ausbreitete, geziert habe.

Als die Pfarrkirche in Straden durch den Anbau zweier Seitenschiffe im XVII. Jahrhunderte an Ausdehnung gewann, mag die Säule von ihrem Standorte verdrängt, und da um diese Zeit der schöne Gebrauch des ewigen Lichtes auf den Gottesäckern allenthalben zu verlöschen begann, als gänzlich überflüssig erschienen sein. Über die genaue Zeit, und den Rechtsstandpunkt ihrer Übergabe an die Gemeinde Hof schweigt die Tradition und es lässt sich daher nicht bestimmen, ob sie von der Gemeinde angekauft, oder von dem Ortspfarrer zu Straden den von Türken- und Kuruzzeneinfällen schwer heimgesuchten Bewohnern als Geschenk überlassen wurde.

Jedenfalls beurkundet es Sinn für Alterthum und Kunst und ist eine erfreuliche Erscheinung, dass sie nicht, sobald sie dem Neubau weichen musste und ihre eigentliche Bestimmung eingebüsst hatte, unbeachtet der Zerstörung überlassen, oder gar als verwendbares Material zu ökonomischen Zwecken benützt wurde.

Der Sage nach soll der Säule eine zweite Wanderung an einen dritten Standpunkt gedroht haben, da eine Besitzerin des Schlosses Poppendorf, den Werth des kleinen Kunstdenkmales erkennend, dasselbe unter den vortheilhaftesten Bedingungen, nämlich um einen bedeutenden Geldbetrag und überdies gegen die Verpflichtung zu kaufen suchte, eine neue Steinsäule an den Platz der alten setzen zu wollen. Die Gemeinde aber konnte sich von ihrem ehrwürdigen und lieben „alten Kreuze“, wie es hier genannt wird, nicht trennen.

Doch scheint die stramme Anhänglichkeit in den Schranken der Passivität geblieben zu sein, da für die Erhaltung der Säule so lange nichts geschah, dass sie dem Untergange nahe war. Im Jahre 1844 gelang es den Bemühungen des Kaplans Josef Karner von Straden, in dieser Beziehung Abhilfe zu schaffen. Dieser stille Forscher und warme Freund des Alterthums brachte manche Stunde bei der Säule zu und bemühte sich namentlich eine Inschrift in gothischen Minuskeln zu entziffern, die sich unter dem Helmgesimse herumzog, was er ungeachtet aller Bemühungen nur bei der Jahreszahl (1514) zu Stande brachte.

In dem erwähnten Jahre 1844 fasste die Gemeinde über seine eifrige Verwendung den Beschluss, die Säule einer gänzlichen Renovirung zu unterziehen. Durch einen Steinmetz aus Gleichenberg wurde sie zerlegt, die verwitterten Bestandtheile wurden abgemeisselt, theilweise auch ergänzt, wobei es leider durch die Unkenntniss des Arbeiters geschah, dass nicht nur die ganze Inschrift, sondern auch einzelne steinerne Glieder verloren gingen. Ein ehrsamer Meister oder wackerer Geselle des XVI. Jahrhunderts hätte sich einer solchen Sünde gewiss nicht schuldig gemacht, drei Jahrhunderte später können wir noch von Glück sagen, dass die Verwüstungen dieser Restauration nicht ärger waren. — eine Betrachtung, welche in Verbindung mit vielen ähnlichen Beispielen ein trauriges Licht auf den Rückschritt des Handwerkes wirft!

Aus der nebenstehenden Abbildung ersehen wir, dass auf einem breiten, quadratischen Unterbaue sich mit einer Abstufung ein sechseckiger Sokel erhebt, der an drei seiner Ecken kurze halbrunde stützenartige Ansätze zeigt. Ein halbrunder Wulst verbindet den Sockel mit dem runden Schafte, welchen von unten nach oben sechs Dreiviertelstäbe in ziemlich steilen Windungen umziehen, die oben wieder von einem horizontal laufenden, gewundenen Stab durchzogen und verbunden werden.

Dem sechsseitigen Sockel entspricht das ohne Vermittlung auf dem Säulenschafte aufsitzende, etwas weiter ausladende Lichthäuschen, dessen sechs Seiten sämmtlich offen stehen. Die hiedurch gebildeten, einst verglasten Fenster sind zwar geradelinig überlegt, jedoch enden diese umrahmenden Stäbe über einer kleinen Blende im geschweiften Spitzbogen. — Der sechsseitige pyramidale Helm ist durch einen gut profilirten Knauf

abgeschlossen, sowie auch die Pfosten zwischen den Fenstern hübsche Profile haben.

Die Kreuzblume an der höchsten Spitze des Ganzen dürfte bereits vorlängst abhanden gekommen sein. In die für sie bestimmt gewesene Vertiefung des Knaufes wurde bei der Restauration ein eisernes Doppelkreuz eingesetzt.

An der einen Seite des Sockels ist eine Öffnung eingehauen, welche aber in keiner Verbindung mit dem Lichthäuschen steht, sondern wahrscheinlich nur als Raum zu einer Büchse für die zur Erhaltung des Lichtes bestimmten Opfer gedient hat. Die Lampe brauchte auch bei der geringen Höhe des Ganzen nicht aufgezogen zu werden.

Das Materiale der Säule ist ein in der Nähe (zwischen Hochstraden und Gleichenberg) brechender feinkörniger weisser Stein. Die Gesammthöhe beträgt neun Schuh und sechs Zoll.

Die Hauptformen dieser Todtenleuchte sind mehr massiv als schlank, die Ornamente zeigen deutlich die Zeit, welcher sie angehört.

S.

Die gothische Monstranze in der k. k. Ambraser-Sammlung zu Wien.

(Mit 1 Holzschnitt.)

Unter den wenigen kirchlichen Gegenständen, die die k. k. Ambraser-Sammlung zu Wien enthält, findet sich eine aus dem XV. Jahrhundert stammende silberne Monstranze, von der die Tradition erzählt, es sei damit dem auf der Martinswand verstiegenen Kaiser Max I. der Segen ertheilt worden.

Das ganze Gefäss hat eine Höhe von 32 Zoll, wiegt 10 Mark 6 Loth, und hat die während der Zeit des gothischen Styles übliche Form eines thurmförmigen auf einen Ständer gestellten Tabernakels. Der achtblättrige Fuss ist auf seinen Flächen mit Eingravirungen geziert. Am Schafte befinden sich drei vieleckige und scharfkantige Knoten, davon der mittlere ziemlich gross ist.

Das Behältniss für die heilige Hostie ist cylinderförmig und oben und unten schalenartig verschlossen, mit einem reichen Baldachin aus geschweiften Spitzbogen sammt Knorren und Fialen überdeckt, worüber sich sodann der thurmartige von acht Pfeilern getragene Hauptbau erhebt, der mit einer achtseitigen, aus einer Art Krone sich bildenden schlanken Spitze abschliesst. Die früher an der Spitze befindlich gewesene Kreuzblume fehlt.

Den Hauptbau umgibt auf jeder Seite ein ähnlicher, aber niederer Thurmbau, unter dem die Figuren des heil. Jacobus und Laurenz aus Silber und vergoldet stehen. Zur Seite dieser Anbauten endlich befinden sich unter kleinen Baldachinen und auf consolartigen Auswüchsen stehend, die Figuren der Heilige Christoph und Sebastian [1].

Ein alter Brunnen und römischer Votivstein in der Festung Belgrad.

Bei meinem jüngsten Besuche in **Belgrad** (September 1867) erhielt ich von Herrn Museums-Director **Šafarik** folgende interessante Mittheilungen über einen **Brunnen** im oberen Theile der Festung Belgrad, welcher wohl zu den merkwürdigsten Bauten dieser Art gehört. Er liegt unweit vom ehemaligen Konak des Pascha und vom alten Haremsgebäude etwa 50 Schritte entfernt, im südwestlichen Theile der Festung unmittelbar an der Festungsmauer, bei einem Thore, welches aus dem Innern der obern Festung nach den Schanzen gegen die Save führt. Der Brunnen ist in einem eigenen festen Gebäude, welches eine bombenfeste gewölbte Kuppel hat, in der mehrere eingeschnittene runde Fenster als Luftlöcher dienen. Sie sind am Rande der Decke im Kreise angebracht. Die Mauerdicke des Gewölbes beträgt 6 Fuss. Das Brunnenrohr selbst ragt mit dem Ende über Mannshöhe frei unter der Kuppel herauf, so dass man rings um dasselbe herumgehen kann. Es hat einen Durchmesser von circa 2°, jener des kuppeltragenden Überbaues dürfte aber circa 5° betragen. An der Ost- und Westseite im Gebäude, geht man durch eigene Thüren zu den Stiegen, die ganz von Ziegeln gebaut (wie auch der ganze Brunnen) schneckenförmig gewunden um das Brunnenrohr herumziehen, sie führen hinab bis auf den Grund des Brunnens. Die Stiegen haben nach je 10 Stufen einen 3 Schritte langen flachen Absatz. — Die 210 etwa 9" hohen Stufen sind 6' breit und umgeben die Höhlung des Brunnenrohres in fünf oder sechs Kreiswindungen. Zur rechten Hand des Hinabsteigenden sind in der festen äussern Mauer häufig halbkreisförmige beiläufig 6' hohe hohle Nischen angebracht, die zu Ruheplätzen bestimmt zu sein scheinen. In der Mauer zur linken Hand aber sind viele fensterförmige Öffnungen gelassen, durch die man in den Brunnen selbst hinunter sehen kann. Von der Mitte des Brunnenrohrs abwärts sind die Mauern ganz nass, es sickert in ihnen das Wasser hinunter, es tropft aber auch aus dem Gewölbe immerfort so stark herab, dass das ganze Mauerwerk mit einer stalactitenartigen Rinde incrustirt erscheint. Unten mündet die Stiege in einen zur rechten Hand befindlichen gewölbten Gang, welcher etwa eine

[1] Siehe über dieses Gefäss: Freih. v. Sacken: Die Ambraser-Sammlung, II. 187.

Klafter hoch und eine halbe Klafter breit horizontal um das Brunnenrohr im Halbkreise zu der andern Stiege führt, so dass man auf der einen Stiege herab, auf der anderen aber hinauf steigen kann. Der Gang ist mit Mörtel verputzt und hat einen mit Ziegeln gepflasterten horizontalen Boden, der mehrere Zoll hoch mit Wasser bedeckt ist. Der Boden des Brunnens selbst ist aber so hoch mit herabgefallenem Mauerschutt bedeckt, dass kein Tropfen Wasser darin zu sehen ist, und man durch die fensterartigen Lücken hineinsteigen kann. Sonst musste sich wohl das im Gange befindliche Wasser im vertieften Grunde des Brunnens gesammelt haben, aber reich an Wasser konnte er nie gewesen sein, ausser man hätte etwa Regenwasser in denselben geleitet und ihn so als Cisterne benützt. Auch gegenwärtig enthält er jedoch noch immer viele Eimer des frischesten Wassers welches von den Türken gewöhnlich zur Einkühlung von Getränken, Sorbet und dergleichen benützt wurde, da es nicht klar, sondern von Schlamm und Schutt verunreiniget ist. Auf dem Brunnenboden ist es sehr feucht und kühl, die Luft jedoch ganz gut, obwohl die Tiefe immerhin bis 30° betragen mag. Im Ganzen ist der Brunnen noch fest, und ziemlich gut erhalten. Nur die Stufen sind an manchen Orten verfallen, an den fensterartigen Lücken ist der Rand häufig ausgebrochen und in den Brunnen hinabgefallen; zum meisten Theile dürfte aber der Schutt, welcher den Boden des Brunnens bedeckt, von dem hinabgestürzten oberen Rande des Brunnenrohres herrühren, das soeben renovirt wird. — Jedenfalls ist dieser Brunnen ein bedeutendes und künstliches Bauwerk, welches durch seine Construction an die schönsten Bauten dieser Art erinnert, und das ganz besonders durch seine doppelte Stiegenanlage sich auszeichnet.

Den Formen, der Bautechnik und dem Material nach zu urtheilen, würde ihn Herr Šafarik für ein Werk der Österreicher aus dem 17. oder 18. Jahrhundert halten.

In dem gewölbten Gange, der ganz unten am Boden des Brunnens halbkreisförmig um das Brunnenrohr herumläuft und von einer Stiege zur andern führt, hat man jüngst eine Inschrift gefunden, die aber weder eine grössere Bedeutung hat, noch irgend einen erwünschten Aufschluss über die Entstehung des Monumentes gibt. Sie ist in den Mörtel links im Gange mittelst eines scharfen Instrumentes eingeschnitten und lautet:

B.V.D im Jahr 1...11 Christian F. Hammer.

Gegenüber an der Mauer ist mit Röthel geschrieben:

Martin Bartony.

Um diese Namen herum sind durch Kerzenrauch oder Russ wahrscheinlich während des Schreibens derselben, einige Kreise und ornamentale Figuren eingeräuchert worden, welche von Unwissenden für menschliche Köpfe und Figuren gehalten worden sind. Šafarik findet es für das wahrscheinlichste, dass diese Namen von Personen herrühren, welche den Brunnen in neuerer Zeit besucht haben: wahrscheinlich im Jahre 1811, zur Zeit als die Festung im christlich-serbischen Besitze war. (Die Namen könnten auch wohl von Arbeitern herrühren, welche den Brunnen im türkischen Auftrage renovirt haben.)

Bei dem Dizdan- oder Zindan-Thore, im ältesten Theile der obern Festung, gegen Nordost, ist an der rechten Seite des Thores, bei der Thüre durch die man in die rechte halbrunde Bastion des Thores eintritt, ein römischer Votivstein, dessen unterer Theil einige arabeskenartige Verzierungen zeigt, eingemauert. Er trägt folgende Inschrift.

D M
AR I L V
STVINIANVS
SIGN LEG I . I
FL VIX AN XII
MIL AN IX MENS II
M I IX I AVRE
II I . . COIVS

F. Kanitz.

Spätgothisches Reliquiar in der Marienkirche zu Krakau.

(Mit 1 Holzschnitt.)

Wir geben hier in Abbildung ein Reliquiengefäss, das, obgleich es noch in der Hauptsache die während der Gothik des ablaufenden XIV. und XV. Jahrhunderts übliche Ostensorienform beibehält, in den Details doch das im Beginne des XVI. Jahrhunderts allgemein vor sich

gegangene Abweichen von den strengen Formen der gothischen Ornamentik zeigt, an deren Stelle nunmehr fadendünne Säulchen, Blätterschmuck und Astgeflecht treten.

Das Gefäss ist aus Silber angefertigt und vergoldet. Aus einem sechsblättrigen, gegen die Mitte zu stark ansteigenden Fusse erhebt sich ein ebenfalls sechsseitiger Schaft, der an seinem unteren Anfange mit einem kleineren, in der Mitte mit einem grösseren, ziemlich platten polygonen Knaufe geschmückt ist und zu oberst eine runde, am unteren Rande mit Blattwerk verzierte Platte trägt.

Diese Platte dient als Unterlage für die flache, runde Reliquiencapsel, die, senkrecht gestellt, an den beiden Seiten mit einer Krystallscheibe versehen ist. Den Rahmen der Scheibe zieren Steinchen und ein Besetz von blätterförmigen Silberplättchen. Neben der Scheibe ist auf jeder Seite ein blattähnliches Ornament angebracht, das mit einer kleinen Console schliesst, auf der ein Engelchen steht. Weiter oben bildet ein aus dem Rahmen heraustretendes Astwerk über diesen Figürchen eine Art Baldachin und erhebt sich sodann als reiches Geflecht in die Höhe, wo es allmählig dünner werdend, gleich einer Spitze abschliesst.

Die Bekrönung des Reliquiengehäuses bildet ein von vier Pfeilerchen getragenes Tabernakel, darinnen die Figur des Evangelisten Johannes steht; darüber baut sich die vierseitige hohe Spitze auf, die mit einer Kreuzblume schliesst[3].

[3] Ausführlich besprochen ist dieses Reliquiar in Essenwein's Prachtwerke über die Stadt Krakau (p. 175), und es ist die hier beigegebene Abbildung der in jenem Werke befindlichen prachtvollen Zeichnung im verkleinerten Masse nachgebildet.

Besprechungen.

Zur archäologischen und kunstgeschichtlichen Literatur.

Martigny M., Dictionnaire des antiquités Chrétiennes. Paris 1865. Lex. 8°. Librairie de L. Hachette et Comp.

Schluss.

Von den in zerstreuten Sammelwerken und Zeitschriften erscheinenden Abhandlungen allgemeinen Belanges hebe ich hier zunächst die im Abdruck aus dem Archiv für die Geschichte der Erzdiöcese Freiburg II. Band in weitere Kreise geführte Monographie von Karl Zell „die Kirche der Benedictiner-Abtei Petershausen bei Constanz“ Freiburg, Herder 1867 hervor, da der Verfasser nach meinem Ermessen nicht nur genaue Kenntniss des urkundlichen Materiales, sondern dabei zugleich auch gründliche Einsicht in kunstgeschichtlicher und archäologischer Beziehung bekundet. Er begnügt sich nicht nach den urkundlichen Daten einfach zu berichten, er versucht auch auf Grund derselben ein Bild des Bau- oder Kunstwerkes zu entwerfen, welches den gegebenen Bedingungen entsprechend und mit analogen Denkmälern übereinstimmend ist. Freilich war der Verfasser in der beneidenswerthen Lage, eine Chronik zur Seite zu haben, die im XII. Jahrhundert begonnen und nach dem Jahre 1156 von anderen Autoren bis zum Jahre 1249 fortgeführt worden und über den künstlerischen Schmuck nicht, wie gewöhnlich, gar zu wortkarg ist. Für das Gesammtbild der 983 von Bischof Gebhard gegründeten Kirche nimmt der Verfasser aus den vorhandenen Beispielen gleichzeitiger Anlagen und aus der zwar von einer späten, im Resultat aber sonst gegründeten Quelle genannten Ähnlichkeit mit der St. Petersbasilika zu Rom die Züge, um jenes bedeutende Bauwerk zu vergegenwärtigen. Für den Brunnen in der Krypta dürfte Mone's Bemerkung im VIII. Band, Seite 424 der Zeitschrift für den Oberrhein zu einer genaueren Untersuchung Anlass und die Kathedralen von York und Winchester, sowie die Gruftkirche zu Rogat in der Auvergne mit einer Quelle im Seitenschiffe analoge Beispiele geboten haben. Diese Punkte müssen zur Sprache gebracht werden, wenn sie überhaupt erledigt werden sollen. Für die Ausstattung der Kirche, insbesonders den Altarbau und das Grabmal Gebhard's unterlässt der Verfasser nicht, auf all' die Einzelheiten einzugehen, die für das Verständniss nothwendig sind und es gelingt ihm, durch diese Sorgfalt das Ganze nicht nur anschaulich, sondern auch möglichst correct darzustellen. Die Anwendung von Gyps bei diesem Denkmale möchte mit der blossen Hinweisung auf Schnaase Nr. 518 für den Forscher keineswegs genügend erläutert sein und für die sieben Leuchter kann ganz im Zusammenhange mit der übrigen Darstellung auf die im V. und VI. Ordo Roman. bei Mabillon (Mus. Ital. II) von Akolythen getragenen sieben Leuchter mit Erfolg als Erklärung aufmerksam gemacht werden, da diese Ordines noch dem XI. Jahrhundert angehören und gewiss nicht auf Rom beschränkt blieben, ausserdem speciell die bischöfliche Missa geschildert ist. Ob diese Zahl in den apokalyptischen Leuchtern begründet ist, mag dahin gestellt bleiben, unwahrscheinlich ist es nicht, denn das Mosaikgemälde von St. Maria transtiberina zeigt sie zu beiden Seiten des Kreuzes am Triumphbogen, freilich späteren Ursprungs, dessgleichen eines der Wandgemälde in der Heiligkreuzcapelle auf Karlstein bei Prag, zu beiden Seiten des Thrones Gottes — Werke des XIV. Jahrhunderts. Der Bericht über die 1134 vorgenommene Erhebung des Sarges, also 138 Jahre nach dem Tode Gebhard's, ist von grossem Interesse und ergänzt die Vorstellung über die Grabesanlage. Nicht unwichtig ist die Notiz, dass Gebhard nicht blos für den Chor, sondern auch für die Vorhalle der Kirche einen silbernen Kronleuchter angeordnet habe. Die Überlassung kostbarer Geräthe an Kaiser Heinrich für dessen Dom zu Bamberg, worüber der Chronist sehr ungehalten ist, kann einen Fingerzeig geben, aus welchen Anlässen schon in früher Zeit Kirchenschätze nach andern Orten gebracht wurden — ein Punkt, dem mehr Aufmerksamkeit gewidmet werden sollte. Wenn in der Anmerkung 62 für Reliquiarium das Wort rota des Chronisten beanstandet wird, so kann ich das nicht begreifen. Die berühmte rotula von Kremsmünster konnte genügend dafür sprechen. Ob das Reliquiarium des Petershauser Chronisten ganz dem kostbaren Denkmal in Kremsmünster conform gewesen, lässt sich natürlich nicht entscheiden: aber hier die Bezeichnung rota ohne Denkmal, dort das Denkmal in der bezeichneten Form, dürfte denn doch eine annähernde Vermuthung für die Gestalt des fraglichen Behälters von Reliquien des heil. Gregor begründen können. So gut für kleinere Reliquien-Behälter die Radform beliebt war, wie das im III. Jahrbuch der k. k. Central-Commission Seite 112 abgebildete Medaillon aus dem Graner-Domschatz unter Andern beweist, ebenso konnte für das Hauptgefäss die runde Form angewendet werden. Ich halte die Stelle des Petershauser-Chronisten für einen nicht gering zu schätzenden Beitrag zur Erklärung des schönen Denkmals in Kremsmünster und wegen der Wichtigkeit des letzteren habe ich mir diese Ausführlichkeit gestattet. Mit genannter Monographie ist für die Baugeschichte eines bedeutenden Klosters Süddeutschlands Wesentliches geleistet. Schon früher hat die berühmte Reichsabtei auf Reichenau eine urkundliche Beschreibung durch Fr. C. Staiger erfahren, wobei auf die Petershauser-Kirche, insbesonders den Altarbau derselben eingehend Bezug genommen wird. Auch dieser Arbeit muss man Sachkunde, Fleiss und Genauigkeit nachrühmen. Freilich brachte die erweiterte Aufgabe, nicht blos die Kirche und Klosteranlage, sondern auch die anderweitigen Gebäude und die Geschichte der Insel selbst zu behandeln, eine für das speciell Kunstgeschichtliche kürzere Bearbeitung mit sich, als die Absicht und Fähigkeit des Verfassers gestatteten. Einen interessanten Nachtrag bildet die vom literarischen Verein zu Stuttgart 1866, B. 84 herausgegebene Chronik der Reichenau — so dass der Vorzeit dieser einflussreichen Insel hinlängliche Aufmerksamkeit gewidmet ist. Der Werth solcher Monographien ist um so grösser, je mehr, wie in diesen Fällen, auf das Archäologische mittelalterlicher Denkmäler Bezug genommen und thunlichst die örtlichen Legenden und Überlieferungen berücksichtigt sind. Möchten doch bald zu diesen Schriften einige Abbildungen erscheinen, besonders von Denkmälern grösserer Bedeutung. An die Publication von Karl Zell hat Professor C. P. Bock in Freiburg einen Aufsatz gereiht über die bildlichen Darstellungen der Himmelfahrt Christi vom VI. bis zum XII. Jahrhundert — ein werthvoller Beitrag zur christlichen Ikonographie. Der Verfasser zieht sowohl die literarischen als die künstlerischen Denkmäler in Betracht, um das Thema gründlich zu behandeln. Die aus der orientalischen Kirche beigebrachten Belege sind im hohen Grade interessant, wie auch die Zusammenstellung der bezüglichen Denkmäler. Doch scheint mir der Verfasser zu rasch, diese altbyzantinischen Darstellungen für die auch im Abendlande giltigen Vorbilder oder Muster zu erklären, denn die damit in Übereinstimmung erscheinenden Beispiele fallen in eine verhältnissmässig späte Zeit, nämlich in's IX. und X. Jahrhundert und würden auch, falls sie der früheren Zeit angehörten, immer noch eine für die ost- und weströmische Welt gemeinsame ältere Grundlage vorauszusetzen gestatten. Auf eine solche deuten die angeführten Darstellungen, wozu auch die von Ramboux publicirte Himmelfahrt des Herrn aus dem Trier'schen Evangeliarium zu rechnen ist, vor Allem aber das im königlichen National-Museum zu München befindliche Elfenbein-Relief, dem der Verfasser im Nachtrag eine specielle Erörterung widmet. Dieses von mir in den Mittheilungen 1862, Aprilheft, eingehend untersuchte Relief offenbart durchaus Originalität, verräth in keinem Zuge einen schon vorhandenen Typus für diesen Gegenstand der Darstellung und hält sich lediglich an die Worte der heil. Schrift, wo der Apostel Petrus (Act. II. 33) sagt: „nachdem Christus durch die Rechte Gottes (dextera Dei exaltatus) erhöht worden . . .“ und lässt im Anschlusse an das apostolische Symbolum die Himmelfahrt auf die Auferstehung folgen, beide in Einem Bilde vereinend. Was der Verfasser gegen diese Auffassung, die ich umständlich in genanntem Aufsatze begründete und der sich Professor Sepp angeschlossen hat, einwendet, vielmehr eine andere Verbindung geltend macht, verstehe ich nicht. Das in Anspruch genommene Beispiel von Hildesheim gehört nicht hierher und ist auch nicht abzusehen, was diese vom Verfasser gegen Kratz richtig erklärte Darstellung mit genannter Combination zu thun haben soll. Die Auferstehungsscene, vielmehr die Erscheinung des Auferstandenen vor Magdalena (noli me tangere) ist auf der Hildesheimer Thüre so zweifellos dargestellt, dass Niemanden einfallen wird, hier dem Verfasser zu widersprechen. Das Münchener Elfenbein-Relief hat aber damit gar nichts zu schaffen. Die Auferstehungsscene selbst ist daselbst gar nicht dargestellt. Der Engel verkündet den drei Frauen die Botschaft. Die dextera Dei erhöht dann im Hintergrunde den Heiland in den Himmel und die beiden erstaunten Jünger sind Zeugen dieses Hinganges des Herrn. Was hätten diese bei der Auferstehungsscene für einen Sinn? da bei der Grabcapelle die Soldaten zweifellos bezeichnet sind, so können diese beiden Gestalten nicht wieder die Soldaten sein — denn nur diese können bei der Auferstehungsscene figuriren, und was soll der Berg, von welchem der Herr emporsteigt — kurz ich finde gar keinen Grund, von meiner ersten Erklärung abzustehen, wohl aber viele Gründe, bei ihr zu beharren. Hierin können die Analoga des Verfassers nicht Platz greifen. Wenn und weil aber hier die Himmelfahrt des Herrn dargestellt ist, eine so ganz originale, vor aller Fixirung eines Typus des bezüglichen Gegenstandes gearbeitete Darstellung sonst nicht bekannt und die Entstehungszeit jedenfalls eine frühere ist, als die aller bekannten Denkmäler dieses Betreffes — so muss die Geschichte dieser ikonographischen Einzelscene mit diesem Denkmal eröffnet werden, das nahezu streng an den Worten der heiligen Schrift und des apostolischen Symbolums hält und nichts mit der Scene in Zusammenhang bringt, was biblisch nicht in solcher gewesen. Das Auftreten der Mutter des Herrn bei den byzantinischen Darstellungen dieser Scenen findet sich hier nicht und statt der Gesammtzahl der Apostel figuriren blos zwei — was wiederum die Originalität der Erfindung und ihr Alter bekundet. Letzteres, weil es sich sonst nirgends wieder findet, die Apostel durch zwei Vertreter zu vergegenwärtigen und ein ausgebildeter Typus der Darstellung mit solcher Auffassungsweise des Gegenstandes niemals in Einklang zu bringen ist. Vielleicht gelingt es, das Mittelglied zwischen dieser frühesten und späteren Darstellung aufzufinden. Die schöne Elfenbein-Arbeit aus dem Kloster Gandersheim, jetzt zu Coburg (Heideloff's Ornamentik. 22. 1) enthält diese Scene in soferne ähnlich dem Bildchen des Trier'schen Evangeliariums, als zu den Gruppen der Apostel mit Maria —

deren Namen beigeschrieben — zwei Engel sprechen, hingegen zwei andere, die Mandorla mit Christus anfassend dazugefügt sind. Die Triersche Darstellung harmonirt also mit der vom Verfasser erwähnten Äusserung des Papstes Gregor I., während das Relief von Gandersheim durch die Engel bei der Mandorla an die byzantinische Auffassung erinnert. Damit stimmen die Prager-Miniaturen (Wocel in den Mittheilungen 1860. Jänner - Februar - Heft) merkwürdig überein, indem zwar zu beiden Seiten des vom Berge an der Hand Gottes emporsteigenden Erlösers ein Engel, aber nicht in der Eigenschaft als Träger des Herrn, erscheint und der Berg deutlich angegeben ist. Diese Art von Verbindung des byzantinischen und wie es scheint alten abendländischen Typus nimmt man auch an einem interessanten kupfernen Reliquien-Kästchen oblonger Gestalt im National-Museum zu München wahr, auf dessen Deckel in getrennter Anordnung die drei Frauen beim Grabe Christi, vor welchem der Engel mit dem Kreuzstab sitzt und auf der anderen Deckel-Seite Christus in der Mandorla mit dem Kreuzstab, je zwei Engel zur Seite dargestellt sind. Dies noch dem XI. Jahrhundert angehörige Kästchen enthält also beide Scenen in gleicher Folge, wie die Bamberger-Elfenbeintafel im National-Museum und ein in der königlichen Hofbibliothek befindlicher Elfenbein-Buchdeckel eines Freisinger-Codex derselben frühromanischen Periode, wo aber die vier Engel nicht wie auf dem genannten Reliquien-Kästchen in gleicher Linie nebeneinander, sondern an der oberen und unteren Partie der Mandorla angeordnet sind. Zugleich sieht man in jenem Beispiele, wie einfach die Himmelfahrtsscene in die sogenannte Majestas übergehen konnte. Endlich ist die seit dem XIII. Jahrhundert übliche Darstellung der Himmelfahrt, wobei der Hügel von den Jüngern umgeben die Mitte bildet und die beiden Fussspuren deutlich angegeben sind, während von Christus gewöhnlich nur die Füsse noch sichtbar geblieben, in den genannten Vorbildern schon längst enthalten. So um nur ein Paar Beispiele anzuführen, haben die Wiltener-Patene[1], die biblia pauperum zu St. Florian[2] und Miniaturen im genannten National-Museum des XIV. Jahrhunderts diese Auffassungsweise, welche man bis im hohen Norden angewendet sieht, wie die von Mandelgren herausgegebenen Wandgemälde zu Rada in Schweden pl. 14 hinlänglich beweisen, wobei Christus in ganzer Gestalt sichtbar ist. Es fällt auf, dass diese Bezugnahme auf die Fussspuren des Herrn erst so spät in der bildlichen Vorführung der Himmelfahrt entgegentritt, da die literarischen Denkmäler derselben schon im V. Jahrhundert gedenken. Eine Erklärung dieser Erscheinung hoffe ich bald geben zu können. Jedenfalls dürfte die Darstellung unseres Gegenstandes auf dem elfenbeinernen Weihwassergefäss zu Aachen das früheste Beispiel dieser zuletzt bezeichneten Auffassung sein, insoferne das angedeutete Rund mit den Aposteln ohne Zweifel mit der beregten Überlieferung aus dem V. Jahrhundert zusammenhängt. Die Grenzlinie zwischen byzantinischer und abendländischer Auffassung scheint mir noch nicht exact genug gezogen und die für bezügliche Monumente daraus abgeleiteten Kriterien noch nicht sicher. So möchte ich das Petershauser Portal-Relief keineswegs schon sicher dem byzantinischen Typus vindiciren, eben darum nicht, weil die abendländische Entwicklungs-Reihe noch nicht klar ist. Jedenfalls wird dieser vom Verfasser eingehaltene Weg zum Ziele führen. Im Anhang bringt derselbe für das Elfenbein - Relief mit der Heiliggrabcapelle im bayrischen National-Museum, in wieferne daselbst wirklich ein Abbild der constantinischen Grabcapelle gegeben ist, wie ich in beregter Abhandlung zu erweisen gesucht, eine Stelle aus Sophronii Anacreontica im Spicileg. Roman. tom. 4. pag. 113 ff. bei, welche die **Würfelform** dieser Capelle ausser Zweifel zu setzen scheint. Sophronios sehnt sich nach Jerusalem zurück und indem er im Geiste die Auferstehungskirche d. h. die Heiliggrab**kirche** betritt, sieht er wieder die darin (in der Grabkirche) erbaute Heiliggrabcapelle und gelangt dann zum Grabe des Herrn. Statt Capelle nennt er das in der Kirche befindliche kleine Gebäude den heiligen Cubus, offenbar nach der Form desselben. Ich muss gestehen, dass die Deutlichkeit solcher Beschreibung ohnegleichen in der respectiven Literatur ist und man ohne irgend einen Zwang blos an diese Capelle, deren heiligste Stätte, das Grab, gleich darauf begrüsst wird, denken kann. Der vor dem Grab ehedem befindliche Stein wird von Cyrillus um das Jahr 347 und bald darauf von Hieronymus erwähnt, aber die Würfelform desselben nicht bemerkt — immerhin könnte der dichterische Ausdruck des Sophronios sich darauf beziehen. Der Stein war viereckig und kann als Cubus bezeichnet sein. Gerade **vor** dem Bau des Modestus, welcher Zeit obige Schilderung des Sophronios angehört, lag dieser Stein **vor** der Capelle heraus und wurde mit grosser Verehrung von Paula geküsst. Da Sophronios kurz zuvor den Boden der Kirche im Geiste küsst und dann den heiligen Cubus nennt, den er wieder sieht, so dürfte bei der grossen Bedeutung dieses Steines in den Augen der Pilger obige Bezeichnung nicht der Capelle, sondern diesem Steine gelten. Eben wegen der unerhörten Bezeichnung oder Schilderung, die Jeden überraschen muss, der mit der Literatur dieser Gegenstände vertraut ist, kann ich mich nicht entschliessen, dabei blos an die Capelle zu denken, sondern ich bin überzeugt, dass der heilige Stein, den Paula und andere Pilger schon im IV. Jahrhundert geküsst, vor der Heiliggrabcapelle gemeint ist. Der in den nächsten Versen erwähnte Fels bezieht sich auf das Grab des Herrn, das der Dichter verehrend küsst, wie er bald darauf den Fels verehrt, wo das Kreuz aufgerichtet war. Ich weiss dass ich durch diese Argumentation für meine eigene früher vorgetragene Ansicht von der Beschaffenheit dieser Capelle ein Beweismittel entscheidender Art verliere, allein ich kann es mit der wissenschaftlichen Gewissenhaftigkeit nicht vereinen, mich eines solchen Beweismittels zu bedienen. Ich bin überzeugt, dass der Verfasser meinen Bedenken beipflichten wird. Immerhin bleibt die Auffindung der Stelle ein grosses Verdienst für die bezügliche Sache und kann zur endlichen Entscheidung dieser Angelegenheit führen. Für zweifellos halte ich meine Ansicht keineswegs und ich will nicht verhehlen, dass der Sänger vielleicht gar an eine Art von Ciborium mit 8 Säulen, die er dann als die heilige Acht (den ersten Cubus) analog den Platonikern, die den heiligen Cubus längst kannten, bezeichnen mochte, gedacht hat. Die fragmentarische Schlusszeile lässt

[1] Dr. Weiss, Jahrbuch der k. k. Central-Commission, IV. 1860.
[2] Herausgegeben von Camesina und G. Heider.

derartiges vermuthen und die Nennung des Bema in den folgenden Versen, dürfte um so eher auf obige Vermuthung führen, da der eigentliche Altarbau der grossen Auferstehungs-Kirche gesondert von der Auferstehungs-Capelle anzunehmen ist und sich in nächster Nähe derselben befinden musste. Dieser mit einem solchen Ciborium ausgestattete Altarbau als grossartiger Abschluss des Constantinischen Bauwerkes mag in der Phantasie des Dichters die genannte Bezeichnung gefunden haben. In meinen Untersuchungen über die Crypta und den Altar in den Mittheilungen der Central-Commission 1861 habe ich davon ausführlicher gehandelt, wie beschaffen in dieser Kirche die Anlage des Altares gewesen sein mochte. Ich stelle im Zusammenhange damit obige Vermuthung lediglich als solche hin, indem ich darin eher als in der Anspielung auf die Grab-Capelle selbst (als Würfel) den wahrscheinlichen Sinn des Dichters zu erkennen glaube.

Wie in neuester Zeit Alwin Schultz, dem die mittelalterliche Archäologie schon so viele werthvolle urkundliche Beiträge, insbesonders in Betreff der alten Bezeichnungen von Gebändetheilen, über die Doppel-Capellen u. dgl. zu danken hat, von der St. Nikolauskirche zu Brieg die interessanten Baurechnungen im I. Heft der Zeitschrift für Alterthum und Geschichte Schlesiens 1867 nebst Baubeschreibung mittheilt und dabei auch auf die übrigen Kunstdenkmäler Holzsculpturen als Bilder und ehemalige Kirchenschätze, Bezug nimmt, so hat Dr. J. B. Nordhoff in der Zeitschrift für vaterländische Geschichte und Alterthumskunde, 26. Band, Münster (Separatabdruck ebendaselbst bei Friedrich Regensberg 1866) die urkundliche Geschichte des Klosters Liesborn unter dem Titel „die Chronisten des Klosters Liesborn“ zum Gegenstand seiner Forschung genommen und die Kunstgeschichte deutlich zum Mittelpunct der Abhandlung ausersehen in dem nämlichen Bemühen, endlich sichere Daten aufzustellen, welche für die sonst unbestimmbaren Denkmäler derselben Gegend zum Anhaltspuncte dienen sollen. Die vortreffliche Arbeit Lübke's über die Kunst in Westphalen kam dieser Abhandlung sehr zu Statten, die wiederholt darauf verweist.

Es ist in hohem Grade interessant, vom Verfasser in die Mitte einer Kunstblüthe eingeführt zu werden, welche dies einzige Kloster auszeichnete und auf die Fülle von Leistungen schliessen zu können, die in jener Zeit allenthalben zu Tage traten. Vom XIII. bis XVI. Jahrhundert erscheint dies Kloster in jeder Art von Kunstübung hervorragend.

Der Verfasser gibt, so weit es die engen Grenzen des Themas gestatten, von der verschiedenen Thätigkeit in der Kunst ein anschauliches, urkundlich beglaubigtes Bild — dass er gerade der Kunstthätigkeit bei seiner diesen Gegenstand nicht zunächst berührenden Aufgabe solche grosse Aufmerksamkeit geschenkt, darf umsomehr Anerkennung finden, je seltener in solchen Arbeiten ein Verständniss dafür anzutreffen ist. Trotz aller Bemühung, den Namen des Meisters des 1465 aufgestellten und geweihten Altar-Werkes ausfindig zu machen[2], fand sich lediglich eine Rechnung für Farben vom Jahre 1468, die jedoch den Maler nicht nennt. Wichtig ist die Bemerkung über Miniaturen des ersten Viertels des XV. Jahrhunderts, insoferne die Maler derselben diesen Zweig aus Holland mitgebracht und das im Jahre 1425 gefertigte Passionsbild zu Nienberg mit den Evangelisten-Symbolen auf quadrirtem Grunde mit den Passionsbildern des berühmten Liesborner Meisters eine schlagende Ähnlichkeit hat — hier also ein in niederländischer Weise gearbeitetes Miniaturbild, das Vorbild für die Tafelgemälde both. Den Zusammenhang der Schulen, insbesonders mit der niederländischen Hauptschule urkundlich zu sichern, gehört noch immer zu den ins Auge zu fassenden wichtigen Aufgaben der Geschichte der deutschen Malerei. Der Verfasser, dem die Aufdeckung von Wandgemälden im Langhause der Klosterkirche zu danken ist, berücksichtigt diesen Punkt mit gleicher Sorgfalt, wie es Lübke gethan und führt die Altarbilder zu Sünninghausen, Altlühnen und an anderen Orten auf die Lisbornerschule zurück. Von dem unlängst durch Pastor Didon entdeckten grösseren Passionsbild zu Lippborg wird der Zusammenhang mit dem erwähnten Altarbilde von Altlünen auf Grund des übereinstimmenden Monogrammes wahrscheinlich gemacht. Die Vorsicht der Argumentation des Verfassers berechtigt zu der Erwartung, dass künftige Arbeiten desselben im eigentlich kunsthistorischen und archäologischen Gebiete der Wissenschaft förderlich und dauernden Werthes sein werden.

Dr. J. A. Messmer.

[2] Diese Altartafelgemälde kamen später theilweise in Besitz des H. Krüger zu Münster und sind unter den Namen der Arbeiten des Liesborner Meisters bekannt. Andere Stücke befinden sich in der Nationalgallerie zu London, wo sie aber laut Katalog dieser Sammlung keineswegs ihrer Bedeutung nach gehörig gewürdigt sind.

Die römische Wasserleitung aus der Eifel nach Cöln.

Von L. A. Eick. Bonn 1867. Max Cohen und Sohn. 8., S. 187, mit einer Karte.

Der Verfasser behandelt seinen Gegenstand mit grosser Liebe und Genauigkeit und bringt dazu theils eigene Untersuchungen an Ort und Stelle, theils kritisch geläuterte Quellenstudien mit. Nach Mittheilung der ältesten Nachrichten über den Canal wird der Ursprung und Lauf desselben einer detaillirten Beschreibung unterzogen; sodann werden Material, Bauart und Grössenverhältnisse, ferner die Bestimmung und das wahrscheinliche Alter, dann die Sinterbildung und zuletzt die Fallverhältnisse und Längenmasse der Wasserleitung erörtert.

Was die Bauart betrifft, so gehört dieser Canal zu den gemauerten Wasserleitungen und bestehen Anfang und Ende desselben in den Seitenwänden ganz aus Gusswerk, der mittlere Theil (von Eisenfey bis Belgika) aber ist aus schönem Grauwackenschiefer aufgeführt. Dagegen ist die Sohle allerorts aus Guss dargestellt, die Wölbung überall gemauert. Der Guss besteht aus wasserdichtem Mörtel, mit kleinen Quarzgeschieben und zerschlagenen Kalksteinen vermengt, und ist diese Gusslage nun noch mit einem röthlichen aus fein gestossenen Ziegelsteinen und Trass bestehenden Überzuge bekleidet, welcher eine Dicke von 2—3 Linien hat.

Beim Ursprunge des Canals misst die Lichtung 20 Zoll, die Höhe der Seitenwände von der Sohle bis zum Anfange der Wölbung 26 Zoll, die Höhe der Wölbung selbst 8 Zoll. Das Maximum der Grössenverhältnisse tritt bei Burgfei ein, und zwar hat daselbst die Lichtung 30 Zoll, die Höhe der Seitenmauern 38 Zoll, die Höhe des Gewölbes 17 Zoll, daher die ganze Höhe von der Sohle bis zur Wölbung 55 Zoll. Das Gewölbe selbst ist im halben Zirkel geschlagen und zeigt sich die Stärke der Seitenmauern mit 18 Zoll, die Dicke des Gewölbes mit 12 Zoll.

Den Beginn des Baues des Eifelcanales schreibt der Verfasser dem Kaiser Trajan zu, welcher in Cöln den Purpur erhielt, die Vollendung desselben dem Kaiser Hadrian, der, wie bekannt, eine ausserordentliche Menge von Wasserleitungen erbaute. Eine Bestärkung in dieser Behauptung findet der Verfasser in den volksthümlichen Ausdrücken „Ader, Aderich, Adersgraven", womit dieser Canal bezeichnet wird. Die gerade Wegeslänge von den Quellen bis zu seinem Bestimmungsorte beträgt 12, die ganze Strecke aber, welche mit Einschluss der vielen Biegungen durchlaufen wird, 17 Meilen, bei welcher Angabe der Verfasser sein Staunen ausspricht, dass ungeachtet der damaligen unvollkommenen Messinstrumente diese Wasserleitung mit kunstgerechtem und regelmässigem Gefälle vier grössere Bäche in den Tiefpunkten der Thäler durchschneidet, vier Scheiderücken übersteigt und ausserdem unter acht kleineren Bächen durchgeführt wird. *L. Sch.*

Das böhmische Cancional von Jungbunzlau.

Das böhmische Cancional (velká kniha chval Božich) zählte ursprünglich 573 Pergamentblätter, seit 1682 aber 552. Eines der fehlenden Blätter — gegenwärtig liegt es in der kaiserlichen Bibliothek in Prag — enthält das officium des Jan Hus.

Dieses Cancional wurde auf Kosten der äusserst mildthätigen Katharina Militka 1571 durch Jan Kantor, Bürger der Neustadt Prag begonnen und im nächsten Jahre beendet.

Das Buch, 25" hoch, 16" breit, ist in starke, mit Schweinsleder überzogene Holzdeckel gebunden. Dieser Einband ist mit Messingbeschlägen geziert und zwar sehen wir auf beiden Deckeln in den Ecken die vier symbolischen Thiergestalten der Evangelisten, in denselben und jedesmal in der Mitte des Deckels sind starke Buckel, auf denen dieser aufruht; ausserdem sind noch die ornamentalen Randbeschläge anzuführen.

Die Blätter, deren Anzahl bereits genannt wurde, sind 23" hoch und 14½" breit und theils mit Signatur versehen, theils mangelt es an solcher.

Der Text und die Noten werden durch Linien eingeschlossen, den letzteren — immer in der Vierzahl — ist immer der Schlüssel vorangesetzt. Der viereckigen Noten gehen fünf auf einen Zoll und sind verschieden colorirt und zwar, wenn der Text mit blauer Farbe geschrieben ist, gold und roth, wo der Text schwarz, blau, und sonst schwarz.

Der Text zeichnet sich durch vorzügliche Diction aus, stammt er ja aus der „goldenen" Periode der böhmischen Literatur und verdient deswegen ungetheilte Beachtung.

Ich gehe nunmehr zu den einzelnen Blättern über.

Auf dem zweiten Blatte lesen wir die Vorrede des Synt z Otterstorfu, geschrieben 1572, in welcher dieser die Gottesfurcht und Mildthätigkeit als des immerwährenden Gedächtnisses von Personen, die selbe ausüben, rühmt. (In Fracturschrift) „Poněwadž pak za panowánj vrozených Pánůw Panůw pana Kundrata, pana Karla a pana Adama, bratujy wlastnych a nedylnych Kragyrzůw z Krayku a na Mladém Boleslawi w poczlu takowych lidy položných a k lidem chudy sstedrych y ochotných nachazj se poctiwa Wdowa Pany Katherzina przimjm Militku Messtka léhož Miesta Mladêha Boleslawio nad Gizerou, kterižto statkem swym a gesslu za swé živnosti s pánem Bohem, to gest s vdy geho na tomto swětě lidmi chudymi zdělowati se gest sledula a gesstu toho neprzestáwá, dawssi na swůj wlastni náklad w tomto mieste sspital wystawieli, aby lidé chudj a núznj w něm swé opatrzenj mjli mohli; niemenie kostel weliký, w niemž se slowem Božým a welebnymi swatostmj-pohluhüge sklenuuti a kruchtami ozdobiti gest dala; anad to waysse y knjhu uto chwal Božych wsse na swuj wlastnj náklad zprawjti a napsati gest poruczela; protož gegj tak hogná a prospessná dobrodinjnemagi w zapomenutj przigjtj at. d." „Syxt z Ottersstorffu 1572."

Auf dem 3. Blatte, die Aufschrift: „ERB. PANOW. KRAGIRZVOW. Z. KRAGKV. A. NA. MLADEM. BOLESLAWI. NAD. GIZERAV."

Das Wappen der Kragiř z. Krajků wird von zwei Engeln gehalten, unter ihm ist die angeführte Inschrift. Vier symbolische Figuren umstehen das Wappen: Pietas, Justitia, Prudentia und Charitas; ausserdem die Zahl: M. D. LXXII. Diese Darstellung nimmt das ganze Blatt ein, der ornamentale Theil erscheint im reinsten Renaissance-Styl.

Blatt 4. Aufschrift: Sanctus Sanct. Im Initial W Gott Vater, ober ihm 7 Lampen, um die vier symbolischen Thiergestalten, am Rande rechts vier Engel mit Musik-Instrumenten.

Am unteren Rande des Blattes die heil. Cäcilia Clavier spielend, dann noch 9 Engelsgestalten musicirend.

Blatt 26. Officium nativitatis. Im Initial H (5" 1''' hoch, 6" breit) von Blumenornamenten umgeben, die Taufe des Herrn.

Am Rande des Blattes rechts: Arabesken.

Am Rande des Blattes unten: links die heil. Katharina, rechts die Stifterin des Buches, die mildthätige Katharina Militka, mit gefalteten Händen vor dem Cruzifixe der Hauptkirche knieend.

Blatt 35 (A x) zweite Seite: Aufschrift: „ERB MIESTA MLADEHO BOLESLAWIE NADGIZERAV." Nämlich der weisse Löwe in blauem Felde. Zur Rechten und Linken des Wappens die Justitia und Concordia; darunter: MDLXXI.

Diese Darstellung nimmt die ganze Blattseite ein.

Blatt 36 (A xj). Im Initial D die Geburt Christi. Die heil. Familie umgeben viele Engel. Am Blattrande unten: Engel verkündigen den Hirten auf dem Felde die frohe Botschaft. Am Blattrande rechts Arabesken (Disteln mit einem Stieglitz) von besonders schöner Zeichnung und sorgfältiger Ausführung.

Blatt C j b. Officium s. Stephani. Initial ohne Figuren, mit ihm steht das Ornament am linken Blattrande in Verbindung. Unterhalb des Textes die Steinigung des heil. Stephan — ohne Werth.

Blatt C x „et in terra". Im Initial: die Flucht nach Egypten. Unterhalb des Textes: die h. drei Könige bringen Opfer dar. Sehr sorgfältig ausgeführt. In den Arabesken am Blattrande drei Wappenschilder. Monogramm: [illegible].

Blatt CXIX. Officium s. Pauli. Initial W in Verbindung mit Arabesken am Blattrande rechts, unterhalb des Textes: Bekehrung Sauli — ohne Werth.

Blatt D. v b. Initial P, Arabesken am linken Blattrande, unterhalb des Textes: Opferung Mariä — ohne Werth.

Blatt x vij. Officium resur. Initial, rechter Hand Arabesken. Unter dem Texte: die drei Frauen gehen zum Grabe. — Ohne Werth.

Blatt k viij. Initial 7½" hoch und ebenso breit, schliesst die Auferstehung des Herrn ein. Das Ornament zur Rechten am Blattrande hervorragend durch Zeichnung und Ausführung; dafür unter dem Texte: die Geschichte des Jonas — ohne Werth.

(Auf der Seite vor dem Wappen und Inschrift: Martin Kaspensky z Ragowa 1572.)

Blatt n xi. Himmelfahrt Christi im Initial M. Rechts am Blattrande Arabesken, in der Mitte derselben: der weisse Löwe im rothen Wappenschilde. Unter dem Texte: Elias fährt zum Himmel.

Blatt vij. Officium S. Spir. Initial D: Sendung des heiligen Geistes.

Unter dem Texte: Gesetzgebung auf dem Berge Sinai. Rechts am Blattrande: Arabesken (Schoten), in der Mitte: Wappenschild mit einem Handwerkerzeichen.

Blatt p xij. Officium S. S. Trinit. Initial P schliesst die Darstellung S. S. Trinitatis ein. Unter dem Texte zwei Darstellungen, durch einen Goldrand getrennt; rechts: die 3 Engel vor Abraham (dessen Kopf gut gezeichnet ist); links: Jesus unter den Schriftgelehrten im Tempel (eine gothische Kirche mit Taufbrunnen!). Am Blattrande rechts Arabesken (Rosen) mit Wappenschildern, auf denen Handwerkerzeichen zu sehen sind.

Blatt q vij. Officium o tiele a krwi Páně. Im Initial D das Abendmahl des Herrn, 7" hoch und ebenso breit, besonders nennenswerth.

Unter dem Texte ist eine höchst interessante Darstellung: die Communion unter beiderlei Gestalten. Die nach den Geschlechtern abgesonderten Communicanten sind in der Tracht ihrer Zeit abgebildet, das Bild, 10" lang, 5½" hoch, ist gleich dem im Initial sehr sorgfältig ausgeführt.

Am Blattrande rechts steht ein Ornament, in dessen Mitte das Wappen der Schneiderzunft.

Blatt r xj. Initial P, am Blattrande zur Rechten und unter dem Texte Arabesken, in diesen das Wappen der Tuchscheererzunft, dann Thiergestalten: ein Affe, Fuchs, Hahn und Henne.

Blatt s. ss. j. Viti. Officium Initial R, am Blattrande rechts Arabesken, unter dem Texte: das Lamm Gottes mit dem Fähnlein in blauem Felde. Darüber: „W. P. K. 1572."

Blatt ss. ij. Officium s. Joannis Bapt. Initial Z. Am Blattrande rechts Arabesken mit einem Wappenschild. Unter dem Texte: Johannes predigt in der Wüste, eigenthümlich in der Darstellung, ohne weiteren Werth.

Blatt ss. xiiij. Officium s. Petri et Pauli. Initial R, am Blattrande rechts Arabesken mit dem Glockengiesserwappen in blauem Schilde. Unter dem Texte: Christus übergibt dem Petrus, der vor einem Tische auf einem Stuhle ohne Lehne sitzt, einen Schlüssel. Die Christusfigur ist 3" hoch, der Schlüssel aber 1' 3" lang.

Blatt XIX. Initial R; ohne figurale Ausschmückung.

Blatt t. iiij. zweite Seite: Bild 8" hoch, 6½" breit. Jan Kantor, Bürger der Neustadt Prag, kniet mit einem Buche in der Hand vor dem Gekreuzigten, zu welchem er seine Augen gewendet hat.

Oben in eine Tafel eingeschlossen: „Delicta iuventutis meæ, et ignorantias meas ne memineris domine: Jan Kantor, anno ætatis — 46: —"

Im Winkel zur Linken ist ein A bemerkbar.

Dieses Bild ist mit besonderer Sorgfalt gemalt, namentlich sind die Köpfe vorzüglich gehalten. Eben diese Umstände rechtfertigen wohl die Behauptung, dass Kantor als Porträt angesehen werden kann.

Blatt xvj. Officium s. Mariae Mag. Initial R.

Blatt W xiij. Unter dem Texte die Verklärung Christi, in dem Initial N das Wappen der Bogenschützen.

Blatt xx. Initial P; rechts schöne Arabesken, in denselben das Wappen der Mälzer. Unter dem Texte: S. Laurentius — zugleich die beste Figur dieses Bildes — auf dem Roste.

Blatt xvij. Initial A, rechts Arabesken mit dem Wappenschilde der Hufschmiede. Unter dem Texte: Verkündigung Mariä. Dieses Bild ist von keinem Kunstwerthe.

Blatt xvij. Initial O mit dem schlafenden Jakob, vor dem auf einer Leiter Engel auf- und niedersteigen. Unter dem Texte das Bild: Jakob pilgert in den Tempel. Dieser Tempel ist hier als gothische Kirche dargestellt; zur Linken in der Landschaft ein Wirthshaus mit Zechern.

Blatt y x. Initial R mit Arabesken, obenauf sitzt ein Rabe.

Blatt Z j. Initial C, links Arabesken, unter dem Texte: der Kampf mit den Teufeln, mitunter höchst eigenthümliche Gestalten.

Blatt Z XII. Officium Sanctorum. Initial R, rechts am Blattrande Arabesken, unter dem Texte die Martern der Heiligen: sechs Gestalten sind von dürren Baumästen durchstochen und bluten reichlich aus vielen Wunden, eine siebente Gestalt fliegt links über einen Felsen herab, drei Henker sehen von dem Rande der Vertiefung herab. Dieses Bild ist sehr fleissig ausgeführt.

Blatt aa iiij. Officium de s. Apost. Initial A, rechts am Blattrande Arabesken. Unter dem Texte: Apostel nach verschiedenen Städten wandelnd. Die Köpfe derselben sind meist verzeichnet.

Blatt c c ij. mit folgender Schrift: „Dokonána gest tato Kniha Chwal Bržských we Čztwrtek po přneseni Swatého Wáclawa. Leta od Narozeni Syna Božiho Tisycyho, Pietistého, Sedmdesatého druhého, Skrze Jana Kantora Starýho Miesstienina w nowém Miestie Pražském."

Auf dem Deckel ist eine Anmerkung des ehemaligen Kirchendieners Anton Horaček aus dem Jahre 1802, welche sich auf die Anzahl Blätter bezieht; desgleichen wurde auch schon 1682 dieselbe von unbekannter Hand adnotirt.

Dieses Kanzional ist unter den bisher bekannten in Böhmen dem Kunstwerthe nach in die zweite Reihe zu setzen, nimmt aber diesen Platz vollkommen ein.

Die lebensfrische, oft übersprudelnde Thatkraft des XVI. Jahrhunderts spiegelt sich in jedem Striche wieder; das Selbstbewusstsein des phantasiereichen Künstlers verband sich mit, im Ganzen genommen, sorgfältiger Behandlung des entworfenen Bildes. Die minder künstlerisch-werthvollen, ja ich möchte sagen, schleuderhaft behandelten Bilder, zumeist unter dem Texte, sind offenbar nicht von Kantor's Hand. Schon die Wappen der verschiedenen Zünfte sind ein Fingerzeig, dass nicht alle Bilder auch mit derselben Entlohnung bedacht worden sein mögen; und schliesslich beweisen die aufgestellte Behauptung verschiedene Buchstabenzüge.

Die schönsten — wie die grossen Wappen, die Anbetung, der Johanniskopf (Nat. Dom.), Militka, das Bild an Nat. Dom., und Kantor — sind alle von einer Hand. Zeichnung und Farbenbehandlung bestätigen es und reihen sich den besten dieser Art Gemälde würdig an. Nun habe ich nur noch der Arabesken zu gedenken. Diese bilden je nach einem Blatte insofern ein abgeschlossenes Ganze, als sie einen gewissen Typus an sich tragen, den eine gewisse Art von Pflanzen mit sich bringt. So zeigt ein Blatt Rosen, ein anderes Erdbeeren, ein drittes Schoten u. s. w.; das Distelornament mit dem Stieglitz steht allen an Zeichnung und Farbenpracht voran.

Worsaae J. J. A. und C. F. Herbst, „Kongegravene i Ringsted Kirke aabnede, istandsatte og daekkede med nye mindestene ved Hans Maiestaet Kong Frederik den Syvende". Kioebenhavn. Fol.

Obwohl dieses Werk schon vor einigen Jahren erschien, kam es uns, wie das leider häufig genug bei Schriften aus dem Norden Europa's geschieht, erst sehr spät zu; da es aber die Beschreibung einer der vorzüglichsten älteren Kirchen Dänemarks enthält, können wir doch nicht umhin, dasselbe in Kürze zu erwähnen. Der Text beginnt mit einer Geschichte des Baues der älteren Kirche, und der Gründung derselben, die in das XI. Jahrhundert fällt, geht dann auf die Bauzeit zwischen Knud Lavard's und Valdemar's des Grossen Thronbesteigung über, bespricht den Umbau der Kirche im XII. Jahrhundert und führt den Leser an die dortigen Königsgräber, deren ältestes das des Herzogs Knud ist. Einzeln beschrieben werden die Denkmale von C. F. Herbst, und zwar nach dem eben genannten die Gräber des Königs Knud, des Königs Valdemar I., der Fürstin Sophia, des Herzogs Christoph, des Königs Waldemar II., der Fürstin Berengarde, der Fürstin Dagmar, der Herzoge Knud von Lalland und Erik von Halland, des Königs Valdemar III., der Fürstin Eleonore u. a. m. Dem schön gedruckten Buche sind neun Holzschnitte im Text und siebzehn Kupfertafeln beigegeben, welche die Aussenseite und das Innere, nebst dem Plan und mehreren architektonischen Einzelnheiten der Ringsted-Kirche darstellen. Die folgenden Blätter zeigen die höchst primitiven Steingräber mit einigen Inschriften derselben und endlich sind auch, in craniologischer Beziehung, die in den Gräbern aufgefundenen Schädel abgebildet. Die Aufdeckung dieser Gräber fand vom 4. bis 6. September 1855 in Gegenwart König Friedrich des Siebenten statt, welcher Fürst nicht nur ein grosser Freund, sondern auch ein tüchtiger Fachmann der Alterthumskunde war. *P.*

Notiz.

Der „Alterthums-Verein" zu Wien veranstaltet für den bevorstehenden Winter gleichwie in den abgelaufenen Jahren, für seine Mitglieder eine Reihe von Abendversammlungen. Vorläufig wurden fünf solche Versammlungen, je eine für jeden Monat festgestellt und sind zahlreiche Zusagen von Seite vieler Fachmänner und Kunstfreunde hinsichtlich zu haltender Vorträge und wegen Herbeischaffung von Ausstellungs-Gegenständen gegeben worden. So löblich dieses Bestreben des Vereins-Ausschusses auch sei und so sicher man damit den Wünschen der Mehrzahl der Vereinsmitglieder entsprechen mag, so dürfte doch gewiss der Wunsch nicht überflüssig sein, dass man bei diesen Abendversammlungen in Zukunft nicht so ängstlich an der Form von zu haltenden Vorträgen bleibe, sondern dass vielmehr der ungezwungene Ton der Conversation Platz greife, dass nur mit kurzen Worten der ausgestellte Gegenstand erörtert und damit die Discussion über derlei Objecte eingeleitet werde. Ohne dass dadurch der gelehrte, gleichsam von dem Katheder herab gehaltene Vortrag gänzlich ausgeschlossen werde, würde damit eine gewisse Ungezwungenheit hervorgerufen werden, die sicherlich dem Zwecke der Abendversammlungen nur förderlich wäre.

An dem ersten Abend hat Architekt H. Petschnigg über Restauration mittelalterlicher Kirchenbauten" mit besonderer Rücksicht auf die ihm übertragene Restauration der Heiligen-Blut-Kirche zu Graz gesprochen. Zur Ausstellung gelangte ein ganz vorzügliches Kehlheimer-Steinrelief (vorstellend das Porträt der Barbara Blumbergerin) aus der ersten Hälfte des sechzehnten Jahrhunderts. Über dieses Kunstwerk ersten Ranges, Eigenthum des H. Gsell, sprach Freih. v. Sacken einige erläuternde Worte.

Beiträge zum Studium mittelalterlicher Plastik in Nieder-Österreich.

Von A. Ritter v. Perger.

(Mit 2 Tafeln.)

An einem jener Abende, welche der Wiener Alterthums-Verein wissenschaftlichen Vorträgen widmet — es war der 3. März 1866, wurden von dem Custos der k. k. Hofbibliothek Reg. Rath Ernst Birk die Grabmonumente mehrerer Mitglieder des österreichischen Kaiserhauses besprochen, unter welchen Denkmalen jenes des Kaisers Friedrich III. in der St. Stephanskirche zu Wien und das seiner Gemahlin Leonore von Portugal in der Neuklosterkirche zu Wiener Neustadt in künstlerischer Beziehung ganz besonders hervorragen und welche für die Kunstgeschichte um so bedeutender sind, als man, was bei anderen Monumenten so selten ist, den Meister kennt der sie schuf. Es war Nicolaus Lerch, der auch einen Grabstein für sich selbst meisselte, auf welchen er die grösste seiner Arbeiten, nämlich das oben erwähnte Denkmal Friedrich III. abbildete. Dass dieser wichtige Grabstein schon seit Jahren vergeblich gesucht wird, ist leider bekannt genug.

Da sich nun im Stifte Rein in Steiermark das Grabmal des Herzogs Ernst, des Vaters Kaiser Friedrich III. befindet, lag die Vermuthung nahe, dass auch dieses Denkmal von der Hand des Nicolaus Lerch herrühren dürfte, welches in Hergott's Taphographia Principum Austriae Pars posterior (Tab. XXI) abgebildet ist, aber freilich so mittelmässig, dass sich daraus weder der Styl noch die Hand irgend eines Meisters erkennen lässt. Es war also, um über jene Frage zu einer bestimmten Überzeugung zu gelangen, unbedingt nothwendig eine Reise nach Rein zu machen, welche Custos Birk und ich alsbald unternahmen, trotz dem dass die Witterung keineswegs freundlich war, indem der winterliche Schnee noch bis tief in die Thäler herab reichte und der eisige Nord finstere Nebel vor sich her jagte und die Nadelforste schüttelte.

Die Cistercienser Abtei Rein liegt in einem anmuthigen Thal, welches von waldigen Bergen geschützt wird. Dieses Thal war schon in frühester Zeit bekannt, denn die Römer wanderten durch dasselbe auf Saumwegen zu den Höhen der Kleinalpe an der Kette der cetischen Berge und noch heute erinnern vier römische Steine, von denen der eine die Brustbilder eines Mannes und einer Frau zeigt, der zweite den Genius des Todes mit der gesenkten Fackel vorstellt, und die beiden übrigen zwei in die Toga gehüllte Gestalten tragen, an jene Tage, in welchen die Quiriten gewissermassen die Beherrscher von Europa waren. Auf den Trümmern eines Wachthurmes, den sie dort nach gewohnter Weise errichtet hatten, entstand auf dem Hügel hinter der jetzigen Abtei und zwar — wie man annimmt im X. Jahrhundert — eine Art von Veste, welche den Namen Runa trug. Das Stift selbst wurde von Markgraf Leopold I. gegründet und war im Jahre 1128 so weit durchgeführt, dass der Abt Gerlach von Dunkenstein mit zwölf Cisterciensern einziehen konnte. So viel nur von der Entstehung dieses Ortes, um damit den Eindruck zu bestimmen, den Thal und Stift auf den Besucher hervorbringen. Leider erfüllt die Kirche die Erwartungen des Kommenden nicht, denn sie trägt alles Unschöne jener Bauart an sich, welche man im Beginne des XVIII. Jahrhunderts fast mit einer Art von Leidenschaftlichkeit anwandte, um dem echt kirchlichen, gothischen Styl Widerpart zu halten und, wo nur möglich auch seine letzten Reste zu zerstören oder mindestens zu verunstalten. Was hat Wien nicht verloren durch die — „Verlarfung" würde ein Mineraloge sagen — eines Theils der St. Michaelskirche, der Kirche am Hofe, der Schottenkirche u. s. w.! Welchen historischen Anstrich hätte die alte Kaiserstadt, wäre nicht die Wuth des Schnörkels gerade über die wichtigsten Gebäude hergefallen! Der Freund des Alterthums betritt daher das geräumige Gotteshaus zu Rein mit einer Art von Unbehagen, denn er fürchtet, dass mit dem Neubau wohl manches Denkmal, wohl mancher architektonische Überrest verschwunden sei, und es gemahnt ihn fast, als würde er auch das Denkmal Herzog Ernst's des Eisernen vergeblich in diesen Räumen suchen. Endlich findet er es, aber nicht am Eingange wie er erwartete oder vor einem Altare wie das Kaiser Friedrich's III., sondern in einer kleinen, fast unbenützten, ziemlich kahlen Seitencapelle rechts vom Hochaltar.

Nicht allein die fehlende Nase und das zerbrochene Scepter deuten auf eine einstige Geringschätzung dieses so interessanten Denkmales, denn auch die ursprüngliche Tumba scheint verschwunden. Der Grabstein liegt nämlich schräg auf einer später gemauerten Grabeinfassung. Der ausgezeichnete Botaniker Professor Franz Unger erzählte mir, dass in seiner Knabenzeit die Kinder öfter Stücke der Kleidung des Herzogs aus den Löchern dieser Umfassung hervorzogen und Herr Dr. Sebastian Brunner macht in der Wiener-Kirchenzeitung vom Jahre 1856, Nr. 93 vom 18. November, in seinem Artikel über das Stift Rein die Bemerkung, dass man „durch eine Öffnung des Sarkophages noch das schwarzsammtene mit Gold gestickte Todtenkleid wahrnehmen konnte". Wir beide fanden die Tumba hingegen vollkommen geschlossen. Die Übertragung des Grabmales, welches sich früher an dem zweiten Pfeiler des jetzigen Einganges der Kirche befand, wurde mit den betreffenden Feierlichkeiten in die Heiligkreuzcapelle im Jahre 1746 bei dem gänzlichen Umbau der Kirche vorgenommen. An dem Pfeiler, an welchem es sich ehemals befand, ist eine Tafel von weissem Marmor (57 Centim. hoch und eben so breit) mit folgender Inschrift eingemauert, welche mein Reisegenosse abschrieb, während ich in der Capelle zeichnete und die er mir dann gütigst mittheilte:

ECCE LOCVS
VBI POSITVS EST SERENIS. DVX STYRIÆ
ERNESTVS FERREVS
DIE X. IVNIJ
Aõ M. CCCC. XXIV.
EX HOC VERO ANTIQVA ECCLE. SACRARIO
AD HVJVS TRANSLATVS
P. MARIANVM ABB. etc. CONV. RVN
DIE X. OCTOB.
Ao. M. DCC. XLVI.

Schon der erste Anblick des Grabsteines von rothem Marmor, der den Herzog in ganzer Figur darstellt, reicht hin um fest zu stellen, dass diese Arbeit nicht von der Hand des Nicolaus Lerch herrühre, denn Anordnung und Technik haben mit den zuvor genannten Arbeiten dieses Meisters durchaus keine Ähnlichkeit. Die Frage, um derenwillen wir die Reise unternahmen, war also in den ersten Minuten von uns beiden übereinstimmend gelöst. Wenn sich aber auch in dieser Hinsicht unsere Hoffnungen nicht erfüllten, so bot doch der Stein selbst grosses Interesse, denn die Arbeit ist ernst und mit vielem Fleiss durchgeführt, Haare und Bart sind noch ornamental gehalten oder in jener Weise vorgestellt, wie wir sie bei den Mähnen von Löwen finden, welche in früheren Jahrhunderten entstanden, nämlich in meist kurzen, geringelten, gekämmten Partien. (Fig. 1.)

Die Gestalt des Herzogs ist gross und liegt ganz ausgestreckt da. Das Haupt mit der Zinkenkrone ruht auf einem Kissen. Die Figur ist in einen Plattenharnisch gehüllt, unter dem sich ein Ringpanzer befindet, der am Halse, an den Oberarmen und an den Ausschnitten des Brustharnisches sichtbar ist und unter dem geschobenen Lendenstücke in Form von Zacken, unter den Kniepuckeln und unter den Schienbeinplatten aber in runder Form herabhängt. Über die Achseln fällt die mit einer Spange zusammengehaltene und mit Edelsteinen besetzte Chlamys herab. Der Gürtel, mit Vierpässen geziert, befindet sich zwischen Brustkorb und den Hüften und eine zweite Gürtelverzierung befindet sich an dem unteren Rande des Lendenstückes. Das Schwert, welches der Herzog in seiner Linken hält, ist durch eine Kette befestiget, die von der rechten Seite, an welcher der Dolch hängt, herüber zieht. In der rechten Hand sind die Überreste des Scepters. An der Spitze des Schwertes befindet sich ein Thierkopf mit zwei gekämmten aufsteigenden Haarbüscheln. Die Eisenschuhe sind geschoben. Dem Herzog zu Füssen liegen zwei Löwen und der untere Theil der Chlamys wird von zwei Engeln gehalten, welche ich leider nicht copiren konnte, da mir bei der furchtbaren Kälte in der Capelle beim Zeichnen der Figur die Hände schon vollkommen erstarrt waren. Auf dem Rande des Grabsteines liest man:

Obiit. serenissimus. princeps. Dux. Arnestus.
Archidux. Austrie. Stirie. Karinthie.
Carneole. Anno. Domini. M. CCCCXXIIII.
decima. die. Mensis. Junij.

An den vier Ecken sind vier Wappen angebracht, nämlich der österreichische Bindenschild, der steirische Panther, der Adler von Krain und die drei Löwen von Kärnthen. Wie schon erwähnt ist die Arbeit eine sehr fleissige und durchgeführte und verräth jedenfalls einen Meister von eben so viel Begabung als guter Schule, der nur, wie die Behandlung der Haare anzeigt, einiges aus früheren Zeiten mit herübernahm. Wie schade, dass über ihn wohl alle Nachrichten fehlen, wie denn auch kaum zu denken ist, dass sich irgendwo und irgendwie die Rechnungen über dieses Denkmal auffinden lassen, welches ohne Zweifel zu den bedeutenderen Arbeiten mittelalterlicher Plastik im österreichischen Kaiserstaate zu zählen ist.

Bei der Rückreise vom Stifte Rein hielten wir in Bruck an der Mur an, um in der dortigen Pfarrkirche den Grufstein des Herzog Ernst aufzusuchen. Dieser achteckige Stein, der im Fussboden vor dem Hauptaltare liegt, findet sich ebenfalls bei Hergott (auf derselben Tafel) abgebildet aber höchst unrichtig. Nicht nur dass die Anordnung des Ganzen verfehlt ist, sondern auch die Ornamente entbehren den Charakter, den sie auf dem Stein tragen, den man übrigens so ungünstig lagerte, dass er nun beinahe gänzlich ausgetreten ist und von den Wappen von Österreich, Steiermark und Kärnthen beinahe nur mehr die Spuren zu erkennen sind. (Fig. 3.) Die Umschrift, welche der Zeichner Hergott's nicht enträthseln konnte, wurde von meinem gelehrten Reisegenossen auf folgende Weise gelesen:

FRIDERIC | TERCIVS HIC SV,NT ERNESTI ARCHI
VISCERA CLAVSA DVCIS XI ..ZA DECIĀ DIE |
MENSIS IVNIJ | .... |

das Wort auf der achten Seite des Octogons vor dem Namen Friedrich's ist so sehr abgetreten, dass es durchaus nicht mehr lesbar ist, vielleicht hiess es einst CAESAR. Jede Seite des Achteckes misst 22 Wiener Zoll.

Angeregt durch das Denkmal Herzogs Ernst's entschloss ich mich, noch einige andere plastische Arbeiten in unserer Heimat aufzusuchen und begab mich denn nach dem fast gänzlich unbekannten Dörflein Winzendorf, welches beiläufig zwei Stunden westwärts von Wr. Neustadt gegen das Gebirge hin liegt und in seiner kleinen Kirche, nebst einem Altarblatt aus dem Ende des XV. Jahrhunderts, welches den Tod der heil. Maria vorstellt, aber sich nicht viel über eine sogenannte „Gesellenarbeit" erhebt, auch fünf Grabdenkmale der in Österreich einst hochgeachteten Familie der Teufel, und zwar jene des Freiherrn Christoph v. Teufel † 1570, des Erasmus v. Teufel auf Landsee † 1552, des Wolfgang Mathias v. Teufel † 1587, der Susanna v. Teufel † 1590 und der Euphrosina v. Teufel geb. v. Tanhausen † 1613 enthält. Drei von diesen Denkmalen sind mit plastischen Arbeiten geschmückt, nämlich das des Christoph v. Teufel, der Susanna und des Wolfgang Teufel.

Christoph Freiherr v. Teufel ist auf seinem Grabsteine in Lebensgrösse und vollkommen geharnischt dargestellt (Fig 2). Er berührt mit der Linken die Parierstange seines Schwertes und hält in der Rechten die Fahne. Der eiförmige Helm endet oben in einer Spitze und wird von vier Straussfedern geschmückt. Das geöffnete Visier lässt nur den oberen Theil des ernsten, männlichen Angesichtes sehen, der Mund ist durch die Kinndecke des Helmes verborgen, über welche nur der Schnurrbart herausgekämmt ist. Die Rüstung entspricht in allen ihren Theilen der zweiten Hälfte des XVI. Jahrhunderts. Das Bruststück trägt einen Rüsthacken. Der Leibgürtel ist um die Hüften geschnallt, der Schwertriemen hängt aber schräg über die Dilgen herab, welche mittelst Schnallen an den Lendner befestigt sind. Über die linke Schulter hängt eine Kette herab, welche ohne Zweifel jene goldene Gnadenkette darstellt, die der Freiherr vom Kaiser Ferdinand I. für seine Verdienste erhalten hatte. Christoph wurde im Jahre 1514 geboren, er war der Sohn des Mathias Teufel zu Krottendorf (jetzt Froschdorf oder Frohsdorf bei Wr. Neustadt) und dessen Frau Apollonia geborne v. Mallinger. Er wurde kaiserlicher Rath bei Ferdinand I. und blieb es unter Maximilian II., war von 1563 bis 1565 Verordneter der niederösterreichischen Landschaft und dann kaiserlicher Proviantcommissär in Ungarn. Er starb im Alter von fünf und fünfzig Jahren am 1. April 1570.

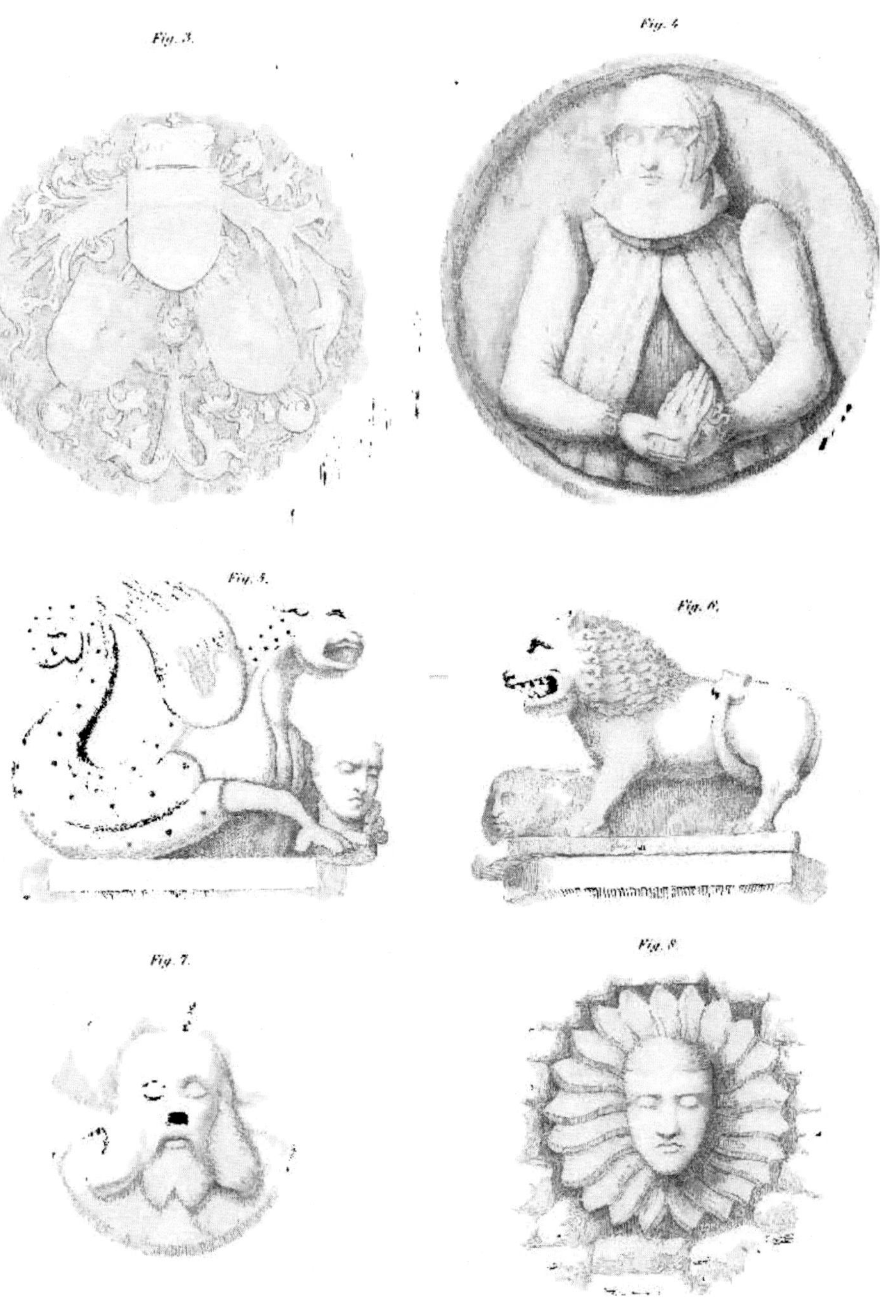
Fig. 3.
Fig. 4
Fig. 5.
Fig. 6.
Fig. 7.
Fig. 8.

Der Grabstein ist aus rothem Marmor gemeisselt und der Bildhauer, der ihn fertigte scheint ein tüchtiger Praktiker gewesen zu sein und dürfte wohl seinen Aufenthalt in Wr. Neustadt gehabt haben, wo früher Nicolaus Lerch seine Werkstätte hielt und wo es, so wie in der Umgegend, stets reiche Leute gab, die einen Werth auf Grabdenkmale legten. Feil sagt (in Schmidl's „Umgebungen Wiens" III. B. S. 593), dass der Grabstein einst vergoldet war, wir konnten aber keine Spur einer solchen Vergoldung finden, sondern sahen nur mehrere Ränder der Rüstung mit gelber Ölfarbe (Ocher) bestrieben, wo vielleicht einst etwas Gold aufgeklebt war, auch wüsste ich mich nicht zu erinnern, dass bei uns irgend ein marmorner Grabdeckel durchaus vergoldet anzutreffen wäre.

Gegenüber von dieser in ihrer Art ganz tüchtigen Arbeit ist der Denkstein seiner Frau Susanna eingemauert. Sie war die Letzte des Geschlechtes derer von Weisspriach, vermählte sich im Jahre 1547 und wurde Mutter von neun Kindern. Sie ist auf einer grossen Kehlheimerplatte im Brustbild in einem Kreise dargestellt (Fig. 4). Das Haupt und der Hals sind von einem gesteiften Tuch umhüllt, welches zu einer sogenannten Gugel zusammengebunden ist und nur das ruhige Antlitz der Frau sehen lässt, aus deren Zügen sich kund gibt, dass sie in ihrer Jugend wohl sehr schön gewesen sein mochte. Der Überrock mit engen, an den Achseln etwas hinaufgepufften Ärmeln, fällt auf der Brust auseinander und lässt das bordirte Unterkleid gewahren. Die Hände sind gefaltet, sie halten aber nicht, wie das bei den meisten Grabbildern von Frauen vorkommt, ein Gebetbuch oder ein Pater noster, sondern ein Paar Handschuhe, die dazumal und selbst noch viel später ein ausschliessliches Zeichen der Vornehmheit und des Reichthums waren. Ober dem Bildnisse befindet sich ein kleines Basrelief, welches die Gefangennehmung Christi darstellt, und an den vier Ecken des Steines sind die Wappen der Weisspriach, Logney, Hohendorf und Löbel [1] angebracht.

Was nun den künstlerischen Theil dieses Denkmals betrifft, so gehört der Kopf oder richtiger gesagt, das Antlitz Susannens, gewiss zu den besten plastischen Arbeiten des XVI. Jahrhunderts, denn es ist mit einer Empfindung und einer Wahrheit durchgeführt und von so feiner Vollendung, dass man hier nicht, wie so häufig die Arbeit eines geschickten Steinmetzes, sondern das Werk eines wirklichen Künstlers vor sich sieht, welches würdig wäre in Gyps abgeformt und in Kunstsammlungen aufgestellt zu werden.

Das Denkmal des Wolfgang Mathias Teufel, der im Jahre 1569 geboren und in seinem achtzehnten Jahre als Fähnrich bei den Truppen des Erzherzogs Maximilian während der Belagerung von Ofen (d. 9. September 1587) von einer Kugel durchbohrt wurde, stellt den jungen Mann in ganzer Figur und kniend dar. Es wurde ihm von seinen Brüdern Georg Christoph und Johann Christoph gestiftet und in weissem Marmor ausgeführt. Leider ist es zu hoch an der Wand eingemauert, als dass man die Details der Arbeit genauer wahrnehmen könnte, indessen scheint es den beiden Übrigen in der Ausführung ziemlich nachzustehen.

[1] Dieser Name ist etwas schwierig zu lesen, da er mit Kalk überstrichen ist, wie vermuthlich bei dem Ausweissen der Kirche geschah, indessen war eine Frau Felicitas Löblin die Schwester der Susanna Teufel. (V. Hueber Austr. ex archiv. mellic. I. I. C. 20, Nr. 32.)

In geringer Ferne von Winzendorf liegt das Dorf St. Ägyden auf dem Steinfelde, wo sich eine in romanischer Bauweise angelegte, nun aber gänzlich umgewandelte oder missgestaltete Kirche befindet, an deren flachem Abschluss sich ein Fenster zeigt, zu dessen Seiten zwei eben so alte als merkwürdige Sculpturen eingemauert sind, welche man in (Fig. 5 und 6) abgebildet findet. Die eine derselben stellt einen geflügelten Drachen mit geringeltem Schweif vor, welcher in den Pranken einen Menschenkopf hält. Die Formen dieses Drachen sind höchst eigenthümlich und die Bildung des Flügels so wie die Punktirungen auf dem Halse und auf dem Schweife, der in einer laubblattartigen Spitze endet, erinnern durchaus an jene mystischen und abenteuerlichen Thierfiguren, welche sich nicht selten an romanischen Kirchen zeigen und die man mit so vielem Vergnügen den Templern und ihren Geheimnissen zuschrieb, deren Erklärung aus irgend einem Physiologus aber wohl noch immer nicht zureichend sein dürfte, wesshalb auch wir dieses dunkle Feld der Vermuthungen nicht mit neuen Hypothesen vermehren wollen. Das Menschenhaupt, welches der Drache in den Klauen hält, soll, wie man mir gütigst mittheilte, den Kopf des Baffometus vorstellen. Mag es immerhin sein, ich fand nur, dass dieser Kopf einen merkwürdig ernsten, ja sogar wehmüthigen Ausdruck habe und dass der Bildhauer, als er ihn gestaltete, von einer düsteren oder schmerzlichen Idee ergriffen gewesen sein müsse, da ihm sonst jener Ausdruck gewiss nicht so gelungen wäre, wie es wirklich der Fall ist.

Das andere Bildwerk stellt einen Löwen dar, unter dem ein Stein liegt, an welchem nach vorn zu die Spuren eines menschlichen Angesichtes zu gewahren sind. Dieser Löwe ist in demselben Style und natürlich zur selben Zeit wie der Drache gearbeitet. Die Mähnen sind auf dieselbe Weise „stylisirt" wie früher bei den Haaren des Herzogs Ernst angedeutet wurde und der Schweif, der um den Leib geschlagen ist, endet in der Form eines antiken Ruders. Unwillkürlich drängt sich hier die Frage auf, wie diese beiden sonderlichen Gestalten nach der Kirche des einsamen Ägyden gelangten; allein sie lässt sich mit ziemlicher Wahrscheinlichkeit lösen, denn diese beiden Thierbilder standen vermuthlich ober dem Portal der alten romanischen Kirche und wurden bei der Umgestaltung derselben herabgenommen und, weil sie nicht zum Kalkbrennen taugten, da sie nur aus Sandstein und nicht aus Marmor gemeisselt sind, und weil man sie eben nicht wegwerfen wollte, an der jetzigen Stelle eingemauert, wofür wir dem Maurer in Beziehung auf die Seltenheit solcher Bildwerke unseren Dank aussprechen wollen.

Zwei andere sehr alte Bildhauerarbeiten befinden sich in Würflach (Wirvil-aha, Wirfl-ahe) am Fusse des Kettenloisberges. Das eine, ein Christuskopf, ist hoch oben an der westlichen Wand der Kirche eingemauert. Der Kopf ist eigenthümlich geformt, oben breit und unten schmal, die Augen sind geschlossen, die abgemagerten Wangen deuten auf die ausgestandenen Leiden, das lange Haar und der Kinnbart sind seitwärts gestrichen, hinter dem Kopf zeigt sich das Begenkreuz (Fig. 7).

Das andere Bildwerk befindet sich herunten in der Mauer des ehemaligen kleinen Friedhofes und stellt die Sonne dar (Fig. 8). Auch hier ist das Antlitz lang und schmal und sind die Augen geschlossen, die Lippen

III*

werden ernst zusammengedrückt und das Haar ist wagrecht nach den Seiten hin gekämmt. Die Strahlen oder Flammen, welche von dem Haupt ausgehen, sind auf eine sehr primitive Weise als eine Art welliger Zinken dargestellt, von denen die eine die andere berührt, so dass sie beinahe an die Blätter der Sonnenblume erinnern.

Beide diese Sculpturen haben denselben Durchmesser von beiläufig zwei Fuss, und da nun *Feil* (a. a. O. S. 599) angibt, dass sich in dem Hause des Richters zu Würflach in einem gewölbten Gemache „ein räthselhafter Kopf" befinde, so gerieth ich auf den Gedanken, dass dieser dritte Kopf ursprünglich vielleicht zu den beiden anderen gehören dürfte und dass er dann den Mond vorstellen müsse, da man in den Tagen der Vorzeit oftmals die trauernde Sonne und den trauernden Mond rechts und links neben dem gekreuzigten Heiland darstellte, was sich, um hier nur *ein* Beispiel anzuführen, auch in der Handschrift des *Otfrid* vorfindet, welche in der k. k. Hofbibliothek aufbewahrt wird. Leider war das Suchen nach dem Hause des Richters ganz vergebens. *Feil* hatte im Jahre 1839 geschrieben und wir leben jetzt im Jahre 1867; der altvorderliche „Richter" wandelte sich in einen modernen Bürgermeister, die alten Leute sind nach und nach heimgegangen und die jungen kennen das Alte nicht und kümmern sich auch nicht darum; und so mussten wir weiter wandern um unser Suchen nach alten Sculpturen mit der Betrachtung der Natur zu vertauschen, die im Thale von Buchberg so reizende Anblicke darbietet.

Die Bedeutung der Eisenbahnbauten für historische und archäologische Interessen.

Die Erfahrung lehrt, dass weitaus die Mehrzahl der archäologischen Funde bei Feldarbeiten, Strassenbauten, Grundausbebungen u. s. w. gemacht werden. In neueren Zeiten haben vorzüglich die Erdarbeiten zum Behuf der Herstellung von Eisenbahnen mannigfache Aufgrabungen und Funde veranlasst. Namentlich wurden bestimmte Spuren römischer Strassenzüge, Gräber, Grundbauten von Gebäuden u. s. w. aufgefunden.

Ja es stellt sich heraus, wenn man die Bahnlinien jener Länder, die von den Römern besetzt waren, mit deren Heeresstrassen vergleicht, dass die Bahnunternehmungen, im Bestreben die kürzesten Linien aufzufinden, meistens in jener Richtung gebaut haben, in welcher auch die Römerstrassen tracirt waren, selbstverständlich mit Ausnahme jener Fälle, in denen die moderne Cultur und das moderne Verkehrsleben andere Knotenpunkte geschaffen haben. So lief z. B. die römische Strasse von Vindobona nach Aquileja neben der heutigen *Südbahn* bis in die Gegend von Wiener Neustadt, dann mit der *Ödenburger* Flügelbahn in letztere Stadt; weiter durch Ungarn hinabgehend traf sie auf die *Pragerhof-Kanissaer* Bahn, mündete bei Cilli wieder in die Südbahn und folgte ihrer Linie mit einzelnen Abweichungen bis Monfalcone. Der zweite Verkehrsweg zwischen Rom und den Grenzländern folgte fast genau jener durch die Bodenbeschaffenheit gebotenen Linie, welche die *Brennerbahn* einhält mit ihren Fortsetzungen nach Innsbruck und Botzen. Die *Kronprinz Rudolfbahn* dürfte auf steiermärkischem kärnthnerschem und küstenländischem Boden zumal im Murthal, dann bei Klagenfurt, Villach und Tarvis, endlich längs des Isonzo mit dem dritten Verkehrswege zwischen Italien und dem Uferlande der Donau, nämlich mit dem innerösterreichischen Strassenzuge (Ovilabis-Noreja-Virunum-Aquileja) nahe zusammentreffen. Vor allem wird das Gebiet um Klagenfurt, das Zollfeld als Stelle des alten blühenden Virunum eine Ausbeute liefern können. Auch die Bahnlinie *Semlin-Fiume* wird, da sie Esseg und Sissek und wohl auch Mitrovic verbindet, der nachweislichen Römerstrasse im alten wichtigen Savelande stellenweise nahe kommen. Nicht minder werden die in den Thalwegen von Siebenbürgen anzulegenden Bahnstrecken in dieser Beziehung von Gewicht sein.

Es lässt sich demnach vermuthen, dass bei neuen Bahnbauten bauliche Denkmäler werden gefunden werden. Ob man auf die Strassen selbst treffen wird, ist Sache des Zufalls, da man einerseits nicht überall den Lauf derselben im Detail bestimmen kann, andererseits die kleinste Entfernung der Bahnlinie von der Strassenlinie, auch wenn ihre Richtung dieselbe ist, hinreicht, die Aufgrabung der Strasse selbst zu verhüten. Derlei Zufälle können eintreten und eben so gut nicht eintreten; aber für die weiter von den Strassenlinien entfernten Objecte: Gräber, Meilensteine, Stationen, selbst Castelle u. dgl. vermehrt sich die Wahrscheinlichkeit der Auffindung, da sie auf beiden Seiten der Strassen näher und ferner von denselben standen und um so leichter der Fall eintreten kann, dass die Richtung ihrer Axen mit den Bahnlinien zusammenfallen.

Die Bahnen, die jenseits der Donau gebaut werden sollen, wie die *Kaiser Franz-Josephsbahn* und die *Kaschau-Oderbergerbahn* werden Fundgebiete für Objecte barbarischer Cultur durchziehen, so erstere das in dieser Beziehung noch wenig bekannte Viertel ober dem Manhartsberge, letztere das Saroser Comitat, ausgezeichnet durch seine bedeutenden Goldfunde römisch-barbarischer Bildung. Eben so wird die projectirte Strecke *Lemberg-Brody* manche interessante Gebiete der polnischen Ebene berühren.

Darnach stellen sich die neuen Bahnbauten *vom archäologischen Standpunkte aus als eine Reihe von Ausgrabungsversuchen dar*, die in einer bestimmten zumeist den Linien der alten Verkehrswege entsprechenden Richtung fortgesetzt werden und nicht die geringste Auslage verursachen; ja man dürfte sich nie in der Lage finden, so ausgedehnte Recherchen im Boden der einzelnen Länder aus Rücksicht auf die archäologische Durchforschung derselben vornehmen zu lassen; *es dürften also solche Gelegenheiten*, unsere Kenntniss vom archäologischen Charakter verschiedener Länder zu vermehren, *nicht mehr wiederkehren*. Und gewinnen wird diese in jedem Falle, auch im Falle völliger Erfolglosigkeit, indem sich durch negative Ergebnisse gewisser Strecken ihre Bedeutungslosigkeit für archäologische Zwecke constatiren lässt und die Vermuthung von ihnen abgelenkt und jenen zugewendet wird, die in früheren Zeiten nach damaligen Verhältnissen bevölkert und bebaut waren.

Aus dem Vorbemerkten scheint die Nothwendigkeit hervorzugehen, dass von Seite der k. k. Central-Commission als dem dazu berufenen Organ die Interessen der Alterthumswissenschaft bei Gelegenheit neuer Bahnbauten entsprechend vertreten werden.

Diese Vertretung bezieht sich auf zwei Punkte: auf die Mittheilung der etwa bei Bahnbauten zu machenden Funde für das gelehrte und theilnehmende Publicum; auf Ansammlung und Aufbewahrung der Fundobjecte in einer einem grösseren Kreise zugänglichen Weise.

Für den ersten Punkt würde gesorgt werden, wenn es gelänge, die Aufmerksamkeit der Bahngesellschaften auf diesen Punkt zu lenken und sie zu überzeugen, dass die Eisenbahnen nicht blos als Vermittler des Verkehres von culturgeschichtlicher Bedeutung sind, sondern dass sie auch unmittelbar auf das wissenschaftliche Leben Einfluss zu nehmen berufen sind, indem ihre Bauten zu Beobachtungen und Entdeckungen über die Beschaffenheit des Erdbodens sowohl in geologischer als archäologischer Beziehung führen können, wenn diese sorgfältig gesammelt und den betreffenden Kreisen mitgetheilt werden. Die Gesellschaften werden sich wohl bewegen lassen, der k. k. Central-Commission durch die bauführenden Organe, die sie damit beauftragen, Mittheilungen über etwa gemachte Funde einzuschicken, die gewiss die Aufmerksamkeit der Archäologen und Liebhaber und den Dank der gebildeten Welt verdienen würden.

Nicht minder wichtig ist der zweite Punkt, nämlich die Sammlung der aufgefundenen Gegenstände und ihre Aufbewahrung an einem dem wissbegierigen und gelehrten Publicum zugängigen Orte. Was die Sammlung betrifft, so würden die Bahngesellschaften am zweckmässigsten thun, Bauführer und Arbeiter dafür verantwortlich zu machen, dass ihnen alle gefundenen Objecte, bewegliche und unbewegliche, genau mit Angabe der Fundstelle angezeigt werden. Die beweglichen wären bei der Bauleitung abzugeben, die sie mit der bei jedem einzelnen Gegenstande angefügten Bemerkung der Fundstelle zu sammeln und zur weiteren Verfügung der Bahngesellschaft bereit zu halten hätte. Von den unbeweglichen Gegenständen, Mauern, Särgen, grösseren Inschriftsteinen u. dgl. wären Zeichnungen, von Inschriften Papierabdrücke anzufertigen und diese der Bahngesellschaft einzusenden. Als Mittelpunkte der Ansammlung der gefundenen Objecte, um deren Besichtigung und Studium nutzbar zu machen, empfehlen sich das k. k. Antiken-Cabinet und die in fast allen österreichischen Ländern bestehenden Museen. Mit diesen Instituten unmittelbar oder im Wege der k. k. Central-Commission für Baudenkmale hätten sich daher die Bahngesellschaften in Verbindung zu setzen, und an die letztere namentlich alle Zeichnungen unbeweglicher Fundobjecte und Abklatschungen von Inschriften einzusenden.

Es braucht nicht erst auseinandergesetzt zu werden, dass den Bahngesellschaften durch Einhaltung dieses Verfahrens keine besondere Mühe, Zeit und Kostenaufwand verursacht, der Wissenschaft dagegen und den Landesinteressen ein grosser Dienst erwiesen würde.

Wien, 26. November 1867.

Joseph v. Bergmann,
Director des k. k. Münz- und Antiken-Cabinets.

Über zwei Handschriften der k. k. Hofbibliothek.

I.

IX. Jahrhundert. Cod. manusc. theotis. theolog. Nr. 2687. 4. Pergament. 191 Blätter.

Otfrid's[1] poetische Bearbeitung der Evangelien, in fünf Büchern, wahrscheinlich im Jahre 865 vollendet und durch zwei Federzeichnungen wichtig, welche von dem Stand der deutschen Kunst im neunten Jahrhundert Kunde geben.

Auf dem ersten Pergamentblatt ist ein Plan zu einem Labyrinth gezeichnet, ein Gegenstand oder besser gesagt, ein Räthsel, mit dessen Lösung sich gelehrte Köpfe, durch die Sage von Dädalus angeregt, bis in das XVI. Jahrhundert herab beschäftigten. Der Plan hat einen geradlinigen Eingang und besteht aus concentrischen Kreisen, die mit bleichen Farben angelegt und, wie Tinte und Farbe anzeigen, von derselben Hand wie die folgenden zwei Zeichnungen verfertigt sind. Hierauf folgt (Fol. 1 a.) die Widmung des Buches mit der Aufschrift: „Ludovico orientalium regnorum regi sit salus aeterna". Sie beginnt mit den Worten:

„Ludowig[2] ther snello, thes uuisduames follo" etc. Die Vorrede (Fol. 4 a) ist an den Erzbischof Luitbert von Mainz gerichtet und erst auf Fol. 9 b fängt der eigentliche Text an, der hier die Überschrift trägt:

„Incipit liber evangeliorum dni: gratia theotisce conscriptus."

Auf Fol. 112 a: ist durch eine Federzeichnung der Einzug Christi in Jerusalem vorgestellt. Christus, mit sehr derben Gesichtszügen, reitet auf einem schlecht gezeichneten Esel, dessen eines Ohr herabhängt, während das andere emporsteht und dessen Kopf auffallend zu kurz ist. Am Boden liegen, nur durch einige Federstriche angedeutet, drei Palmzweige und daneben drei Mäntel. Dem Heiland kommen fünf Männer entgegen. Der Erste hat den Mantel abgenommen, um ihn auf den Weg zu legen, und der Zweite hält einen Palmzweig. Am Rande der Zeichnung ist, ebenfalls nur mit wenigen flüchtigen Strichen, eine Palme angedeutet.

Oben ist die, ganz unarchitektonisch gezeichnete Stadt Jerusalem zu sehen, aus welcher wieder fünf bartlose Männer — grösser als die Häuser! — herankommen, um dem Einziehenden ihre Palmzweige zu bringen.

Die Zeichnung scheint ganz alla prima, d. h. ohne früheren Entwurf gemacht zu sein, beiläufig wie Knaben zu zeichnen pflegen. Das Unterkleid Christi ist mit gelber Farbe, und sein Mantel mit einem schmutzigen Grün angelegt. Der erste Mann im Vorgrunde hat eine gelbe Tunica und einen grauen Mantel und der zweite eine grüne Tunica, alles andere ist uncolorirt. Eine spätere, noch weniger geschickte Hand zeichnete über dem reitenden Christus acht Köpfe mit Heiligenscheinen. Zwei dieser Nimben sind grün angestrichen. Die Tinte ist gelb geworden. Auf den Sockel, auf welchem die Stadt Jerusalem steht, suchte sich irgend ein Besitzer der Handschrift durch die Zeichen 16: I E 15. (I. E. 1615) zu verewigen.

Die zweite Zeichnung (Fol. 153 b) ist wichtiger und fast ganz colorirt. Der Hauptgegenstand auf der-

[1] Mönch des Klosters Weissenburg (? Speyer ?), Schüler des Hrabanus Maurus.

[2] Ludwig das Kind, Sohn Ludwig des Deutschen; Otfried sagt auch Fol. 3 a, Vers [illegible]

selben ist Christus am Kreuz. Er ist bartlos dargestellt und hat sehr langes braunes Haar, das bei dem linken Arme bis an den Ellenbogen herabreicht. Die Seitenwunde fehlt. Das Schamtuch ist attichbraun[3]. Jeder Fuss ist einzeln angenagelt und unter ihnen steht ein kleiner Krug, um das aus den Wunden fliessende Blut aufzufangen. Das Kreuz ist sehr breit, hat eine Einfassung und unten einen schrägen Sockel. Obenauf steckt eine Tafel mit der Schrift: IHC . NAZARENUS. REX IUDEORUM.

Die Einfassung des Kreuzes ist abwechselnd mennigroth, ockergelb, attichbraun und grün. Die Körperformen Christi sind fast weibisch und zeigen nichts von der ascetischen Magerkeit späterer Crucifixe.

Oben, rechts vom Gekreuzigten, ist in einem attichbraunen Kreis die Halbfigur der weinenden Sonne dargestellt, ihre Haare und der Strahlenkreis sind mit Mennig angestrichen, die Tunica ist bleichbraun, die Chlamys, welche hier zugleich als Thränentuch benützt wird, schmutzig grün. Gegenüber zeigt sich in mennigrothem Ring der weinende Mond mit braunem Haar, hellbraunem Nimbus, grünlicher Tunica und bleichockergelber Chlamys.

Unten, rechts vom Kreuz, steht die heil. Maria. Sie hat einen ockergelben Schleier um den Kopf gewunden, der über die rechte Achsel bis über die Hälfte herabfällt. Die Ärmel des Unterkleides sind eng, braun und schmal gestreift. Das schmutzig grüne Oberkleid ist an den Rändern mit attichbraunen Borten geziert. An den Füssen bemerkt man atttichbraune Strümpfe und schwarze, spitze, roth eingefasste Schuhe. Der Nimbus besteht aus zwei Kreisen, von denen der äussere ockergelb, der innere attichbraun ist.

Gegenüber steht der heil. Johannes. Er hat langes Haar, eine ockergelbe, bis an die Knöchel reichende Tunica, nackte Füsse und eine attichbraune Chlamys. Er hebt verwundert und trauernd die beiden Hände empor, fast so wie bei der griechischen Art zu beten. So roh, so unbesorgt die Umrisse gezeichnet sind, so zeigen diese beiden Figuren doch etwas Dramatisches, denn auch Maria greift mit der Linken schmerzvoll an den Schleier, der ihre Wange umgibt und zeigt mit der Rechten auf den Gekreuzigten. Das Costume der heil. Maria ist interessant, da es der Zeichner, der überhaupt keine besondere Vorbilder zu haben schien, nicht erfand, sondern seiner Umgebung entnahm.

Über die Technik dieser beiden Zeichnungen, die, wie besonders die Formen der Hände anzeigen, von einer und derselben Feder herrühren, ist nicht viel zu sagen. Die Tinte scheint noch Kohlentinte[4], aber nicht sorgfältig genug bereitet zu sein, auch zeigt sich keine Spur von dem sogenannten „pimsiren" des Pergamentes, wodurch es Tinte und Farben leichter annimmt. An Farben kannte der Zeichner keine anderen, als lichten Ocker, Minium, Attichbraun, das er mit dem Ocker gemischt zur Farbe des Kreuzes verwendete, und eine Art von schmutzigem Saftgrün. Blau scheint er nicht gehabt zu haben. Alle seine Farben, selbst das sonst schreiende Minium sind matt, und allenthalben nachlässig aufgetragen. Sie scheinen mit Kirschgummi angemacht und haben einen matten Glanz. In den Gewändern findet sich keine Spur von irgend einem Motiv. Trotz aller dieser Mängel blickt man doch mit Ehrfurcht auf diese Zeichnungen, die mit zu den Erstlingen der deutschen Kunst gehören, die sich erst nach langen sechs Jahrhunderten entwickeln sollte. Sie sind ohne Geschicklichkeit, ja sogar mit einer Art von Leichtfertigkeit gemacht; allein es spricht sich in ihnen doch der Trieb „zu gestalten" aus, es zeigt sich in ihnen der Wunsch, dem Gedanken und der Empfindung Form zu geben, und aus diesem Grunde dürfen wir sie nicht blos als eine Antiquität aus dem neunten Jahrhundert betrachten.

II.

XV. Jahrhundert. Cod. manusc. german. theol. Nr. 2769. gr. Fol. Pergament. 2 Vol. T. I., 331 Blätter. T. II., . . . Blätter. 39 C. M. hoch 28 C. M. breit. (Früher Ms. Ambras. 21.)

Das alte und neue Testament, im Jahre 1464 für Mathias Eberler geschrieben. Auf dem ersten Blatte des ersten Bandes steht auf einem Rollstreifen (cartoccia) mit Goldbuchstaben: „In dem jar als man zalt M^CCCC^o vnd LXIIII hat Mattis Eberler dise bybly lassen machen. Des sell rüwe in dem friden goez". Das Wappen dieses Eberler, der einer schweizerischen (Basler) Patrizierfamilie angehören dürfte, nimmt eine ganze Seite ein. Es zeigt einen rothen Eberkopf in goldenem Feld. Die Helmzimier hat dasselbe auf den Namen der Familie deutende, redende Bild. Die Helmdecken haben Roth und Gold. Das Wappen ist auf blauem Grund gemalt, der mit feinen Silberzierathen tapetenähnlich geschmückt ist.

Der Schreiber dieser beiden mächtigen Bände ist Johann Liechtenstern. Man liest nämlich zu Ende des ersten Bandes: „Dis erst teil der Biblien ist von Johann Liechtensternn von München, die zit Student zu Basel geschrieben worden. Vnd vollendet vmb liechtmess im jar Tusend vierhundert sechezig vnd vier".

Fol. 263 des zweiten Bandes steht: „Dis ander teil der Biblien ist von Johann Liechtenstern von München, die zit Student zu Basel vsgeschriben worden an Sand Jacobs abent im Tusenden Vierhundert Sechezig vnd vier Jaren".

Der Student Liechtenstern hatte also den ersten Band wahrscheinlich im Winter 1463 zu schreiben angefangen, da er um Lichtmess (2. Februar) damit zu Ende kam, und begann dann sogleich den zweiten, mit welchem er schon zu Jacobi (25. Juli) fertig wurde, wodurch sich zeigt, welchen Fleiss und welche Gewandtheit er haben musste, um in beiläufig einem Jahre mehr als tausend Seiten (oder ungefähr 2300 Columnen) in schöner deutlicher Fracturschrift zu beschreiben. Es gehört dieses mit zur Geschichte der Erzeugung der Handschriften jener Epoche.

Eine Arbeit, die so viel Mühe und Auslagen forderte, sollte auch nicht ohne künstlerischen Schmuck bleiben, der Schreiber liess also zu jedem der einzelnen Bücher der heiligen Schrift einen Anfangsbuchstaben malen, der häufig auch noch von Rankenornamenten umgeben wurde. Diese Initialen, beiläufig 9 C. M. hoch und breit, enthalten durchaus Darstellungen aus der Bibel, und zwar im ersten Bande:

[3] Attichbraun. Im Mittelalter und schon in früherer Zeit bediente man sich des Attichsaftes, nämlich von den Beeren des Sambucus Ebolus, der im frischen Zustande violet ist und später braun wird.

[4] Kohlentinte. Vor der Erfindung der chemischen Tinte aus Eisenvitriol und Gallussäure bediente man sich eines Gemenges von Russ oder fein geriebener Kohle mit Gummi und zwar nahm man, bevor das arabische Gummi nach Europa gebracht wurde, die gummiartigen Ausflüsse von einheimischen Obstbäumen.

Fol. 1. Genesis. Init. B. Die Erschaffung der Eva. Oben ein Engel, der in jeder Hand das Wappen des Eberler hält. Dabei eine Ranke von Phantasieblumen.

Fol. 28 b. Exodus. Init. D. Mose's Zug durch's rothe Meer.

Fol. 47 b. Leviticus. Init. U. Gott spricht mit Moses.

Fol. 60 b. Numeri. Init. U. Der Herr spricht in der Wüste zu Moses.

Fol. 79 b. Deuteronomium. Init. D. Moses spricht zum Volk Israel.

Fol. 95 a. Prolog zum Buch Josua. Init. Z. Josua mit seinen Kriegern.

Fol. 107 b. L. Judicum. Init. N. Der Herr spricht zum Volk Israel.

Fol. 118 b. Prolog zum Buch Ruth. Init. R. Noëmi nimmt Abschied von ihren Töchtern.

Fol. 120 a. Prolog zum L. Regum. Init. D. Samuel mit der Krone Israel's.

Fol. 136 b. Zweites Buch der Könige. Init. S. Samuel gibt dem Saul die Krone Israel's.

(Das dritte Buch der Könige ist ohne Initial.)

Fol. 157 a. Viertes Buch der Könige. Init. U. Der kranke Ochozias.

Fol. 171 a. Prolog zum Paralipomenon L. I. Init. U. Die Söhne Ruben's, Gad's und Manasse kämpfen gegen die Agariter.

Fol. 184 a. Prolog zu Paralipomenon L. II. Init. E. Salomon ordnet den Bau des Tempels an.

Fol. 199 b. Prolog zu L. Esdras. Init. O. Josua und seine Brüder bauen den zerstörten Altar auf.

Fol. 206 a. L. Nehemiae. Init. D.

Fol. 213 a. Das zweite Buch Esdrae. Init. U. Josias opfert im Tempel zu Jerusalem.

Fol. 220 a. Vorrede zum L. Tobiae. Init. C. Tobias vom Engel geführt.

Fol. 225 a. Buch Judith. Init. D. Judith tödtet den Holofernes.

Fol. 231 a. Vorrede zum Buch Esther. Init. E. Ahasverus berührt das Haupt der Esther mit seinem Scepter.

Fol. 237 b. Prolog zum L. Job. Init. D. Job, der Satan und Gott Vater.

Fol. 250 b. Prolog zum L. David. Init. D. David mit der Harfe.

Fol. 285 b. Vorrede zum Buch der Weisheit. Init. D. König Salomon auf dem Thron.

Fol. 106 b. Prolog zum Ecclesiasticus. Init. M. abermals ein König auf dem Thron.

Im zweiten Band ist Fol. 1 b. wieder das Wappen des Eberler gemalt, mit der Umschrift: Mathis Eberler anno domini M°CCCC.LXIIII, dann folgen:

Fol. 2 a. Prophet Isaias mit einem Rollstreifen mit der Aufschrift: YSAIAS . ECCE . VIRGO . CONCIPIET . ET . PARIET . FILIUM. CA°. VII. Init. N. Hintergrund geschacht.

Fol. 27 a. Prolog zu Jeremias. Init. I. Jeremias mit einem Rollstreifen, darauf mit etwas unsicherer Schrift, da der Maler wahrscheinlich mit dem Latein nicht sehr vertraut war: CREAVIT . DNS . NOVUM . SUPER . CA°. XXXVI. Tapetenhintergrund.

Fol. 56 b. Baruch. Init. D. Baruch mit dem Rollstreifen, darauf wieder undeutlich: . . . RA NOMEN TUUM IN V. CA°. II. Am Saum des Kleides sind beil. 9 hebräische Buchstaben angebracht, die der Maler wohl auch nur hinmalte, um zu zeigen, dass er hebräische Buchstaben kenne, denn sie geben keinen Sinn.

Fol. 60 a. Ezechiel. Init. E. Der Prophet hält den Rollstreifen, worauf steht: PORTA HEC CLA . . . SA CA°. XLIII. Tapetenhintergrund.

Fol. 85 a. Daniel. Init. D. Der Prophet sitzt in einem Gemach. Rollstreifen: LAPIS ANGULARIS SINE CA°. II.

Fol. 95 b. Osea. Init. E. Auf dem Rollstreifen: EX EGYPTO. VOCAVI. FILI. CA° XI. Goldgrund.

Fol. 99 a. Joel. Init. D. Auf dem Streifen: SOL ET LUNA SUBTENEBRA. CA° II. Landschaftlicher Hintergrund.

Fol. 101 a. Amos. Init. O. Schrift: ODIO HABUERUNT IN PORTA. CA°. V. Tapetenhintergrund.

Fol. 104 a. Abdias. Init. I. QVI CONEDENT TECUM. PON. CA° I.

Fol. 104 b. Jonas. Init. O. MELIVS EST ENIM. CA°. III. Im Hintergrund ein Fenster.

Fol. 106 a. Michaeus. Init. I. TU BETLEHEM IVDA ME PUAQVA CA°. V. (soll wohl heissen V. 2. Et tu Betlehem Ephrata parvulus es.)

Fol. 108 a. Nahum. Init. N. DE DOMO DEI TUI INTERFICIAM. CA°. I.

Fol. 109 a. Habacuc. Init. U. DEVS AB AUSTO: VEN. CA°. III. Landschaftlicher Hintergrund.

Fol. 111 a. Sophonias. Init. D. REX ISRAHEL: ONS IN ME. CA°. III. Der Prophet hat am Saum seines Kleides wieder hebräische Buchstaben wie Baruch.

Fol. 112 b. Haggai. Init. I. EGO VOBISCUM SUM. CA°. II. Rückwärts eine Tapete.

Fol. 113 b. Zacharias. Init. D. CONVERTIMINI AD ME ET. CA°. I. (V. 3. Convertimini ad me ait dominus.) Tapete im Hintergrund.

Fol. 118 a. Malachias. Init. G. VENIET AD TEMPLUM. CA°. III. Rückwärts ein Sitz mit Tapeten.

Fol. 119 b. L. Machabaeorum. Init. D. Judas Maccabäus im Goldharnisch und einer Gleve mit den Buchstaben S. P. Q. R. (!) Rückwärts eine Landschaft mit einer Burg.

Fol. 144 b. Evangel. Mathaei. Init. A. Der Evangelist schreibt auf den Rollstreifen: LIBER GENERATIONIS. CA°. I. Hinter ihm steht der Engel.

Fol. 160 b. Evang. Marci. Init. S. Der Evangelist schreibt auf den Rollstreifen: PARATE VIAM DOMINI. CA°. I. Am Boden sitzt der sehr kleine, geflügelte Löwe.

Fol. 170 b. Evang. Lucae. Init L. Lucas sitzt am Pult und besieht seine Schreibfeder. Auf dem Streifen steht: AVE GRATIA. CA°. I. Vor ihm das Öchslein.

Fol. 188 a. Evang. Johannis. Init. D. Johannes noch jung, bei einem Schreibtisch auf welchem der Adler sitzt. Auf der Rolle steht: VERBUM CARNI. CA°. I. Goldgrund.

Fol. 200 b. Epistolae S. Pauli. Init. D. St. Paul mit dem Schwert. Auf der Rolle: OMNES ENIM PECAVER: CA°. III. Rückwärts eine Landschaft mit Gebäuden.

Fol. 232 b. Apostelgeschichte. Init. L mit der Himmelfahrt Christi.

Fol. 248 a. L. Jacobi. Init. D. Der heil. Jacob als Pilger. Auf der Rolle: VIR DUPPLEX ANI(mo) CA° I. Tapetengrund.

Fol. 250 a. Epistolae St. Petri. Init. P. Petrus mit einem grossen Schlüssel und einem Buch. Auf der Rolle: OBSECRO ABSTINERE ACAR: C° II. (?).

Fol. 252 b. Epistolae St. Johannis. Init. W. St. Johannes mit dem Kelch, noch jung. — SI DILIGAMUS NOS IN VICEM. CA° V. Glänzender Goldgrund.

Fol. 254 b. Epistolae. St. Judae. Init. I. Judas stehend, mit der Säge. Auf der Rolle: ECCE VENIET DOMINUS. CA° II.

Fol. 255 a. Apokalypsis. Init. A. Johannes, jung, sitzt am Ufer eines Flusses und schreibt auf eine Rolle: VII STELLAS. Ober ihm hält ein Engel ebenfalls einen Streifen mit der Schrift: QD VIDES HOC SCRIBE IN LI. (quod vides hoc scribe in libro. C. I. V. 11.) Im Hintergrund ein Felsberg mit einem Schloss. In der Ferne Berge.

Die Initialen des ersten Bandes sind von beiläufig drei bis vier verschiedenen Malern zu Basel gemalt worden, und durchgängig mit Deckfarben behandelt. Einige sind hell in der Farbe und keck hingestrichen, aber doch nur die Arbeit eines Gesellen, der viele Übung, allein kein Schönheitsgefühl hatte und so rasch als möglich fertig zu werden trachtete. Andere haben eine trübere Farbe, sind aber fleissiger und mit Nachahmung älterer Vorbilder gemalt. Eine andere Reihe von einer dritten Hand, ist schwerfällig und hölzern, auf die Localfarbe ist häufig nur mit Weiss hinaufgezeichnet. Auch hatte dieser dritte Maler bei weitem die mindesten oder eigentlich gar keine Kenntnisse der Perspective und man kann in dieser Hinsicht kaum etwas Komischeres sehen als seinen Josua (Vol. I. Fol. 59 a.), denn dieser steht an einem Fluss und dicht vor seinem Fuss fährt ein Kahn mit zwei Männern, die sich wie Mücken zu Josua verhalten, was die nebenstehende Copie deutlich darlegt. Perspectivfehler sind bei den mittelalterlichen Künstlern nichts weniger als selten, aber auf solcher Höhe finden sie sich nicht immer.

Die Initialen des zweiten Bandes sind alle von der gleichen Hand und wahrscheinlich von dem zweiten der zuvor bezeichneten Maler gefertigt, der auch das Auftragen des Goldes besser als die übrigen verstand. Auch diese sämmtlichen Initialen weisen auf eine gewisse Art von Buchmacherei, die freilich nicht so ausgedehnt war als die einstige römische, aber doch ihre Leute nährte. Denjenigen, der blos seinem Geschmack folgt, oder der nur auf das Schöne und Schönste ausgeht, werden diese Miniaturen nicht besonders begeistern, aber sie gehören, wie noch so manche andere, nothwendig zur Geschichte der Miniaturmalerei, und zeigen nebstbei die Art und Weise wie man biblische Gestalten damals aufzufassen gewöhnt war. *P.*

Über die Werke des Veit Stwosz, welche mit dem Monogramm des Meisters versehen sind.

Den Streit, welcher die Nationalität des Veit Stwosz [1]) zum Gegenstand hat, und welchen polnische und deutsche Gelehrte von Zeit zu Zeit führen, umgehend, begann man erst in den letzten Jahren, seine Werke mit mehr Kritik zu mustern, zu betrachten und zu beurtheilen [2]. Denn unlängst noch, und dies oft ohne irgend Gewissheit in dieser Hinsicht zu haben, schrieb man dem Krakauer Meister manches Werk zu, blos auf eine Vermuthung hin, die ein Tourist in einem Brief durch ein *es scheint* oder *vielleicht* ausgedrückt hat.

Ohne wohl zu irren, können wir behaupten, dass in Deutschland Rettberg und bei uns Rastawiecki die ersten sind, welche sich in dieser Hinsicht auf mehr kritisch angestellte Untersuchungen zu stützen bestreben. Der letztere hat die Einzelnheiten aus dem Leben des Veit Stwosz ungemein beleuchtet durch das Veröffentlichen (in der *Warschauer Bibliothek* [Bibliotheka Warszawska] B. 1. v. J. 1860) der Nachrichten, welche er in den nürnbergischen Archiven gefunden und mit denjenigen verglichen hat, was A. Grabowski, mit einer grossen Mühe vieler Jahre aus den Krakauer Rathhaus-Acten gesammelt und zusammengestellt hatte. Schade nur, dass, während die Behauptungen des J. Baader (*Beiträge zur Kunstgeschichte Nürnbergs*. Nördlingen 1860 und 1862) angeführt werden, die Resultate des Rastawiecki den Deutschen so gänzlich unbekannt sind. Die Originalauszüge und zwar in deutscher Sprache befinden sich in meinen Händen [3].

Zur Sache, die ich eben veröffentlichen will, zurückzukehren, bemerke ich nur noch, dass viele jener dem Stwosz zugeschriebenen Werke heute zu den bezweifelten gehören, und zwar: die Schnitzwerke in den Kirchen zu Lewocza, Kirchdorf, Bartfeld, Neusohl, dann zu Rudawa bei Krakau, in Anklam, Kolberg, Bothwil, auch in der Jagiellonischen Capelle in der Krakauer Kathedralkirche, so wie gleichfalls in der Krakauer Kirche St. Florian. Über das Schnitzwerk in der letzteren Kirche als einem wirklichen Werke des Veit Stwosz zweifelt mit Recht Essenwein (*Die mittelalterlichen Kunstdenkmale der Stadt Krakau* S. 222).

Unser Meister verliert hiedurch nichts, denn siehe da! — die Zahl seiner gewiss authentischen Werke wird durch neu entdeckte und constatirte vermehrt. Und so hat Graf Przezdziecki bewiesen, dass der Altar: die Geburt Christi (mit der Jahreszahl 1523) in der Bambergischen Pfarrkirche ein Werk des Stwosz ist, und Alexander Lesser, der Maler aus Warschau, entdeckte auf dem *Judaskuss* in der St. Sebald-Kirche zu Nürnberg, welcher dem Adam Kraft zugeschrieben

[1] Wir schreiben Stwosz, denn so hat er sich selbst in Polen geschrieben. Wenn man den Namen des Veit Stoss in Polen wirklich Stwosz schreibt, so hat das genau dieselbe Bedeutung, als wenn die Franzosen den Carracci: „Carraches" oder den Dominichino „Dominiquin" schreiben, die beiden bleiben doch für ewige Zeiten Italiener. Auch kommt es bei der sehr mangelhaften Orthographie jener Zeit oft vor, dass statt eines einfachen o, ein uo oder ó geschrieben wurde, aus dem dann durch weitere Verschiebung ein vv, und aus diesem endlich ein w entstand. Auch mit dem sz statt dem ss hat es ein ähnliches Bewandtniss. A. d. R.

[2] Um nicht zu wiederholen, weise ich blos auf das hin, was ich in den letzten Jahren selbst in dieser Hinsicht in deutscher Sprache geschrieben, und zwar in der *Krakauer Zeitung* (v. J. 1857 Nr. 128–134), wonach K. Weiss in den *Mittheilungen* (B. II, S. 280) seine Berichte erstattet hat. Nachher besprach ich in den *Mittheilungen* (B. III, S. 256) die Schnitzwerke in Bardiow (Bartfeld), welche dem Stwosz zugeschrieben werden, im fünften Bande daselbst (S. 291) gabe ich das Grabmal des Jagiellonen Kazimir, des Königs, und im neunten Bande (S. 97) den Hochaltar in der Marienkirche beschrieben. Jener Hochaltar, welcher nun restaurirt ist, wurde allgemein bekannt, theils durch Photographien des Rzewuski, nach dem Aquarelle meines Bruders Ludwig, theils durch Stahlstiche (des Friedlein), endlich durch die Lithographien, welche das Werk von A. Essenwein: „*Die mittelalterlichen Kunstdenkmale der Stadt Krakau*" zieren.

[3] Sie sind schon zur Herausgabe geeignet, wenn nur ein Verleger sich finden wollte.

wurde, das Monogramm des Meister Veit Stwosz. Diese seine Entdeckung gab Herr Lesser sowohl in polnischen Blättern, als auch im Anzeiger für Kunde der deutschen Vorzeit (Nr. 11 v. J. 1862) bekannt, liess dabei aber den grössten Theil der Aufschrift, welche er für ein orientalisches Epigraph oder wenigstens für geheimnissvolle phantastische Zeichen hielt, unenträthselt. Ich vervollständigte diese Entdeckung, indem ich diese Aufschrift folgenderweise gelesen habe: Die ersten vier Zeichen der beigegebenen Figur stellen

meiner Ansicht nach M499 vor, bezeichnen also das Jahr 1499; das fünfte Zeichen ist ausdrücklich das Monogramm des Stwosz, und das letzte, aus miteinander verschlungenem F und E bestehend, bedeutet: fecit. Das letztere Zeichen befindet sich auch auf dem Krakauer Grabmal des Jagiellonen Kazimir, des Königs, welches daneben ebenfalls mit der Jahreszahl, dem Monogramm und obendrein mit dem vollen Namen des Stwosz versehen ist.

Zu diesen zwei Werken, welche die Reihe der Stwoszischen Werke vergrössern, kommt nun noch ein zierliches Grabmal hinzu, und zwar das zum Andenken des im J. 1493 gestorbenen Zbigniew Oleśnicki, Erzbischofs von Gnesen, in der dortigen Kathedralkirche aufgestellte *. Dieses Grabmal ist mit dem Sarkophag des Jagiellonen Kazimir, welcher die Krakauer Kathedralkirche ziert, beinahe gleichzeitig gemeisselt worden. Der Styl, in welchem beide diese Grabmale ausgeführt worden sind, ist aus der Übergangsperiode des Spitzbogens in den Renaissancestyl. Derselbe Grundgedanke ist da in der Composition, in der Ornamentik und in der Ausführung, so wie die Eigenthümlichkeit eines und desselben Meissels. Dies versicherte mich bei der Betrachtung dieses Grabmals, dass ich ein bis nun noch unbekanntes Werk des Stwosz vor mir habe, welches nebstbei zu den grösseren und vorzüglicheren Arbeiten unseres Meisters gehört. Bei dem ferneren Forschen bewies sich meine Vermuthung als wahr und richtig, denn unten ober dem Randstreifen, auf dem die Aufschrift ist, fand sich das neben abgebildete Monogramm des Meisters Veit, ganz deutlich eingravirt. Wir haben also jetzt schon vier monogrammirte Werke des Veit Stwosz. Nämlich: Das Grabmal des Jagiellonen Kazimir in Krakau, den Altar mit der Geburt Christi in der bambergischen Pfarrkirche, — das Bild der Judaskuss in der St. Sebaldkirche zu Nürnberg, — und nun das Denk- und Grabmal des Zbigniew Oleśnicki in Gnesen. Wir hoffen, dass ein aufmerksameres Betrachten dieser Kunstwerke zu noch bedeutenderen Resultaten führen wird, wodurch wir uns veranlasst sehen, die Forscher an eine grössere Aufmerksamkeit zu erinnern. Zugleich drücken wir den Wunsch aus, baldmöglichst ein Album aller Stwoszischen Werke, was durch die Photographie sehr leicht bewerkstelligt werden kann, vor uns zu sehen.

Dr. Jos. v. Lepkowski.

* Wir werden in einem späteren Hefte auf dieses Grabmal noch ausführlicher zurückkommen und eine Abbildung desselben beibringen.

Besprechungen.

Karl's des Grossen Pfalzcapelle und ihre Kunstschätze, kunstgeschichtliche Beschreibung.

Herausgegeben von Dr. Franz Bock. I. Theil mit 61 Holzschnitten. gr. 8. Aachen 1866.

Das Heiligthum zu Aachen, kurzgefasste Beschreibung sämmtlicher grossen und kleinen Reliquien des ehemaligen Krönungs-Münster, sowie der vorzüglichsten Kunstschätze daselbst.

Von Dr. Franz Bock. Köln und Neuss 1867.

Wir führen die Titel zweier von diesem durch seine vielseitigen Leistungen um die Archäologie des Mittelalters hochverdienten Aachener Domherrn vor kurzem dem Publicum übergebener Bücher an, über deren Inhalt schon die Aufschrift hinreichende Nachricht gibt.

Dr. Bock will in dem ersteren dieser beiden Werke den ganzen Reliquienschatz, so wie die sämmtlichen metallischen Kunstwerke des Münsters vom IX. bis XVI. Jahrhundert, ferner den karolingischen Octogonbau, wie er ehemals beschaffen war und was noch heute davon besteht, die gothische Chorhalle, das kühne Bauwerk des XIV. Jahrhunderts von Baumeister Gerhard aufgeführt, die sämmtlichen gothischen Capellen und sonstigen Anbauten einer eingehenden Würdigung unterziehen.

Wir können den Plan dieses verdienstlichen archäologischen Schriftstellers nur in seinem vollsten Umfange loben. Es war schon lange eine Ehrenschuld Deutschlands, dem Lieblingsmünster des grossen Kaisers Karl ebenso durch Schrift und Bild gerecht zu werden, als derselbe endlich auch nach langer Erniedrigung und Entstellung die Zeit der Sühne und Wiederherstellung erreicht hat und gegenwärtig das Bestreben besteht, die Pfalzcapelle Karl's des Grossen mit ihren gothischen Anbauten in ihrer ursprünglichen Formenreinheit wiederherzustellen und wieder zu ergänzen, was sie durch den Zahn der Zeit und durch den Ungeschmack vergangener Tage an ihrer ehemaligen Schönheit eingebüsst hat. Nicht minder günstige Aussicht auf den bedeutenden Erfolg dieses Buches gibt der Umstand, dass gerade Dr. Bock, jene mit der Geschichte der mittelalterlichen Kleinkunst überhaupt und mit der Kunstgeschichte des Rheinlandes insbesondere so vertraute Persönlichkeit, sich die Herausgabe des besagten Werkes zur Aufgabe gestellt hat.

Es liegt uns von diesem Buche erst der erste Halbband vor, in welchem die metallischen Kunstwerke aus byzantinischer und romanischer Zeit — IX. bis XIII. Jahrhundert — besprochen und in zahlreichen ganz vorzüglichen Abbildungen veranschaulicht werden.

Eine ausführliche Besprechung finden jenes Gusswerk der classischen Kunstepoche, der sogenannte Wolf, ferner der Pinienapfel (die Artischoke), die beiden grossen Thorflügel mit den Löwenköpfen, sowie die sechs kleinern Thürflügel und die acht Empor-Gitterschranken, Gusswerke des XI. Jahrhunderts. Weiter werden berührt, das sogenannte Jagdhorn Karl's des Grossen, aus einem Elephantenzahn geschnitzt, das Kreuz Kaisers Lothar und das Evangeliarium Kaisers Otto. Schon der Inhalt der ersten Abtheilung dieses Buches gibt Zeugniss für den Reichthum und die Grossartigkeit dieses Kirchenschatzes, aus dem wir nur noch Erwähnung thun wollen, der goldenen Altartafel, eines elfenbeinernen Sprenggefässes aus dem V. Jahrhundert, der Evangelienkanzel Kaiser Heinrichs II., das Reliquienschreines mit den vier grossen Reliquien und jenes zweiten ähnlichen mit den Gebeinen Karl des Grossen, des berühmten Kronleuchters Kaisers Friedrich des Rothbartsetc.

Am Schlusse des ersten Heftes wird auch über jene drei Aachner Reichsinsignien (Schwert Karl's des Grossen, dessen Evangeliencodex und das Reliquiar mit dem Blute des heil. Stephan) gesprochen, welche sich seit 1798 in der k. Schatzkammer zu Wien befinden. So befriedigend es wohl sein mag, wenn auch diese Denkmale vergangener Kunst und zwar gerade in diesem Buche, da ein innerer Zusammenhang der Gegenstände es motivirt, ihre gebührende Beachtung finden, so ist die Art und Weise, wie von den Gegenständen daselbst und in jenem noch zu erwähnenden Buche gesprochen wird, zu sehr tendentiös, als dass man darüber mit Schweigen hinausgehen kann. Der Ausdruck, dass „widerrechtlich" diese Gegenstände sich in Wien befinden, dürfte doch etwas unpassend sein, eben so wie es mit den Gründen der Billigkeit und Gerechtigkeit nicht weit her ist, die dafür sprechen sollen, der Grabeskirche Karl's des Grossen jene Reliquien wieder zu gewähren, die derselben durch die Ungunst der Zeit entzogen worden sind.

Das zweiterwähnte, nicht minder reich ausgestattete Buch hat den Zweck, allen Besuchern der karolingischen Heiligthümer als Erinnerung an die Heilthumsfahrt im Jahre 1867 zu dienen. Wir finden hier eine kurzgefasste Beschreibung der sämmtlichen, auch in Abbildung beigebrachten Reliquiengefässe und sonstigen denkwürdigen Gegenstände dieses Münsters. Die obgleich durch eine besondere Veranlassung gebotene Anlage dieses Buches muss als so günstig und gelungen bezeichnet werden, dass man unzweifelhaft dieselbe als Muster für illustrirte Beschreibungen unserer inländischen Dom- und Stiftsschätze hinstellen kann, deren Herausgabe von mehrseitigem Standpunkte nur wünschenswerth ist.

...*m*...